Valbuena Prat, Angel, 1900–
Historia de la literatura española e hispanoamericana, por Angel Valbuena Prat y Agustín del Saz. [2. ed.] Barcelona, Editorial Juventud [1956]

328 p. illus. 23 cm.

Includes bibliography.

1. Spanish literature—Hist. & crit. 2. Spanish-American literature—Hist. & crit. I. Saz Sánchez, Agustín del, joint author. II. Title.

PQ6032.V32 1956 59—29109 ‡

Library of Congress [67c3]

HISTORIA
DE LA
LITERATURA ESPAÑOLA E HISPANOAMERICANA

HISTORIA
DE LA
LITERATURA ESPAÑOLA
E
HISPANOAMERICANA

por

ÁNGEL VALBUENA PRAT

CATEDRÁTICO DE UNIVERSIDAD

y

AGUSTÍN DEL SAZ

CATEDRÁTICO DE INSTITUTO

EDITORIAL JUVENTUD, S. A.

PROVENZA, 101 - BARCELONA

TERCERA EDICIÓN AMPLIADA Y PUESTA AL DÍA

Depósito Legal, B. 30.643-1964. — Núm. Registro, B. 180-1964

Nuestro núm. de edición: 3.976

IMPRESO EN ESPAÑA
PRINTED IN SPAIN

Atenas, A. G. - Escorial, 135 Barcelona

CAPÍTULO PRIMERO

LOS ORÍGENES DE LA LITERATURA CASTELLANA. LA ÉPICA

La literatura castellana. — El castellano, llamado así por haber nacido en el antiguo condado de Castilla (Castilla la Vieja), ha desarrollado una de las más ricas y espléndidas literaturas de la Humanidad. Como toda lengua vulgar que consigue expresar el sentir épico de su pueblo, llegó a ser idioma preponderante. La literatura castellana comienza a desenvolverse al calor de la Edad Media, de la que conserva sus características principales (espíritu religioso, realismo, persistencia de la tradición épica peninsular y ciertas tendencias moralizadoras y satíricas). No queda ajena a las influencias literarias generales medievales (francesas, provenzales y orientales). Lo puramente literario comienza en el siglo XII *(Poema de Mío Cid)* y llega a su mayor desarrollo y perfección en los siglos XVI y XVII, que coinciden con la grandeza política de España.

Los orígenes de la lengua castellana. — La península ibérica ha sido invadida por diversos pueblos cuyos elementos lingüísticos han ido, indudablemente, componiendo nuestro castellano; pero el núcleo esencial de formación lo constituyó el latín vulgar hablado en Hispania bajo la dominación romana. No se puede establecer el momento de iniciación del castellano, pero sí asegurar que cuando los árabes invaden España (711), el latín peninsular era ya una lengua romance uniforme para toda España. Tal vez por esto nos sorprende encontrar palabras semejantes al gallego en los pueblos de Andalucía (Capileira y Pampaneira, en la provincia de Granada). No es extraño ya que los autores clásicos latinos de la Edad de Oro adviertan el evidente acento dialectal del latín hispánico, que lo hacía diferenciarse del que se hablaba en las otras provincias del Imperio Romano. Aparte este predominio absoluto del latín, encontramos en el castellano otros elementos de formación. Así, tenemos voces de las primitivas lenguas ibéricas (páramo, vega, sapo y voces del sufijo *rro,* como ventorro), de las lenguas germanas (nombres propios: Elvira, Ramiro; nombres de lugares: Burgos; de motivos de guerra y costumbres medievales: guerra, espuela, arpa, guisar); de la lengua árabe son muy numerosos los vocablos y responden a los ocho siglos de dominación (voces de táctica militar: alférez, alfanje, jineta, rebatos, algaras; de su organización administrativa o judicial: alcalde, albacea, alguacil; de la actividad comercial: almacén, aduana, tarifa; de los oficios e industrias: albornoz, alfombra, albayalde, alcuza, tarima, alhaja; de la agricultura: aljibe, noria, algarroba, aceituna, zagal; de las bellas artes: tambor, rabel, albañil, alféizar, alcoba). Los idiomas romances de otros pueblos de Europa también ejercieron influjo sobre el castellano, y ya desde la Edad Media. Tal la influencia de la lengua francesa en los siglos XIII y XIV, que luego, en el XVIII, había de hacerse tan fuerte (paje, jardín, jaula). En la época renacentista, con la hegemonía literaria italiana, este romance influye mucho en el castellano, que recibe de él numerosos vocablos (carroza, terceto, piano, centinela). Con los grandes descubrimientos españoles del siglo XVI el castellano recibe, antes que las demás lenguas europeas, el vocabulario de las costumbres, industrias y productos americanos (chocolate, canoa, cacique, loro, vicuña). En los tiempos modernos, el inglés ejerce una gran influencia, sobre todo en el vocabulario de la industria y de los deportes.

Las formas peculiares del castellano empezaron a aparecer en el siglo X. Los documentos en que pueden estudiarse son las obras eclesiásticas en que aparecen aclaraciones en romance castellano. El glosador pone al lado de la palabra latina no entendida su correspondiente castellana. Esto se da en importantes textos de los monasterios benedictinos de San Millán de la Cogolla *(Glosas Emilianenses)* y de Santo Domingo de Silos *(Glosas Silenses)*. Igual ocurre en los escritos jurídicos y contratos (del año 938 hay una donación hecha en latín, con palabras romances como *prado* y *pozo*) (*).

La épica popular. El cantar del "Mío Cid". — El pri-

(*) Una «nota emilianense», descubierta por Dámaso Alonso, revela que en el siglo XI se conocía ya el ciclo épico francés sobre Roldán, con formas hispanizadas. Las «jarchas» llevan el dialecto hispánico, en forma bellamente lírica, a este mismo siglo. Son como estribillos romanceados, al fin de estrofas en árabe o hebreo, y se adelantan, por su fecha, a la lírica provenzal.

mer monumento literario del castellano corresponde a la epopeya que parte de los hechos inmediatos heroicos para elevarlos a categoría poética y es la primera visión amplia del ambiente contemporáneo. Significa el nuevo carácter castellano frente a la hegemonía leonesa. La gran epopeya y representación máxima de género épico castellano es el poema de *Mío Cid*. Lo conservamos en una copia de comienzos del siglo XIV, y Menéndez Pidal lo ha situado a mediados del siglo XII, como escrito hacia 1140. El códice conservado del poema está incompleto, pero ha sido reconstruido por Menéndez Pidal.

Contenido del "Mío Cid". — Este poema se distribuye en tres cantares: *Cantar del destierro del héroe, Cantar de las bodas de sus hijas* y *Cantar de la afrenta de Corpes.*

a) En el cantar del destierro aparece el Cid desterrado de Vivar por Alfonso VI, de donde sale *de los sos oios tan fuertemientre llorando* para emprender una serie de triunfos guerreros que culminan con la prisión del conde de Barcelona

b) En el de las bodas, el Cid conquista Valencia, nombra obispo a don Jerónimo, envía presentes al rey, obtiene de éste que permita a su mujer, doña Jimena, y a sus hijas vivir en Valencia, se reconcilia con el rey a orillas del Tajo y accede al matrimonio de sus hijas con los infantes de Carrión.

c) En el de la afrenta de Corpes se presenta la vida de los de Carrión en Valencia, donde son objeto de burlas por su cobardía. Pero ellos se vengan en las hijas del Cid, a quienes maltratan ferozmente y abandonan en el robledo de Corpes. El Cid pide justicia al rey, que convoca Cortes en Toledo, donde los de Carrión son tachados de *menos valer,* desafiados, vencidos y declarados traidores.

Realismo del poema. — Inmediato a los hechos que canta — el Cid había muerto en 1099 — puede advertirse su absoluta verdad geográfica. Desde que sale de su tierra, el Campeador conoce muy bien el terreno. Los personajes importantes son igualmente reales (el Cid, Alfonso VI, Alvar Fáñez, Martín Muñoz, Nuño Gustioz, etc.). En este sentido puede señalarse el *Mío Cid* como de un arte más objetivo que las otras epopeyas occidentales. Ello no quiere decir ausencia de motivos legendarios, que no faltan en el poema (las arcas de arena, la aparición del ángel Gabriel y el episodio del león en Valencia).

Este realismo de hechos coincide con el castellanismo y sobriedad que caracteriza la exposición del poema. El juglar era un enamorado de la región fuerte y severa que había de modelar el alma de España. Castilla *gentil* es lo que alienta en el héroe y en sus leales vasallos: generosidad, esfuerzo bélico, dignidad, amplitud acogedora, recia virilidad y nada de idealización. Es un arte sencillo y seco, pero en el que basta una leve nota de paisaje para fijar el ambiente.

Personajes del poema. — El Cid — Rodrigo Díaz de Vivar — es el héroe amado y popular *(¡Dios, qué buen vasallo si oviese buen señor!)*, leal a su monarca, no obstante el destierro injusto; valiente sin tacha; religioso (escenas de Santa María de Cardeña); generoso (trato al conde de Barcelona y perdón a los prisioneros); tierno en la vida familiar (recuérdese su despedida de doña Jimena y sus hijas, niñas todavía); respetuoso ante lo jurídico (no se toma la venganza por sus manos ante la afrenta de Corpes), etc. Su aspecto físico es un tipo definitivo de raza: luenga *barba vellida,* animoso, emprendedor y lleno de orgullo.

No sólo el Cid, sino los demás personajes aparecen potentemente reflejados por el juglar con rasgos inconfundibles: doña Jimena, modelo de castellana, digna virtud y feminidad, junto a la entereza de carácter; las hijas del Cid, doña Elvira y doña Sol, melancolía y alegría respectivamente, idealización de lo femenino; el tipo tradicional de judío, en los engañados Raquel y Vidas; los caballeros del Cid, hombres de batallas, frente a los infantes de Carrión, hombres de salón y de torneo, pero cobardes en la guerra y ambiciosos y traidores en su vida de relación. Y aún hay personajes que apenas se asoman al poema, pero que el poeta supo darles una encantadora gracia y ternura, como aquella niña de nueve años que aplaca al Cid en Burgos y le hace ver los daños que caerán sobre las personas que le den posada.

La métrica del poema. — No se sujeta a ninguna pauta determinada en cuanto al número de sílabas, siendo por lo tanto irregular y adaptada sólo a las necesidades del recitado. Menéndez Pidal señala que en el *Mío Cid* hay versos desde diez hasta veinte sílabas, siendo la mayoría a base de catorce con diferentes variantes en los hemistiquios.

El *Mío Cid,* como nuestras otras *gestas* (hazañas memorables de algún personaje), corresponde a la **poesía juglaresca,** de sentido popular. Sus recitadores eran los **juglares,** que lo mismo podían ser cantores mendicantes que profesionales de la alegría.

Vestían trajes de colores diversos y chillones, y los autores crearon un género completamente identificado con el alma del pueblo y verdaderamente original. En el *Mío Cid* es claro el carácter juglaresco; y, como está compuesto con vistas a ser recitado en público, encontramos en sus versos frases como éstas: *Yo vos diré, ¿Quién los podríe contar?, Mala cuenta es, Señores, aver mingua de pan.*

Otras gestas primitivas. — Es indiscutible que, además del *Mío Cid,* existieron otros poemas no conservados. Así en el siglo XII debió también ser compuesta la **Gesta de los infantes de Lara.** Otra reconstitución del señor Menéndez Pidal es un poema en el que se reflejan los odios de familia. Termina en una lúgubre venganza.

Comienza con las bodas de Ruy Velázquez con doña Lambra de Bureba. Doña Sancha, hermana de aquél, acude con sus hijos los siete infantes. El menor de éstos mata en una disputa a un primo de doña Lambra. De aquí parten una serie de disputas y ofensas que terminan con que doña Lambra se finge desagraviada, envía al padre de los infantes — Gonzalo Gustioz — con una carta en árabe para Almanzor en que le dice decapite al mensajero y vaya a la frontera por los infantes. El moro se contenta con encerrarle. Los infantes, no obstante los ruegos de su ayo Nuño Salido, parten a una incursión en campo de moros, donde son rodeados y decapitados. Sus cabezas son enviadas a Córdoba y Almanzor las muestra al padre, que hace llanto sobre ellas. La figura más interesante y legendaria es la de Mudarra González, hijo de Gonzalo Gustioz y una mora, que es el encargado de satisfacer la justicia poética, ya que mata a Ruy Velázquez y quema viva a doña Lambra.

Como el *Mío Cid,* se distingue por su realismo en la geografía y, sin duda, se trata de una venganza célebre que debió impresionar a la sociedad medieval de tierras de Burgos.

De esta época serían otros cantares como el de la mora Zaida, esposa de Alfonso VI; el de don Sancho II de Castilla, que ha sido reconstruido por don Julio Puyol, y que tal vez fue escrito antes que el del Cid; otros reflejan lo populares que eran en España los hechos de Carlomagno, como el *Roncesvalles,* que se cree es del siglo XIII y cuyo fragmento conservado se reduce a narrar el momento en que el emperador Carlos halla en Roncesvalles el cadáver de Roldán, sobre el que hace larga lamentación, quedando adormecido.

Todas estas gestas han dado lugar a muchos romances, y alguna — especialmente la de los infantes de Lara — son un ejemplo de la persistencia de la tradición épica en la literatura española.

CAPÍTULO II

LÍRICA CASTELLANA PRIMITIVA

Lírica castellana primitiva. — Poco puede saberse de la poesía lírica popular, ya que no fue escrita. Sin duda, por el camino de Santiago penetraron las canciones provenzales, que, aunque a veces mantienen su tipo erudito, son populares y perduran hasta el siglo XVI. La poesía en gallego (cantigas de amor, de amigo, vaqueras, villanescas y cantares de escarnio) lleva con retraso sus temas a la castellana, que además se ve influida por la métrica árabe. Ya aludimos (nota de la pág. 6) al valor histórico de las «jarchas».

Los géneros que se cultivan son: las canciones de *vela,* los cantos de *romería,* los de *ronda,* los de *segadores* y *espigadores,* los de *caminantes* y las *canciones de amigos.* Una de las canciones líricas más hermosas son las *serranillas* (especie de las *vaqueras* de los provenzales y gallegos), donde comienza el encuentro del caminante con la pastora que le servirá de guía por la montaña:

Paséisme ahora allá serrana,
que no muera en esta montaña.

De las fiestas florales paganas deriva otra canción lírica, la de los *Cantos de Mayo* o *«Mayas»* (así se llamaba a la elegida por más hermosa). De este tipo, según las oportunidades calendarias, surgían otras canciones líricas (de Navidad, de la noche de San Juan, de Carnaval, de serenata, etc.). De los cantos de segadores quedan los *villancicos* iniciales, algunos tan conocidos del teatro clásico español:

Segador, tírate afuera,
deja entrar a la espigaderuela.

La técnica de estas canciones parece ser un villancico inicial glosado en estrofas; al final se repite el villancico a manera de estribillo. El villancico es el punto de partida.

El mester de clerecía. — La palabra *mester* vale tanto como menester, y *clerecía* corresponde a clérigos (hombres de letras). Varía el fondo y la forma de los poemas antes vistos, que pertenecían al Mester de Juglaría. Escriben sus versos en estrofas y sílabas contadas. Todos los poemas de Clerecía están escritos en el **tetrástrofo monorrimo alejandrino** (estrofa de cuatro versos que riman entre sí y de catorce sílabas o alejandrinos). A diferencia de la irregularidad métrica de las gestas, tienen una relativa perfecta igualdad de medida. El Mester de Clerecía ya no canta las hazañas de los héroes nacionales, sino que sigue modelos bien determinados e inspiración erudita.

Gonzalo de Berceo. — Este poeta — el primero de nombre conocido en la literatura castellana — nació a fines del siglo XII en la diócesis de Calahorra, fue clérigo secular, adscrito al monasterio benedictino de San Millán de la Cogolla, y murió después de 1264.

Berceo sólo trata de vulgarizar los temas eclesiásticos, de poner en lengua vulgar las historias narradas en latín. Quiere ser erudito y no hablar más que de lo que ya había sido antes escrito; pero, al mismo tiempo, ser el juglar de los santos por «*un vaso de bon vino*». Sus fuentes son los libros de la biblioteca del monasterio; pero también encontramos las expresiones de los burgueses de Nájera y de los pastores del término de Cañas. Y en sus versos se empieza a comprender el paisaje (La Rioja).

Vidas de santos, de Berceo. — Escribió tres: *Vida de Santo Domingo de Silos, Vida de San Millán de la Cogolla* y *Vida de Santa Oria*. En estos libros manifiesta su religiosidad ingenua y sencilla, la selección de motivos y su sentido de lo popular.

En la de Santo Domingo vemos al santo confesor en sus oficios y maneras. Desde pastor de ovejas y ermitaño por los yermos, en los que vence las feas visiones de los diablos, hasta llegar a benedictino y empuñar el báculo de abad. Después conocemos los milagros que hizo en vida y los logrados por su intercesión después de su muerte.

En la de San Millán se narra la del patrono de la abadía (milagros realizados en vida, enfermedad, tránsito y maravillas ocurridas después de su muerte). Se distingue por su variedad de temas (construcción milagrosa de un hórreo, los vestidos para los pobres multiplicados, el vino inextinguible, la profecía de la destrucción de Cantabria; batalla ganada a los moros, en que aparecen Santiago y San Millán).

La vida de Santa Oria, virgen, es la obra de la vejez de Berceo, *escrevir en tiniebra es un menester pesado.* Las visiones demoníacas de las vidas anteriores se han sublimado. La noche tercera después de Navidad, Oria queda adormecida, y por la ventana del mundo de los sueños, tres santas vírgenes (Ágata, Eulalia y Cecilia) con sendas palomas *más blancas que las nieves* invitan a Oria a ver las maravillas del paraíso, que visita. Oria ve la silla que tiene reservada en el cielo si persevera en la virtud. Tras esto las mártires bajan de nuevo el alma de Oria a su cuerpo. Oria abre los ojos y mira alrededor nostálgica de cielo.

Poemas marianos. — Son también tres: *Loores de nuestra Señora,* en que reúne un sumario de la vida de Jesús, relatos del Antiguo Testamento y recuerdos de comentarios de los Santos Padres; *Planto o Duelo que hizo la Virgen el día de la Pasión de su Hijo,* que comienza con un diálogo entre San Bernardo y María; la Virgen relata la Pasión de Cristo; se describe el Descendimiento; la Dolorosa caída por tierra y besando ansiosamente la mano horadada de Jesús muerto. Pero la gran obra de Berceo es *Miraclos de Nuestra Señora,* en cuya introducción y veinticinco milagros culmina el primitivismo del poeta. Ingenuidad, realismo, ternura, devoción dirigidos a su público de aldeanos. Estos temas eran muy populares en la Edad Media; por eso se dan coincidencias entre la literatura mariana (relatos de Vicente de Beauvais, Jacobo de Vorágine, Roc Amadour y Gautier de Coincy). Pero Berceo supo escoger y la fe en María sugiere las notas más delicadas de piedad. El hombre pecador se libera de las consecuencias de su pecado por la intercesión de la Virgen María, que salva a los que han sido sus devotos, resucita a los muertos, oculta las deshonras y da luz a los ignorantes. Berceo exalta la devoción inocente frente a la sabiduría teológica (el clérigo ignorante del milagro IX puede esperar las palabras de miel de María mejor que los prelados pedantes y orgullosos).

Entre los milagros narrados hay algunos muy conocidos de la literatura mariana, como el de la investidura milagrosa de San Ildefonso, que es premiado con una casulla, obra de ángeles; el del monje Teófilo, uno de los Faustos de la Edad Media, que vende su alma al demonio por medio de un judío hechicero que *fieramente conturbado* le lleva a una procesión de diablos y ante Satanás; pero la cédula que firma es recobrada por mediación de la Virgen, ante la perseverancia de Teófilo, que confiesa públicamente su pecado. La Virgen resucita a sus devotos, como al monje lujurioso que murió sin confesión o al sacristán licencioso que cayó en un río; otras veces impide la muerte, como el ladrón que no puede ser ahorcado porque la Virgen pone sus dedos entre la soga y el cuello; otra, el clérigo muerto violentamente y que no es enterrado en sagrado y la Virgen consigue se le lleve a más digno enterramiento y, al abrir la sepultura, de la boca del difunto, cuya lengua se conserva fresca, sale una hermosa flor de delicioso aroma. Otro milagro es el del niño judío cuyo padre, al enterarse que ha comulgado, lo arroja a un horno ardiendo, de donde María lo saca ileso. Otra vez, ante un fuego voraz, la imagen y el altar de la Virgen quedan incólumes entre un montón de escombros.

La *introducción* a los milagros es de una extraordinaria belleza. Describe un paraje paradisíaco con fuentes cristalinas *en verano bien frías, en invierno calientes,* y encarna el simbolismo de la devoción mariana en una de las más bellas expresiones de nuestra literatura poética:

La verdura del prado, la olor de las flores,
las sombras de los árboles de temprados sabores
refrescaronme todo, e perdí los sudores:
podrie vivir el omne con aquellos olores.

Las sensaciones y el sentido musical y pictórico de su arte le han dado un extraordinario prestigio desde el modernismo.

Otros poemas de asunto religioso de Berceo. — Tenemos *El martirio de San Lorenzo,* que pudo inspirarse en el himno al santo de Huesca hecho por Prudencio; *El sacrificio de la Misa,* que es la explicación rimada de las ceremonias litúrgicas que el título indica, y *Los signos que aparecerán antes del Juicio.*

Poemas del siglo XIII. — De mediados del siglo XIII es el *Libro de Alexandre,* poema de tipo cosmopolita, de variada erudición y de espíritu aventurero y seglar. Su valor es, sobre todo, arqueológico. Su contenido son las empresas legendarias de Alejandro Magno y está lleno de intercalaciones, como la de la guerra de Troya. Su valor son las descripciones (la tienda de Alejandro, la pintura de los meses, y de un *mapa mundi*) y algunos bellos detalles (prueba de Bucéfalo, juicio de Paris, el vergel en la campaña de Darío y curiosidades de Babilonia).

Otro poema del Mester de Clerecía es el de *Fernán González,* héroe de la independencia castellana, que fue compuesto por un monje del monasterio de San Pedro de Arlanza poco después de 1250. Es un poema guerrero más propio del arte de juglaría que de un monje. Es un poema de entusiasmo patriótico castellano. Comienza en la época goda, pero su valor épico es desde la fundación del condado de Castilla. A la caza del jabalí, el conde se guarece en una ermita de Arlanza y un monje le hace profecía de grandes victorias. Es notable la narración de las señales infernales en la lucha contra Almanzor, así como la leyenda del caballo y el azor que, vendidos al rey de León por las condiciones del convenio, producen la independencia del condado.

CAPÍTULO III

LA PROSA PRIMITIVA CASTELLANA. ALFONSO X

La prosa primitiva. — Los primeros textos de prosa literaria son de comienzos del siglo XIII y no deben ser anteriores al reinado de San Fernando (1217-1252). El castellano va paulatinamente sustituyendo al latín. Los textos árabes también influyen sobre el castellano, bien directamente, ya a través de intermedios latinos. El lazo de unión de estas culturas es la famosa *Escuela de Traductores de Toledo,* de donde nacen en gran parte los primitivos tanteos en prosa castellana. El verdadero creador de nuestra prosa literaria romance es Alfonso X. Los esbozos anteriores a este rey pueden dividirse:

a) Obras didácticas *en forma doctrinal.* De los primeros años del siglo XIII es uno de los primeros ejemplos francamente populares de la prosa: *Diálogo o disputa del cristiano y el judío,* que en nuestra literatura representa la primera discusión entre individuos de diversas religiones. En tiempos de Fernando III tenemos los *Catecismos politicomorales,* como los llamados *Flores de filosofía;* el *Bonium* o *Bocados de oro,* donde a la colección de sentencias se combina una concepción alegórico-narrativa (un rey de Persia — Bonium —, hostigado del deseo de ciencia, viaja a la India al palacio de los sabios); *Poridad de poridades* (secreto de los secretos); el *Libro de los buenos proverbios* y el *Libro de los doce sabios o de la Nobleza y lealtad,* en que una junta de varones insignes ilustra a un rey joven sobre sus deberes de justicia, fidelidad, religiosidad. Estas obras representan influencia oriental.

b) *Obras en forma narrativa.* Alfonso X, cuando era infante todavía (1251), mandó redactar en castellano **Calila y Dimna,** que representa el acomodo del romance al tema de los cuentos y apólogos orientales. Era el texto árabe de Ben Almocaffa, que derivaba de remotas fuentes indias. En el prólogo se confiesa el fin moral de la obra, enderezado a mostrar el camino del bien y de la ciencia con amenidad valiéndose del artificio de los diálogos. La parte en que charlan y narran ejemplos Calila y Dimna, *dos lobos cervales* de la corte de un león, ocupa menos de la mitad del libro, en el que abundan fábulas interesantísimas (*la niña que se tornó en rata, la gulpeja y el atambor, los ratones que comían hierro, la liebre y los elefantes, el diablo y el ladrón, el religioso que vertió la miel y la manteca,* etc.).

Apólogo del *Ximio con las lentejas:*

Dicen que un home traía lentejas en un zurrón, e entró en una espesura de árboles, e puso el zurrón en tierra, e dormióse, e decendió un ximio de un árbol, e tomó de las lentejas un puño lleno. Desí subióse en el árbol para comerlas, e cayósele una e descendió del árbol pora buscarla, e trabándose a las ramas del árbol pora descender, abrió la mano e derramáronsele todas las otras que tenía, e non ovo lo primera nin las otras.

c) *Comienzos de la Historia.* Ésta empieza a redactarse en romance a comienzos del siglo XIII. Pueden citarse el *Liber regum,* que relata las series de los reyes desde la Biblia hasta Alfonso VII en Castilla y San Luis en Francia; y la *Historia Gothica,* versión castellana, del arzobispo don Rodrigo. Pero nuestra verdadera historia la representa el Rey Sabio.

Alfonso X, el Sabio. — La vida de este rey llena el siglo XIII (nació en 1221 y murió en 1284). Fue el gran *emperador de la cultura.* Desde joven se dedicó al estudio, conocía el árabe y sintió gran atracción por la literatura oriental, la caza y las piedras preciosas. Se casó en 1249 con doña Violante, hija de Jaime el Conquistador. Como rey concibió sueños imperiales de gran extensión (pensó llevar la reconquista hasta la misma África, pero el sitio de Algeciras le fue adverso; igualmente no fue afortunado en dominar directa o indirectamente Portugal y Navarra y en sus pretensiones al trono de Alemania) y conquistó Jerez de la Frontera, Cádiz y Lebrija. Pero fue desgraciado; su propio hijo Sancho se levantó en armas contra él. Su consuelo lo encontró en el estudio, y en *oír cantares et sones de instrumentos, jugar ajedrez o tablas o otros juegos semejantes de éstos...* Su corte fue de sabios de todas las religiones y nacionalidades. Aunque sus obras no fueron realizadas directamente por él, sí supo rodearse de los hombres más destacados de las diferentes culturas de su época. Entre sus colaboradores — además de escribas y artífices de miniatura —, poetas y músicos como Martín Pérez de Maqueda y Juan Pérez; juristas como Jacobo Ruiz, el arcediano Juan Alfonso y Ferrando Martínez; científicos árabes y hebreos, ibéricos como Gil de Tibaldos y Ferrando de Toledo y el clérigo Garci Pérez y algún extranjero, como Cremona y Juan de Mesina.

Las obras de Alfonso X. — La enorme producción dirigida por el rey puede clasificarse:

a) *Obras jurídicas.* A este grupo pertenecen el *Fuero Real* y *El Espéculo,* pero su obra capital son *Las Partidas,* el intento más formidable de unificar el derecho de la Edad Media. Son siete, que comienzan con cada una de las letras del nombre Alfonso. El contenido de las siete Partidas es el siguiente: la 1.ª se refiere al estado eclesiástico y a la religión; la 2.ª a los emperadores, reyes y grandes señores de la tierra; la 3.ª trata de la justicia y de su administración; la 4.ª del matrimonio y del parentesco entre los hombres; la 5.ª a empréstitos, compras, cambios y a todos los otros pleitos que hacen los hombres entre sí; la 6.ª a los testamentos y herencias, y la 7.ª a *Acusaciones e malfechos que fazen los homes e de las penas e escarmientos que han por ellos.* Cada partida está dividida en títulos que, a su vez, se subdividen en leyes. Siguen el derecho romano y de Justiniano, con influencias de Aristóteles, Séneca y San Isidoro, entre otros.

b) *Obras científicas y de recreo.* La más imprtante es *Libros del saber de Astronomía,* en la que sigue las doctrinas de Tolomeo, en que sistematiza los movimientos de los astros y de las constelaciones; las *Tablas Alfonsíes,* fruto de las experiencias de una especie de *observatorio* que mandó instalar en el castillo de San Servando de Toledo; la *Ochava Esfera* (Libro de las figuras de las estrellas fijas que son el octavo cielo); el *Lapidario,* que inició antes de su reinado, en que hace depender las piedras y sus virtudes de las influencias de los signos del zodíaco (así el coral está en relación con el signo de Tauro y la esmeralda con Capricornio).

Para que los hombres puedan descansar de los cuidados y trabajos se interesó por el deporte y los juegos. Distinguió entre los juegos que exigen actividad (cabalgar, tirar con la ballesta o con el arco) y los que se hacen sentados (ajedrez, tablas o dados). En 1283 acabó su *Libro del ajedrez, tablas y dados,* la obra más importante de juegos que ha dado la Edad Media.

c) *Obras históricas.* Tiene dos importantes: la *Grande e General Estoria,* que es una historia universal cuya fuente es la Biblia y sus comentaristas, como Orígenes y San Agustín. No falta información moderna y fuentes poéticas medievales. Y a este rey debemos la primera historia de España redactada por completo en castellano: *Crónica General* desde los primeros pobladores de la península hasta la *destrucción de España* en la época de don Rodrigo. Desde esta época y comienzos de la reconquista hasta el tiempo de San Fernando fue continuada por su hijo el rey Sancho IV hacia 1289. En el Rey Sabio puede decirse que comienza la tradición literaria del optimismo español. Veamos las riquezas de la España:

Espanna es abonada de miesses, deleytosa de fructas, viciosa de pescados, sabrosa de leche et de todas las cosas que se della fazen; lena de uenados et de caça, cubierta de ganados, loçana de caballos, prouechosa de mulos, segura et bastida de castiellos, alegre por buenos uinos, ffolgada de abondamiento de pan; rica de metales, de plomo, de estanno, de argent uivo, de fierro, de arambre de plata, de oro, de piedras preciosas... Espanna sobre todas es adelantada en grandez et mas que todas preciada por lealtad. ¡Ay, Espanna, non a lengua ni engenno que pueda contar tu bien!

La parte redactada en tiempos del rey Alfonso X es más universal y la de tiempos de su hijo más localista por sus fuentes. Esta obra decidió la suerte de la historiografía española.

d) *Obras poéticas.* La musa del Rey Sabio nos ofrece dos aspectos: 1.° el profano, en que compuso cantigas de amor y de maldecir, llegando a delicadas realizaciones (la cantiga contra los malos guerreros, *Quem da guerra levou cabaleiros* o la de amor *Par Deus Senhor*) o a sátiras fuertes (la dirigida contra el deán de Calez); y 2.° el religioso, al que pertenece su obra capital *Las Cantigas.*

Todas estas obras están escritas en gallego. *Las Cantigas de Santa María* son, además, notables por su polimetría y por ser una compilación de leyendas medievales. Son 420 composiciones. Sigue las mismas fuentes medievales que Gonzalo de Berceo. Pero las narraciones del Rey Sabio son más breves, como puede verse en los casos piadosos que coinciden con los expuestos por Berceo (investidura de San Ildefonso, pacto diabólico y liberación de Teófilo, el del salteador librado de la horca por la Virgen, etc.). Los temas de *Las Cantigas* son muy diversos. Unos son los *de loor,* esencialmente líricos, que derivan de motivos de la poesía popular gallega, siguiendo el ritmo y construcción del cantar *d'amigo* o de *ledino*, como en la deliciosa *maya* en que loa la llegada de la primavera y la santidad del mes dedicado a la Virgen; otros son los acaecidos directamente al rey (la de su enfermedad, la del pescado en el convite de Sevilla, la del criado del rey que se iba a ahogar por salvar a una garza...); otros son de hechos locales (como la del sacerdote que, en unas fiestas de bodas en Plasencia, hace, por sus oraciones a la Virgen, que un toro que está a punto de matarle se arrodille, la de Santa María de Salas...); otros se refieren a la relación con gentiles, moros y judíos (de las más bellas de este grupo es el milagro del siciliano caritativo); otros son de criminales y ladrones perdonados por gracia de la Virgen, conseguida incluso después de muertos (en una cantiga, la cabeza cortada de un pecador pide perdón y confiesa sus culpas); otros son novelescos (la de la emperatriz de Roma calumniada por su cuñado...); otras son amorosas y en ellas, además de salvaguardar el alma de la pecadora, se ampara su honra ante los demás (la Virgen hace que pasen inadvertidas las pecadoras, tomando ella la misma figura de ellas).

Cantiga LXIV:

Un infanzón que va a la guerra deja su esposa — niña, apuesta, de buen parecer — al cuidado de la Virgen. Un galanteador inspirado por el demonio se enamora de la joven. Se vale de una tercera (covilleira), con la que le envía como presente unos zapatos. La casada, que se los prueba por instigación de la vieja, no puede descalzarse un pie; considerando este detalle como aviso del cielo, guarda fidelidad completa al esposo.

Otros libros de prosa del siglo XIII. — La tradición literaria y devota no se pierde en el reinado de Sancho IV. Ya sabemos que la segunda parte de la *Crónica general* fue compuesta en esta etapa; y otra vez volvemos a encontrar en la prosa las tradiciones marianas de Berceo y Alfonso X. Uno de los libros que incluye gran cantidad de éstas es el titulado *Castigos e documentos para bien vivir, que don Sancho IV de Castilla dio a su fijo*. A pesar de este título, la obra no fue escrita por don Sancho, aunque es posible que fuera inspirada por él y redactada por un fraile. En esta obra — primera adquisición de la literatura doctrinal y ejemplar — es curiosa la alusión a proverbios castellanos (*Quien se ayuda, Dios le ayuda. Da Dios trigo en el ero sembrado*, etc.).

La primitiva novela posee un ejemplo importante de narración extensa: *La Gran Conquista de Ultramar,* que además es la primera muestra de la literatura caballeresca en castellano, aunque sus fuentes son francesas y provenzales. El episodio del *Caballero del Cisne* es bellísimo y el tema de los siete hijos de un parto está relacionado con un punto del de los siete infantes de Lara. La parte de la duquesa de Bullón es un anticipo del *Lohengrin* de Wagner.

CAPÍTULO IV

LA POESÍA EN EL SIGLO XIV

La poesía en el siglo XIV. — Este siglo representa un momento de renovación. No hay estilo de época, sino fuertes individualidades. La *cuaderna vía* ha llegado a su agotamiento. Comienza a emplearse el verso de dieciséis sílabas (con hemistiquios — ocho más ocho — y generalmente con rima interior y final). Fuera de las formas del Mester de Clerecía debe nombrarse el *Poema de Alfonso XI,* que es una manifestación degenerada de las gestas. Como un ejemplo de la literatura aljamiada (castellano escrito en caracteres árabes) ha de citarse el *Poema de Yuçuf*. Su autor fue un morisco aragonés que narró la historia de José basándose en el *Génesis* y más en el Corán, con agregaciones de leyendas judías (el lobo que habla a Jacob). Uno de los momentos más artísticos del poema es cuando en el banquete que la mujer de Putifar ofrece a sus damas, éstas se cortan las manos, embelesadas de contemplar al casto personaje. Un libro de cierto interés es el *De miseria de omne,* probablemente de la segunda mitad del siglo, y representa, además de la descomposición de la *cuaderna vía,* el sentido pesimista y negador de la vida tradicional en Castilla. Es, simplemente, una versión amplificada del tratado *De contemptu mundi* del papa Inocencio III.

El género gnómico en verso lo encontramos en los *Proverbios morales* del rabí don Sem Tob de Carrión, dedicados al rey don Pedro I de Castilla. Su novedad consiste en la fina sensibilidad poética y en la primorosa forma métrica, efecto de la doble rima en versos largos (siete más siete). Se distingue por la resignación ante la vida y su hondo sentido moral:

Por nascer en espino — la rosa yo non siento
que pierda, ni el buen vino — por salir del sarmiento.
Nin vale el azor menos — porque en vil nido siga,
nin los enxemplos buenos — porque judío los diga.

Pero el siglo XIV tiene dos grandes poetas, que son el Arcipreste de Hita y el Canciller Ayala, que rompen con el Mester de Clerecía, remozan el tetrástrofo y escriben libros polifacéticos.

El Arcipreste de Hita. — De este poeta de la primera mitad del siglo XIV apenas si conservamos datos biográficos. Se llamaba Juan Ruiz y había nacido en Alcalá de Henares, como parece deducirse de su propio poema. Vivió en tiempos del arzobispo de Toledo don Gil de Albornoz y estuvo en la cárcel por cuestiones de su cargo, donde parece escribió su única obra: *Libro de Buen Amor.* Su intención fue oponerlo al *loco amor.* Unos han creído a su autor un severo moralista, mientras otros han pensado que era un clérigo librepensador. En realidad era un poeta que compuso su libro en la forma de una narración autobiográfica que le da unidad, entre la variedad de temas. Menéndez Pelayo ha ordenado los distintos elementos: 1.º Los ejemplos y apólogos sitúan al Arcipreste como el primer fabulista en verso de nuestra literatura por su humorismo y su riqueza expresiva. La mayoría de estas fábulas o apólogos son de origen oriental, aunque algunos hayan llegado por fuentes latinas o romances. Algunos proceden de *fabliaux* franceses. Pero todos los temas cobran vida en Juan Ruiz. Son notables: *El alano que llevaba el trozo de carne en la boca, Las ranas que demandaban rey a don Júpiter, El león que se mató con ira, La corneja que, envidiosa, quiere imitar al pavo real, El garzón que quería casarse con tres mujeres, El león que estaba doliente e las otras animalias lo venían a ver,* etc. 2.º La glosa del *Ars amandi* de Ovidio. 3.º La imitación del *Pamphilus* (comedia latina), como el episodio de don Melón y doña Endrina, que es el más apartado de la realidad y en que el enamorado habla en tono plenamente idealista y trovadoresco. (Doña Endrina *con saetas de amor hiere cuando los sus ojos alza.*) 4.º Poemas burlescoalegóricos, como la batalla de don Carnal y doña Cuaresma, la descripción de los meses en la tienda de don Amor, sátiras *(De la propiedad q'el dinero ha)* y elogios *(De las propiedades que las dueñas chicas han).* Véase un tetrástrofo de este último ejemplo:

Chica es la calandria e chico el rroyseñor,
pero más dulce canta que otra ave mayor:
la muger, por ser chica, por eso es mejor;
con doñeo es más dulce que açúcar nin flor.

5.º Poesías líricas de tipo juglaresco, unas de tipo profano (cantigas de serrana, de escolares, de ciegos), otras religiosas (cantigas de loores de Santa María, Pasión de Cristo), y 6.º *Digresiones morales y ascéticas.*

Como puede verse por su contenido, en todo el libro aparece la doble posición, ascética y sensual, que produce un conjunto muy representativo de la época. Américo Castro relaciona esto con la motivación árabe. Técnicamente pueden señalarse dos partes: una en que se adapta al Mester de Clerecía, si bien con gran libertad; y otro integrada por las formas destinadas al canto, de carácter juglaresco y que conviene a determinadas melodías o a instrumentos músicos especiales. El Arcipreste las define como *cantigas de danzas e troteras,* cantares de los que dicen los ciegos, para escolares y los llamados *cazurros o de burlas.*

El Canciller Ayala. — Pero López de Ayala (1332-1407) vivió una época de turbulencias y contrastes. Estuvo al lado del rey don Pedro y luego de don Enrique de Trastamara, asiste a la batalla de Aljubarrota y queda prisionero en Oviedes. En las cortes de Guadalajara se opuso al reparto del reino intentado por Juan I, luego formó parte del Consejo de Regencia de Enrique III y alcanzó en la mayoría de éste el título de Canciller Mayor de Castilla. Fue, pues, hombre de acción, pero también un gran humanista de nuestro primer Renacimiento (tradujo a Tito Livio, a Boecio, a San Isidoro, a Boccaccio, etc.).

"El Rimado de Palacio". — Fue escrito por el Canciller Ayala, en parte cuando su prisión en Oviedes. Es un libro multiforme que nos muestra a su autor como un gran poeta didáctico político. Es obra de enseñanza cortesana y además un catecismo moral y un eco de las ideas y sentimientos personales del autor ante la monarquía, el papado y todas las clases sociales.

Su contenido comienza con una confesión en que se siguen los diez mandamientos y los siete pecados capitales y en la que se intercalan algunos motivos claramente personales. Hábilmente enlazada con ella está una sátira muy dura contra las costumbres de su tiempo, en la que figuran desde las más altas instituciones hasta los letrados y los mercaderes. En ella expone sus ideas sobre la guerra, la justicia y la administración (contra los tributos y la usura, que encarecen la vida). Ésta es la parte primera, la más intensa y vigorosa, notable como representación de época y sátira social. Está escrita en *cuaderna vía.* A ésta sigue otra en que se rompe con esta escuela, sustituyendo el tetrástrofo por pareados con rima interior y final:

Señora mía, muy franca — por ti cuido ir muy çedo
servir tu imagen blanca — de la eglesia de Toledo.

y otras diversas clases de estrofas (sextina de alejandrinos y estrofa de arte mayor). En esta parte se refiere al cisma de Occidente y a motivos devotos sobre santuarios e iglesias de la Virgen. La tercera parte es un largo comentario de las *Morales* de San Gregorio. En ésta vuelve a la *cuaderna vía,* revelando un mayor dominio de la métrica.

"El Cantar de Rodrigo". — Pertenece a la segunda mitad del siglo XIV. Es conocido, además, con los nombres de *Crónica Rimada* o *Mocedades de Rodrigo.* Revela el último estado de descomposición de las gestas cuando iban a ser sustituidas por los romances. No presenta el personaje histórico, sino un ser falsificado. Primero narra los hechos de su mayor edad, idealizados por la tradición popular; luego trata de mostrar su grandeza en su cuna, infancia y adolescencia. Este cantar dio bastantes temas nuevos y desconocidos (el conde Gómez de Gormaz roba unos ganados al padre del Campeador; el Cid acoge a un gafo [San Lázaro] que le promete victorias siempre que note calentura, habla con altanería al papa, al rey de Francia y desafía a los doce pares...) que fueron muy utilizados en los romances del siglo XV y en el teatro español y francés.

CAPÍTULO V

LA PROSA EN EL SIGLO XIV

La prosa en el siglo XIV. — Se caracteriza por el predominio de la forma narrativa. La influencia oriental y la tradición eclesiástica del ejemplo moral e historias milagrosas fueron las dos direcciones de la prosa; en medio de ellas surge el estilo de la obra capital de don Juan Manuel, que opone a la repetición de temas el empleo de asuntos variados respecto al detalle o inventados o recogidos de fuentes orales. El infante deja los ejemplos religiosos y revela un hábil sentido político.

Don Juan Manuel. — Nació en Escalona en 1282 y murió en 1349. Era nieto de San Fernando y sobrino de Sancho IV, de quien fue atendido y favorecido. Su vida está llena de episodios de época. Pelea con los moros desde su adolescencia. Participa en los sucesos de la minoridad de Fernando IV y en las luchas políticas de la de Alfonso XI, de quien fue uno de los tutores. Fue un gran político y un gran escritor. En la mayoría de Alfonso XI asiste a la batalla del Salado; luego se retira entre libros al monasterio de los dominicos de Peñafiel.

Obras de don Juan Manuel. — Tres son las obras más importantes del infante: *Libro del Caballero e del Escudero, Libro de los Estados* y *Conde Lucanor*. En estas obras el castellano avanza considerablemente y el infante tiende a crear un lenguaje culto y a eliminar las expresiones consideradas como demasiado vulgares. Las últimas partes del *Conde Lucanor* llegan a un *hablar escuro*.

a) *Libro del Caballero e del Escudero*. Sus dos notas capitales son caballería y religiosidad. Predomina lo didáctico, pero está hecho a la manera de novela o *fabliella,* que tiene vida por sí. Es evidente la filiación de este libro respecto a los de Raimundo Lulio (1235-1315).

Un escudero, al ir a las cortes a que convoca un rey, halla un caballero anciano que le enseña cuál es el mejor estado del mundo e instruye sobre qué cosa es la caballería; en varias ocasiones el escudero sigue visitando e interrogando al caballero, que hace vida de ermitaño, y define lo que son los ángeles, el paraíso, los elementos, los planetas, el hombre, las bestias, las aves, los pescados, las hierbas y los árboles, las piedras, el mar, la tierra. Al fin de las preguntas y respuestas el caballero anciano muere, y el escudero respetuosamente asiste a su entierro.

Es el procedimiento didáctico del siglo XIV, que se da en las tres obras del infante.

b) El *Libro de los Estados*. Lo escribió en Pozancos cuando iba a cumplir cuarenta y ocho años, en una época de crisis espiritual y, tal vez, de dolores materiales. El diálogo entre maestro y discípulo aparece aquí más complicado, pues hay dos guías: Turín, pagano, y Julio, cristiano que completa la enseñanza del primero respecto a la formación del príncipe. Johas, hijo del rey Morován, que intenta impedir que su hijo conociese *qué cosa era la muerte e qué cosa era el pesar;* pero el príncipe se encontró con un cadáver y al llegar a su posada pregunta a Turín qué maravilla era aquélla. Después de este amargo comienzo, con la aparición de Julio se inicia la parte didáctica. Julio revela al rey y al príncipe los misterios de la religión cristiana y la falsedad de las otras religiones. Todo lo expresa con una amenidad desconocida antes de él en Castilla. Es el mismo tema de la leyenda de Buda (Sakia

Muni, educado lejos del dolor y la muerte, mediante tres encuentros se convence de la vanidad de la vida). La segunda parte es un tratado religioso en que discurre sobre el pleito de las religiones.

c) El *Conde Lucanor*. El *Libro de enxemplos del Conde Lucanor et de Patronio* está dirigido a *las gentes que non fuesen muy letrados nin muy sabidores*. Esto se realiza mediante una acción novelesca sencilla: un gran señor joven, el conde Lucanor, habla con su ayo o consejero, Patronio, haciéndole preguntas sobre casos particulares de su gobierno. Patronio responde valiéndose en cada caso de un ejemplo o cuento de desarrollo más o menos novelesco. Se puede decir que crea el cuento moderno secularizado y humanizado. Los animales de la fabulística tradicional son aquí personajes hombres, a veces.

Los temas de estos cuentos no son amorosos. Unos proceden de tradiciones esópicas (el raposo y el cuervo, la golondrina y la siembra del lino, cómo consiguieron los animales deshacer la amistad y dominio del león y el toro, las hormigas, el raposo que se hizo el muerto...). De otros cuentos de animales no se conocen sus fuentes y pudieran haber sido inventados por el infante, como el de *los dos caballos que se odian* y entran en amistad por haber estado en un corral con un león contra el que se unen. Los de origen oriental son aquí personajes humanos (el de doña Truhana, el del hombre que comía altramuces). Otros son abstractos (el del árbol de la mentira y el del Bien y el Mal). Algunos de tradición española providencialista (el hombre que iba cargado de piedras preciosas y se ahogó en el río). Leyendas y tradiciones cristianas y árabes (anécdotas sobre Fernán González; del rey moro poeta y su esposa Romaiquía). Otros se refieren a reyes (la prueba a que somete a sus tres hijos un rey discreto; el de los burladores que hicieron el paño); al carácter de la mujer con relación al marido (el castigo de la mujer indomable; el de doña Vascuña, crédula a cuanto decía el marido) y a la amistad (el de don Illán).

De lo que contesció a un rey que quería probar a tres sus fijos. — Un rey moro tenía tres hijos y, a petición de los hombres buenos de su tierra, quiso elegir al que le había de suceder. Una tarde dijo al hijo mayor que a la mañana siguiente quería cabalgar y que fuese con él. El infante mayor llegó con retraso. El rey le dijo que se quería vestir y el infante dijo al camarero que trajese los vestidos; y el camarero preguntó que cuáles y el infante volvió para repetir la pregunta al rey, que dijo que quería aljuba (gabán de mangas cortas y estrechas), volviendo el infante con la respuesta para el camarero. E igual ocurrió con las otras prendas del vestido. Y, por fin, vino el camarero y vistió al rey. Entonces éste dijo al infante que no podía cabalgar y que fuese él por la villa para luego contarle lo que viese. El infante cabalgó con sus cortesanos con gran estruendo de trompetas y tambores. Cuando regresó de su paseo sólo pudo decir al rey que aquellos instrumentos hacían mucho ruido.

Pasados unos días, el rey mandó por el hijo mediano. El rey pidió todas las prendas y el segundo infante «fízolo et dixo bien como el hermano mayor». Pasados otros días, el rey llamó al hijo menor. Antes de que el rey despertase, el infante pequeño ya le estaba esperando y cuando se despertó se humilló ante él y le preguntó qué vestidos quería vestir y él mismo fue a buscarlos y se los trajo de una vez y no quiso que otra persona que él le vistiese. Cuando todo estuvo listo, el rey dijo que no quería cabalgar y el infante salió con los hombres buenos, como sus otros hermanos, pero les mandó que le mostrasen toda la villa por dentro y por fuera, los tesoros del rey, las mezquitas, la nobleza y las gentes que allí moraban. Y luego hizo que los hombres de armas que le acompañaban hiciesen los juegos que supiesen y vio los muros, las torres y las fortalezas. Volvió ya tarde y el rey le preguntó qué cosas había visto. El infante menor pidió permiso para decir la verdad y dijo sus reparos, que complacieron al rey, que lo eligió por sucesor.

Las crónicas del siglo XIV. — Las verdaderamente interesantes son las del CANCILLER PERO LÓPEZ DE AYALA, buen prosista, conciso e inteligente, que representa la incorporación definitiva al mundo literario de la historia de un reinado particular. Ayala escribió las crónicas completas de Pedro I, Enrique II, Juan I y gran parte de la de Enrique III. El rey don Pedro es en Ayala no el rey justiciero, sino el *cruel* que siembra muertes y desolación por Burgos, Toledo o Sevilla. Ayala es el que inicia la leyenda adversa al rey que culmina en Montiel, escena descrita por el cronista con salvaje concisión. Su muerte es un castigo. *(Mató muchos en su reino, por lo cual le vino todo el mal que avedes oído.)* El fratricida Enrique II fue *pequeño de cuerpo, pero bien fecho, e blanco e rubio e de buen seso, e de grande esfuerzo, e franco e virtuoso, e muy buen rescibidor e honrador de las gentes.* Su plenitud de historiador brilla en la de don Juan I, donde sobresale su arte en la pintura de cartas y discursos llenos de elevada retórica. Su parte culminante está en la batalla de Aljubarrota, de la que Ayala fue testigo presencial. Está descrita con sombrías pinceladas que denotan la consternación castellana por la derrota. El discurso político hecho por Ayala en el Consejo para que el rey no renunciara tiene la precisión de estilo de Tito Livio. El cronista se pone al lado de este monarca de desgraciada fortuna, cuya muerte por accidente nos narra. La crónica de Enrique III no la pudo terminar, aunque dejó planeados algunos capítulos.

Libros de caballerías. — Todo el siglo XIV desarrolló una extraordinaria actividad de versiones y adaptaciones de los principales ciclos caballerescos europeos. En textos y autores hispánicos del siglo XIV hay alusiones concretas a lo caballeresco-sentimental (el tema de Flores y Blancaflor aludido en el Arcipreste) y a la mitología hecha novela de caballerías, como las versiones hispánicas del *Roman de Troie*. Los temas del ciclo bretón eran conocidos en gallego como la leyenda de *Tristán e Iseo*, Lanzarote y Merlín desde el siglo XIII; eran novedad en Castilla en tiempos del Arcipreste, y tuvieron su máxima popularidad en la época de Ayala.

Entre los primeros libros de caballerías hispánicos hay que citar la *Historia del Caballero de Dios que había por nombre Cifar,* que si cae dentro de la literatura didáctica de su tiempo (sentencias y doctrinas católicas), tiene una gran originalidad en el sentido mundano de aventura y contraste (aventuras por mar y tierra, realismo y maravilla, anagnórisis o reconocimientos, etc.). El escudero Ribaldo con sus refranes es un antecedente de Sancho Panza y del gracioso del teatro y del pícaro de la novela.

En este siglo XIV hay que situar también la redacción primitiva del *Amadís,* que Ayala dice haber leído en su juventud.

CAPÍTULO VI

LA POESÍA DEL SIGLO XV

El pórtico del Renacimiento. — La época literaria del siglo XV español coincide con lo que en el arte fue el gótico florido (torres caladas de la catedral de Burgos). Toda España quedó abierta a las influencias del humanismo. Las luchas interiores, el anarquismo de los nobles, la debilidad reconquistadora contra los moros se vieron compensados por el humanismo de los prelados, por la atención real a los historiadores y poetas, por la influencia de los clásicos griegos y latinos y por la de las delicadas formas del primer Renacimiento italiano. Es el poderío brillante de la conquista de Nápoles. La relación peninsular con Italia fue constante (Juan de Mena estuvo en Roma y el Aretino se escribía con don Juan II). Todo hizo fijar un perfil cortesano a la época, en la que predomina una poesía culta con influencias de Dante y Petrarca. Los monarcas más representativos fueron don Juan II de Castilla (reinó de 1419 a 1454) y Alfonso V de Aragón (de 1416 a 1458). De ambas cortes literarias nos quedaron los Cancioneros.

El "Cancionero de Baena". — Tomó el nombre de Juan Alfonso de Baena, que lo recopiló para don Juan II, en 1445. Contiene poetas no sólo de este reinado, sino también de Pedro I, Enrique II, Juan I y Enrique III. En este Cancionero puede verse cómo el castellano va afirmando su primacía en la lírica y cómo los poetas que empiezan escribiendo en gallego acaban haciéndolo en castellano. Hay algún poeta, como Ferrús, que escribe en castellano ya en tiempos de Pedro I. De los más antiguos y conocidos es MACÍAS, natural, según parece, de Padrón, próximo a Santiago de Compostela. Su vida, impulsada por amores imposibles, le llevó a la muerte, y ha sido tema poético de gran tradición literaria. Su poesía parece que fue famosa en el XV, especialmente el *Cativo de miña tristura,* de tono nostálgico. De PERO FERRÚS se sabe que habitó en Alcalá, cerca de la Judería. Tiene una poesía en que se queja de los cantos de los judíos, que le despertaban, y otra en que parece adivinar el paisaje de la sierra. Sus poesías de amor son a la manera provenzal. Otro poeta antiguo es GARCI FERRÁNDEZ DE JERENA, de vida compleja y obra trovadoresca. De los más notables es ALFONSO ÁLVAREZ DE VILLASANDINO, que vivió hasta 1425, y que fue un juglar de vida revuelta. Tenía gran facilidad y hace alardes de virtuosismo poético (en una poesía a una dama analiza su nombre, anticipándose a los abecedarios de amor) y consigue en ocasiones presentar un ambiente de fina sensualidad:

> Deleite es mirar la hermosa floresta,
> naranjas e cidras, limas e limones;
> oír cantar aves garridas chanzones
> e ver su señora polida e honesta.

Cultiva la poesía satírica con grosería *(Decir contra la mujer de Mosén Juan)*; la de petición *(Señores para el camino-dat al de Villasandino)*; cantigas de tema amoroso trovadoresco (la dedicada a la reina de Navarra doña Leonor, esposa de Carlos el Noble); las dedicadas al elogio de ciudades (a Sevilla); de circunstancias (a don Álvaro de Luna); y, al fin de su vida, compone poesías religiosas *(Generosa muy fermosa-sin mancilla Virgen Santa...)*. Estos poetas pertenecen a la escuela provenzal y galaico-portuguesa, pero en el *Cancionero de Baena* ya aparece la Escuela alegórico-dantesca. Dante comenzaba a ser conocido (Andreu Febrer tradujo en tercetos su gran poema en Cataluña; y en parte don Enrique de Villena en Castilla) y en el desarrollo de la Escuela alegórica desempeña importante papel la muerte de Enrique III, celebrada en arte mayor por varios poetas. Era la Navidad de 1406. Villasandino compone un poema alegórico:

Tres dueñas tristes se aparecen al poeta: una, herida, ensangrentada, trae una corona de esparto; otra lleva una espada rota mohosa; la tercera, portadora de una pobre cruz de palo, lanza tremendos gemidos. Simbolizan respectivamente a la reina viuda, a la Justicia y a la Iglesia de Toledo, y lamentan el fallecimiento del rey, mientras el poeta trata de consolarlas.

Pero la figura más representativa de la Escuela alegórica en el *Cancionero* es Miçer Francisco Imperial, genovés avecindado en Sevilla. Dante es su modelo y adapta diversos pasajes del *Purgatorio* y el *Paraíso*. Puede considerársele el primer poeta culto castellano. Sus principales poemas son el *Desir de los siete planetas* con este comienzo que recuerda a Berceo:

Abrí los ojos e vime en un prado
de cándidas rosas e flores olientes,
de verdes laureles, todo circundado
a guisa de cava. De dos vivas fuentes
nasçía un arroyo de aguas corrientes,
caliente la una e la otra fría...

y el *Desir de las siete virtudes*.

En un ambiente de ensueño, el poeta, al amanecer, se acerca a una fuente. Distingue un jardín cercado por muros de jazmín. Entre cantos de ángel se le aparece Dante. Paseando entre flores advierte las siete estrellas que ofrecían aspecto de hermosas dueñas y se reunían en dos grupos. Tres tenían color de llama viva; las cuatro restantes, blancas como la nieve. Dante le ilustra sobre cada una de las virtudes que se oponen a las fieras sierpes que simbolizan los pecados. El poeta es llevado fuera del jardín fantástico mientras sonidos de órgano brotan de las rosas. Un aire suave despierta al poeta, que encuentra en sus manos, abierto, el texto de la *Divina Comedia*.

No falta en el *Cancionero* el tono doctrinal, como vemos en composiciones de Ferrant Sánchez de Talavera o Calavera (a la muerte de Ruy Páez de Ribera); los hermanos Martínez de Medina, que trataron temas teológicos y de filosofía moral; y a Ruy Páez de Ribera con su *Proçesso entre la Soberbia y la Mesura*.

La corte literaria de Alfonso V de Aragón en Nápoles. — Alfonso V, el Magnánimo, llevó a catalanes y aragoneses al medio mismo del Renacimiento italiano. El monarca, vencido el cerco por sus tropas, entró suntuosamente en Nápoles en febrero de 1443 y fundó una corte brillante. Los humanistas italianos, como Lorenzo Valla, Eneas Silvio y Bartolomeo Fazzio, entre otros, tuvieron su protección y le dedicaron obras de importancia. Se escribía con Leonardo Aretino. Los poetas de su corte escribían en castellano y en catalán. El núcleo principal de sus poetas está en el *Cancionero de Stúñiga,* cuyas poesías están todas en castellano. Los más importantes que en él figuran son: CARVAJAL o CARVAJALES, poeta cortesano que sintió el ambiente napolitano de aquella corte aragonesa, virtuoso del *desir* y de la canción ligera, que hace agrestes serranillas *(Villancete, Saliendo del olivar* y *Andando perdido, de noche ya era).* Y una elegía *(Por la muerte de Jaumot Torres, capitán de los ballesteros del señor rey).* Hay otros nombres de poetas no muy brillantes, como MOSÉN PERE TORRELLAS, denostador de las mujeres; PEDRO DE SANTAFÉ, JUAN DE DUEÑAS y TAPIA.

CAPÍTULO VII

LOS GRANDES POETAS ESPAÑOLES DEL SIGLO XV

El marqués de Santillana. — Íñigo López de Mendoza (1398-1458) fue la gran figura del reinado de don Juan II y un hombre típico del siglo XV, como guerrero, hábil político y hondo humanista. De ascendencia vasca por los Mendoza, nació en Carrión de los Condes, luchó en el bando de los infantes de Aragón contra don Álvaro y, en algún caso, contra el mismo rey, a quien cercó en el castillo de Montalbán; más tarde, al lado del rey, se opone a la invasión del de Navarra; lucha con los moros y los obliga a pactar en condiciones favorables a Castilla. Odió a don Álvaro de Luna hasta después de su muerte. Murió en Guadalajara y era, además, señor de Hita, Buitrago y del Real de Manzanares.

Su labor humanística fue considerable, se rodeó de sabios, mandó hacer traducciones de los clásicos a las lenguas a él asequibles (francés, catalán, castellano e italiano), hizo copiar manuscritos, y en los códices primorosas miniaturas. La importancia de los códices de su biblioteca de Guadalajara y la colección de manuscritos suponen la culminación de la cultura escrita en nuestro siglo XV.

Las obras en prosa de Santillana. — Las obras en prosa de Santillana están repletas de las citas de los libros leídos y contienen juicios literarios de valor histórico. Las principales obras en prosa del Marqués son: Carta o *Prohemio al Condestable de Portugal,* que es un resumen de sus impresiones de lector y también una preceptiva, constituyendo un primer intento de historia literaria. La poesía es *un fingimiento de cosas inútiles, cubiertas o veladas con muy fermosa cobertura.* Resalta el valor poético de la Biblia; de Homero, Virgilio y Dante, Petrarca y Boccaccio. Establece tres grados en la ciencia de la poesía, que son: sublime, mediocre, ínfimo. En esta clasificación no se trata de estilos, sino de idiomas empleados. *Ínfimos son aquellos que sin ningunt orden, regla ni cuento facen estos cantares e romances de que la gente baxa e servil se alegra.* Declara sus preferencias por italianos y franceses.

Además de los prólogos a sus obras poéticas, son notables los *Refranes que dicen las viejas tras el fuego,* primera colección paremiológica, y las *Glosas a los Proverbios,* en que enumera los motivos históricos o mitológicos que merecen una aclaración, a la manera de las notas de los textos modernos.

Obras poéticas de Santillana. — Sus obras en verso pueden agruparse:

1.º *Poesías de las que en la época se llamaban doctrinales.* — El estilo sentencioso del Marqués le hizo célebre entre sus contemporáneos, que le llamaban *el marqués de los Proverbios.* De este tipo de poesías unas son esencialmente morales, que desenvuelven motivos vulgares de la ascética medieval, como los *Proverbios* ya citados, escritos en versos de pie quebrado, y el *Diálogo de Bías contra Fortuna,* que trata de las mudanzas de la suerte y actitud serena del sabio ante el morir. Otras tienen sentido político, como el famoso *Doctrinal de privados,* en que se finge que don Álvaro de Luna habla arrepentido en una cruel confesión de sus culpas.

2.º *Composiciones alegóricas con la doble influencia de la «Divina Comedia», de Dante, y de los «Triunfos», de Petrarca.* A esta clase pertenecen: *a*) la titulada *Defunsión de don Enrique de Villena,* en que surge la *selva oscura* dantesca, en que las fieras dan muestras de dolor, y el poeta, subido a la cima del monte, ve grandes luminarias de antorchas y cirios. En unas andas yace el cadáver de Villena, y las Musas, representadas por nueve doncellas, comparan al difunto con las más grandes figuras de la antigüedad y de la época. *b*) La *Coronación de Mosén Jordi,* en que muestra su gran estimación por el poeta catalán, a quien Homero, Virgilio y Lucano entregan la guirnalda de laurel. *c*) La más extensa es el *Infierno de los enamorados,* que es una adaptación del canto VI del Infierno de Dante a un motivo alegórico en que se presentan los más famosos amantes de la antigüedad y de épocas cercanas (Hipólito, Macías). Atribuye a Macías estas expresiones:

La mayor cuita que haber
puede ningún amador,
es membrarse del placer
en el tiempo del dolor.

d) La *Comedieta de Ponça* es la obra alegórica de más fama por el asunto histórico a que la dedicó y por haberle dado casi el mismo título de la obra dantesca. Se refiere al desastre naval sufrido por la armada de Alfonso V de Aragón junto a la isla de Ponza en 1435. Reúne todos los elementos de los poemas alegóricos: el sueño, la visión dolorida de las tres dueñas, el varón venerable que ofrece sabios consuelos, que es Boccaccio, y el final anunciador de bienes por la Fortuna, que torna los calores en fríos y muda los estados y señoríos. Esta Comedieta está compuesta en estrofas de arte mayor de agradable sonoridad. Y *e*) *Sonetos fechos al itálico modo,* que son cuarenta y dos, sobre temas amorosos, morales, políticos y religiosos.

3.º *Poesías que representan una estilización de elementos populares.* — Aparte la ya citada colección de refranes, culmina este tipo de poesías en las *serranillas,* verdaderas obras maestras del encuentro del caballero con la serrana, tan repetidas en la escuela provenzal o trovadoresca. El Marqués llega a una verdadera maravilla de arte, como en *La vaquera de la Finojosa* y *Mozuela de Bores.* En este grupo han de situarse sus *Canciones* y *Decires.* He aquí un ejemplo de *canción:*

Recuérdate de mi vida
pues que viste
mi partir e despedida
ser tan triste.
Recuérdate que padesco
e padesçí
las penas que non meresco
desque vi
la respuesta non devida
que me diste;
por lo qual mi despedida
fue tan triste.
Pero no cuydes, señora,
que por esto,
te fuy nin te sea agora
menos presto:
que de llaga non fengida
me feriste;
asy que mi despedida,
fue tan triste.

Juan de Mena (1411-1456). — Fue el gran poeta nacional de la corte de Juan II. Murió dos años después del rey. Había nacido en Córdoba; pronto quedó huérfano. Vivió en su ciudad natal y en Salamanca, y también estuvo en Italia. A su regreso a la península fue *secretario de cartas latinas,* veinticuatro de Córdoba y cronista del rey. Murió de un *rabioso dolor de costado.* Toda la producción de este poeta sigue el cultismo cordobés que parte de Lucano, la influencia del Renacimiento latino y el clasicismo humanista. Llevó una vida retraída, entregado al estudio y a la lectura.

Su estilo es el de la época: el tacto de orfebre al lado de las grandes proporciones arquitectónicas. A él debemos el *Homero romanceado* y el comentario a la *Coronación,* ambos en prosa llena de hipérbaton, latinismos y ampulosidad retórica.

La obra poética de Juan de Mena. — Pueden distinguirse en ella dos estilos que se desarrollan paralelamente:

a) *Primer estilo,* basado en motivos ligeros y expresado en versos octosílabos, parte de composiciones cortas, simples juegos de ingenio como acertijos. Tal el del reloj:

¿Qué es el cuerpo sin sentido
que concierta nuestras vidas
sin vivir?
Muévese sin ser movido;
hace cosas muy sentidas
sin sentir.

Éste nunca está dormido,
mas siempre mide medidas
sin medir;
tiene el seso tan perdido
que él mismo se da heridas
sin herir.

También tiene *canciones* breves como *Ya mi bien vos remediat, Vuestros ojos que miraron* y la delicada *Canción que hizo Juan de Mena estando mal.*

b) El *segundo estilo,* típicamente culto, está representado por la estrofa de arte mayor o *copla de Juan de Mena,* formada por una octava de dodecasílabos. A este estilo pertenecen las *Coplas del claro oscuro,* donde su estrofa se mezcla con octosílabos. Pero todo el sentido poético de Juan de Mena está en su obra capital el *Labyrintho de Fortuna* o las *Trescientas.* Es un poema alegórico dantesco que, según los deseos de Juan II, había de tener tantas estrofas como días el año; pero no llega ni a las trescientas del título. Su contenido es el siguiente:

El poeta es arrebatado en el carro de Belona, conducido por dragones, a una llanura. Ve un desierto con una multitud *en son religioso e modo profano* y próxima otra llanura. Una nube envuelve al poeta; cuando se disuelve deja una hermosa doncella que será su guía, la Providencia. Ésta le hace contemplar el mundo en sus diversas partes y, dentro del palacio de la Fortuna, tiene la visión de las tres ruedas — pasado, presente y futuro —. En la del pasado, figuras de la mitología y de la historia; en la del presente hay como una síntesis de historia de España y tipos como el de doña María Coronel, Macías, Enrique de Villena y el rey don Juan y personajes heroicos; en la del futuro pronostica triunfos y venturas al rey. El poeta quiere ver más claro y se abraza a la doncella; pero ésta se ha esfumado. Entonces encomienda su obra al rey, deseando se cumplan sus pronósticos.

Los elementos dantescos son numerosos, como la idea de los círculos de los siete planetas; pero la idea teológica de Dante se convierte aquí en motivos históricos y patrióticos. Hay otras influencias sobre el poema de Mena. La más importante, la de su paisano el hispanorromano Lucano en su poema la *Farsalia* (recuérdese la animación de un cuerpo muerto por los conjuros de una hechicera). La tradición del lenguaje cordobés cultista de Lucano, la renovación del vocabulario y la sintaxis hacen pensar en el futuro y gran arte del otro cordobés, Góngora.

La poesía en la corte de Enrique IV. — El reinado de este monarca (1454-1474) se distingue por haberse agravado las turbulencias nobiliarias y llegado a la relajación política. Pero, no obstante el triste cuadro histórico de su época, que tan bien ha reflejado la sátira, surge la poesía que eleva al poeta del miserable cuadro moral que lo rodea; tal es el caso de los Manrique, y en plano mucho más inferior el de otros poetas virtuosistas como Hernán Mexía y Álvarez Gato.

Gómez Manrique (1412-1490?). — Vive desde la época de don Juan II hasta la de los Reyes Católicos, figurando entre los partidarios de la reina Isabel. Como Santillana, compartió la política con el estudio y poseía una selecta biblioteca. Aunque como lírico no realizó ninguna obra maestra, mostró una delicada finura en poesías amatorias, elegías, coplas políticas y sátiras.

Tal vez sea más interesante su labor poética en dos representaciones sacras de teatro: *Representación del Nacimiento de Nuestro Señor,* que es una encantadora serie de estampas dramáticas, y las *Fechas para la Semana Santa* o *Lamentaciones,* en que intervienen la Virgen, San Juan y María Magdalena, que no habla. Fina emoción y ternura reflejan estas representaciones, que llenan un hueco apreciable en nuestro teatro primitivo.

Jorge Manrique (1440?-1479). — Sobrino del anterior, tuvo una vida corta y caballeresca. Milita en el bando de la reina católica contra la Beltraneja, pelea contra el marqués de Villena y muere heroicamente en el asalto del fuerte de Garci-Muñoz. Fue enterrado en la iglesia vieja del convento de Uclés, en cuyo sitio tomó parte activa. No tiene mucha obra poética debido a su actividad guerrera. Fue el gran poeta de la muerte, que aparece en su obra menor como una obsesión con el cansancio de vivir (*Ved qué congoja la mía, Es una muerte escondida, No tardes, Muerte, que muero*).

Su obra poética más importante y la más capital de su siglo son las *Coplas a la muerte del Maestre don Rodrigo*. Jorge Manrique amó y admiró a su padre, maestre de Santiago y conde de Paredes, y militó en su partido. El dolor de su muerte fue cantado en esta formidable elegía en tonos de universalidad, mitad dolorido y mitad resignado. Aunque el tema era tan grave, lo acertó en versos octosílabos y coplas de pie quebrado, lo que desde él se llamó estrofa manriqueña. Hay en él influencias bíblicas y otras más cercanas de los poetas del Cancionero de Baena. Juan Valera las supuso influidas por el poeta árabe de Ronda, Abulbeka, cuya elegía sobre la decadencia del Islam en España tradujo en las estrofas de Jorge Manrique, dándose verdaderas coincidencias.

En el poema de Jorge Manrique se dan las tres vidas del maestre: la vida del cuerpo, la de la fama y la perdurable en la eternidad. Lo efímero de la vida *camino para otra* y la grandeza moral del difunto llenan el extenso poema. He aquí algunas estrofas:

Qué se fizo el rey don Juan?
Los infantes de Aragón
qué se fizieron?
Qué fue de tanto galán?
Qué fue de tanta invención
como truxeron?
Las justas e los torneos,
paramentos, bordaduras
e cimeras
fueron sino devaneos?
Qué fueron sino verduras
de las heras?

... ...
Qué amigo de sus amigos!
Qué señor para criados
y parientes!
Qué enemigo de enemigos!
Qué maestre de esforçados
y valientes!
Qué seso para discretos!
Qué razón!
Quán benigno a los subjetos
y a los bravos y dañosos
un león!

La sátira política. — El desgraciado ambiente moral de la época de Enrique IV fue muy propicio al florecimiento de la sátira y aun del libelo desvergonzado. Así encontramos la social a la manera de égloga campestre y popular, y la personal y descarnada que se goza en el insulto. Los altos poetas de la época, como Gómez Manrique, no escapan a la afición satírica.

Las más notables son las *Coplas de Mingo Revulgo,* burla y censura contra los personajes de la corte. Revulgo, el pueblo, y Gil Arribato, la aristocracia, nos dan un cuadro de la sociedad de Candaulo (Enrique IV). Pero en estas coplas no se llega a la procacidad de las *Coplas del Provincial,* en que un padre provincial inspecciona un convento y bajo esta fórmula se lanzan los más injuriosos dicterios contra personajes aludidos con sus nombres propios.

CAPÍTULO VIII

LA PROSA EN EL SIGLO XV

Don Enrique de Villena (1384-1434). — Descendía de las reales casas de Aragón y de Castilla y fue pretendiente a marqués de Villena, título que no logró alcanzar. La alquimia, las letras y las ciencias ocuparon sus días, así como los placeres. Su fama de brujo motivó que a su muerte don Juan II ordenase que su biblioteca fuese quemada, pero no fueron quemados todos sus libros. La leyenda en torno a este personaje hace de él un Fausto que engaña al Diablo y que en vez de entregarle su alma le da su sombra. La literatura desde el siglo XVII ha gustado mucho de la vida de Villena (Alarcón, Rojas, Quevedo, Hartzenbusch).

Sus obras más importantes son:

a) El *Arte de trovar* es una preceptiva a base de las teorías provenzales del arte poético. Es un lazo de unión entre la Cataluña del siglo XIV y la Castilla del XV. En este libro se refieren muchas de las circunstancias que concurrieron en los juegos florales de Zaragoza y Barcelona cuando don Fernando de Antequera fue elegido rey de Aragón y que fueron dirigidos por Villena.

b) *Los doce trabajos de Hércules* tienen interés histórico y es un libro de mitología moral en que cada uno de los trabajos de Hércules simboliza la victoria de las virtudes sobre los vicios (Hércules aplastando con su clava al furioso león de Nemea representa el poder de los prelados venciendo a la soberbia, cabeza de los pecados). Es una primera fusión de mitología y cristianismo.

c) *Tractado del Arte de cortar del cuchillo o Arte Cisoria* es de gran interés para las costumbres de la época, pues es para el buen servicio de mesa en los palacios de los magnates y también una enumeración de platos y de la presentación de los manjares. En este libro se traza una viñeta del cortador de cuchillo. Es un primer tratado culinario, propio de un gran gastrónomo, y antecedente del *Libro de guisados* de Ruperto de Nola.

d) *Las traducciones* de Villena son también muy notable muestra de su humanismo: hace la primera versión, en una lengua moderna, de la *Eneida,* de la que sólo había compendios en catalán e italiano. También tradujo la *Divina Comedia.* Ambas versiones son importantísimas, ya que, aunque primariamente, traza el camino a los renacentistas españoles.

Fernán Pérez de Guzmán. (1376?-1460). — Sobrino del canciller Ayala y tío de Santillana, fue embajador en Aragón de Enrique III y en el reinado de don Juan II luchó contra don Álvaro de Luna. A los cincuenta y seis años abandona la vida pública y se retira a su señorío de Batres, dedicándose al estudio y a la literatura. Es un humanista y, como íntimo del obispo de Burgos don Alonso de Cartagena, traductor de Séneca, es muy aficionado a este filósofo cordobés. Fue poeta a la manera de los del Cancionero y cultiva la poesía doctrinal, la litúrgica, la devota, la amorosa, la heroica (su extenso poema *Loores de los claros varones de España*), en que muestra su patriotismo poniendo los nombres hispánicos en parangón con los de la antigüedad.

Mas Pérez de Guzmán fue un gran historiador principalmente. Su extenso *Mar de Historias,* con idioma elegante y sobrio, produce efectos sencillos y contundentes. Esta obra está organizada en tres partes: 1.ª sobre los grandes emperadores y príncipes; la 2.ª sobre los santos y sabios, y la 3.ª, que es la de más mérito, se refiere a venerables prelados y notables caballeros con el título de *Generaciones y semblanzas.* Parte de las figuras morales de Enrique III y Juan II a los personajes del tiempo de estos reyes. Cree que debía castigarse la alteración deliberada de la historia por cualquier cronista y estima la responsabilidad del historiador. Pérez de Guzmán nos da magníficos retratos literarios, pues basándose en los rasgos físicos y morales nos traza la figura del personaje de su tiempo. Véanse algunos rasgos:

Enrique III: «de mediana estatura, blanco e rubio, la nariz un poco alta... muy grave de ver e de áspera conversación... la mayor parte del tiempo estaba solo e melanconioso».

El canciller Ayala: «alto de cuerpo y delgado, e de buena persona, hombre de gran discreción e autoridad, e de gran consejo así de paz como de guerra... ; de muy buena condición e de buena conversación. Amó mucho las ciencias, diose mucho a los libros e historias... Amó mucho las mujeres, más que a tan sabio caballero como él se convenía».

El Arcipreste de Talavera (1398?-1470?). — Alfonso Martínez de Toledo residió bastante en tierras de la corona de Aragón, fue Arcipreste de Talavera, racionero de la catedral de Toledo y capellán del rey don Juan. Fue un verdadero bibliófilo e incansable lector que nos dejó curiosas acotaciones en sus libros.

Cultivó la historia general en la *Atalaya de las crónicas* y la particular en las biografías de santos *(Vida de San Ildefonso* y *Vida de San Isidoro).* Pero la obra maestra del Arcipreste de Talavera es la llamada *Corbacho o reprobación del amor mundano.* Aparte sus fuentes humanísticas, está inspirada en las anécdotas oídas, en los sucesos presenciados y en los tipos directamente observados. La parte orgánica es la normal en un tratado ascético. Está lleno de refranes y *ensiemplos.* Consta de cuatro partes: la 1.ª se refiere a los daños y consecuencias del pecado de lujuria; la 2.ª a los vicios, tachas de las malas y viciosas mujeres; la 3.ª y 4.ª a las *complisiones de los hombres.* Las descripciones de mujeres y hombres incumplidores de las leyes divinas forman un cuadro picaresco y colorista. Es deliciosa la pintura del enamorado orgulloso, de las mujeres avariciosas, del caballero viejo que se casa con una moza, la de la mujer orgullosa. Cuadros afortunadísimos de las costumbres de la época (enumeración de viandas y golosinas corrientes, afeites y vestidos, etc.). He aquí el cuadro relativo a la mujer que perdió una gallina:

Callad, amiga, por Dios; dexadme llorar, que yo sé que perdí e que pierdo hoy... ¡Rayo del cielo mortal e pestilencia venga sobre tales personas...! Perico, ve en un salto al vicario del arzobispo, que te dé una carta de descomunión, que muera maldito e descomulgado el traidor malo que me la comió; bien sé que no me oye quien me la comió. Alonsillo, ven acá, para mientes e mira, que las plumas no se pueden esconder, que bien conocidas son. Comadre, ¿vedes qué vida esta tan amarga? Huy, que ahora la tenía ante mis ojos. Llámame, Juanillo, al pregonero que me la pregone por toda esta vecindad.

Cronistas regios y particulares. — Buena prosa, elegante o pintoresca, predomina en el siglo XV, especialmente durante el reinado de tanto interés literario de don Juan II. Entre los cronistas más notables tenemos al sabio humanista que fue autor de la *Crónica de Juan II,* cuya prosa fina y armónica es un modelo. Como en las crónicas de Ayala, se detallan los hechos año por año.

No es todo guerras, sino que también se describen festejos y torneos como los que hicieron el rey de Navarra y don Juan II. También describe la desgracia y muerte de don Álvaro de Luna de manera acerada y desoladora.

La *Crónica de don Álvaro de Luna,* correcta y sobria, es obra de algún deudo o amigo devoto del condestable.

Es notable, también en el siglo XV, el desarrollo de las crónicas de viajes. Así Ruy González de Clavijo escribió una *Historia del Gran Tamorlán* en que, después de referirse a tierras ya conocidas de los castellanos — de Italia a Turquía —, entra en la parte más pintoresca del mundo oriental y llega a confundir lo verdadero con lo fantástico. Otro curioso libro de viajes lo debemos a Pedro Tafur, que escribió *Andanzas e viajes por diversas partes del mundo habidos,* en que nos habla de Florencia, Pisa, Venecia, Jerusalén, isla de Chipre y El Cairo.

La novela sentimental. — La *Fiammeta,* novela con atisbos psicológicos de Boccaccio, puede explicar un tipo de literatura emocional que se desarrolla en España a partir de la primera mitad del siglo XV. La aventura novelesca parece absorbida por el paisaje. Comienza por Portugal y Galicia. Las más importantes novelas sentimentales del siglo XV son:

a) *El siervo libre de amor* de Juan Rodríguez de la Cámara o del Padrón, probablemente paje de don Juan II, en torno a cuya vida hay una leyenda semejante a la de su paisano Macías. Su novela, que es a la vez una poética autobiografía, la divide alegóricamente el autor en tres partes: la 1.ª, que se refiere al tiempo *que bien amó y fue amado;* la 2.ª al tiempo *que bien amó y fue desamado,* y la 3.ª al tiempo *que no amó ni fue amado.* La historia de los dos amadores *Ardanlier e Liesa* se relaciona con los hechos caballerescos de la época.

b) *Cárcel de Amor* de Diego de San Pedro, alcaide de Peñafiel, que en esta novela logra un sutil análisis de la pasión amorosa. Su novela ha dado la forma más perfecta del género en su época. El autor finge un encuentro en Sierra Morena con un feroz caballero que simboliza el Deseo y que lleva preso al enamorado Leriano a la Cárcel de Amor (pilares de mármol morado, torre altísima, figuras decorativas simbólicas, escala difícil, y el aposento del encarcelado sentado sobre silla de oro y cuya frente traspasan dueñas lastimeras con corona de puntas de hierro). En esta novela se intercalan gran número de cartas. El enamorado padece por su pasión hacia la princesa Laureola y el autor es el que lleva los mensajes. Pero desesperado Leriano, cuando parecía próximo un dulce fin, ante la frialdad sentimental femenina, se deja morir de hambre ante las amargas quejas de su madre.

He aquí la muerte de Leriano:

Pues tomando de sus dudas lo más seguro, hizo traer una copa de agua, y hechas las cartas pedazos echólas en ella, y acabado esto, mandó que le sentasen en la cama, y sentado bebióselas en el agua, y así quedó contenta su voluntad. Y llegada ya la hora de su fin, dijo: «Acabados son mis males.»

Y así quedó su muerte en testimonio de su fe.

CAPÍTULO IX

ROMANCES Y ROMANCEROS

Los orígenes del romance. — Está afirmada la teoría de la anterioridad de las gestas. De ellas derivan los romances, ya directamente de los fragmentos de las mismas, ya a través de las crónicas en que aparecen prosificadas. Conforme evolucionan popularmente, los romances pasan del tono plenamente épico al lírico y al novelesco.

Clasificación de los romances. — La clasificación principal que de ellos puede hacerse es la siguiente:

a) *Romances viejos o populares.* En este grupo se incluyen los que está probado que son del siglo XV, aunque se editen en publicaciones del XVI. Han de agregarse los recogidos de la tradición oral cuya antigüedad está igualmente probada.

b) *Romances artísticos o nuevos.* Son los que se compusieron por poetas del siglo XVI y posteriores hasta hoy (Lope, Góngora, duque de Rivas, García Lorca).

c) *Romances vulgares.* Son los posteriores a los viejos, pero que carecen del valor artístico de los anteriores. Tal es el caso de los *romances de ciego.*

Otro tipo de clasificación puede agrupar a los romances, como es el que atiende a los asuntos (históricos, caballerescos, fronterizos, novelescos y líricos) o a los personajes que cantan (el rey don Rodrigo, Bernardo del Carpio, el Cid, etc.).

Romances viejos. — Son los que corresponden a nuestra literatura del siglo XV y comprenden las siguientes clases:

1.º *Romances históricos.* Sus temas comprenden los del rey don Rodrigo y la pérdida de España con las tres fases de su leyenda (Rodrigo, rompiendo con la tradición, entra en la Cueva encantada de Toledo; Rodrigo y la Cava; Rodrigo, después del Guadalete y su penitencia); los de Bernardo del Carpio; los del conde Fernán González y sus sucesores; los de los siete infantes de Lara; los del Cid *(Cabalga Diego Laínez — al buen Rey besar la mano, Rey don Sancho, rey don Sancho — no digas que no te aviso, Villanos mátente Alfonso — villanos que non fidalgos, Helo, helo, por do viene — el moro por la calzada)*; los del rey don Pedro, representado como cruel, etc.

2.º *Romances fronterizos.* Éstos vienen a aludir a hechos inmediatos y a reflejar el fino espíritu de las tierras fronterizas con el reino cada vez menor de Granada. Se distinguen por su delicada musicalidad y por su artificio. Aluden a las luchas con los moros de Granada en que rivalizan caballeros cristianos con los Gomeles y Abencerrajes granadinos. Los hay bellísimos *(Por la vega de Granada — un caballero pasea, Alora la bien cercada, Conquista de Alhama, Abenámar y el rey don Juan).* En éstos toman algunos la denominación de *moriscos* por ser un punto de vista desde el campo moro *(Romance de Reduán).* He aquí la pérdida de Antequera, desde el campo moro:

La mañana de San Juan,
al tiempo que alboreaba,
gran fiesta hacen los moros
por la vega de Granada.
Revolviendo sus caballos
y jugando de las lanzas
ricos pendones en ellas
broslados por sus amadas,
ricas marlotas vestidas,
tejidas de oro y grana,
el moro que amores tiene
señales de ello mostraba,
y el que no tenía amores
allí no escaramuzaba.
Las damas moras les miran
de las torres del Alhambra;
también se los mira el rey
de dentro de la Alcazaba.
Dando voces vino un moro,
sangrienta toda la cara:
— Con tu licencia, buen rey,
diréte una nueva mala:
el infante don Fernando
tiene a Antequera ganada;
muchos moros deja muertos,
yo soy quien mejor librara,
y siete lanzadas traigo,
la menor me llega al alma;
los que conmigo escaparon
en Archidona quedaban.
Cuando el rey oyó tal nueva
la color se le mudaba.
Mandó tocar sus trompetas
y sonar todas al arma:
mandó juntar a los suyos,
para hacer gran cabalgada.

3.º *Romances caballerescos.* Los romances sobre el ciclo carolingio son algunos, probablemente, del siglo XIV. Entre los más antiguos se encuentra el del *Conde Dirlos,* que es el más extenso de los romances viejos, los del marqués de Mantua, Valdovinos y

Carloto, los de don Gaiferos, los de Montesinos, el del conde Claros de Montalbán, los de la derrota de Roncesvalles, el bellísimo de doña Alda, etc. Entre los que se refieren al ciclo bretón son tres, uno referente a Tristán *(Ferido está don Tristán)* y dos a Lanzarote.

4.º *Romances novelescos.* Alguno de los romances anteriores presenta un aspecto novelesco independiente de la leyenda de que arrancan. Así el del paje Gerineldo *(Gerineldo, Gerineldo — el mi paje más querido).* Uno de los temas predilectos de esta clase de romances es el de la infidelidad y la dama malcasada *(Romance de la bella malmaridada, Blanca sois, señora mía — más que no el rayo de sol, Rosa fresca, rosa fresca — tan garrida y con amor),* el extenso del conde Alarcos, etc.

5.º *Romances líricos.* Entre los plenamente líricos podemos citar el del conde Arnaldos *(Quién hubiese tal ventura, sobre las aguas del mar),* el de *Fontefrida, fontefrida, Rosa fresca, rosa fresca,* el del prisionero *(Por el mes era de mayo, cuando hace la calor),* etc.

Romances juglarescos y romances cultos. — La popularidad de los romances los hizo difundirse y multiplicarse. Los juglares repitieron los romances alterando muchas veces su texto, reduciendo a lo más fragmentario los pasajes más intensos. Los romances viejos que se transmiten oralmente por los juglares son los propiamente llamados *romances juglarescos.*

El Renacimiento trajo en todos los países una especial atención hacia la poesía popular; de aquí que en España en el siglo XVI, las clases cultivadas tenían entre sus gustos la incorporación del romancero. Desde 1550, aproximadamente, se entra en la etapa de los *romances artísticos.* Se caracterizan éstos hasta el día, porque ya son obra de poetas conocidos como Lope de Vega, Góngora, Quevedo, duque de Rivas, Zorrilla, los hermanos Machado y García Lorca. El romance no es sólo objeto de canto, sino que se incrusta en las novelas y en el teatro español desde el siglo XVI hasta nuestros días. El artístico, como su nombre indica, es obra de arte, artificiosa y tarea de gabinete.

Expansión de los romances. — El romance no tuvo sólo la atención popular, sino que empieza a ser oído en los palacios desde 1445 en la corte de Alfonso V de Aragón y desde 1462 con Enrique IV, en la de Castilla. La música de salón, la de los vihuelistas, cultiva también el romance en la corte. Cuando a fines del siglo XVII pasó de moda literaria, siguió cultivándose en pueblos y campos entre las gentes menos cultas. Se había extendido por toda la península ibérica e incluso acompañó a los grupos familiares de ella que fueron a América y a otros continentes. La persistencia del romance puede comprobarse hoy en los que se cantan en español y en castellano viejo en toda América, desde Méjico hacia el Sur; en las colonias judeo-hispanas (Marruecos, los Balcanes, Asia Menor, Siria y Egipto), y en las islas Filipinas. Como indica Menéndez Pidal, *el romancero vive aún hoy, mostrando una extensión geográfica que ninguna canción tradicional iguala ni ha igualado nunca.*

Los romanceros. — A medida que creció el gusto por los romances, empieza la costumbre de coleccionarlos en tomos sueltos y manejables. Abre la serie de las colecciones el *Cancionero de romances* (1548), al que siguen otros como el *Romancero general* (1600). Las primeras recopilaciones contenían sólo romances viejos; las posteriores iban agregando los modernos. Con el romanticismo se aviva el fervor por el romance, reacción que encabezó don Agustín Durán (1828-1832) e interés que siguió Menéndez Pelayo y, sobre todo, Menéndez Pidal en su *Flor nueva de romances viejos* (1928), en que sigue la tradición de título de estas recopilaciones (recuérdense las cuatro partes del de Timoneda en el siglo XVI, llamadas Rosas).

Los extranjeros se han interesado también mucho en la canción epicolírica de España. La más interesante colección es la *Primavera y flor de romances,* editada por Wolf y Hoffmann en 1856.

CAPÍTULO X

EL HUMANISMO EN LA CORTE DE LOS REYES CATÓLICOS

La corte de los Reyes Católicos. — Los grandes destinos de España en el siglo XVI se preparan en la época de los Reyes Católicos (1474-1504). Los hechos culminantes de este reinado — conquista de Granada, descubrimiento de América y triunfo en Italia del Gran Capitán — abren horizontes inusitados a aquel comienzo brillante de la unidad política española mediante la unión de Aragón y Castilla. A esto ha de agregarse la gran adquisición de la imprenta, que aseguró la difusión del español y llevó a la muchedumbre los libros tal como salían de sus autores. Con ello, además, se fijaba el idioma. La primera obra tipográfica de España conocida es de 1474. En el orden cultural este reinado representó la incorporación del humanismo a la tradición nacional y al mismo tiempo la persistencia de los motivos medievales. En la corte de los Reyes Católicos se intensificó el estudio del latín. La propia reina Isabel lo estudió con doña Beatriz Galindo. También lo conocían las infantas y el malogrado príncipe don Juan. Los nobles contrataban a los mejores maestros de Italia; así enseñaron en España el siciliano Lucio Marineo Sículo y el lombardo Pedro Mártir de Anglería. El latín tenía un ambiente de entusiasmo en las universidades. La obra más representativa es *La Celestina,* en que se funde el mundo medieval con el Renacimiento.

Antonio de Nebrija (1441-1522). — Andaluz de nacimiento, estudió en Salamanca, muy joven pasó a Italia y estudió en Bolonia, de donde vino al servicio del arzobispo de Sevilla don Alonso de Fonseca. Explicó en la Universidad de Salamanca y el cardenal Cisneros le llevó a la Universidad de Alcalá, donde murió.

Nebrija fue un gran colaborador de los reyes en la tarea de la unidad lingüística y en la expansión del español. A él se debe la primera gramática de una lengua vulgar: *Gramática castellana* editada el significativo año de 1492. Aunque anteriormente Alfonso de Palencia había publicado un *Vocabulario en latín y romance,* a Nebrija debemos también los Diccionarios latino-españoles (1492-1495) a más de unas reglas de *Ortografía castellana.* También colaboró en la *Poliglota complutense* por encargo de Cisneros. Y, como buen humanista, abarca otros muchos campos, como Arqueología, Derecho, Pedagogía, etc. Nebrija, como dice Menéndez Pelayo, fue *la más brillante personificación literaria de la España de los Reyes Católicos.*

La poesía y los poetas religiosos. — Algunos de los poetas citados — los Manrique por ejemplo — continúan escribiendo en esta época, en que se dan las últimas formas de la escuela alegórica. La poesía religiosa da ejemplos notables en poetas que unen motivos populares a una concepción teológica intelectual. Podemos citar los siguientes nombres:

a) **Fray Íñigo de Mendoza,** franciscano y poeta favorito de la Reina Católica, cultiva la poesía religiosa y los asuntos ascéticos o de historia sacra. Es muy interesante su *Vita Christi por coplas* (1482), poema de inspiración culta y formas populares, compuesto en dobles quintillas; intercala poesías populares como himnos, romances, villancicos y una especie de *égloga* que constituye el más antiguo *auto de Nacimiento* de espíritu rústico en castellano. Su argumento queda interrumpido en el episodio de la degollación de los Inocentes. Un realismo íntimo campea en el poema (puede observarse en cómo reaccionan los pastores ante la aparición del Ángel, y cuando María viste los pañales al Niño) y la vena satírica puede verse en sus coplas contra las malas mujeres. A la reina Isabel le dedicó su *Dechado del Regimiento de Príncipes,* en que hay una minuciosa descripción de la simbólica espada de la justicia. Hay otros varios poemas que podrían considerarse como fragmentos para completar su *Vita Christi,* como *Lamentación a la quinta angustia, cuando Nuestra Señora tenía a Nuestro Señor en los brazos,* en que hay estrofas como las siguientes:

¿Dónde vas, apasionado,
con tan diversas feridas,
con espinas coronado,
con color descolorado,
con lágrimas tan sentidas?
... ...
Veo tus ojos quebrados
y tus cabellos sangrientos;
tus brazos, de los tormentos,
por fuerza descoyuntados.

b) **Fray Ambrosio Montesino,** también franciscano y protegido por la reina Isabel, llegó a ser obispo de Cerdeña. Por encargo real tradujo la *Vita Christi* del Cartujano (Landulfo de Sajonia), notable por haber sabido dar gravedad al castellano vulgar. Como poeta, lo encontramos en un *Cancionero* de 1508 popularizando motivos de la vida de Jesús, la Virgen y los santos, sobre todo de San Francisco de Asís. Escribe sus asuntos religiosos en romances aconsonantados, y sus poemas devotos se ajustan a la música de las letras para cantar temas populares y no religiosos, como ocurre en las *Coplas al destierro de Nuestro Señor para Egipto.*

c) **Juan de Padilla, "el Cartujano" (1468-1522).** Representa el deseo de construir a la manera clásica y tiene un fondo vivo de tradición medieval. Su relación con las artes plásticas se muestra en los propios títulos de sus obras poéticas: *Retablo de la Vida de Cristo* (en que sigue los cuatro Evangelios) y los *Doce triunfos de los doce Apóstoles,* cuya primera edición muestra en la portada un retablo con doce nichos. En esta obra se combina el sentido astrológico de los signos, con imitaciones dantescas y petrarquistas y hechos españoles a la manera de Juan de Mena. Los apóstoles se agrupan en cada uno de los signos del Zodíaco, conforme a los meses del año. El sol es Cristo, y al lado de los doce signos hace que en la tierra correspondan doce bocas de infierno, según la clase de pecados que se castigan.

Garci Sánchez de Badajoz (1460?-1526?). — Entre los nombres que se pudieran dar del *Cancionero General* de Hernando del Castillo es éste el más destacado. Nuevo Macías, también enloqueció de amores. Y escribió a la manera dantesca el *Infierno d'Amor,* en que aparecen los amantes célebres de la época desde Macías. El de Santillana es superior al suyo. También adapta los rezos del breviario a composiciones eróticas como las *Liciones de Job.* Sus obras de arte menor son finas y cuidadas; así el *Sueño* en que ve su propio entierro y *Lamentaciones de amores* en coplas de pie quebrado:

... ...
Y vos, cisnes, que cantáis,
junto con la cañavera
al par del río,
pues con el canto os matáis
mirad si es razón que muera
con el mío.

Los comienzos del teatro hasta el siglo XV. El "Auto de los Reyes Magos". — Al estudiar los orígenes del drama moderno se le supone nacido al calor de la Iglesia y como una ampliación de la liturgia. Siendo la cultura medieval esencialmente teológica, es de suponer que el primer teatro europeo se modeló entre las naves de las catedrales románicas y como una extensión del culto. Del canto alternado de los oficios divinos — recuérdense los que todavía se cantan en la Semana Santa — se debió pasar al ciclo de representaciones de la Pasión. En torno a las dos grandes fiestas de Pascua (Navidad y Resurrección) se agruparon los dos ciclos dramáticos de Navidad y de Pasión y Resurrección, respectivamente. La más antigua producción del teatro castellano es el *Auto de los Reyes Magos,* que por el castellano que emplea debe ser del siglo XII. Es sólo un fragmento de 147 versos. Muestra que no puede ser la primera obra de su género y que, sin duda, se comenzó imitando piezas latinas y francesas antes de llegar a esta madura forma de teatro primitivo.

Aparecen por separado los tres Reyes Magos, que se reúnen después y deciden visitar al Mesías, que había nacido según atestigua la misteriosa estrella. Llegan al palacio de Herodes, que queda admirado de la noticia, y después de un soliloquio en que manifiesta sus temores, convoca a sus sabios para saber dónde nacerá el Redentor, interrumpiéndose la obra durante la discusión de dos rabíes.

Entre este *auto* y las ya citadas representaciones de Gómez Manrique existe una gran laguna de obras; pero no faltan las citas en los textos y ellas nos permiten comprender la existencia de un drama sacro litúrgico al lado de piezas profanas. En estas últimas formas de la descomposición de la comedia latina, llamadas *juegos de escarnio,* hemos de ver los antecedentes de nuestros *pasos y entremeses.* También debió de existir un teatro *de colegio.*

En cuanto al teatro religioso europeo, se dan dos clases de obras: a) los *Misterios,* sencilla versión dramático-histórica de temas de las Sagradas Escrituras al lado de los cuales hay que situar los *milagros,* episodios de vidas de santos o milagros de la Virgen; y b) las *Moralidades,* que son de carácter alegórico y generalmente satírico. La existencia de éstas en la literatura española del XVI hace pensar que el género existía en España.

Al *misterio* europeo corresponden nuestras representaciones del quinientos (*autos* de Nacimientos, leyendas, vidas de santos, obras históricas bíblicas, etc.). A la *moralidad,* las *farsas sacramentales* llamadas después *autos.*

Juan del Encina (1469-1529). — El llamado *patriarca del teatro español* cambió en 1490 su apellido Fermoselle por el de Encina. Probablemente nació en Salamanca. A los cincuenta años se hizo sacerdote y probablemente murió en León. Una síntesis de su vida puede hacerse en tres ciudades representativas:

a) Salamanca (tradición popular y cultura del Renacimiento español universitario a lo Nebrija). Encina representó para Navidad o Carnaval ante el infante don Juan o en el palacio del duque de Alba.

b) Roma. Encina reside en la suntuosa corte pontificia y allí, en una fiesta en el palacio del cardenal Arborea, representa su *Égloga de Plácida y Victoriano.* Encina es entonces un verdadero renacentista.

c) Jerusalén. Ordenado de sacerdote, va en peregrinación a

los Santos Lugares a decir su primera Misa. Su espíritu cristianísimo español reacciona con la voz no apagada de la Edad Media.

Pero la gran obra de Encina aún no sería comprendida si olvidásemos que además fue músico (figura en el *Cancionero* musical de Barbieri con numerosas composiciones).

Su teatro se divide en dos épocas (*): en la *primera época* se distingue por la sencillez de su acción. Comprende obras sacras como las *Églogas o autos de Navidad* y las *Representaciones de la Pasión y Resurrección;* obras profanas como las *Églogas de Carnaval o Antruejo* (en que los pastores conversan en la lengua del Sayago con alusiones a hechos de la época y en las que no falta ya el sentido renacentista de la alegría del vivir); y el *Auto del Repelón,* huella del teatro escolar, de tan abundantes ejemplos en Europa (es muy primitivo, se refiere a las bromas y burlas que hacían los estudiantes de la universidad de Salamanca a los aldeanos que iban al mercado de la ciudad).

Es de más interés su obra de la *segunda época,* en que la intriga adquiere una mayor complejidad. A este momento pertenecen: a) La *Égloga de Fileno, Zambardo y Cardonio,* que corresponde al género de los *amores trágicos* del fin de la Edad Media. Fileno se mata por amor, herido por el desdén de la pastora que ama. b) *Égloga de Cristino y Febea,* obra de época que representa el triunfo del Renacimiento, juventud y vida sobre el ascetismo. c) La *Égloga de Plácida y Victoriano* es el triunfo, también, del Renacimiento sobre el amor trágico del final de la Edad Media (Victoriano va a suicidarse, pero Venus detiene su mano y resucita a Plácida para que los amantes expresen su felicidad). Representada en la corte de un cardenal del Renacimiento, es un canto a la alegría de vivir.

CAPÍTULO XI

LA PROSA DE LA ÉPOCA DE LOS REYES CATÓLICOS

La Celestina. — Esta obra, que representa un valor literario y humano superior a todo lo precedente, se ha insinuado que fue compuesta el mismo año simbólico de 1492. La edición conocida

(*) Valbuena Prat: *Literatura dramática española,* Barcelona, 1930, página 26.

como más antigua es la de Burgos de 1499, que lleva el nombre de *Comedia de Calisto y Melibea.* En cuanto a su autor o autores, lo único evidente hasta ahora es que *Fernando de Rojas,* nacido hacia 1465, estudiante de leyes en Salamanca y luego Alcalde Mayor de Talavera, fue el autor total o parcial de la obra. De algunos detalles del extenso texto (hay ediciones en que tiene hasta veintiún actos) parece deducirse que Rojas no fue el único autor. Como autores del acto primero — que es el que Rojas encontró hecho, según se dijo — se señala a Rodrigo de Cota y a Juan de Mena, nombres que han extrañado con la atribución. Aunque por su extensión no admita la representación dramática, por el diálogo, el conflicto y la acción parece claro su entronque teatral, como se ha podido apreciar en escenificaciones modernas. En su aspecto externo puede proceder de la comedia latina, según se imitaba en la Edad Media. La acción se desenvuelve desarrollando los motivos del logro del amor y el contraste de la serie de muertes que culminan con la de los amantes. Neoplatonismo y realismo son las características de la comedia. El primero lo representa Calisto con su concepción idealista de la amada. (Melibea es el ideal de la mujer hecho carne.) Éstos representan los más elevados conceptos de la época y se expresan en lenguaje levantado:

Melibea: «... ¿Dónde estabas, luciente sol? ¿Dónde me tenías tu claridad escondida? ¿Había rato que escuchabas? ¿Por qué me dejabas echar palabras sin seso al aire? Todo se goza este huerto con tu venida. Mira la luna cuán clara se nos muestra, mira las nubes cómo huyen. ¡Oye la corriente agua desta fontecica, cuánto más suave murmurio su río lleva por entre las frescas yerbas! ¡Escucha los altos cipreses, cómo se dan paz unos ramos con otros por intercesión de un templadico viento que los menea! ¡Mira sus quietas sombras, cuán oscuras están y aparejadas para encubrir nuestro deleite!»

Por el contrario, el realismo tiene su representación en Celestina y los criados Sempronio y Pármeno. Celestina, tipo literario universal, cuyo antecedente es la Trotaconventos del Arcipreste, es una concepción medieval en cuanto representa brujería y artificio para resolver subrepticiamente los pecados con miras personales egoístas. El lenguaje es entonces realista y popular:

Celestina: «Assí que el niño desea ser moço y el moço viejo, y el viejo más, aunque con dolor; todo por vivir, porque como dicen: Viva la gallina con su pepita. Pero quién te podría contar, señora, sus daños..., aquel arrugar de cara, aquel mudar de cabellos su primera y fresca color, aquel poco ir, aquel debilitado ver, puestos los ojos a la sombra, aquel hundimiento de boca, aquel caer de dientes, aquel carecer de fuerza, aquel flaco andar, aquel espacioso comer? Pues, ay, ay, ay, señora!, si lo dicho viene acom-

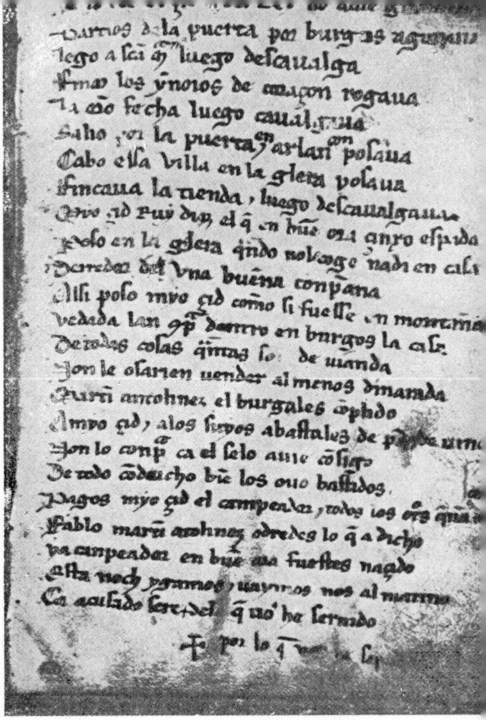

Códice del «Mío Cid»

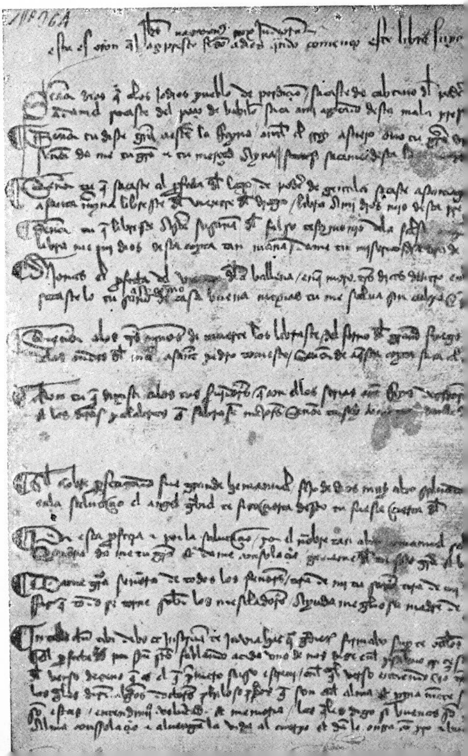

Códice del «Libro de buen amor» del arcipreste de Hita

Edición de «Las siete partidas» de Alfonso el Sabio, del siglo XVI

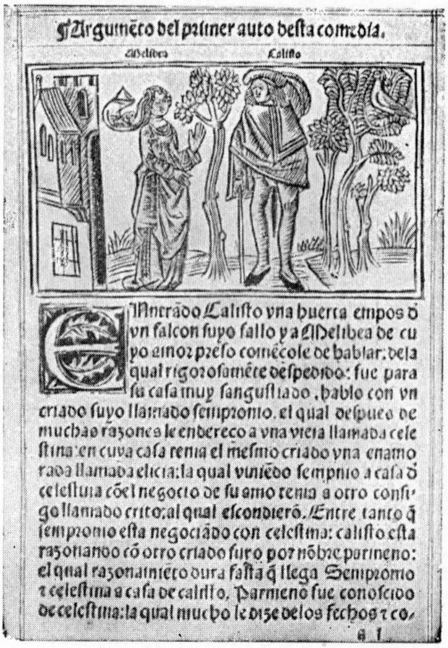

Grabado de la primera edición de «La Celestina» (1499)

Retrato del Marqués de Santillana

pañado de pobreza, allí verás callar todos los otros trabajos cuando sobre la gana y falta de provisión, que jamás sentí peor ahito que de hambre.»

La Celestina se produce en el cruce de la Edad Media y el Renacimiento, participando por esto de una doble y contradictoria concepción de la vida. En el reinado de los Reyes Católicos no hay otra obra comparable a ésta en interés humano y psicológico. He aquí un resumen de su contenido:

Entrando Calisto en una huerta persiguiendo a un halcón suyo, halló a Melibea, de cuyo amor quedó preso, y comenzóla a hablar, siendo «muy rigurosamente despedido». Razonó en su casa la angustia que llevaba con Sempronio, su criado, y éste le dirigió a Celestina, que logra hábilmente entrar en casa de Melibea, ganando su voluntad para Calisto. Sempronio y Pármeno, criados y confidentes de Calisto, traman explotar la pasión de su amo. Yendo Calisto a visitar a Melibea, como oyese ruido cayó de la escala que había puesto para penetrar en el jardín y murió. Lucrecia, criada de Melibea, avisa a Pleberio para que vaya a ver a su hija. En su cámara, Pleberio envía por instrumentos músicos para distraerla. Melibea sube con Lucrecia a una torre, despide a ésta, cierra la puerta tras sí. Explica a su padre, que está al pie de la torre, cuanto ha pasado, y déjase, al fin, caer de la torre abajo. Pleberio torna a su cámara y cuéntale a su mujer la muerte de Melibea; y haciendo su llanto, concluye.

Cronistas de los Reyes Católicos. — Entre los más notables puede citarse a *Mosén Diego de Valera* (1412-1488?), maestresala de la reina Isabel, autor de la *Crónica de los Reyes Católicos,* que está dividida en dos partes (guerra de Portugal y guerra de Granada). La primera de ellas muy influida por las *Décadas* de *Alfonso de Palencia* (1423-1492), otro gran cronista y escritor que intervino en las negociaciones del matrimonio de los Reyes Católicos.

Otra figura es *Hernando del Pulgar,* que escribió *Crónica de los señores Reyes Católicos,* que comprende de 1468 a 1490. Sobre estos mismos reyes es notable la *Historia* de Andrés Bernáldez (muerto en 1513) y la *Crónica* de Alonso Flórez (1476). Todas estas composiciones de tipo histórico no se aproximan a las grandes posibilidades que se abrirían luego con Carlos V.

Los libros de caballerías. El Amadís. — Los hechos de armas y empresas de los Reyes Católicos explican el éxito de moda que tuvieron estos libros de aventuras que habían de llegar pronto a su apogeo. Al final de la Regencia de Fernando el Católico y el cardenal Cisneros, un editor y escritor que había tomado parte en las empresas de Granada y en las del Gran Capitán en Italia, corrige y continúa el mejor libro de caballerías hispánico, el *Amadís*. Aparece en Zaragoza en 1508 por *Garci Rodríguez de Montalbo* —Garci Ordóñez en las reimpresiones—, regidor de Medina del Campo en tiempo de los Reyes Católicos, el cual *corrigió* los tres primeros libros, *trasladó y enmendó* el cuarto y *añadió* el quinto, que contiene las *Sergas de Esplandián,* hijo de Amadís. En el prólogo alude a los hechos del *muy esforzado* don Fernando, todo ello *animando los corazones gentiles de mancebos belicosos.* El *Amadís de Gaula* procede del ciclo bretón, como lo demuestran muchos detalles procedentes de *Lanzarote y Tristán,* pero ello no afecta a su originalidad. Probablemente es un relato nacido en Bretaña y aclimatado en nuestros países. Se discute si la primitiva edición es portuguesa o española; pero Montalbo no habló de traducir, sino de modernizar. Se trata de una gran novela que purificó el género caballeresco, que ejerció notable influencia y que luego había de ser lectura favorita de grandes ingenios como Santa Teresa de Jesús, como su forma anterior ya era popular en la época del canciller Ayala. Es un libro humanísimo, no obstante los maravillosos sucesos que describe.

El contenido de sus libros es el siguiente:

Libro primero: Amadís es abandonado en el río en un arca embetunada y es recogido por Gándales de Escocia. Una espada y un anillo han de servir para su reconocimiento. Sobresale por su esfuerzo y su valor. Se enamora de Oriana, hija del rey Lisuarte, y es armado caballero y reconocido por sus padres Perión y Elisena, queda encantado en el palacio de Arcalaus y es desencantado por dos doncellas, discípulas de Urganda la Desconocida. Lucha con su hermano Galaor sin conocerse. Reconquista el reino de Sobradisa y logra la aventura de Briolanja.

Libro segundo: Es el que más maravillas contiene, como los palacios de la Ínsula Firme. Entre sus episodios, la prueba del Arco de los Leales Amadores y la penitencia de Amadís (con el nombre de Beltenebros) en Peña Pobre.

Libro tercero: En la Ínsula del Diablo, Amadís (el Caballero de la Verde Espada) vence al Endriago, monstruo del pecado. En este libro acaba la novela primitiva con el vencimiento del Emperador de Occidente, la libertad de Oriana y el retiro del héroe con su amada a la Ínsula Firme.

Libro cuarto: Es un doctrinal de caballeros, obra de Montalbo, que casa canónicamente al héroe y a los demás personajes con sus amadas respectivas. Urganda la Desconocida sale del mar para pronosticar los destinos de Esplandián, a quien se arma caballero. Este libro constituye un añadido innecesario. El quinto, obra también de Montalbo, contiene las sergas o gestas de Esplandián.

La importancia literaria de este libro y su influencia fueron enormes. Se difundieron sus ediciones, se sucedieron sus continuaciones y fue utilizadísimo (Gil Vicente, Ariosto, Tasso, etc.).

Otros libros de caballerías deben citarse, como el *Tirant lo Blanch,* cuyo autor, Mosén Joanot Martorell, empezó a escribirlo en 1460.

CAPÍTULO XII

EL RENACIMIENTO EN ESPAÑA

Los siglos de oro de la literatura española. — La cultura española llega a su plenitud en los siglos XVI y XVII y entonces se van logrando obras perfectas en todas las ramas de la literatura, al mismo tiempo que España adquiere como potencia un valor universal. Conviene distinguir entre los dos Siglos de Oro. Partiendo de la época del emperador Carlos tenemos dos siglos separables dentro de una unidad superior:

a) El siglo XVI o *Apogeo del Renacimiento español.* Predominio de lo lineal, de lo acabado. Formando un todo armónico puede, a su vez, dividirse en dos momentos: 1.º El de Carlos V (1517-1556), en que España realiza un Renacimiento español, pero mirando a Italia. Es un momento de universalidad, de vida hacia fuera; y 2.º El de Felipe II (1556-1598), que es una etapa nacional cerrada, hacia dentro, ascética y mística.

b) El siglo XVII o *Época nacional.* Predomina lo pintoresco, lo inacabable, lo abierto, lo *barroco*.

El Renacimiento español. — La época del emperador se distingue por el equilibrio entre forma y fondo, entre erudición y poesía. La devoción por lo clásico latino y griego, que venía desarrollándose desde don Juan II, se lleva ahora al extremo. Modelos y textos latinos llenan la literatura española. Coincide ésta con el Renacimiento italiano en el culto a la forma, en el neoplatonismo filosófico y en el sentido humanístico del idioma. Se cultivan los temas y las imágenes clásicas, cuya perfección se trata de imitar. Se mezcla la mitología pagana a los textos cristianos y se prefiere el latín de Virgilio al de los Santos Padres. Pero el Renacimiento español no se limitó a la imitación, sino que tiene formas propias. Su sentido constructor y armonizador culminará en Cervantes.

Cisneros y la Poliglota. — La obra más representativa y de mayor importancia del Renacimiento español es la *Biblia Poliglota* de Cisneros. Los trabajos habían comenzado en 1502 y su primer volumen apareció doce años después. Fue una obra de mérito excepcional y la primera poliglota de la historia. Sólo un ambiente como el hispano, en que había vivido lo latino con lo oriental, podía producir tal obra. La *Poliglota complutense* consta de seis volúmenes en folio: cuatro con el *Antiguo Testamento* con los textos griego, latino y hebreo (el primero, además, con el caldeo); y dos con el *Nuevo Testamento* en griego y latín, uno y el otro con un vocabulario e índice de nombres y gramáticas hebreas. En ella colaboraron Nebrija, Ducas Cretense, Núñez Pinciano y los judíos conversos Pablo Coronel, Alfonso de Zamora y Alfonso de Alcalá. La revisión de los textos grecolatinos, por encargo del cardenal Cisneros, la hizo Nebrija. Muerto ya el Cardenal, el papa León X ordenó la publicación de la *Biblia* (1520).

Erasmo en España. — Desiderio Erasmo (1465-1536), natural de Rotterdam, estudió en París y en Bolonia, fue profesor en Oxford y Cambridge y rector de la universidad de Basilea. Goza de protecciones significativas (el cardenal Médicis, en Roma; el canciller Tomás Moro, en Inglaterra) y sobre todo la del emperador, que le asignó una pensión como consejero de Estado, y aun rechazó la protección real francesa. Hombre de capacidad extraordinaria, estimó tanto la protección española, que llegó a escribir: «Debo a España más que a los míos ni a otra nación alguna.» Hizo traducciones, ediciones bíblicas y de los Santos Padres, y obras notables (*Elogio de la locura, Adagios o apotegmas, Enquiridion o Manual del Caballero cristiano,* los *Coloquios,* etc.). La época europeizante de Carlos V fue terreno abonado para las tendencias purificadoras de la vida eclesiástica que propugnaba Erasmo. El predominio erasmista en España abarca unos quince años, y contribuyó, por contraste, a la reacción católica del reinado siguiente, tan fecundo para la literatura y el arte de España. El humanista holandés fue muy leído en los grandes medios universitarios e incluso catedralicios de Salamanca, Alcalá y Sevilla. Su influencia llega hasta el propio Fray Luis de León. Hasta después de su muerte sus obras no fueron prohibidas. Los principales erasmistas españoles son los hermanos ALFONSO y JUAN DE VALDÉS. El primero, secretario del emperador, justifica el saqueo de Roma en su *Diálogo de Lactancio y un Arcediano,* de gran mérito literario que aún es superado por el *Diálogo de Mercurio y Carón,* en que satiriza las grandes dignidades ya pasadas del mundo a la manera lucianesca y de *danza de la muerte.*

JUAN DE VALDÉS forma en Nápoles una corte espiritual para el comentario de las Escrituras y, aparte sus traducciones y comentarios de libros sacros y las exposiciones de su doctrina religiosa, escribe una obra importantísima desde el punto de vista filológico que es el *Diálogo de la Lengua,* en que explica y declara la lengua castellana a los italianos que se interesaban por su estudio.

Luis Vives (1492-1540). — Es, como Erasmo para Europa, la figura más destacada de nuestro Renacimiento. Nacido en Valencia, desarrolló su actividad en Europa (fue profesor en Brujas, Lovaina, Oxford y París). Como Erasmo, fue pensionado por el emperador. Escribe en latín sobre diversas ramas del saber y destaca en Filosofía. Aplicaba sus observaciones, fruto de la experiencia, a la forma y sistema de los estudios humanísticos, y quería basar la ciencia en la utilidad, en el resultado. Un sentido de la experiencia directa le hace precursor de Bacon y aun de Descartes, situándole, como dice Lang, «a la cabeza de todos los modernos en el campo de la pedagogía hasta Pestalozzi». Aplica, como Nebrija, la pedagogía a los estudios filológicos del latín, lengua en que escribe sus obras. Como filósofo es ecléctico y armónico entre Platón (idealismo) y Aristóteles. Sus obras filosóficas son *De anima et vita* y *De disciplinis.* También escribe obras religiosas, didácticas, de asuntos sociales, como *De subventione pauperum,* y morales, *De Institutione feminae Christianae.* Su sentido de las cosas vivas y cotidianas culmina en los *Diálogos.*

CAPÍTULO XIII

LA POESÍA LÍRICA ESPAÑOLA DEL RENACIMIENTO

La influencia italiana. Boscán. — Es esta época del emperador el momento en que la literatura castellana — tras la influencia triunfante de las bellas artes italianas en España — se incorpora, de manera definitiva, al Renacimiento cosmopolita e italianizante. La aproximación a la métrica italiana era algo que ya estaba en el ambiente peninsular; pero lo que sólo habían sido tanteos se logró por la iniciativa de Boscán y por las calidades líricas de Garcilaso. JUAN BOSCÁN Y ALMOGÁVER (murió en Barcelona en 1542), barcelonés educado en Castilla y ayo del duque de Alba, con amistades ilustres del Renacimiento (Lucio Marineo Sículo, Baltasar Castiglione, Andrea Navagiero), fue una de las figuras jóvenes más interesantes de la corte del Rey Católico. De su amistad con Navagiero, embajador de Venecia, surge el empleo de los metros italianos. Navagiero no sólo se lo aconsejó, sino que se lo rogó. Boscán empezó a utilizar el endecasílabo con grandes dificultades al principio. La amistad con Garcilaso le animó. El endecasílabo de Boscán demuestra cómo la métrica italiana se había aclimatado en España, dados los intentos anteriores, como en Santillana. Escribe *canciones en estancias, tercetos, sonetos, octavas reales* (octava rima) y verso suelto. Las canciones en estancias mezclan el endecasílabo con el heptasílabo. Sus sonetos son notables y sufren la influencia de Petrarca, que, con Bembo, es la mayor, entre otros autores italianos. En verso suelto escribe la *Historia de Hero y Leandro.* No fue un gran temperamento lírico, pero sí el innovador de la métrica.

De su amistad con Castiglione quedó su versión de *Il Cortegiano,* que se dice fue traducido a instancias de Garcilaso, y que muestra a Boscán en la prosa como un gran estilista inspirador, en gran parte, de la del siglo XVI.

Garcilaso de la Vega (1501?-1536). — Fue la figura más brillante de la corte del emperador. Prototipo de cortesano por su *hermosura verdaderamente viril,* de sólida cultura, tañedor de la vihuela, galante con las damas, guerrero valentísimo que lucha siempre al lado de Carlos V (contra las comunidades, en defensa de la isla de Rodas, contra Francia, contra Barbarroja en Túnez) y muere por él a causa de las heridas que heroicamente sufre ante el castillo de Muey en Provenza. El emperador se desesperó de la muerte del más galante y heroico de sus caballeros.

La poesía de Garcilaso. — Su obra poética no es muy extensa, pero sí muy intensa. Compuso *tres églogas, cinco canciones, dos elegías, una epístola* y *unos treinta y ocho sonetos,* aparte algunas composiciones en metros tradicionales. Su estilo es elegante, como su lengua rica en matices, sin desdeñar expresiones populares y refranes que engarza en sus endecasílabos. Es un bello estilo de armonía entre las palabras cultas y los neologismos populares; un éxito de las construcciones y de la musicalidad de las palabras. Hay que agregar su polimetría. En las *églogas* emplea la *canción en estancias* para la primera, en que figura la lamentación de Salicio:

¡Oh, más dura que mármol a mis quejas,
y al encendido fuego en que me quemo,
más helada que nieve, Galatea!
Estoy muriendo y aún la vida temo;
témola con razón pues tú me dejas;
que no hay sin ti el vivir para qué sea.
Vergüenza he que me vea
ninguno en tal estado,
de ti desamparado;
y de mí mismo yo me corro agora.
¿De un alma te desdeñas ser señora,
donde siempre moraste, no pudiendo
della salir un hora?
¡Salid sin duelo, lágrimas corriendo!

En la égloga segunda se hallan tercetos, para las descripciones de caza:

En mostrando el aurora sus mejillas
de rosa y sus cabellos de oro fino
humedeciendo ya las florecillas,

nosotros, yendo fuera del camino,
buscábamos un valle, el más secreto
y de conversación menos vecino;

aquí con un red de muy perfeto
verde tejida, aquel valle atajábamos
muy sin rumor, con paso muy quieto.

La égloga tercera está toda ella escrita en octavas reales:

Flérida, para mí, dulce y sabrosa
más que la fruta del cercado ajeno,
más blanca que la leche y más hermosa
que el prado por abril de flores lleno;
si tú respondes pura y amorosa
al verdadero amor de tu Tirreno,
a mi majada arribarás primero
que el cielo nos amuestre su lucero.

Entre sus *Canciones,* la quinta dio nombre a una estrofa, la *lira:*

Si de mi baja *lira,*
tanto pudiese el son, que en un momento
aplacase la ira
del animoso viento,
y la furia del mar y el movimiento;

y en ásperas montañas
con el suave canto enterneciese
las fieras alimañas,
los árboles moviese,
y al son confusamente los trajese...

También cultiva la *rima al mezzo.* He aquí un fragmento de la égloga segunda:

Puso en el duro suelo la hermosa
cara, como la rosa, matutina,
cuando ya el sol declina al mediodía,
que pierde la alegría, y marchitando
va la color mudando; o en el campo
cual queda el lirio blanco, que el arado
crudamente cortado al pasar deja...
... ...
¡Tal está el rostro tuyo en la arena,
fresca rosa, azucena, blanca y pura!

Garcilaso es la gran figura de nuestro Renacimiento en la lírica. Su estilo es puramente *grecorromano* (ninfas, neopetrarquismo, arte pastoril a lo Sannazaro). Como ejemplo véase el contenido de la *égloga primera:*

Enuncia rápidamente el tema («El dulce lamentar de dos pastores»), seguido de la dedicatoria a don Pedro de Toledo, después el paisaje (el sol saliendo, una verde pradera atravesada por un arroyo), y Salicio se queja de Galatea; sigue otro soliloquio de Nemoroso que llora la muerte de Elisa. En la estrofa final vuelve el paisaje, ahora puesta de sol (nubes bordadas de oro, la sombra invadiendo la montaña).

En sus sonetos es desigual, pero logra algunos bellísimos como *¡Oh, dulces prendas por mi mal halladas!,* y alguno tan significativo como el siguiente:

En tanto que de rosa y azucena
se muestra la color en vuestro gesto,
y que vuestro mirar ardiente, honesto,
enciende al corazón y lo refrena;
y en tanto que el cabello, que en la vena
del oro se escogió, con vuelo presto,
por el hermoso cuello blanco, enhiesto...
el viento mueve, esparce y desordena;
coged de vuestra alegre primavera
el dulce fruto antes que el tiempo airado
cubra de nieve la hermosa cumbre.
Marchitará la rosa el viento helado,
todo lo mudará la edad ligera,
por no hacer mudanza en su costumbre.

Otros poetas petrarquistas. — De la época del emperador es el sevillano GUTIERRE DE CETINA (1520-1557?), que canta el río de su ciudad natal *(Betis, río famoso, amado padre)*. Es autor de *sonetos, canciones, epístolas* y *madrigales* (es famoso el conocido de *Ojos claros, serenos*). También ha de citarse el vallisoletano HERNANDO DE ACUÑA (1520?-1580?), que sirvió en el ejército del emperador y, muerto éste, luchó en San Quintín. Italianizante, escribió *madrigales, canciones* y *sonetos;* en uno de éstos condensó el ideal de unidad española: *Un monarca, un imperio y una espada.* Aún se podrían agregar otros nombres como FRANCISCO SAA DE MIRANDA y FRANCISCO DE FIGUEROA.

Los poetas tradicionalistas. — La reacción frente al empleo de los metros italianos la representa CRISTÓBAL DE CASTILLEJO (1490?-1550), que vivió en Viena y en varias ciudades de la Europa Central. Era monje cisterciense y el haber vivido lejos de España le hizo seguir los metros tradicionales castellanos, en los que siempre había logrado éxitos. Se nos ha presentado como un nuevo Arcipreste y cultiva la poesía amorosa *(Vuestros lindos ojos, Ana)* y el *Sermón de Amores,* que es una muestra más del género de parodia de temas eclesiásticos propios del Renacimiento. Entre sus poesías están las de *Conversación y pasatiempo (Diálogo de mujeres,* que deriva de la sátira de Talavera; *Transfiguración de un vizcaíno, gran bebedor de vino);* otras morales y de devoción *(Diálogo y discurso de la vida de corte, Diálogo entre la verdad y la lisonja).*

Pero las que han dado fama a Castillejo son las composiciones que entran en la polémica sobre la métrica italiana *(Contra los que dejan los metros castellanos y siguen los italianos).* Se lamenta que se olviden las *trovas caseras* por las *nuevas a nuestros oídos.* Hace dos sonetos para demostrar que no es por no saber el no seguir los metros italianos, pero sus muestras son muy flojas. Y, como en todas las innovaciones, se busca demostrar que ya se había hecho. Para demostrarlo hace hablar a Mena, Jorge Manrique y Garci-Sánchez. Su sátira no resulta brillante.

Otro poeta de significación análoga como continuador de la poesía de los *Cancioneros* es el portugués **Gregorio Silvestre,** así como ANTONIO DE VILLEGAS, LUIS GÁLVEZ DE MONTALVO y JORGE DE MONTEMAYOR.

CAPÍTULO XIV

EL TEATRO EN LA PRIMERA MITAD DEL SIGLO XVI

El teatro humanista. — El teatro de la primera mitad del siglo XVI está en la última corriente de los primitivos peninsulares. Cuando se agotan las posibilidades de la Edad Media, se renuevan los temas con la vida, que les infunde, de un lado, la concepción placentera del vivir propio del Renacimiento italiano, y, de otro, la sátira erasmista. Las dos figuras más representativas son Torres Naharro y Gil Vicente.

Bartolomé de Torres Naharro (muerto después de 1530). Nació en la provincia de Badajoz y estuvo cautivo en Argel con ocasión de un naufragio; luego, en Roma, fue protegido por León X. La comedia adquiere con él un aspecto definido. En 1517 se publica su *Propaladia,* en cuyo proemio el autor expone una especie de preceptiva dramática. Esta interesante y primera teoría teatral define la comedia como *un artificio ingenioso de notables y finalmente alegres acontecimientos, por personas disputado.* Como Horacio, las distribuye en cinco actos que él llama *jornadas, porque más parecen descansaderos que otra cosa.* Indica los dos géneros que bastan para la comedia castellana: a) Comedia *a noticia (cosa vista en realidad de verdad),* y b) Comedia *a fantasía (cosa fantástica o fingida que tenga color de verdad, aunque no lo sea).*

La obra teatral de Torres Naharro. — Menéndez Pelayo establece tres épocas en el teatro de Torres Naharro:

a) Primera época: Distingue dos obras, *Diálogo del Nacimiento,* influido por Encina, y la *Comedia Trofea,* que alude a la embajada enviada al papa León X por el rey Manuel de Portugal, con presentes de la India conquistada.

b) Segunda época: Las comedias *a noticia,* que son dos: *Soldadesca,* que es un cuadro de la vida de los soldados españoles en Italia, que termina con un villancico, y *Tinellaria,* que es un cuadro realista de la vida de un tinello, o cocina de un cardenal. Son como grandes cuadros de género, escenas de la vida picaresca y tipos cómicos.

c) Tercera época: Comedias *a fantasía.* Son *Calamita, Aquilana, Serafina* e *Himenea.* La comedia *Jacinta* es considerada como intermedia entre esta época y la anterior. *Himenea* es su obra más perfecta y parece un precedente de la *comedia de capa y espada.* Hay conflicto de amor de galán y dama y el *punto de honra* del hermano. Es obra que libremente tiene las tres unidades dramáticas.

Gil Vicente (1465-1539?). — Es la figura de más interés entre los primitivos peninsulares. Varias ciudades portuguesas se han disputado ser el lugar de su nacimiento. Además de poeta, orfebre y tal vez autor de la bella custodia de los Jerónimos. Fue poeta cortesano y protegido del rey Manuel I de Portugal. Se dice que Erasmo aprendió portugués para poder disfrutar las obras de Gil Vicente. En el teatro de éste abundan las ideas erasmistas. El teatro de Gil Vicente es extenso y vario y no fácil de clasificar, ya que es, al mismo tiempo, una descomposición del teatro medieval y una floración del renacentista. La cronología de sus obras es de 1502 a 1536.

El teatro de Gil Vicente. — Pueden establecerse dos épocas:

I. — Primera época (1502-1510). Se distingue por su máxima sencillez y predominio historial. A la influencia de Juan del Encina se unen las litúrgicas. De esta época son *Auto pastoril castellano, Auto dos Reis Magos* y el *Auto de San Martinho,* en castellano, que puede ser modelo de esta trama sencilla, ya que se reduce a las lamentaciones del pobre y a la escena del santo partiendo su capa.

II. — Segunda época. Representa la evolución de una amplia incorporación de temas diversos, aun en las obras de abolengo medieval. Comprende esta época desde 1511 hasta 1536. Podemos ordenar la obra de esta etapa del siguiente modo:

a) *Obras de predominio religioso.* — Tenemos el *Auto dos quatro tempos,* escrito en castellano y relacionado con el ciclo de Navidad. Además de los personajes del portal de Belén, aparecen las cuatro estaciones, que recitan trozos muy bellos y cantares populares:

> En Sevilla quedan presos
> por cordón de mis cabellos
> los mis amores:
> mal haya quien los envuelve.

Al final, Júpiter reconoce el fin de las divinidades gentilicias y David canta versos con recuerdos de los Salmos. Como puede observarse, se da una mezcla de cristiano y pagano.

Obra importante de Gil Vicente es la *Trilogía de las Barcas.* Comprende el auto *Da barca do Inferno, Barca do Purgatorio* y *Barça da Gloria.* Las dos primeras están en portugués, y la tercera en castellano. Tienen relación con Luciano y Alfonso de Valdés. La barca que conduce al infierno lleva un diablo para gobernarla, que canta, y van desfilando el usurero, el zapatero, la alcahueta y otros. La celestina Brizida Vaz ofrece baratijas en la barca. La del Purgatorio está basada en la leyenda de que la noche de Navidad la barca del diablo está encallada para que nadie pase al infierno. Son notables los personajes infantiles. La de la Gloria es una *danza de la muerte,* que lleva hacia la barca del diablo a los potentados de la tierra (emperador, papa, rey, cardenal, etc.).

A esta época pertenece el satírico *Auto da Feira,* antecedente del *Gran mercado del mundo,* de Calderón, y el *Auto da sibila Casandra,* en que el mundo pagano aparece mezclado con el Antiguo Testamento. Los personajes de la Escritura cantan y danzan con zamarras como rústicos aldeanos. La sibila (sobrina de Moisés y Abraham) se niega a casarse, pues espera que de ella nacerá el Mesías. Es una de las obras más bellamente líricas y con delicadas muestras de poesías populares:

¡Muy graciosa es la doncella!
Digas tú, el marinero,
que en las naves vivías,
si la nave o la vela o la estrella
es tan bella...

b) *Obras fantásticas populares.* — Tenemos la *Comedia Rubena,* que es la primera en que intervienen hadas y hechiceras y donde aparece por primera vez la figura del *bobo* (*parvo* en portugués). Es de una extraordinaria riqueza folklórica (supersticiones, ensalmos, conjuros, prácticas vitandas, etc.). También con elementos de lo maravilloso popular el *Auto das Fadas.*

c) *Comedias caballerescas.* — *Dom Duardos* y *Amadís* pueden considerarse las obras mejor escritas de Gil Vicente. La primera es el delicado idilio de don Duardos con la infanta Flérida, en que hay bellos soliloquios en coplas manriqueñas:

Oh, palacio consagrado
pues que tienes en tu mano
tal tesoro;
debieras de ser labrado
de otro metal más ufano
que no oro.

En cuanto al *Amadís,* sigue el texto castellano de Montalbo. Su contenido son los amores con Oriana, los celos de ésta, la penitencia de aquél y el esclarecimiento de la verdad.

d) *Comedias alegóricas* con elemento patriótico o bucólico. Lo más notable son los *Triunfos* del Invierno y su continuación del Verano. Es una obra de primavera y alegría. Menéndez Pelayo vió en ella *un himno a las fuerzas vivas de la Naturaleza prolífica y serena.* Al final de la irónica descripción del Invierno aparece el Verano:

Del rosal vengo, mi madre,
vengo del rosale.
Afuera, afuera, ñublados,
ñeblinas y ventisqueros,
reverdecen los oteros,
los valles, priscos y prados.
Sea el frío reventado,
salgan los frescos vapores;
píntese el campo de flores;
alégrese lo sembrado.
A riberas de aquel vado
viera estar rosal granado.
Vengo del rosale.

e) *Comedias costumbristas.* — En el terreno de los cuadros de costumbres ha de citarse *Inés Pereira, Farsa dos Físicos* (de los médicos), y la *Comedia del viudo.* La abundancia y riqueza de tipos en estas obras es verdaderamente asombrosa. La última citada es delicada y de gran fuerza cómica en los contrastes. La acción no es muy complicada: Don Rosvel Tenorí quiere casarse con una de las dos hijas del viudo, pero no sabe por cuál resolverse hasta que otro príncipe hermano suyo se casa con la menor.

CAPÍTULO XV

LA PROSA CASTELLANA DEL RENACIMIENTO

La prosa castellana. — El dominio literario de la época se lo disputan dos corrientes: 1.ª Una sobria, selectiva, ponderada, que puede representarla Juan de Valdés en su *Diálogo de la Lengua* y la versión del *Cortesano,* de Castiglione, hecha por Boscán. 2.ª Otra de riqueza retórica, aparatosa y palabrera, con asonancias y consonancias, que la representa especialmente fray Antonio de Guevara.

Fray Antonio de Guevara (1480?-1545). — Fue el escritor que bajo el emperador adquirió una fama más cosmopolita. Cortesano desde adolescente, sirvió al infante don Juan en la corte de los Reyes Católicos. Pero ganó importancia con el emperador. Guevara, que había ingresado en la Orden de San Francisco, es el predicador de la corte, interviene contra los comuneros, es inquisidor, obispo y acompaña a Carlos V en las expediciones a Túnez e Italia.

El relox de príncipes. Su influencia. — Guevara es un escritor fácil, abundante y ameno. Cualquiera de sus obras resulta entretenida. Trataba de presentar la sociedad en formas galanas y elegantes. Su obra principal es:

Libro llamado Relox de Príncipes o Libro áureo del emperador Marco Aurelio (1529). Está constituido por dos obras: una novela histórica de la antigüedad (Marco Aurelio) y un tratado ejemplar de príncipes, en el cual está incorporada la narración. Algunos libros de la antigüedad leídos por el autor, como la *Ciropedia,* de Jenofonte, dejan algo en su obra; pero también se agrega la experiencia personal de su vida de palaciego (ejemplo de esto es la discusión entre Marco Aurelio y la emperatriz Faustina sobre las condiciones de hombres y mujeres). El episodio más famoso de este libro es el *Villano del Danubio,* que se presenta ante el Senado de Roma contra los que agostan sus tierras, cuya figura es desproporcionada, prebarroca *(las cejas que le cubrían los ojos, los pechos y el cuello cubiertos de vello, como oso, y un acebuche en la mano).* La parte doctrinal contiene las enseñanzas sobre las creencias religiosas del príncipe cristiano, su educación y comportamiento y las lecciones sobre la gobernación del reino.

La Inglaterra de Enrique VIII vio en el libro un monumento significativo de época, del que gustó con entusiasmo. En menos de cincuenta años se hicieron doce ediciones, y parece indudable que influyó en el primer barroco inglés, en el *eufuismo* o de *Euphues,* título de una obra de John Lyly.

Otras obras de Guevara. — Otro gran éxito de Guevara fueron sus *Epístolas familiares,* donde descubre un tesoro de ironías y un sabroso comentario de anécdotas de todas clases (sobre Medina del Campo, sobre los tenorios que acompañaban a Carlos V en sus guerras de Italia, sobre un aposentador del rey, sobre tres enamoradas antiquísimas, etc.). En una de sus cartas encontramos en forma de cuento ameno la historia del esclavo romano y el león, que procede de una relación de Aulo Gelio.

Otro libro de Guevara de gran fama es el *Menosprecio de corte y alabanza de aldea.* Obra más o menos sincera en que se exponen, en repetidos paralelismos, las diferencias entre las costumbres de la corte y las de la aldea.

La historia en la época de Carlos V. — La prosa ampulosa y retórica, que era la moda en Europa, se corresponde también con la manera de hacer la historia. Ha de distinguirse entre los historiadores generales y los particulares.

a) *Historiadores generales.* Ha de citarse el zamorano **Florián de Ocampo** (muerto en 1558), cronista de Carlos V, que edita la Crónica de España del Rey Sabio. Tiene también una obra original en que mezcla mucha fantasía, que es la *Crónica general de España* (1543).

b) *Historiadores de Carlos V.* El mismo emperador había redactado unos *Comentarios* de su reinado que se perdieron. Una versión tardía portuguesa ofrece muy escaso interés. **Pero Mexía** (muerto en 1551) es el primer historiador de Carlos V *(Historia del emperador Carlos V)* y autor de una *Historia Imperial y Cesárea* que tiende a una visión de lo universal. **Alonso de Santa Cruz** escribió otra *Crónica de Carlos V,* en que muchos de los hechos los vivió personalmente. Frente a esta historia grandiosa del emperador no podían faltar los contrastes del gracioso y de la caricatura. Caso curioso de pícaro en acción es don **Francesillo de Zúñiga,** bufón del emperador, que escribió la *Coronica istoria* para entretenimiento de su señor. Sus chistes y las caricaturas de los personajes perdieron actualidad y no han resistido al tiempo.

La historia en la época de Felipe II. — El primero que escribe verdadera historia en España es **Jerónimo Zurita** (muerto en 1580), cuyos *Anales de la Corona de Aragón* fueron escritos a la vista de documentos originales recogidos por él mismo. Las fuentes de la Historia se amplían considerablemente con el catedrático de Alcalá **Ambrosio de Morales** (muerto en 1591), que es el primero que utiliza testimonios no literarios para la documentación. Así continuó la *Crónica general de España* de Ocampo y escribió *Las antigüedades de las ciudades de España* basándose en inscripciones y monedas. El historiador de Felipe II es **Luis**

Cabrera de Córdoba, cuya obra, *Historia de Felipe II,* se publica después de muerto este rey, en un estilo ya barroco con abundantes noticias que son exactas.

Primeros historiadores de Indias. — El descubrimiento y las conquistas de América abrieron un ancho campo a la historia que se desarrolla en esta época por el interés que despiertan las nuevas tierras, sus productos y sus costumbres. El nuevo género no puede denominarse *primitivo* dada la plena madurez que revela. Las relaciones de los viajes de **Colón** iniciaron la narración de los sucesos de Indias. Las de los conquistadores — las *Cartas y relaciones de* **Hernán Cortés,** por ejemplo — abrían nuevas perspectivas. Las dos más grandes conquistas — Méjico y Perú — agruparon en torno a sí dos ciclos de cronistas. Del Perú pueden citarse **Francisco Jerez,** secretario de Pizarro, con su crónica *Verdadera relación de la conquista del Perú,* y **Pedro Cieza de León,** autor de *Crónica del Perú nuevamente escrita,* 1553.

En el ciclo de Méjico, iniciado por su propio conquistador **Hernán Cortés,** que además era un humanista, encontramos dos grandes figuras: **Francisco López de Gómara,** hombre culto que concibe la historia según el concepto clásico del héroe: una figura central a la que deben supeditarse las demás. Los hechos narrados en su historia abarcan hasta la etapa final del emperador. Autor de la *Historia general de las Indias y de la conquista de México.* Siente orgullo de español satisfecho: *La mayor cosa después de la creación del mundo, sacando la encarnación y muerte del que lo crió, es el descubrimiento de Indias.* La otra gran figura es **Bernal Díaz del Castillo,** que en su *Verdadera historia de los sucesos de Nueva España* escribe deliberadamente su punto de vista de la realidad del soldado frente al concepto de Gómara. Es una historia vivida por quien peleó en más de cien combates de la conquista, y se lee con gusto. En ella se mezclan expresiones populares. Una figura también inolvidable, aunque tal vez tengamos que acusarle de la leyenda negra contra la España colonizadora, es el **P. Bartolomé de las Casas** (1470-1566), espíritu apasionado y filantrópico que escribió la obra célebre de *Brevísima relación de la destrucción de las Indias* que su autor envió al emperador. Sus exageraciones fueron en su propia época rectificadas. Por este vehemente dominico se pensó en llevar negros a América, creando en el nuevo continente un agobiador problema de razas.

Santa Teresa

Fray Luis de Granada

Fray Luis de León

San Juan de la Cruz

Fernando de Herrera

Alonso de Ercilla

Miguel de Cervantes

Una variante en el género de Indias es la obra de **Gonzalo Fernández de Oviedo** (1478-1557), que fue cronista de Indias ya de edad avanzada, escribiendo *Historia general y natural de las Indias,* en que estudia la raza, costumbres, la tierra, la fauna y flora de los nuevos países. Está dedicado al emperador y se distingue por su ingenuidad.

Aparición de la novela picaresca. "El Lazarillo de Tormes". En medio de la moda de las novelas ampulosas y las narraciones heroicas surge la novela picaresca, que completa la literatura de la época del emperador. La caricatura ya se había presentado especialmente en las obras de sátira (los erasmistas, Guevara); pero sobre las posibilidades del ambiente un autor creó una obra genial viva y nueva: *Vida del Lazarillo de Tormes y de sus fortunas y adversidades* (1554). Dentro de la literatura realista está caracterizada por su personaje central el **pícaro,** una especie de *antihéroe* que desprecia las leyes y es contrario a la sociedad y a sus formulismos; otro aspecto es el del mozo de muchos amos que da ocasión a una galería de caricaturas. Esta figura arranca directamente del hampa española. En la desenfadada alegría del vivir, sus fracasos ponen la nota del humor. Para Bonilla el pícaro es un *filósofo estoico con sus puntas y ribetes de cínico.* Los personajes de este libro, además de Lazarillo, son el ciego, el cura y el escudero, que completan las estampas del mendigo, el sacerdote avaro y el vanidoso pobre. La preocupación de Lázaro es comer y su filosofía la del hambre. Respecto al autor de este libro todavía no se ha precisado. Se ha atribuido a Hurtado de Mendoza, a Sebastián de Horozco y a fray Juan de Ortega, entre otros. Su contenido es el siguiente:

Lázaro nació en un molino del Tormes, de padres desvergonzados. Su madre le dio por amo al astuto ciego que fue el maestro verdadero de Lázaro con el que comenzó su lucha contra el hambre. Se ingeniaba para sustraer comida a su amo; pero éste se vengó de sus raterías dejándole caer la vasija en que bebía sobre su cara. No pudiendo resistir el hambre, en venganza, Lázaro hizo saltar al ciego contra un poste en día de lluvia. Su segundo amo fue un clérigo; continuando su lucha contra el hambre, le abría con llave falsa un viejo arcón en que guardaba los bodigos. Su amo creía que eran ratones, luego que una culebra, y con esta creencia, una noche que Lázaro dormía con la llave en la boca y la hacía silbar, su amo descargó sobre él un tremendo golpe, creyéndolo la culebra, descubrió la superchería y, cuando sanó, lo despidió. Luego fue a Toledo con un escudero que él mismo nunca comía, siendo Lázaro el que tenía que agenciarse comida para darle sin herir su vanidad. Por no poder pagar el alquiler, un día desapareció. Unas vecinas tuvieron que proteger a Lázaro. Sus otros amos fueron un fraile de la Merced, un buldero farsante, un alguacil. El Arcipreste de San Salvador le protege y consigue un oficio real (pregonero de Toledo) y le casa, no del todo desinteresadamente (al parecer), con una criada suya, con lo que Lázaro resuelve su hambre.

Los libros de caballerías en la época del Emperador. Las aventuras desmesuradas de estos libros se explican muy bien con las grandes empresas europeas y americanas de Carlos V. Los libros de caballerías parecían ser la apoteosis de las virtudes e ideales de la última Edad Media. Una aureola de héroe medieval rodeaba al emperador. El estilo de estos libros no era un modelo, pues una vez en boga, todas las medianías ensayaron el género sin cuidar de la belleza formal de las obras.

La serie de los *Palmerines* es un ejemplo de cómo se componían libros a la moda. El primero, *Palmerín de Oliva,* es de 1511, e imita las aventuras de *Amadís,* con las cuales sus sucesos siguen un casi servil paralelismo. La copia es estrafalaria. Un libro tan mediano tuvo una descendencia superior a sus méritos. *Primaleón,* su libro segundo, contiene los hechos de los dos hijos del héroe. Primaleón y Polendos, y los de don Duardos, el enamorado de Flérida, la hija del emperador de Constantinopla. La parte bélica parece reflejar hechos del Gran Capitán y otros personajes contemporáneos suyos. A éstos siguieron otros, como el del portugués Francisco de Moraes.

Muchos de los libros que se leían en esta generación eran modernizaciones de temas medievales o repeticiones de temas europeos lejanos. Lanzarote del Lago, Tristán de Leonís, Carlomagno y sus doce pares vuelven a ser leídos. La versión castellana de 1511 del *Tirant lo Blanch* tenía un gran éxito. Además de estas repeticiones se producían libros extravagantes y desorbitados. Algunos de ellos con sentido religioso tuvieron que ser prohibidos por la autoridad eclesiástica.

CAPÍTULO XVI

LA POESÍA LÍRICA EN LA SEGUNDA MITAD DEL SIGLO XVI

La España de Felipe II. — Al momento guerrero del emperador siguió el reinado de Felipe II (1556-1598), que iba a ser de reconcentración y de hombres de letras y espíritus religiosos.

La retirada del emperador vino a ser el triunfo de la ascética frente al mundo heroico. En este reinado se darán las grandes figuras de la mística y la ascética, el predominio de la novela pastoril, paralización del teatro y de la novela picaresca. La lengua cortesana de la época del emperador se transforma en llana y sobria.

La poesía lírica en el siglo XVI. — La lírica de esta época deja de ser un artificio de ninfas y pastores para cantar los destinos de la cristiandad hispánica y la consolidación nacional de una compleja cultura. El endecasílabo sigue utilizándose por los poetas con gran brillantez. El puente de unión con el estilo de la época del emperador puede ser Sevilla, que se desarrolla literariamente entonces, centro poético de la denominada *Escuela Sevillana,* que se caracteriza por la forma ampulosa, brillante, magnífica. El otro gran centro es la *Escuela Salmantina,* que se caracteriza por la llaneza de expresión y la hondura de pensamiento.

Escuela salmantina. Fray Luis de León (1527-1591). Nació en Belmonte de Tajo (Cuenca), pero su vida perteneció por entero a Salamanca, la ciudad de los humanistas y de los inquietos estudiantes del siglo XVI. Empezó por ser estudiante de la Universidad (estudia también en Alcalá y en Toledo), donde es discípulo de Teología de Melchor Cano. Su graduación en Salamanca fue apadrinada por Fray Domingo de Soto, a cuya muerte Fray Luis predicó el sermón en un cuidado latín que fue muy elogiado. En 1544 profesó en la Orden de San Agustín y no dejó de apasionarse en las disputas de ésta con los dominicos. Contra un maestro protegido por éstos, ganó en reñida oposición la cátedra de Santo Tomás; y después la de Durando. Su antagonista en la Universidad fue León de Castro, dominico. Fruto de las apasionadas luchas universitarias fue su prisión en las cárceles de la Inquisición de Valladolid, acusado de menospreciar la autoridad de la Vulgata y de la traducción clandestina del *Cantar de los Cantares.* Casi cinco años duró la prisión. Consecuencia de ella fue la lograda serenidad de parte de su obra. Salamanca le recibe en triunfo y siguen sus éxitos (cátedra de Filosofía moral, cátedra de Biblia, intervención en el debate sobre la predestinación, defendiendo un pleito de la Universidad es recibido por Felipe II, y llega a Provincial de Castilla de su Orden). Murió en el convento de Madrigal de las Altas Torres. Fray Luis puede ser elegido como ejemplar de su tiempo y de sus problemas. Fue un alma inquieta, apasionada, segura de sí, que avanza hacia un remanso de serenidad.

La poesía de Fray Luis. — Su obra poética, relativamente breve, muestra una trayectoria, una evolución en que Fray Luis empieza por imitar los modelos clásicos, bíblicos e italianos. Veamos algunos aspectos fundamentales de su obra:

a) *Las traducciones* clásicas y bíblicas. Hace versiones de la lírica griega (Píndaro), latina (Horacio, Virgilio y Tíbulo) y del Antiguo Testamento (Salmos y libro de Job). Las versiones horacianas han sido las más notadas, como las del *Beatus ille..., Oh navis, referent in mare te novi.* He aquí un pasaje de *Beatus ille:*

El agua de las acequias corre; y cantan
los pájaros sin dueño;
las fuentes al murmullo que levantan
despiertan dulce sueño.

b) Poesías originales expresivas del *sentimiento de la naturaleza.* Estos poemas originales no representan la ausencia total del influjo horaciano; pero la poesía es ya personal. La más representativa es *Qué descansada vida* (procedente del *Beatus ille*), expresión del estoicismo cristiano con muestra de la naturaleza vista (rincones del jardín *La Flecha* de los agustinos de Salamanca). *La profecía del Tajo,* leyenda heroica nacional en que se da la síntesis de la Edad Media y el Renacimiento español y que también procede de Horacio. Tiene otros poemas ya desligados de las influencias clásicas, en que alcanza una perfección formal. Tres odas, lo mejor de su poesía, las representan: *A Salinas, A Felipe Ruiz* y *Noche serena.* He aquí el comienzo de esta composición en liras:

Cuando contemplo el cielo
de innumerables luces adornado,
y miro hacia el suelo
de noche rodeado,
en sueño y en olvido sepultado,

el amor y la pena
despiertan en mi pecho una ansia ardiente;
despiden larga vena
los ojos hechos fuente;
la lengua dice al fin con voz doliente:

Morada de grandeza,
templo de claridad y hermosura,
mi alma que a tu alteza
nació, ¿qué desventura
la tiene en esta cárcel baja, oscura?

c) Poesía expresión del *sentimiento religioso.* La intuición de la naturaleza y el concepto platónico de Fray Luis se unen a un fervoroso sentimiento de la naturaleza. De este tipo podemos señalar *En la ascensión* y la bellísima *Morada del cielo (Alma región luciente)* que se resuelve en aspiración mística:

¡Oh son, oh voz, siquiera
pequeña parte alguna descendiese,
en mi sentido, y fuera
de sí el alma pusiese,
y toda en ti, oh amor, la convirtiese!

La prosa de Fray Luis de León. — Como prosista se distingue por la depuración constante del estilo. Según Menéndez Pidal es el que *empieza a tratar la lengua española como una lengua clásica.* Llega a una prosa trabajada, elegante y sencilla sin afectación. Las principales obras en prosa de Fray Luis son:

a) *Las traducciones.* La primera es la *Traducción literal y declaración del libro de los Cantares.* Esta obra poética bíblica de Salomón fue traducida y comentada extensamente, y en ella muestra su más exquisita sensibilidad en sus comentarios del amor y los enamorados. *La exposición del libro de Job* está dedicada a una carmelita descalza, amiga de Santa Teresa, con extensos comentarios de los versículos bíblicos.

b) *La perfecta casada* (dirigida a María Varela Osorio, se publicó en Salamanca en 1583). Para ser ejemplo de lo que debe ser la casada cristiana, comenta el capítulo XXXI del *Libro de los proverbios;* pero el escritor va creando un cuadro en el que alternan las sátiras anitifeministas de los antiguos padres de la Iglesia con las observaciones de las costumbres más pintorescas de su tiempo. Así aparecen las damas del siglo XVI con sus niñerías, afeites, trajes y colores:

Ha de venir la tela no sé de dónde, y el brocado de más alto, y el ámbar que bañe el guante y la cuera, y aun hasta el zapato, el cual ha de relucir en oro también, como el tocado, y el manteo ha de ser más bordado que la basquiña; y todo nuevo y todo reciente y todo hecho de ayer, para vestirlo hoy y arrojarlo mañana.

Se completa con el dibujo de la esposa casera, honesta y fiel.

c) *Los nombres de Cristo.* Compuesta en prisión, es la obra más equilibrada, serena y armoniosa de palabras. Está escrita en diálogos entre religiosos de los agustinos de Salamanca (Sabino, Marcelo y Juliano), que pasan las horas de calor, durante las vacaciones, en una huerta del monasterio, a orillas del Tormes, dialogando de cosas del espíritu. Consta de tres libros que contienen los nombres que se dan a Cristo en las Sagradas Escrituras (Pimpollo, Faces de Dios, Camino, Monte, Padre del Siglo Futuro, Brazo de Dios, Rey de Dios, Príncipe de la Paz, Esposo, Hijo de Dios, Amado, Jesús. En la reimpresión póstuma se discutió el de Cordero). He aquí una descripción de Cristo de motivos de renacentismo puro:

Miremos el semblante hermoso, y la postura grave y suave, y aquellos ojos y boca, aquésta nadando siempre en dulzura, y aquéllos muy más claros y resplandecientes que el sol; y miremos toda la compostura del cuerpo, su estado, sus movimientos, sus miembros concebidos en la misma pureza y dotados de inestimable belleza.

Otros poetas castellanos. — La poesía a la manera de la Escuela Salmantina tiene cultivadores como **Fray Pedro de Encinas, Malón de Chaide, Arias Montano** (gran poeta latino imitador de Fray Luis), el maestro **Sánchez Brocense, Francisco de Medrano** (que modificó la lira de Garcilaso como en su oda *Profecía del Tajo en la pérdida de España*) y **Francisco de la Torre,** que escribió sonetos petrarquistas, canciones, odas, endechas y ocho églogas. Entre sus canciones merecen recordarse *A la tórtola, A la cierva herida* y, entre sus odas, *A la edad de oro* y *A la aurora.* Es Francisco de la Torre el mejor de su escuela, separado Fray Luis.

CAPÍTULO XVII

LA ESCUELA LÍRICA SEVILLANA DEL SIGLO XVI

Escuela sevillana. Fernando de Herrera (1534-1597). — El erudito Juan de Mal-Lara funda en Sevilla una Escuela de humanidades por la que pasaron poetas y traductores de los clásicos. Era un hombre de sólida formación, adquirida en Salamanca, Roma y París. Su obra más significativa fue *Filosofía vulgar* (1568), que es una colección de refranes y proverbios. Su escuela unió a la formación clásica la riqueza imaginativa y expresiva propia de Andalucía. Como la salmantina tuvo a Fray Luis, la sevillana tuvo a Fernando de Herrera, *El Divino*. Aunque ordenado de menores, se dice que este sevillano estuvo enamorado, tal vez platónicamente, de doña Leonor de Guzmán, condesa de Gelves, cuya casa frecuentaba con otros humanistas y poetas amigos del marido (Mal-Lara, Pacheco, Alcázar, Mosquera de Figueroa). Dentro de la escuela italiana, Herrera supuso un mejoramiento de la técnica, especialmente en lo que al soneto se refiere. En la obra poética se pueden distinguir dos grupos:

a) *La poesía amatoria.* Sus amores por la condesa de Gelves invaden de melancolía su forma brillante. En bellos sonetos canta las perfecciones de su dama, como el siguiente en que, al comentar el tiempo de la vejez, repite la eternidad de su amor:

Ahora que cubrió de blanco hielo
el oro de la hermosa aurora mía,
blanco es el puro sol y blanco el día,
y blanco el color lúcido del cielo.
Blancas todas tus viras, que recelo
es blanco el arco y rayos de alegría,
amor con que me hieres a porfía;
blanco tu ardiente fuego y frío hielo.
Mas ¿qué puedo esperar de esta blancura
pues tiene en blanca nieve el pecho tierno
contra mi fiera llama defendido?
¡Oh beldad sin amor, oh mi ventura,
que abrasado en vigor de fuego eterno,
muero en un blanco hielo convertido!

De igual belleza son otros, como *Ya pasó mi dolor, ya sé qué es vida,* y *Si no es llorar, qué pueden ya mis ojos*. Los nombres poéticos con que canta a la condesa son Eliodora, Lumbre, Luz, Estrella, etc.

b) *La poesía heroica.* El sentimentalismo de la anterior clase de poesía ha sido reemplazado por lo intelectual. Esta musa comienza por encontrarse cerca del mundo mitológico en su poema heroico: *Canción al Señor D. Juan de Austria, vencedor de los moriscos en las Alpujarras,* en que se traslada al Olimpo cuando Apolo canta la victoria de Júpiter contra los titanes para profetizar los hechos gloriosos de un caudillo que eclipsarán los de los dioses. En este grupo puede considerarse la *Canción al Santo Rey don Fernando* en que, junto a las alusiones mitológicas, ya se nota la influencia bíblica.

La verdadera poesía heroica, entusiasta y grandiosa de Herrera está en la *Canción por la victoria de Lepanto,* en que en estancias e imitando la Biblia (*Himno al paso del Mar Rojo* de

Moisés) canta el famoso triunfo cristiano a raíz del suceso. Aunque no falta el cuidado de la forma y la riqueza expresiva del Renacimiento, el espíritu está informado por el sentimiento católico de su época.

La otra gran poesía de Herrera es *un canto de gemido, Por la pérdida del rey don Sebastián* a propósito del desastre de las armas portuguesas en Alcazarquivir. Resignado, lamenta el fracaso de los ejércitos cristianos. Es otra obra acabada, por las imágenes brillantes y la selección de epítetos.

Herrera es el poeta expresivo de la escuela sevillana, culto seleccionador de vocablos, erudito intérprete de construcciones latinas en castellano, poeta culto enamorado de la forma cuyos orígenes vienen de Garcilaso hacia el culteranismo de Góngora. He aquí dos estancias de la canción *A la victoria de Lepanto:*

Turbáronse los grandes, los robustos,
rindiéronse temblando y desmayaron;
y tú entregaste, Dios, como la rueda,
como la arista queda,
al ímpetu del viento, a estos injustos,
que mil huyendo de uno se pasmaron.
Cual fuego abrasa selvas, cuya llama
en las espesas cumbres se derrama,
tal en tu ira y tempestad seguiste,
y su faz de ignominia convertiste.

Quebrantaste al cruel dragón, cortando
las alas de su cuerpo temerosas
y sus brazos terribles no vencidos;
que con hondos gemidos
se retira a su cueva, do silbando
tiembla con sus culebras venenosas,
lleno de miedo torpe sus entrañas,
de tu león temiendo las hazañas;
que, saliendo de España, dio un rugido
que lo dejó asombrado y aturdido.

Otros poetas andaluces del siglo XVI. — Entre los sevillanos ha de citarse al prologuista de las *Anotaciones a Garcilaso* de Herrera, **Francisco de Medina;** al cordobés **Pablo de Céspedes,** autor de un poema didáctico en octavas reales *(Arte de la pintura),* y a **Baltasar de Alcázar,** el más notable, que se aparta de la brillantez de la escuela para hacer sátiras y epigramas llenos de gracia sevillana; en redondillas tiene sus dos mejores composiciones: *Una cena (En Jaén, donde resido...)* y *Modo de vivir en la vejez.*

En Granada hubo una tertulia literaria del señor Granada Venegas, alcaide del Generalife, a la que concurrían poetas locales como **Silvestre, Pedro de Padilla, Hurtado de Mendoza** (autor de la *Fábula de Adonis,* en octavas reales, y de canciones como la dedicada *A la primavera*) y **Luis Barahona de Soto,** que, no obstante ser amigo de Herrera, lo satirizó en un soneto. Las poesías de Soto, unas siguen la manera tradicional castellana *(Fábula de Acteón),* y otras, la italiana (*De la muerte de Polixena,* canción; y *A la pérdida del rey don Sebastián en África,* elegía en que, en ocasiones, se aproxima a Herrera).

A esta tertulia granadina asistió muy joven **Pedro de Espinosa,** autor de la *Fábula del Genil* y que en 1605 publicó la primera parte de *Flores de poetas ilustres de España,* en que, al presentar los andaluces, recoge especialmente la escuela granadina y antequerana que representa la transición a Góngora.

Poetas aragoneses. — Los más representativos son **Lupercio Leonardo de Argensola** (1559-1613), que escribió sonetos *(Imagen espantosa de la muerte, Si quiere amor que siga sus antojos, Lleva tras sí los pámpanos octubre);* además, odas, canciones y epístolas. Su hermano **Bartolomé** (1552-1631) fue elogiado por Cervantes y Lope. Tiene sátiras, epístolas, canciones y epigramas. Como su hermano, hizo magníficos sonetos *(Dime, Padre común, pues eres justo).*

Los poemas épicos del siglo XVI. "La Araucana". Los hechos gloriosos del siglo trascendieron a la poesía épica. La figura del emperador aparece ahora cronicada en octavas por **Luis Zapata** en su *Carlo famoso* (1556); los de don Juan de Austria en la *Austriada* de **Juan Rufo,** que tuvo enorme éxito por el interés con que el patriotismo recibió los hechos contemporáneos narrados, no obstante la falta de unidad en la acción, ya que mezcla la rebelión de los moriscos con la batalla de Lepanto. El gusto por lo caballeresco explica *Las lágrimas de Angélica* (imitación del *Orlando furioso* de Ariosto) de **Luis Barahona de Soto.** Pero el poema más representativo es el del madrileño de origen vasco **Alonso de Ercilla y Zúñiga** (1533-1594), que fue voluntariamente a la guerra de Chile, tomando parte en diversas batallas que canta en *La Araucana* (Madrid, 1569-1578-1589). Consta el poema de tres partes. La primera es vívida como un diario de campaña; pero la segunda y tercera parte son menos reales y se refieren a la historia española contemporánea. Trata la conquista de Chile

(Arauco) por los españoles. Aunque haya interpolaciones, el poema tiene unidad, que se debe a los hechos del cacique Caupolicán. Su contenido, en breves palabras, es el siguiente:

Los caciques araucanos eligen jefe supremo a Caupolicán (que sostiene por más tiempo un grueso madero). El jefe indio Lautaro derrota a Valdivia y los españoles se retiran; pero, cuando reciben socorros, Lautaro es muerto y vencidos sus indios. En torno al fuerte español de Penso se desarrolla una lucha y los españoles entran en el estado de Arauco y, tras ruda batalla, hacen justicia en Galvarino, indio valeroso, cortándole las manos. Éste se presenta con sus mutilaciones ante el congreso de los suyos. Pero los españoles triunfan y los araucanos riñen entre sí y son pacificados por Caupolicán. Éste ataca el fuerte español engañado y es derrotado y prisionero. Caupolicán sufre suplicio. Antes se ha hecho cristiano.

Aparte los caudillos indios (Caupolicán, Tucapel, Lautaro), tenemos las figuras femeninas de Tegualda y de la hermosa Glaura y los capitanes españoles (general García Hurtado de Mendoza, Villagrán, Reinoso). Las interpolaciones son: visión de la batalla de San Quintín, de la de Lepanto, la de la cueva de Fitón y la de la historia de Dido. A partir de entonces se desarrolla en América un ciclo poético araucano de gran valor y trascendencia, en el que destaca el chileno **Pedro de Oña** — nacido en Los Confines o Angol en 1570 —, que publicó en 1596, en Lima, una extensa narración: *Arauco domado*. No se atiene a la clásica octava real en cuanto a la rima, sino que la modifica (ABBAABCC). En ella revelóse como un decidido apologista del caudillo español don García Hurtado de Mendoza, al que Ercilla había soslayado por motivos personales según se pensó, con algún fundamento, en la época, sin parar mientes en que la intención primaria de Ercilla, que se mantiene inalterable en toda la obra, es hacer un poema con dos protagonistas que son dos pueblos, el español y el araucano, que ambos bien se destacan por valores individuales.

CAPÍTULO XVIII

MÍSTICA Y ASCÉTICA

Misticismo y ascetismo. — Las diferentes actitudes ante la vida y el objeto de la religión se corresponden a dos formas distintas en grado, que son la mística y la ascética. La mística es como una dirección que para el hombre religioso conduce a Dios. La ascética se halla en la mitad del camino. Para llegar a la mística hay que pasar por la ascética. La ascética se basa en el raciocinio; la mística en la intuición. La mística es la comunicación de la criatura con Dios, y para llegar a esta unión los tratadistas señalan tres vías, que son: *purgativa* (corresponde al momento de la purificación de los pecados), *iluminativa* (corresponde a los que han aprovechado en el ejercicio y disciplina ascética) y *unitiva* (que es la de los que han llegado a la unión con Dios). De estas tres vías, las dos primeras son comunes a la ascética y a la mística; la vía *unitiva* es peculiar y privativa de la mística. Por esto resulta difícil deslindar el misticismo del ascetismo, pues a veces ocurre que muchos escritores comienzan ascéticos y, cuando su espíritu se engrandece, se convierten en místicos. Pero en España predomina la ascética sobre la mística; porque la mística carece de antecedentes en Castilla y hay místicos por influjo de la mística universal. En cambio, la ascética abunda y le encontramos mucha semejanza con otros géneros típicamente castellanos. La mística emplea un lenguaje de amor (*matrimonio espiritual,* que dice San Juan de la Cruz).

El período de elaboración de nuestra ascética, como tratado sistemático de organización de nuestra mística, corresponde a los últimos años del reinado de los Reyes Católicos y a la época del emperador, aunque antes haya habido escritores religiosos que puedan significar avances hacia la mística. Entre los primeros tratadistas ascéticos ha de citarse al confesor de la reina Isabel, Fray Hernando de Talavera *(Breve forma de confesar),* a Alejo de Venegas *(Agonía del tránsito de la muerte)* y a Fray Bernardino de Laredo *(La subida del monte Sión).*

El Beato Juan de Ávila (1500-1569). — La figura más representativa de la ascética, en este período de elaboración, es este sacerdote, nacido en Almodóvar del Campo, cuya actividad comenzó repartiendo sus bienes entre los pobres y haciendo labor apostólica por tierras de Castilla — Salamanca, Alcalá — y, al fin, en Andalucía, de la que ha sido llamado su *apóstol.* Sus obras bordean la mística en algunos momentos, sobre todo en *Audi, Filia et vide,* que es un tratado, con verdadero sistema, en que comenta un tema de las Escrituras. Pero, desde el punto de vista literario, su obra mejor es el *Epistolario espiritual para todos los estados.* La posición de este religioso es de ejercicio y actividad, de sermones y conversaciones; en una palabra, es un asceta.

La mística de aportación nacional española. — La mística española florece ricamente en la época de Felipe II. Puede decirse que es un período de aportación nacional en que la producción de los escritores ascéticos y místicos españoles se caracteriza por su originalidad propiamente española.

Teniendo en cuenta las tradiciones teológicas y doctrinales de las órdenes religiosas, pueden reducirse a tres las corrientes de la mística española:

1.ª Corriente afectivista (el misticismo considerado como ciencia puramente afectiva, de amor), representada por franciscanos y agustinos.

2.ª Corriente intelectualista (basándolo en el ejercicio de la inteligencia), representada por jesuitas y dominicos.

3.ª Corriente ecléctica (siempre andan juntos el amor y el ejercicio de la inteligencia), representada por los místicos carmelitanos.

La mística carmelita. — En esta Orden se dio la cumbre de la mística española y, en general, de toda la europea, de su época y de las posteriores. Dentro de la gran etapa de la cultura católica del *Siglo de Oro,* la mística ocupa el lugar preferente. España reacciona contra la Reforma y son los carmelitas, especialmente, los que realizan una nueva vida religiosa. La Orden se purifica de indisciplinas y costumbres mundanas, y los dos grandes reformadores — Santa Teresa y San Juan de la Cruz — componen las obras en que se encarna un nuevo sentido de la oración, la ascensión por la segunda vía y el grado último del éxtasis y la visión.

Santa Teresa de Jesús (1515-1582). — Teresa de Cepeda y Ahumada nació en Ávila y todo induce a creer que era un temperamento sanguíneo, entusiasta y apasionado. En la infancia, cuando jugaba con otras niñas, gustaba *hacer monasterios como que éramos monjas;* deseaba el martirio y hasta salió con su hermano Rodrigo de la ciudad, creyendo iban a tierras de moros, para que los *descabezasen.* Era aficionada a los libros de caballerías y empezó a escribir uno por diversión, en compañía de su hermano. Reveló un temperamento de alma extraordinario en sus fundaciones de conventos de descalzas y en la entereza con que resistió persecuciones e injusticias. Acude al mismo Felipe II y viaja incansable por Castilla y Andalucía, fundando y visitando conventos. El mismo año de su muerte estuvo en Ávila, Medina,

Valladolid, Palencia y Burgos. Marcha a Alba de Tormes y llega muy enferma y muere el día 4 de octubre. Amáronla sus superiores, las monjas y cuantas personas trataba; tenía especial gracia que atraía los corazones.

Libro de su vida (Salamanca, 1588). — Ella lo llamó *Libro de las misericordias de Dios* y es una obra maestra de confesión íntima. En esta autobiografía hay elementos anecdóticos, exposición de favores sobrenaturales y derivaciones teóricas de mística. Las visiones y favores celestiales son verdadera creación poética *(Veo sobre mi cabeza una paloma bien diferente de las de acá, porque no tenía ésta plumas, sino las alas de unas conchicas que echaban de sí gran resplandor)*. Santa Teresa, en este mundo de la confidencia, recuerda a San Agustín en las *Confesiones*.

Las moradas (Salamanca, 1588) — Es el libro más importante de la Santa en el aspecto doctrinal. La obra se denomina también el *Castillo interior,* porque, para analizar el alma en la experiencia mística, se basa en la metáfora de *un castillo todo de diamantes y muy claro cristal, adonde hay muchos aposentos, así como en el cielo hay muchas moradas*. Éstas son siete y corresponden a distintos grados de perfección de las vías purgativa, iluminativa y unitiva. En la primera todavía entran los *sapos* y *culebras* (pasiones) que la ensucian; en las segundas ha de lucharse contra las asechanzas del enemigo. Las terceras suelen ser de prueba, de grandes trabajos interiores. Los favores del Señor comienzan en las cuartas; las pasiones ya no penetran, y, si lo hacen, el alma queda más fortalecida al resistirlas. En las quintas aumentan las *riquezas, tesoros y deleites*. En las sextas, *el alma ya queda herida del amor del Esposo*. En ellas aún quedan trabajos interiores y exteriores (desconfianzas, envidias, enfermedades, etc.). El Señor muestra al alma secretos y la autora expone las maneras de arrobamiento. En las últimas moradas se realiza la unión del alma y Dios:

> ... como si cayendo agua del cielo en un río o fuente adonde queda hecho todo agua, que no podrán ya dividir ni apartar cuál es el agua del río o la que cayó del cielo; o como si un arroyico pequeño entra en la mar, no habrá remedio de apartarse, o como, si en una pieza, estuviesen dos ventanas por donde entrase gran luz, aunque entra dividida se hace todo una luz.

Representan las *Moradas* como siete grados de oración y perfección y en ellas se llega al verdadero misticismo o comunicación con Dios.

Otras obras de Santa Teresa. — El libro de su *Vida* tiene un complemento en el *Libro de las Fundaciones,* y el *Libro de las relaciones,* formado por sencillas notas dirigidas a sus confesores y a otras personas religiosas, en el que figuran apariciones y revelaciones, como la que tuvo en Sevilla. *(El mismo Señor, por visión intelectual, tan grande que casi parecía imaginaria, se me puso en los brazos a manera de como se pinta en la quinta angustia.)*

Las *Moradas* tienen también su complemento en los *Conceptos del amor de Dios sobre algunas palabras de los Cantares de Salomón.* En ellos declara cómo el alma, con una sensibilidad sumamente despierta, nota todos los favores que el Señor insinúa aun a los más pequeños.

Además, han de agregarse libros más prácticos y circunstanciales, como el *Libro de las Constituciones,* en el que no faltan los rasgos de su natural sencillez *(la tabla del barrer se comience desde la Madre Priora para que en todo dé buen ejemplo). Camino de perfección* que trata de los medios de conseguirla mediante la pobreza, amor al prójimo, mortificación, oración y contemplación.

En la literatura de intimidad de la Santa no han de olvidarse sus *Cartas,* que revelan, además de delicados detalles del espíritu, sus relaciones, de valor histórico, con personajes de la época. Su valor lingüístico es extraordinario.

Las poesías de Santa Teresa. — La obra en verso es muy inferior a su prosa. Poseía en alto grado la creación poética, pero no dominó la forma. Sin embargo, produce bellas obrillas como los *villancicos* populares *(Véante mis ojos — dulce Jesús bueno)* y las glosas al *Vivo sin vivir en mí,* cuyo estribillo ya apareció casi exacto en los cancioneros del siglo XV:

«Vivo sin vivir en mí,
y tan alta vida espero
que muero porque no muero.»

Glosa

... ...
¡Oh hermosura que excedéis
a todas las hermosuras!

Sin herir, dolor hacéis,
y sin dolor, deshacéis
el amor de las criaturas.
¡Oh ñudo, que a mí juntáis
dos cosas tan desiguales!
No sé por qué os desatáis,
a tener por bien los males...

Todas sus composiciones son de asunto piadoso y algunas místico y están escritas en los metros de la escuela tradicional castellana.

A la Santa ha sido atribuido el **Soneto a Cristo crucificado,** que, aunque por la forma y estilo no se parece a su auténtica obra poética, pudiera serlo por su fondo de amor a Dios, desinteresado y puro, que coincide con el afectivismo de la escuela carmelita. También se ha atribuido a San Francisco Javier y a Fray Pedro de los Reyes, entre otros. He aquí el magnífico soneto:

No me mueve, mi Dios, para quererte,
el cielo que me tienes prometido,
ni me mueve el infierno tan temido
para dejar por eso de ofenderte.
¡Tú me mueves, Señor! ¡Muéveme el verte
clavado en una cruz y escarnecido!
Muéveme el ver tu rostro tan herido,
muévenme tus afrentas y tu muerte.
Muéveme, en fin, tu amor en tal manera,
que aunque no hubiera cielo yo te amara,
y aunque no hubiera infierno te temiera;
no tienes que me dar porque te quiera;
porque, aunque cuanto espero no esperara,
lo mesmo que te quiero te quisiera.

El lenguaje de Santa Teresa. — Usa la lengua popular de Castilla la Vieja, teñida de arcaísmos (*an, anque, verná, Ilesia, perlada,* etc.) y emplea graciosos diminutivos (*pensamentillos, mariposica, navecica,* etc.). En cambio, es muy raro en su lenguaje el neologismo y las expresiones de tipo culto. La sencillez en el hablar la recomendó a sus monjas. El estilo de Santa Teresa se amolda a la manifestación de sentimientos y a los estados de alma. Alguna vez asoma a su producción un cierto rebuscamiento conceptuoso, sobre todo en los versos.

San Juan de la Cruz (1542-1591). — Como Santa Teresa, nació en tierras de Ávila — en Fontiveros —, y en su mocedad fue enfermero, comenzando, por tanto, en un medio de tristeza y compasión (Hospital de Medina del Campo). Después de profesar, como carmelita, en esta villa, hace estudios de Humanidades y Patrística en Salamanca. En 1568, en la misma ciudad de Medina, fue su encuentro con Santa Teresa y entonces se decidió a unir la suerte de los conventos carmelitas de hombres a la de los femeninos, en la reforma de los descalzos. La reforma le trajo persecuciones violentas, sufrió malos tratos y prisión en Toledo, donde, con la ayuda de Santa Teresa, huyó a Almodóvar. Al final de su vida tuvo cargos importantes en Andalucía dentro de su Orden. Murió de unas calenturas pestilentes en el convento de Úbeda.

La obra de San Juan de la Cruz. — Con su propia expresión podría decirse que *a cuanto toca hiere de ternura de vida.* Es sobre todo un exquisito lírico. Su tono amoroso supera a la lírica erótica de los Siglos de Oro; pero su supremo encanto está en esa fusión del orden humano con el simbolismo sacro. Además comenta en prosa, verso por verso, su propia poesía. Es el caso más claro de poeta lírico puro (llega a la máxima eliminación de la anécdota para proceder por la esencia misma poética). Y también es un místico puro, ya que, como tratadista de mística, ha suprimido todo lo circunstancial. Se cree que la mayoría de sus composiciones las hizo en su calabozo de Toledo y otras en Andalucía. Se notan en él influencias de Garcilaso, sobre todo en la forma métrica; pero en el fondo la obra poemática que más impresionó al místico fue el *Cantar de los Cantares.*

La evolución de la poesía de San Juan de la Cruz comienza con la adaptación de modelos italianos y el predominio de los metros cortos (glosas y romances a la manera de los *Cancioneros*). La sujeción al modelo de Garcilaso se ve en el empleo de la lira, como en sus *Canciones del alma* (de atribución no segura):

Si de mi baja suerte
las llamas del amor tan fuertes fuesen
que absorbiesen la muerte,
y tanto más creciesen
que las aguas del mar también ardiesen.

El verdadero gran poeta comienza en un cantar que es ya distinto de la lírica del XVI: *Que bien sé yo la fuente que mana y corre.* Pero la cima de la obra total de San Juan de la Cruz está representada por los poemas y comentarios, etapas que nos guían en la ascensión por el empinado camino del Carmelo, hasta la cumbre donde arde la llama divina del amor.

a) *Subida del Monte Carmelo.* Es la primera etapa, al principio de la noche oscura. El hombre sensual se purifica y el espiritual se perfecciona por la fe, esperanza y caridad.

b) *Noche oscura del alma.* En ocho estrofas — liras — vemos la etapa en que el alma, libre de los obstáculos terrenales, camina en paz imperturbable hacia la unión con Dios:

En mi pecho florido,
que entero para él solo se guardaba,
allí quedó dormido,
yo le regalaba,
y el ventalle de cedros aire daba.
... ...

Quedéme y olvidéme;
el rostro recliné sobre el Amado,
cesó todo, y dejéme,
dejando mi cuidado
entre las azucenas olvidado.

El comentario en prosa es hondo y penetrante.

c) *Cántico espiritual* (canciones entre el Alma y el Esposo). Es como una autobiografía espiritual, la historia de su alma. Consta de cuarenta canciones y es un diálogo entre el Alma y Cristo. Aquélla busca al amado ausente y las criaturas no le dan bastantes noticias de Él:

Pastores los que fuéredes
allá por las majadas al otero,
si por ventura viéredes
Aquel que yo más quiero,
decidle que adolezco, peno y muero.

Y he aquí un frgamento de la declaración correspondiente a esta estrofa:

Llamando pastores a sus deseos, afectos y gemidos, por cuanto ellos apacientan al alma de bienes espirituales. Porque «pastor» quiere decir apacentador, y mediante ellos se comunica Dios a ella y le da divino pasto... «Los que fuéredes» es como decir, los que de puro amor saliéredes; porque no todos los afectos y deseos van hasta él, sino los que salen de verdadero amor. «Allá por las majadas al otero.» Llama majadas a las jerarquías y coros de los ángeles, por los cuales, de coro en coro, van nuestros gemidos y oraciones a Dios...

d) *Llama de amor viva.* San Juan de la Cruz explica en el prólogo:

Alguna repugnancia he tenido en declarar estas cuatro canciones que me han pedido por ser de cosas tan interiores y espirituales para las cuales comúnmente falta lenguaje, porque lo espiritual excede al sentido, y háblase mal de las entrañas del espíritu si no es con entrañable espíritu.

Corresponden estas cuatro canciones al estado del Alma ya en la divina unión, bañada de gloria y amor, próxima al estado de bienaventuranza. Aquí tenemos la primera canción y un fragmento de su correspondiente declaración:

¡Oh llama de amor viva,
que tiernamente hieres
de mi alma en el más profundo centro!
Pues ya no eres esquiva,
acaba ya, si quieres,
rompe la tela de este dulce encuentro.

Declaración. Sintiéndose ya el alma toda inflamada en la divina unión y sintiendo correr de su vientre los ríos de agua viva que dijo Cristo Nuestro Señor que saldrían de semejantes almas, parécele que, pues con tanta fuerza está transformada en Dios, y tan altamente de él poseída, y con tan grandes riquezas de dones y virtudes arreada, que está tan cerca de la bienaventuranza que no la divide sino una leve y delicada tela...

San Juan de la Cruz, en estos cuatro compendios del Alma, es una cumbre luminosa de la mística, no sólo española sino europea.

e) También escribió *Avisos y sentencias espirituales* y *Cartas espirituales* a monjas e hijas de confesión.

CAPÍTULO XIX

MÍSTICA Y ASCÉTICA *(Terminación)*

Místicos dominicos. — En cuanto a los dominicos había una tradición de severa formación teológica, en la que la figura de Santo Tomás de Aquino suponía un sistema. Los grandes dominicos de nuestro Siglo de Oro fueron principalmente teólogos neoescolásticos. Ha de citarse a los catedráticos de Salamanca de la época de Fray Luis de León, el P. Francisco de Vitoria, Melchor Cano, León de Castro, Bartolomé de Medina, Domingo de Báñez; y otros como Hernando del Castillo, Alonso de Cabrera y el famoso P. Las Casas.

Fray Luis de Granada (1504-1588).—Entre los escritores dominicos no hay la unidad de posición que en otras Órdenes religiosas. De aquí que el P. Granada represente como una figura aislada. Nacido en Granada e hijo de una lavandera, todo le predispuso a una actitud franciscana ante las cosas (bueno, ingenuo, candoroso). Sus obras están llenas de citas de Santo Tomás y de San Agustín; pero ante la naturaleza siente como San Francisco. *(¿Qué hoja de árbol, qué flor de campo, qué gusanico hay tan pequeño, que si bien considerásemos la fábrica de su corpezuelo no viésemos en él grandes maravillas?)* Fue un gran orador. Ya anciano y sin dientes, despertó la admiración de Felipe II, que le oyó en Lisboa. Su obra había de ser necesariamente oratoria. Escribe sermones, biografías y traducciones, y un *Compendio y explicación de la doctrina cristiana.*

Pero sus cuatro obras fundamentales son ascéticas:

a) *Guía de pecadores.* Ésta es su obra principal, dedicada a Felipe II, en que expone la grandeza de la virtud y servicio de Dios para señalar el camino que los pecadores han de seguir y dirigirlos por él. Trata de la alegría de la buena conciencia y de la confianza en la misericordia de Dios. Para incitar a la virtud se exponen los peligros del mundo y se proponen remedios para los pecados. Es un verdadero tratado ético lleno de citas de las Escrituras y de los Santos Padres.

b) *Libro de la oración y meditación.* Trata de la oración, del ayuno y la limosna. Es una obra sentimental y predicable en que llega a conmovidos acentos en sus meditaciones, como el vigoroso cuadro del dolor de María ante el descendimiento.

c) *Introducción del símbolo de la fe.* Es la obra más extensa del P. Granada y como un resumen de la ciencia de su tiempo. Toda la parte primera es un comentario de las cosas creadas, para elevarnos por ellas al conocimiento de Dios. Proclama las excelencias y bellezas del sol, la luna y las estrellas. No mengua su entusiasmo al descender a los paisajes y a los seres vivientes de la tierra. Discurre sobre las propiedades de la granada, de las uvas y de los higos; y aun se detiene más en los capítulos destinados a las diversas especies de animales (las golondrinas, las cluecas, rinocerontes, elefantes y culebras de lejanos países, el perro, etc.). He aquí la *pintura del pavo real:*

¿Pues qué diré de la hermosura del cuello que sube del pecho hasta la cabeza, y de aquel color verde que sobrepuja la fineza de toda la verdura del mundo? Y lo que pone más admiración es que todas aquellas plumillas que visten este cuello son tan parejas y tan iguales entre sí que ni una sola se desordena en ser mayor o menor que otra. De donde resulta parecer más aquella verdura una pieza de seda verde, como dijimos, que cosa compuesta de todas estas plumillas... Y no se debe echar en olvido que la hermosura y colores de todo este plumaje no es como la de las flores, que en breve se marchita, sino es perpetua y estable, y por eso sirve para otras cosas que se hacen dellas.

La segunda parte se refiere a las excelencias de la fe católica e historia de diversos mártires, con el triunfo de la religión de Cristo sobre la idolatría. La tercera toca al misterio de la Redención en tres tratados (uno sobre los frutos del árbol de la cruz; otro sobre las figuras del misterio de Cristo; y el tercero, en forma de preguntas y respuestas, en relación con el tema precedente). La cuarta parte, en tono más elevado, estudia el misterio de la Redención por las profecías que lo anunciaron y por las objeciones que pueda suscitar (este segundo aspecto en forma dialogada). La parte quinta viene a ser un sumario de las anteriores. La mejor de todas es, sin duda, la primera. Cita a Aristóteles, a Santo Tomás y en los fundamentos de la doctrina cristiana glosa pasajes de San Agustín.

d) *Memorial de la vida cristiana.* Es el libro en que se acerca más a la mística pura. Presenta en él una filosofía práctica del Amor divino. Luego publicó *Adiciones al Memorial,* que es un análisis de la voluntad.

El P. Granada ha sido, como lingüista, uno de los escritores que más contribuyó a formar el período castellano en la prosa.

Místicos agustinos. — Los agustinos del siglo XVI son principalmente teóricos de la mística, aunque a veces tiendan a una forma armónica que no corresponde propiamente a aquélla, pero que desborda los límites de la ascética. Una figura extraordinaria es Fray Luis de León, fiel a Platón y a San Agustín, de cristianismo interior, de imitación del Redentor y exposición de sus prerrogativas y grandezas. Entre los escritores agustinos el tema del amor de Dios ocupa un lugar preferente y en él predomina un concepto neoplatónico de la belleza. Puede citarse, entre los místicos agustinos, a Santo Tomás de Villanueva (autor de *Sermón del amor de Dios*); a fray Cristóbal de Fonseca *(Tratado del amor de Dios y Vida de Cristo, nuestro señor),* y al Beato Alonso de Orozco, que se adelanta, en parte, a la mística española, sobre la cual ejerce influencia. Es autor de *Memorial de amor santo* y *Vergel de oración y monte de contemplación,* en que insiste en las vías que conducen a Dios (en la unitiva hay que tener como ante los ojos *al amado esposo Jesucristo,* hacernos *unos en amor santo* con Él, con su cruz, con su amor).

Fray Pedro Malón de Chaide (murió en Barcelona en 1589). — Entre todo el grupo de escritores agustinos, aparte la enorme figura de Fray Luis de León, ha de destacarse a este ilustre navarro autor de *La conversión de la Magdalena.* La obra está distribuida con arreglo a los tres estados de la santa protagonista: el de pecadora, el de penitente y el *del alma en gracia.* Las disquisiciones de su obra proceden de San Agustín y es un escriturario de la escuela de Fray Luis de León. Su estilo, de gran viveza, tiene mucho de oratorio y representa una actitud muy cerca de lo popular, de lo castizo y de lo pintoresco. Como orador siempre quiere hacer el ejemplo lo más plásticamente posible. De aquí sus descripciones de santos y crucifijos llenos de heridas y de sangre. Aprovecha cualquier momento del dolorido tema cristiano para anotar el contraste con las brillantes y fastuosas costumbres de la época, como cuando presenta a la Magdalena en casa de Simón el leproso, sin galas y compungida:

Poneos más anillos que dedos; haceos, de dijes, una tablilla de platero, que así se componen las damas de nuestro tiempo para salir a oír misa, con más colores en el rostro que el arco del cielo, a adorar al escupido, azotado, desnudo, coronado de espinas y enclavado en una cruz... y por cristianas se tienen.

El sermón final del libro sobre el tema de la resurrección y el *Noli me tangere* son una culminación de este estilo. En él, Cristo habla con la Magdalena:

Dios es luz del sol en el cuerpo del mundo. Dios es lumbre del sol sobre los entendimientos angélicos. Tal es, oh alma mía, mi sombra, que es la más hermosa de las cosas corporales; y si tal es mi sombra, ¿cuál pensáis que será mi luz? Si así resplandece mi sombra, ¿cómo resplandecerá mi lumbre? Pues, decidme, alma, ¿amáis más la luz que todo lo demás? Y, ¿amáis solamente la luz? Pues amadme a mí solo, que soy la luz infinita; amadme infinitamente, y resplandeceréis vos y os deleitaréis infinitamente.

Místicos franciscanos. — San Francisco de Asís había sido la personificación del amor de Dios en la tierra, el hermano de todos los seres y el alma poética que encontraba al Creador en las más insignificantes cosas. La doctrina ascético-mística franciscana recibe su forma más constructiva en el navarro fray **Diego de Estella** (1524-1578), autor del *Tratado de la vanidad del mundo,* en que sigue el seco ascetismo de su temperamento hispánico; y de *Cien meditaciones del amor de Dios* en que, siguiendo el verdadero espíritu de su Orden, expresa las razones para llegar al

Creador por medio de los seres de la naturaleza, cuya belleza es un eco de la divina hermosura.

Fray Juan de los Ángeles (1536-1609). — Tenía el alma de un exquisito poeta y fue un verdadero temperamento franciscano. Había nacido en el obispado de Ávila y su formación, además de teológica, era clásicamente humanista. Poseía una fina sensibilidad perceptiva para las cosas de arte; y, sobre todo, para el amor. En el prólogo a los *Triunfos del amor de Dios,* hace una declaración francamente platónica (la razón de su obra: *mandármelo el amor, a cuyo movimiento obedece la tierra y el cielo,* y agrega: *quien tiene la ciencia del amor, la tiene de todo el bien y el mal del hombre*). Esta obra la refundió con el título *La lucha espiritual y amorosa entre Dios y el alma* (en ella *se enseña el camino excelentísimo de los afectos*). Tiene otras obras, como *Vergel espiritual del ánima religiosa* (en que *desea sentir en sí y en su cuerpo los dolores y pasiones de Jesús*).

Ascéticos jesuitas. — La Compañía de Jesús fue fundada en 1540 y la obra capital de su fundador, **San Ignacio de Loyola,** son los *Ejercicios espirituales* (Roma, 1548), que representan la intuición poderosa de un extraordinario hombre de acción y la adivinación de nuevos métodos de psicología. El **P. Pedro Rivadeneyra,** biógrafo del fundador, es una de las figuras más ilustres de los jesuitas escritores. Conocía el italiano y compuso en latín, para presentar a todos los católicos del mundo, las glorias de la Compañía; pero lo principal de su obra lo escribió en correcto y limado lenguaje castellano. Tres son los principales aspectos de su obra: a) Biógrafo. Comienza reuniendo cortas vidas de santos y acaba en las extensas monografías de las figuras de su Orden; así *Flos sanctorum* y las vidas de San Ignacio, San Francisco de Borja y del P. Diego Laynez. b) Historiador propagandista de la Iglesia Católica *(Historia eclesiástica del Cisma del Reino de Inglaterra).* Y c) Tratadista ascético: *Tratado de la tribulación,* en que se duele con los católicos españoles de la decadencia.

El P. Juan de Mariana (1536-1624). — Nacido en Talavera de la Reina, había ingresado en la Compañía de Jesús a los diecisiete años. Explicó Teología en Roma y París. Cuando volvió a España vivió en Toledo. Se dedicó a la historia, y murió a los ochenta y ocho años.

Tratados morales y políticos del P. Mariana. — De sus tratados el que más ha contribuido a su fama ha sido el *De rege et de regis institutione,* en que justificó el tiranicidio en un capítulo del que se retractó con humildad. Se refería al tirano anticatólico y favorecedor de herejías. En cuanto a la parte teórica expone las formas de gobierno, manifiesta su preferencia por las monárquicas, la sumisión del príncipe a las leyes, la independencia de la religión y un estudio detenido de la educación del jefe del Estado y de los funcionarios y los deberes del pueblo para con su soberano.

De los *Tractatus septem* pueden citarse: *De spectaculis,* en que se muestra inflexible contra las costumbres de los espectáculos públicos de la época, sobre todo contra las corridas de toros y las representaciones escénicas *(veo que de poco acá se ha introducido y extendido mucho esta manera de entretenimiento y recreación, y aun que se representan algunas veces por hombres y mujercillas perdidas, cosas indignas de la excelencia y honestidad cristiana).*

Otro de los tratados es *De morte et immortalitate.* En él se muestra un ascético de influjo estoicosenequista. La vida es una preparación para la muerte, y en realidad es la verdadera muerte, ya que aquélla se va deshaciendo día tras día, y al morir entramos de lleno en la vida verdadera. La felicidad se halla en renunciar los bienes del mundo. Plantea también el tema de la existencia del alma, de la libertad del hombre, la providencia, la predestinación, el pecado original y la gracia.

El P. Mariana tuvo relaciones con el gran humanista Arias Montano, y en cuanto a las discusiones en torno al valor de la *Vulgata,* abogó por una posición media, entre la servidumbre y libertad respecto de la versión latina, situándose en el terreno de la contemplación. Uno de sus tratados es *Pro editione Vulgatae.*

La historia del P. Mariana. — Después de Zurita y Ambrosio de Morales, la historia había rectificado antiguos errores e iniciado su estudio en los documentos. Estaba ya basada en la investigación. El P. Mariana no intentó hacer historia, sino *poner en orden y estilo lo que otros habían recogido.*

Su *Historia general de España* (Toledo, 1601) era una nueva versión de la que anteriormente había escrito en latín, buscando la lengua universal para que se ampliase la fama de los hechos españoles, cuyas glorias presentó como un gran católico y un verdadero patriota. Llega hasta los Reyes Católicos *(no me atreví a pasar más adelante y relatar las cosas más modernas por no lastimar a algunos si se decía la verdad, ni faltar al deber si la disimulaba).* Había trabajado en ella treinta años, sigue a los historiadores clásicos, principalmente a Tito Livio, y tiene en cuenta los principios sobre el estilo de Cicerón y Quintiliano. Realiza a conciencia una labor de humanista. No circunscribe la historia a Castilla, sino que con un amplio sentido general estudia los otros reinos peninsulares en sus relaciones con ella.

Acepta las fábulas corrientes en su tiempo sobre los orígenes de nuestra historia, en los que resulta demasiado crédulo (sostiene la existencia histórica de Hércules, las profecías de Merlín, el reinado de Hispalo, Hespero y Atlas, etc.). Para dar variedad al estilo, intercala arengas, cartas, y no faltan reflexiones ni máximas políticas y religiosas. Tiene aciertos de verdadero artista en las descripciones; por ejemplo, cuando describe las ciudades que fueron teatro de los principales hechos que narra (así, al referirnos la conquista de Sevilla por Fernando III, empieza por describirnos la ciudad), y cuando describe hechos historicolegendarios, la muerte del Emplazado o la del rey don Pedro el Cruel. No olvida el Padre Mariana los asuntos sacroculturales, como lo demuestra el dedicar un capítulo a Raimundo Lulio. La historia de este jesuita ha sido muy discutida; pero, por encima de la crítica negativa, quedará siempre su amplia concepción sintética y la elegancia y elaboración del estilo. He aquí un fragmento de cómo el infante don Fernando de Antequera rechazó la corona:

... con rostro mesurado y ledo, replicó y dijo no era de tanta codicia ser rey que se hobiese de menospreciar la infamia que resultaría contra él de ambicioso e inhumano, pues despojaba a un niño inocente y menospreciaba la reina viuda y sola, a cuya defensa toda buena razón le obligaba, demás de las alteraciones y guerras que forzosamente en el reino sobre el caso se levantarían. Que les agradecía aquella voluntad y el crédito que mostraban tener de su persona; pero que en ninguna cosa les podía mejor recompensar aquella deuda que en dalles por rey y señor al hijo de su hermano, su sobrino... Gran crédito de modestia y templanza ganó el infante don Fernando en menospreciar lo que otros por el fuego y por hierro pretenden.

El P. Nieremberg. — La gran figura de la mística jesuítica es un escritor del siglo XVII, el *P. Juan Eusebio Nieremberg* (muerto en 1658), hijo de un criado de la emperatriz, que hizo una traducción de la *Imitación de Cristo,* de Tomás de Kempis, y otra biografía de San Ignacio. Pero su obra más importante es *Diferencia entre lo temporal y eterno, crisol de desengaño,* cuyo título nos indica su objeto. Contiene anécdotas pintorescas (las historias de Magón y Zenón) y los símbolos de tradición cristiana (la vida humana y el río; la mudanza de las cosas y la luna).

CAPÍTULO XX

LA NOVELA EN EL SIGLO DE ORO

La novela pastoril. — La novela de personajes pastoriles, que dio un cierto carácter a la producción del Renacimiento europeo, tenía su precedente en la antigüedad clásica (episodios de la epopeya, Teócrito, Bión y Mosco de Siracusa, Virgilio, etc.). Puede considerarse como creador de este género en la novela a Boccaccio, que lo fija en su *Ameto,* compuesto en prosa y verso; es la humanidad primitiva salvada por el amor que se eleva a la apetencia de las verdades más altas, porque a lo pastoril se combina un alegorismo teológico. Ameto, cazador rústico, se enamora de Lía, que se encuentra en una fuente, entre otras seis ninfas, celebrándose una fiesta campestre. La prosa es fina y preciosista, los versos sonoros y el ambiente es el de la pastoral posterior. Pero es el napolitano Jacobo de Sannazaro quien compone después la obra pastoril más famosa del gran Renacimiento: *La Arcadia* (1502). Sannazaro se inspiró en la antigüedad y en Boccaccio. La primera novela pastoril peninsular fue del portugués Bernardim Ribeiro en *Menina e moça,* novela en que las figuras humanas se sumergen en la ternura del paisaje. Esta novela llega a España al final de la época del emperador y contrasta con el fragor de armas y aventuras de los libros de caballerías. Se ha tenido la novela pastoril como un género artificioso y se ha dicho que falseaba la naturaleza. Pero si nos fijamos en las descripciones de las novelas pastoriles veremos un verdadero sentido del paisaje, más o menos intelectual. Ello puede apreciarse en las principales novelas pastoriles españolas: *La Diana* de Montemayor, la de Gil Polo, *La Galatea* de Cervantes, *La Arcadia* de Lope de Vega... Entre los paisajes hay intimidades autobiográficas y lamentos de verdaderas pasiones humanas.

La "Diana" de Montemayor. — Jorge de Montemayor (1520?-1561), portugués, nacido cerca de Coimbra, fue cortesano, poeta y músico. Entra en Castilla con Felipe II y escribe en castellano *La Diana,* que fija el género pastoril en nuestra lengua, y que era el recuerdo de una aventura real. Estuvo en Flandes y había acompañado a Felipe II a Inglaterra. Fue asesinado en el Piamonte por cuestiones de celos. Montemayor fue un verdadero artista del tono de ternura que caracteriza a la novela pastoril. He aquí una descripción:

Las ninfas y pastores tomaron una senda que por entre el arroyo y la hermosa arboleda se hacía, y no anduvieron mucho espacio, cuando llegaron a un verde prado, muy espacioso, donde estaba un muy hermoso estanque de agua, del cual procedía el arroyo, que por el valle con gran ímpetu corría. En medio del estanque estaba una pequeña isleta, donde había algunos árboles, por entre los cuales se divisaba una choza de pastores; alrededor della andaba un rebaño de ovejas paciendo la verde yerba.

Su contenido es:

Diana ama a Sireno, pero ausentóse éste y la pastora se casa con Delio. Al regresar aquél, lamenta su desventura, acompañado por Silvano, que siempre fue odiado por Diana. Su despedida de Sireno es narrada en bellos versos por tres ninfas que son atacadas por tres salvajes de *extraña grandeza y fealdad que traían por brazaletes unas bocas de serpientes... arcos y flechas, los escudos eran de unas gruesas y muy fuertes conchas de pescados.* Las ninfas quedan atemorizadas, los pastores las defienden a pedradas, los salvajes amenazan con sus alfanjes. Pero aparece una pastora con *su arco colgado del brazo izquierdo, y una aljaba de saetas al hombro, en las manos un bastón de silvestre encina* que los libra del peligro. Todos se dirigen luego al bosque y palacio cristalino de Felicia, figura *de grandísimo respeto, vestida de raso negro,* que mediante el agua encantada cambia las respectivas inclinaciones de los pastores. En el palacio de mármoles la sabia Felicia y sus ninfas los agasajan con música y danzas. Allí aparece el *canto de Orfeo,* en alabanza de las damas, y la historia de Abindarráez y Jarifa.

Es una novela elegante de pastores cortesanos, para saborearla en los salones. Y además ejerce influencia en Europa.

La "Diana" de Gil Polo. — El valenciano Gaspar Gil Polo (muerto en 1591), con el mismo título de Montemayor publica una de las más bellas muestras del género bucólico. Su *Diana* representa una visión directa y completa de la naturaleza de la región valenciana. El río Turia es evocado como una divinidad fluvial clásica:

Vimos al viejo Turia salir de una profundísima cueva, en su mano una urna o vaso muy grande y bien labrado, su cabeza coronada con hojas de roble y de laurel, los brazos vellosos, la barba limosa y encanecida.

Su prosa dinámica puede observarse en la descripción de la tempestad. La esencia de esta novela es lírica en sus descripciones en prosa, lo mismo que en los versos. En éstos pasa Gil Polo por excelente poeta, cosa que debe principalmente a las famosas quintillas de la *Canción de Nerea:*

Ven conmigo al bosque ameno,
y al apacible sombrío
de olorosas flores lleno,
do en el día más sereno,
no es enojoso el Estío.
Si el agua te es placentera
hay allí fuente tan bella,
que para ser la primera
entre todas, sólo espera
que tú te laves en ella...

La novela morisca. — El tema morisco fue a la novela cortesana, y sus rasgos de finura le hacían emparentar con la novela pastoril. Corresponde a la estilización del moro caballero, a la aplicación del código de honor y lealtad a los dos mundos fronterizos en el siglo XV. De las más bellas novelitas de este género es la *Historia del Abencerraje y de la hermosa Jarifa,* que aparece incluida en la *Diana* de Montemayor y en el *Inventario* de Antonio de Villegas.

El alcaide cristiano de Antequera y Alora cogió prisionero al moro abencerraje granadino Abindarráez. Apiadado de la tristeza del moro lo dejó partir para que viese a su amada Jarifa, bajo palabra de que volvería a los tres días. Cumplió el moro su palabra y, ya desposado, se entregó con su esposa en prisión. El alcaide cristiano los aposentó y consiguió el perdón del padre de ella, ignorante de la boda. Luego los libertó y como recibiese obsequios, los rechazó gentilmente.

Entre otras novelitas moriscas ha de citarse la *Historia de Ozmín y Daraja* (incluida en el *Guzmán*) y la *Historia del cautivo* (en el *Quijote*); pero la más representativa es la novela de **Ginés Pérez de Hita,** zapatero de Murcia, que asistió a la lucha de la Alpujarra contra los moriscos. Su obra se titula *Guerras civiles de Granada* o *Historia de los bandos de Zegríes y Abencerrajes.* Consta de dos partes: la primera se refiere a la lucha de bandos en la Granada anterior a 1492; la segunda es la guerra coetánea de la Alpujarra. La primera parte es más novelesca, aunque acude a fondos tradicionales, romances y relatos verbales lejanos; la segunda más parece el eco directo de las impresiones de un soldado.

Cuentos y novelas cortas. — La primera y la más importante de las colecciones cuentísticas es el *Patrañuelo,* de don Juan Timoneda, que procede de fuentes italianas, aunque sin los adornos de ellas. Entre las narraciones cortas han de citarse los cuentos ilustrativos de las materias tratadas en los *Coloquios satíricos,* de Torquemada; *El sobremesa y alivio de caminantes,* de Timoneda; *Los diálogos de apacibles entretenimientos,* de Gaspar Lucas de Hidalgo, y los incluidos en el *Fabulario,* de Sebastián Mey.

En chistes y anécdotas puede citarse a Luis de Pinedo *(Liber facetiarum et similitudinem),* y en materia de refranes a Blasco de Garay.

El artificio que había ideado Boccaccio en su *Decamerón,* en la España de la época dejó fruto más o menos puro, como en los *Cigarrales,* de Tirso. No escasean estas colecciones de novelas cortas. Has de citarse las de Alonso del Castillo y Solórzano, agrupadas bajo los títulos de *Tardes entretenidas, Jornadas alegres* y *Noches de placer.*

Entre los cuentistas de la época ha de citarse a **María de Zayas,** que publica *Novelas ejemplares y amorosas* y *Segunda parte del sarao y entretenimientos honestos.* El artificio se basa en la reunión de galanes y damas para entretener a Lisis, que, en Madrid, sufría *cuartanas* en tiempo de *terribles nieves.* Es maestra en la novela corta. Hidalgos, caballeros, príncipes, personajes de categoría, a quienes ocurren aventuras de pícaro. Y no faltan cuentos de interés psicológico como *Aventurarse perdiendo,* en que figura un sueño encantador que Jacinta tuvo a los dieciséis años.

El costumbrismo propiamente tal lo representaron Antonio Liñán *(Aviso y guía de forasteros),* Francisco Santos *(Día y noche de Madrid)* y Juan de Zabaleta *(El día de fiesta por la mañana).* Estos dos últimos son ya de muy avanzado el siglo XVII.

CAPÍTULO XXI

CERVANTES. SU VIDA. SU POESÍA. SU TEATRO

Miguel de Cervantes Saavedra (1547-1616). — Nació en Alcalá de Henares, hijo del cirujano Rodrigo de Cervantes y de su esposa, Leonor de Cortinas. Vivió en Valladolid, donde su padre ejerció la profesión, y también en Sevilla, donde debió conocer el *Estudio de la Compañía de Jesús.* Es posible que estudiase también en Salamanca y, desde luego, en Madrid, donde el maestro Juan López de Hoyos le llama *su caro y amado discípulo.*

Cervantes en Italia. — Las páginas italianas de la biografía de Cervantes son las de época juvenil. Se supone que, huyendo de un lance, salió de España. En Italia forma parte del séquito del cardenal Acquaviva, aprende italiano y admira la *vida libre de Italia.* El Renacimiento italiano influye sobre él y en sus novelas las ciudades italianas cobran vida de emoción. Pero Cervantes, además, fue hombre de su tiempo y toma parte en las grandes empresas contemporáneas que le habían de llenar de orgullo: es heroico soldado en Lepanto (1571), donde pelea a bordo de la galera *Marquesa* y pierde el movimiento de la mano izquierda *para gloria de la diestra;* toma parte en la expedición a Corfú y en las empresas de Navarino y Túnez. Admiró al emperador y a don Juan de Austria, *el hijo del rayo de la guerra.*

Cervantes, cautivo. — Cuando en 1575 regresaba a España a bordo de la galera *Sol* fue apresado por los turcos, que le llevaron cautivo a Argel. Cinco años de cautiverio, en que planea evasiones y está a punto de morir, le enseñaron *a tener paciencia en las adversidades.* Quiso ser liberado por la fuerza de las armas de Felipe II, a cuyo secretario Mateo Vázquez dirige varonil y emocionada epístola en este sentido; pero tuvo que esperar ser rescatado por dinero, cosa que logra el trinitario Fray Juan Gil en 1580.

Cervantes en España. — El ambiente glorioso de Italia y la animosidad de Cervantes en el cautiverio se convierten en la vida pobre y fracasada de Madrid y Valladolid. Se agrega el íntimo fracaso de su matrimonio con doña Catalina de Palacios, sus actuaciones desafortunadas como comisario para el acopio del trigo y como recaudador de impuestos, su encarcelamiento, la modestia de sus ingresos cobrados con dificultad y hasta una página oscura de su biografía cuando a la puerta de su casa aparece malherido el caballero Ezpeleta, y se relaciona con los familiares de Cervantes ocasionándole molestias. El glorioso soldado de Lepanto lleva una vida triste y miserable. Días antes de su muerte dedica el *Persiles* al conde Lemos. Cervantes había recibido ya la extremaunción: *El tiempo es breve, las ansias crecen, las esperanzas menguan, y con todo esto, llevo la vida sobre el deseo que tengo de vivir.*

El más grande escritor de nuestro idioma murió el día 23 de abril de 1616.

Cervantes y su época. — Cervantes conoció el esplendor de la victoria (Lepanto) y la amarga decadencia de su patria (destrucción de la Armada Invencible, 1588). Él, que era un escritor optimista, se convirtió en un humorista trágico y desesperado que explica a *Don Quijote*. Su vida, en el sentir político, lo representaban el recuerdo de heroicas empresas de un lado y el declive de su vida y su obra. Artista del Renacimiento universal, hizo una síntesis perfecta de los dos mundos en su obra: heroica y picaresca; optimista y dolorosa a un mismo tiempo. En el orden del pensamiento recibe el influjo directo de la cultura italiana y, aunque predominaban los preceptistas aristotélicos, no excluye la corriente platónica, que llenó de idealismo el siglo XVI. Lo literario se encontraba en posición de tránsito y cruce, y Cervantes reflejó el choque y fusión de dos estilos, de dos diversas actitudes ante la vida y el arte.

Cervantes, poeta. — Como todos sus contemporáneos y predecesores, tuvo como modelo en la lírica a Garcilaso de la Vega y no ignoró a Fray Luis de León. Trabajó sobre formas que no le eran muy fáciles y los efectos que consigue los debe a su genio creador más que a las calidades de su musa poética. El más extenso poema de Cervantes es *El viaje del Parnaso,* que, inspirado en obra análoga italiana, constituye un elogio de poetas coetáneos. Está versificado en tercetos que, en ocasiones, ofrecen belleza, y hace una crítica literaria de su tiempo. La trama es a base del viaje al Parnaso, la reunión de los poetas ante Apolo, y la amarga ironía del autor que no encuentra lugar y tiene que sentarse sobre su capa. Acompaña a esta obra una *Adjunta al Parnaso,* en prosa, en que muestra excelente estilo y extraordinario valor personal. Ha de agregarse la ya citada *Epístola a Mateo Vázquez* desde su cautiverio de Argel; y, como cosa de su época, las dos canciones a la Armada Invencible: una con la seguridad del triunfo esperado; otra con el tono elegíaco de la pérdida de la Escuadra, ambas inspiradas en el estilo heroico de Herrera. En su teatro en verso llega a finos matices de versificación. Pero sus mejores composiciones están incluidas en sus obras en prosa. Aparte las no muy inspiradas octavas del *Canto de Calíope* (incluido en la *Galatea*), tiene bellos romances como el de *Hermosita, hermosita — la de las manos de plata, Escuchadme los de Orán* y numerosos que figuran en el *Quijote,* como *Suelen las fuerzas de amor — sacar de quicio a las almas.* Tiene magníficos sonetos como *Cuando Preciosa el panderete toca. Yo sé que muero y si no soy creído* y, sobre todos, el conocido soneto con estrambote dedicado *Al túmulo de Felipe II* en la catedral de Sevilla:

Voto a Dios que me espanta esta grandeza
y que diera un doblón por describilla;
porque, ¿a quién no sorprende y maravilla
esta máquina insigne, esta riqueza?

Por Jesucristo vivo, cada pieza
vale más de un millón, y que es mancilla
que esto no dure un siglo, ¡oh gran Sevilla!,
Roma triunfante en ánimo y nobleza.

Apostaré que el ánima del muerto
por gozar este sitio hoy ha dejado
la gloria donde vive eternamente.

Esto oyó un valentón, y dijo: — Es cierto
cuanto dice voacé, señor soldado.
Y el que dijere lo contrario, miente.

Y luego in continente
caló el chapeo, requirió la espada,
miró al soslayo, fuese, y no hubo nada.

El teatro de Cervantes. — Entre los dramaturgos prelopistas ha de incluirse a Cervantes, que no concede mucha importancia a la intriga, pero se preocupa por la fuerza dramática de las pasiones y los caracteres. La extraordinaria fama del novelista perjudicó la existencia de sus comedias, de gran fuerza y vitalidad. El teatro de Cervantes es interesantísimo. En él se pueden distinguir dos épocas:

a) Primera época. Cervantes sigue el tipo de teatro de imitación clásica junto al elemento novelesco. Las personificaciones y deidades mitológicas intervienen como en Juan de la Cueva. Aparte títulos, pueden citarse: *El trato de Argel,* impresionante serie de escenas de su cautiverio en que aparece el propio autor en el soldado cautivo Saavedra; y la tragedia de *El cerco de Numancia,* extraordinaria obra cuyo protagonista es todo el pueblo numantino en una sucesión de escenas de lucha, de heroísmo y de hambre. En ella aparecen personificaciones como la Fama, España y el río Duero. Hay en toda ella el ademán y la gravedad de la tragedia clásica; pero también amantes que se sacrifican, augurios, la emocionante evocación de un cuerpo muerto, y el último superviviente de los numantinos, un muchacho que se suicida, arrojándose de la torre, antes que entregarse al invasor. Por las alusiones, ambas obras son de 1580 y 1582 respectivamente.

b) Segunda época. Cervantes incorpora a su procedimiento los recursos del drama de Lope, sin llegar por esto a perder su sentido de lo pasional y característico. Las *Ocho comedias y ocho entremeses nuevos, nunca representados* (1615) son la expresión de esta segunda etapa. Las comedias son las siguientes: tres de cautivos: *El gallardo español* (recuerdos del autor en Orán combinados con el cautiverio en Argel), *Los baños de Argel* (de gran dinamismo, su acción comprende desde el saqueo de la costa española a los sucesos de Argel y huida de los cautivos) y *La gran sultana* (sobre el matrimonio del Sultán de Turquía con doña Catalina de Oviedo, cautiva cristiana). Dos caballerescas: *La casa de los celos* y *El laberinto de amor* sobre el tema de la inocente calumniada y defendida por desconocido paladín. Las tres restantes son: *La entretenida* (comedia de capa y espada), *El rufián dichoso* (comedia de santos) y *Pedro de Urdemalas* (comedia picaresca), que se tiene por la obra maestra del teatro de Cervantes. Urdemalas es el eterno tipo del hombre sagaz al que su mala fortuna ha hecho nacer en una clase social inferior; no tiene grandes ambiciones y en cualquier situación se conserva alegre. Se finge ciego para engañar a una viuda rica y tacaña; ánima del Purgatorio para sacar dinero, y termina en cómico para hacerse la ilusión de que es rey, príncipe, papa y mil cosas más.

Los **entremeses** de Cervantes tienen su precedente en los *pasos* de Lope de Rueda. Son típicas obras del Renacimiento, pequeños cuadros perfectos, por lo que representan del triunfo de la vida sobre lo convencional. Es Cervantes el primer entremesista de nuestra literatura y, en estas piezas teatrales, no ha sido superado por nadie. Los principales entremeses de Cervantes son: *El vizcaíno fingido, El juez de los divorcios, El viejo celoso, La cueva de Salamanca, La guardia cuidadosa.* Éstos en prosa. En verso tiene sólo dos: *El rufián viudo* y *La elección de los alcaldes de Daganzo.* Pero el rey de los entremeses cervantinos es *El retablo de las maravillas* (inspirado en el cuento de la tela invisible del *Conde Lucanor*), prodigio de gracia e intención, ya que las figuras del retablo no las puede ver *el que tenga alguna raza de confeso, o no sea habido y procreado de sus padres de legítimo matrimonio,* por lo que los que asisten aseguran ver cuanto se les dice (Sansón, un toro, ratones, etc.), aunque no ven nada, antes que pasar por no limpios de sangre o de nacimiento impuro.

CAPÍTULO XXII

CERVANTES, NOVELISTA

"La Galatea" (1585). — Ésta es la novela en que recoge sus primicias literarias. Es una prosa idealista, rítmica, renacentista, y con abundantes muestras de su afición al verso eglógico. En esta novela pastoril, en que rinde tributo a una moda de su juventud, mezclará, como todos los novelistas de este género, a los artificios pastoriles motivos de personajes reales. El interés de este libro más que novelesco es ideológico y subjetivo. Por esto encontramos razones de filosofía junto a las amorosas de los pastores. Su filosofía es neoplatónica a la manera de León Hebreo. Está dividida en seis libros; y aun anunció una segunda parte que no llegó a escribir. Es una novela extensa, de acción complicada en torno a los protagonistas Elicio y Galatea. He aquí cómo presenta Cervantes en el libro primero a Galatea:

Venía vestida a la serrana, con los luengos cabellos sueltos al viento, de quien el mismo sol parecía tener envidia, porque hiriéndolos con sus rayos, procuraba quitarles la luz si pudiera; mas la que salía de la vislumbre de ellos, otro nuevo sol semejaba.

Las novelas ejemplares. — Aparecieron en Madrid en 1613 y su autor sentía gran satisfacción de ellas:

A esto se aplicó mi genio, por aquí me lleva mi inclinación, y más que me doy a entender, y así es, que yo soy el primero que ha novelado en lengua castellana... éstas son mías propias, no imitadas ni hurtadas.

Cervantes empleó los términos *novela* y *novelar* en su acepción italiana, es decir, de narración corta. Y les dio a estas novelas cortas el título de *ejemplares* porque no quiso ser piedra de escándalo en avanzada edad *(Mi edad no está ya para burlarse de la otra vida)*. Su verdadera intención fue *poner en la plaza de nuestra república una mesa de trucos, donde cada uno pueda llegar a entretenerse sin daño de barras.*

Las novelas ejemplares son doce, sin incluir *La tía fingida,* que no figura en la colección: *El amante liberal, La fuerza de la sangre, La señora Cornelia, La Gitanilla, La española inglesa, Las dos doncellas, Rinconete y Cortadillo, La ilustre fregona, El celoso extremeño, El Licenciado Vidriera, El casamiento engañoso* y *El coloquio de los perros.*

Estas novelas cortas pueden dividirse en varios grupos:

1.º Las novelas en que predomina el tono idealista, la influencia italiana, aun tratándose de asuntos que pueden ser tradicionalmente españoles. A este tipo pertenece *El amante liberal,* novelita de cautivos cristianos sicilianos en Turquía; *La fuerza de la sangre,* en que posiblemente sigue una tradición toledana; *La señora Cornelia,* de tema italiano y ambiente vivido por el autor; *Las dos doncellas,* una de las más italianizantes, en que aparece la dama disfrazada de hombre que va en busca de su amante; son dos muchachas que, al fin, regresan con sus esposos; y *La española inglesa,* en que acentúa su idealismo al hacer que Recaredo mantenga su amor por Isabela después que ésta ha perdido su belleza física. Hay notables descripciones de viajes marítimos y de la corte de Isabel de Inglaterra.

2.º Novelas ideorrealistas en que el idealismo se produce o refuerza por el contraste. Quedan restos de lo italiano, pero los asuntos son tratados al modo realista. Las de este grupo son: *La ilustre fregona,* en que Constanza hace resaltar sus delicadas maneras entre las demás figuras del mesón del Sevillano. He aquí cómo Tomás de Avendaño, el falso mozo del mesón por amor a Constanza, ve a ésta:

—Mira, amigo, no sé cómo te diga... de la manera con que Amor el bajo sujeto de esta fregona—que tú llamas—me le encumbra y levanta tan alto, que viéndole no le vea, y conociéndole le desconozca. No es posible que, aunque lo procuro, pueda un breve término contemplar, si así se puede decir, en la bajeza de su estado, porque luego acuden a borrarme este pensamiento su belleza, su donaire, su sosiego, su honestidad y recogimiento, y me dan a entender que debajo de aquella rústica corteza debe de estar encerrada y escondida alguna mina de gran valor y de merecimiento grande.

En esta novela se da doble plano: el realismo (los aguadores, las gentes del mesón, las Almadrabas de Zahara, etc.) y la fina idealización de la protagonista.

De este tipo es también *El celoso extremeño,* en que Leonora, de pocos años y casada con Carrizales, indiano, rico y viejo, destaca por su inexperiencia en un ambiente picaresco sevillano representado por Loaysa, que con su guitarra y sus sones rompe toda la fortaleza que en torno a su esposa había levantado el viejo.

Mas la gran novelita del grupo es *La Gitanilla,* cuya protagonista, Preciosa, educada por su supuesta abuela en todas las costumbres gitanas (danzar al son del pandero, recitar vistosos romances y el arte de la buenaventura) es no sólo una excepción entre la gitanería, sino la más *divina gitanilla.* Tras ella el caballero don Juan de Cárcamo cambia de nombre y se hace gitano. Luego se descubre que la gitana es hija del corregidor Acevedo y se casa con el caballero, tras incidencias y dificultades. Es muy interesante por la descripción del mundo de los gitanos. El gitano viejo explica:

Somos señores de los campos, de los sembrados, de las selvas, de los montes, de las fuentes y de los ríos; los montes nos ofrecen leña de balde; los árboles, frutas; las viñas, uvas; las huertas, hortalizas; las fuentes, agua; los ríos, peces; y los vedados, caza; sombras, las peñas; aire fresco, las quiebras; y casas las cuevas. Para nosotros las inclemencias del cielo son oreos, refrigerio las nieves, baños las lluvias, músicas los truenos y hachas los relámpagos. Para nosotros son los duros terrenos colchones de blandas plumas; el cuero curtido de nuestros cuerpos nos sirve de arnés impenetrable que nos defiende; a nuestra ligereza no la impiden grillos, no la detienen barrancos, ni la contrastan paredes; a nuestro ánimo no le tuercen cordeles ni le menoscaban garruchas, ni le ahogan tocas ni le doman potros.

3.º Novelas realistas. Tenemos *Rinconete y Cortadillo,* que es un cuadro del hampa sevillana de fines del siglo XVI. Dos muchachos vagabundos, que dan título a la obra, entran en la cofradía de Monipodio, padre y maestro de una compañía de ladrones, en que aparecen rufianes como Chiquiznaque y Maniferro y magníficas figuras femeninas del realismo, como la vieja Pipota, la Gananciosa y la Escalanta. Son estampas de novela *superpicaresca,* ya que todo aparece sonriente y purificado por lo que Menéndez Pelayo llamó *una especie de indulgencia estética.* A este grupo de novelas pertenecen también *El casamiento engañoso* y *El coloquio de los perros,* en que el perro Berganza, como un pícaro, cuenta su vida y sus correrías sirviendo a distintos amos (un rico negociante, un alguacil, un soldado, un morisco, etc.). Pero, a diferencia de sus hermanos-hombres, siempre actuó con sentido de justicia.

4.º *El licenciado Vidriera.* Esta extraña novela, algunos críticos la han creído sólo un pretexto para insertar apotegmas. Pero en realidad lo más interesante es su protagonista, Tomás Rodaja, y su locura al creerse de vidrio. El amargo humorismo del autor brota al recobrar la razón el personaje, cuando reúne en la plaza pública a sus antiguos seguidores y les notifica su salud y su deseo de que ayuden al cuerdo, ya que antes se preocupaban tanto por el loco, y ver que todos le abandonan y le dejan sumido en la miseria y el hambre. Entonces se va a Flandes a sobresalir por las armas.

CAPÍTULO XXIII

EL "QUIJOTE"

Aparición del "Quijote". — La obra en que culmina el genio de Cervantes es *El ingenioso hidalgo don Quijote de la Mancha,* cuya primera parte se publica en Madrid, en la imprenta de Juan de la Cuesta, en 1605. Algunas noticias de la obra, anteriores a su impresión, parecen demostrar que la novela había corrido manuscrita por las reuniones literarias de la corte. La segunda parte se publicó en 1615. Constituyó un gran éxito editorial y fue traducida al francés y al inglés antes de aparecer la segunda parte. Esta obra genial infundió las dos tradiciones de la literatura española (realismo e idealismo) en el humorismo de Cervantes, entendiendo por humor la solución cómica de un conflicto trágico.

Contenido del "Quijote". — En el cruce de los dos Siglos de Oro contiene todos los motivos del siglo XVI y, además, presenta las características de ciertas formas del estilo del XVII. Como novela encerró todos los tipos de la anterior:

a) Libros de caballerías. Aunque Cervantes dijo que trataba de hacerlos aborrecer a los hombres, en realidad demostró un minucioso conocimiento de ellos y escribió el último, el definitivo, el perfecto.

b) Novela pastoril. El mundo de su primera novela, *La Galatea,* reaparece en los episodios de pastores, sobre todo en el de Marcela y Grisóstomo.

c) La novela italianizante. Sentimental, en las historias de Cardenio, Luscinda y Dorotea; de maliciosa sátira en *El curioso impertinente.*

d) Novelas de cautivos. La narración del cautivo.

e) Novela picaresca. Las escenas de la venta y el episodio de los galeotes.

En general, sintetiza todas las formas y estilos de la narración en la época y no falta la crítica literaria (escrutinio de la librería de don Quijote) y numerosas salidas a la poesía.

El *Quijote* contiene las aventuras de Alonso Quijada, hidalgo manchego, cuyo juicio extravió la lectura de los libros de caballerías, que decide hacerse caballero andante, auxiliado por un campesino rudo, vecino suyo, a quien logra contagiar de su manía. Con el pomposo nombre de don Quijote de la Mancha se lanza por el mundo en busca de aventuras, a deshacer agravios y a enderezar entuertos. Sus aventuras, de las que generalmente queda malparado, revelan la riqueza de acción de la obra. Vueltos a su casa, don Quijote recobra la razón momentos antes de morir.

Entre las dos partes parece notarse diferencia. La primera es simple parodia de los libros de caballerías; la segunda ha perfeccionado el carácter de don Quijote, que está menos loco e influido de las narraciones caballerescas y es bastante más humano.

Personajes del "Quijote". — Los personajes centrales son:

Don Quijote — que *frisaba en los cincuenta años, era de complexión recia, seco de carnes, enjuto de rostro, gran madrugador y amigo de la caza* — es un personaje lleno de simpatía humana, que habla parodiando los libros de caballerías y los romances viejos y que se lanza en busca de aventuras vestido de viejas armas. Sancho Panza es sencillamente un hombre del pueblo, lleno de hondura humana socarrona, primaria, mezcla de egoísmo y bondad y admiración a su señor, de fe y escepticismo. Como un desarrollo biológico de la misma naturaleza de los personajes van surgiendo el ambiente, las figuras accesorias, la trama de la acción y el paisaje. Los otros tipos que van apareciendo ofrecen rasgos inconfundibles de verdad: las mozas de partido, el ventero gordo y pacífico, los arrieros, Sansón Carrasco, el caballero del verde gabán, Ginesillo de Pasamonte (en la forma de Maese Pedro, el del retablo), el cura, etc. Y las figuras femeninas, el ama y la sobrina de don Quijote, de Teresa Panza y su hija, la duquesa, Dorotea y, sobre todas, Dulcinea, la ilusión de don Quijote, aldeana del Toboso por elección de Sancho y expresión de la belleza y la verdad en el símbolo de don Quijote.

Realidad, ideal y humor en el "Quijote". — Cervantes supo hacer de la solitaria tristeza de la seca llanura castellana un polvoriento escenario para un desfile ilusionado de ejércitos y gigantes. Don Quijote y Sancho son creaciones vivas que realizan un orden ideológico a base de humanidad y de verdad. Don Quijote es un idealista que tiene fe en su ideal. Sancho Panza es un realista que tiene el buen sentido práctico de la aldea. Ante la realidad, Sancho la ve como es; don Quijote la ve muy distinta. Uno de los momentos en que se enfrentan los dos mundos — aparte las aventuras significativas como la de los molinos de viento — es el episodio de la carta de Dulcinea y los razonamientos entre el caballero con su mundo ideal y el escudero con su mundo real. Ninguno de los dos había visto la escena de que hablaban, pues Sancho mentía al decir que había ido al Toboso. Cada uno tiene una Dulcinea adecuada a su modo de concebir el mundo. Para don Quijote estaría *ensartando perlas o bordando alguna empresa con oro de canutillo;* Sancho la inventa *ahechando dos hanegas de trigo en un corral de la casa.* Sancho deforma una realidad posible hacia lo bajo, lo grosero, lo torpe. Don Quijote la eleva, la transfigura. Don Quijote actúa por el ideal del amor y el sentido de la justicia. Sancho por la atracción de la ínsula prometida.

El humorismo de Cervantes se debe no sólo al contraste — que es el procedimiento habitual de la aventura —, sino a lo sentido del *quijotismo;* pues no se trata de una simple caricatura, sino que es algo de la carne y la sangre de don Quijote: lo herido, lo vertido, lo golpeado. Cuando se hunde el reino de la ilusión creado por don Quijote — Dulcinea, sus locuras de los libros de caballerías —, el hidalgo se muere; y entonces queda de todo esto, como motivo único y vivo, la bondad: Alonso Quijano, el bueno, otra vez.

Importancia del "Quijote". — Es la obra maestra de nuestra literatura y donde el idioma castellano llega a su plenitud. Hay en ella un caudal inagotable de voces y giros. En él encontramos los dos grandes estilos que corresponden a los dos mundos del libro. El lenguaje altisonante de don Quijote:

¡Oh Dulcinea del Toboso, día de mi noche, gloria de mi pena, norte de mis caminos, estrella de mi ventura, así el cielo te la dé buena en cuanto acertares a pedirle, que consideres el lugar y el estado a que tu ausencia me ha conducido, y que, con buen término, correspondas al que a mi fe se le debe! ¡Oh solitarios árboles, que desde hoy en adelante habéis de hacer compañía a mi soledad, dad indicio, con el blando movimiento de vuestras ramas, que no os desagrada mi presencia!

Y el popular y llano, plagado de refranes, de Sancho Panza:

En fin, yo quiero saber lo que gano, poco o mucho que sea; que sobre un huevo pone la gallina y muchos pocos hacen un mucho, y mientras se gana algo no se pierde nada...

El *Quijote* es un libro de fama mundial y no existe en el mundo hombre de mediano entendimiento o cultura que no sepa de don Quijote y de sus desventuras y no haya oído de su autor, Miguel de Cervantes.

El "Quijote" de Avellaneda. — En 1614 apareció en Tarragona con la firma de Alonso Fernández de Avellaneda la continuación del *Quijote.* Los eruditos se han afanado para saber quién era el verdadero autor de este falso Quijote y se han dado diversos nombres (los dominicos Fray Luis de Aliaga, Fray Andrés Pérez, el doctor Blanco de Paz y muchos otros, como Ruiz de Alarcón, Lope, Bartolomé Leonardo de Argensola, etc.). El autor debió de ser aragonés o conocer muy bien la región y perfectamente la vida de aldea. Su arte es realista a la manera de los escritores de la picaresca y debió tener alguna ofensa de parte de Cervantes, a quien alude despectivamente, pero cuya obra no cesa de imitar. Ello hace destacar la distancia entre los dos Quijotes y sus aventuras. Pero no faltan en el libro interesantes cuentos como el *Rico desesperado* y el de *Los dos felices amantes* (el tema de la monja sustituida por la Virgen).

Los trabajos de Persiles y Segismunda. — Aparecida en 1617 con el subtítulo de *historia septentrional,* lleva dedicatoria escrita cuatro días antes de la muerte del autor *(puesto ya el pie en el estribo, con las ansias de la muerte...).* Es una serie de extraordinarias aventuras. Los dos primeros libros representan los sueños, las creencias, las supersticiones de la niñez y las románticas empresas de una juventud heroica; los libros tercero y cuarto son frutos de una larga experiencia, de la bondad, tolerancia y de la misericordia de corazón propia de un anciano. El héroe, que oculta hasta el final su verdadero nombre, es Periandro. Viene a ser esta novela como una rectificación del fracaso de don Quijote. Su estilo resulta el más elegante de Cervantes. Su geografía — en parte muy familiar al autor — es variada: Islandia, Francia, Portugal, España (Extremadura, Castilla, Valencia, Cataluña) e Italia. Zurcidos a la acción aparecen pequeños cuentos y novelas como el de la *endemoniada de amor, la peregrina de Talavera* o *los zagales de tierras de Toledo.*

CAPÍTULO XXIV

LA NOVELA PICARESCA EN LA ÉPOCA DE FELIPE III

La novela picaresca en la época de Felipe III. — La novela picaresca iniciada con el *Lazarillo de Tormes* en la época del emperador adquiere forma típica, representativa y nacional a fines del siglo XVI. Cortada la novela picaresca durante la época de Felipe II, al año siguiente de morir este monarca surge el *Guzmán* (1599). En esta época picaresca el elemento moralizador ocupa un lugar muy importante. Este contraste literario correspondía a la estética del barroco, que se avenía bien a este cruce de picaresca y ascética, de hechos desenfadados y normas para el bien obrar. Se trata de filosofía viva, de un tratado ético que toma cuerpo en el ejemplo de un hombre fuera de la ley, y también de la felicidad.

El "Guzmán de Alfarache". — Su autor, **Mateo Alemán** (1547-1614?), era un andaluz hijo del médico de la cárcel de Sevilla. El novelista, que también estudió Medicina, conoce las universidades de Sevilla, Alcalá y Salamanca. Se le obliga a casarse a cambio de un anticipo de oro, no sin que antes él intentase dejar incumplida la promesa. Tiene un cargo administrativo; y después, por deudas, se le encarcela. Y muere en Méjico. Su vida, amarga y llena de claudicaciones, le llevó a una observación cortante de la sociedad.

Su obra *Primera parte de la Vida del pícaro Guzmán de Alfarache* o *Atalaya de la vida humana,* tuvo reimpresiones y versiones y hasta una segunda parte falsa (obra del valenciano Juan Martí con el nombre de Mateo Luján de Sayavedra). Al publicar Mateo Alemán la segunda hizo aparecer un Sayavedra que se vuelve loco, da en decir que él es Guzmán, y acaba por arrojarse al mar.

El *Guzmán* son las aventuras de un joven que a los quince años tuvo que salir de su casa a ganarse la vida. Vive primero en Andalucía, luego va a Madrid al servicio de un cocinero; se las da de hidalgo en Toledo, y sirve de criado a un capitán; mendigando fue a Roma, donde con llagas falsas explota a un cardenal y, despedido, a un embajador de Francia; después estuvo en Florencia encarcelado; y, vuelto a España, vende alhajas y se casa con la hija de un mercader. Cuando ésta muere decide hacerse clérigo en Alcalá, pero encuentra una mesonerilla de cuyos amigos vive espléndidamente. Vuelve a Sevilla, encuentra a su madre y vuelve a hurtar hasta que da con sus huesos en la cárcel y es condenado. Los pecados de Guzmán son siempre el juego y la afición a quedarse con el dinero ajeno, causa de perder sus amos.

Al lado de sus fechorías hace Guzmán alarde de devoción, le indignan las injusticias, y hasta tiene el sentido de patria. Desde luego es un libro superior a todo lo anterior en su estructura por el enlace de sus episodios y sátiras de documentos hampescos como las *Ordenanzas mendicativas* y apólogos en que alguna vez asoma la alegoría.

"Marcos de Obregón". — El autor de esta novela picaresca fue **Vicente Espinel** (1550-1624) que, nacido en Ronda, fue músico hábil (agrega la *quinta cuerda* a la guitarra) y poeta (a él debemos la *décima o espinela*). En época tardía se hizo sacerdote y fue un buen humanista (traduce la *Epístola ad Pisones* de Horacio). Su novela *Vida del escudero Marcos de Obregón* se publicó en Madrid en 1618 y sus *relaciones* tienen más de libro de memorias que de novela propiamente picaresca. Vicente Espinel había sido escudero del conde de Lemos en Valladolid; por esto su artificio tiene emoción autobiográfica, ya que un servidor del doctor Sagredo, en la vejez, cuenta todas las andanzas y aventuras de su juventud. El amor a su tierra, Ronda, aparece constantemente en sus tipos (el tejero que en cuarenta y cuatro años no probó gota de agua), en sus caminos, sus ventas, sus monumentos y antigüedades, y en su paisaje, *altas peñas y riscos.* Tiene además la preocupación del lenguaje fácil y claro *por no poner en cuidado al lector por entenderlo.*

Es interesante en su obra la impregnación del paisaje, las sensaciones de perfume:

> (En la isla de Cabrera) yendo saltando de peña en peña... trajo una bocanada de aire, tan celestial olor de madreselvas, que pareció que lo enviaba Dios para refrigerio y consuelo de nuestro cansancio. Volví el rostro hacia la parte de Oriente, de donde venía la fragancia, y vi en medio de aquellas peñas, una frescura milagrosa de verde y florida, porque se vieron de lejos las flores de la madreselva, tan grandes, apacibles y olorosas como las que hay en toda Andalucía.

"El Buscón". — La *Historia de la vida del Buscón llamado don Pablos, ejemplo de vagamundos y espejo de tacaños* (Zaragoza, 1626) es de don Francisco de Quevedo. En esta novela Quevedo, más que un cuadro de humanidad picaresca, ha trazado con extraordinario ingenio unas caricaturas de deformado realismo. Como en la anterior picaresca, don Pablos narra sus sucesivas aventuras: la vida en casa del dómine Cabra, verdadero monigote genial, de donde sólo pudo sacar *su sombra;* su encuentro con el arbitrista, con el clérigo viejo que había hecho un poema de cincuenta octavas a cada una de las once mil vírgenes; el soldado, el *piadoso* ermitaño; don Toribio, el hidalgo pobre y presuntuoso; una cofradía de pícaros, etc., y cómo acaba marchando a Indias. La habilidad de la acción, el interés de ésta y el trazo novelesco superan a todas las demás novelas picarescas.

He aquí la cena en casa del licenciado Cabra:

Sentóse el licenciado Cabra y echó la bendición; comieron una comida eterna, sin principio ni fin, trajeron caldo en unas escudillas de madera, tan claro, que en comer una de ellas peligraba Narciso más que en la fuente. Noté con la ansia que los vacilantes dedos se echaban a nado tras un garbanzo huérfano y solo que estaba en el suelo. Decía Cabra a cada sorbo: «Cierto que no hay como la olla, digan lo que dijeren; todo lo demás es vicio y gula.» Acabando de decillo echóse su escudilla a pechos, diciendo: «Todo esto es salud y, otro tanto, ingenio.» ¡Mal ingenio te acabe!, decía yo entre mí, cuando vi un mozo, medio espíritu y tan flaco, con un plato de carne en las manos, que parecía la había quitado de sí mismo. Venía un nabo aventurero a vueltas, y dijo el maestro: «¿Nabos hay? No hay para mí perdiz que se le iguale; coman, que me huelgo de verlos comer.» Repartió a cada uno tan poco carnero, que en lo que se les pegó en las uñas y se les quedó entre dientes pienso que se consumió todo, dejando descomulgadas las tripas de participantes. Cabra les miraba y decía: «Coman, que mozos son, y me huelgo de ver sus buenas ganas.» Mire vuesa merced qué buen aliño para los que bostezaban de hambre.

"El Diablo Cojuelo". — Luis Vélez de Guevara escribió esta novela, que más bien pertenece al género satiricosocial. El diablillo travieso, *las pulgas del infierno, la chisme, el enredo,* era popular en las consejas y supersticiones hispánicas. Su texto está lleno de chistes que resultan de difícil comprensión. El asunto es que el estudiante Cleofás Leandro Pérez Zambullo, huyendo de la justicia por los tejados, entra en la buhardilla de un astrólogo, en donde está encantado en una redoma el diablo cojo. Éste, al ser desencantado por el joven, le lleva como premio a diferentes lugares de la corte; entre ellos a lo alto de la torre del Salvador, desde donde *levantando los techos de los edificios, por arte diabólico lo hojaldrado, se descubrió la carne del pastelón de Madrid,* con toda la *variedad de las sabandijas racionales.* Es un libro de graciosas sátiras de costumbres, desaforadas imágenes y retorsiones de pensamientos. Se pasó a la prosa desde la poesía teatral y no tiene soltura y facilidad, pero lo suplía con los golpes de ingenio más vivos.

Está dividido en diez capítulos, que el autor llama *trancos*. He aquí cómo comienza el primero:

Daban en Madrid por los fines de julio las once de la noche en punto, hora menguada para las calles y, por faltar la luna, jurisdicción y término redondo de todo requiebro lechuzo y patarata de la muerte, cuando don Cleofás Leandro Pérez Zambullo, hidalgo a cuatro vientos, caballero huracán y encrucijada de apellidos, galán de noviciado y estudiante de profesión, con un broquel y una espada aprendía a gato por el caballete de un tejado, huyendo de la justicia que le venía a los alcances, y como solicitaba escaparse no dificultó arrojarse desde el ala del susodicho tejado, como si las tuviera, a la buharda de otro que estaba confinante, nordesteado de una luz que por ella escasamente se brujuleaba, estrella de la tormenta que corría, en cuyo desván puso los pies y la boca a un mismo tiempo, saludándolo como a puerto de tales naufragios, y dejando burlados a los ministros del agarro.

CAPÍTULO XXV

LA LÍRICA CULTERANA. GÓNGORA

La lírica del siglo XVII. — Al final del siglo XVI hay que tener en cuenta el grupo de poetas antequerano-granadinos (Barahona de Soto, Pedro Espinosa, Carrillo y Sotomayor), que refinan aún más la magnífica escuela de Herrera. Ellos son el enlace con Góngora. La poesía siguiente, la de los líricos del siglo XVII, ha quedado envuelta en la incomprensión que rodeó a Góngora hasta no hace muchos años. Los poetas del XVII, como los artistas contemporáneos, llevaron las formas del Renacimiento al exceso decorativo del barroco, que es un fenómeno europeo general. En la lírica se fue al culteranismo, que significó la renovación del vocabulario y el retorcimiento de la sintaxis. Este culteranismo puede compararse con el *marinismo* de Italia, con el *preciosismo* de Francia y con el *eufuismo* de Inglaterra.

Luis de Góngora y Argote (1561-1627). — Como Lucano y como Juan de Mena, nació en Córdoba; estudió en Salamanca y conoció Cuenca, Valladolid y Madrid. Fue racionero de la catedral de Córdoba y hasta los cincuenta años no se ordenó de sacerdote. Conoció la vida cortesana y fue capellán del rey Felipe III. Lope y Quevedo se enfrentaron con él en lo literario y tuvo influyentes discípulos como Villamediana.

La obra poética de Góngora. — Hay en Góngora dos estilos paralelos, llenos de interferencias. Uno en que predomina lo popular y otro netamente culto. Veamos los dos aspectos:

a) **Estilo artístico-popular.** En él predominan las formas de metro corto, letrillas, endechas, romances y letras octosilábicas para cantar. De lo popular escoge los motivos más a propósito para su temperamento culto y los comenta con finura e intención satírica. De sus letrillas son notables: *Dejadme llorar — orillas del mar,* y el pintoresco recuerdo infantil de *Hermana Marica.* Entre las satíricas tenemos la epicúrea de *Ande yo caliente — ríase la gente.*

Comenta letras para cantar: *Las flores del romero, Aprended, flores, de mí* y *No son todos ruiseñores,* en que llega a las formas más bellas de nuestra lírica.

En los romances ofrece varios aspectos. El tema de la serranilla se da en perfecto maridaje de lo popular y lo culto. Tal el de *Apeóse el caballero, — víspera era de San Juan,* en que pueden apreciarse ricos matices:

Llegó el galán a la niña,
que en un bello rosicler
convirtió el color rosado,
y saludóla otra vez.
Ella que sobre diamantes
tremolar plumajes ve,
y brillar espuelas de oro,
dulce lo miró y cortés.

Un tipo de romance que cultivó Góngora es el morisco. Tales son *Aquel rayo de la guerra, Entre los sueltos caballos* y *Servía en Orán al rey.* También el de cautivos, como *Amarrado al duro banco* y *La desgracia del forzado.* De lo más representativo es el romance caballeresco de *Angélica y Medoro (En un pastoral albergue).* También cultivó el descriptivo, como los que hizo en elogio de las ciudades como el de Granada *(Ilustre ciudad famosa).* Con tonos cómicos y paródicos tenemos los romances *Fábula de Píramo y Tisbe* y el dedicado a la leyenda de *Hero y Leandro.*

b) **El estilo culterano.** Está representado por la *Fábula de Polifemo y Galatea,* en octavas reales. Procede de las *Metamorphosis* de Ovidio. Predomina en ella lo barroco por lo desmesurado del ambiente (entre las espumas del mar de Sicilia se alza un escollo donde está la roca que habita el monstruo), por su romanticismo (pájaros nocturnos *gimiendo tristes y volando graves*). A este ambiente corresponde el héroe (Polifemo es *un monte de miembros eminente* y su único ojo *émulo casi del mayor lucero*). En contraste surge la delicadeza de la ninfa Galatea y de su galán Acis con su idilio a la sombra de un laurel y entre jazmines; luego, la persecución de los amantes por Polifemo, que lanza una roca sobre Acis en el momento que se arroja al mar y queda convertido en río *(corriente plata al fin sus blancos huesos lamiendo flores y argentando arena)*. Es la obra cumbre de Góngora y la más bella realización del culteranismo.

El otro gran poema del estilo culterano son las *Soledades.* Iban a ser cuatro (soledad de los campos, de las riberas, de las selvas y del yermo), pero sólo llegó a componer la primera y casi toda la segunda. En torno al eje central del solitario había concebido la idea de un gran poema de la naturaleza. Escritas en silvas son difíciles de interpretar, pero su original y extraordinario texto lleno de metáforas e imágenes inigualables ha sido casi totalmente desentrañado por la interpretación moderna del profesor Dámaso Alonso. Las palabras son en Góngora el resultado de una imagen y el punto de partida de otra (cristal, nieve y oro son base abundante de metáfora: *volante nieve, nieve de colores mil vestida*). Su contenido (un joven náufrago arriba a una playa y asiste a unas bodas de rústicos y a unos juegos; en la segunda se describen escenas de pesca) es sólo un pretexto para los paisajes. El neologismo y el cultismo, unidos a las brillantes imágenes, a la retorcida sintaxis y a los motivos mitológicos, hacen lo más representativo del culteranismo, que también se ha denominado gongorismo.

Los sonetos de Góngora. — Góngora es el mejor constructor de sonetos de nuestra literatura. Unos se aproximan a su estilo popular, como los satíricos *(Patos del aguachirle castellana; Por tu vida, Lopillo, que me borres; Grandes más que elefantes y que abadas)* y los de motivo descriptivo como el del Escorial *(Sacros altos dorados chapiteles)* y el que canta a Córdoba:

¡Oh excelso muro! ¡Oh torres levantadas
de honor, de majestad, de gallardía!
¡Oh gran río, gran rey de Andalucía,
de arenas nobles, ya que no doradas!
¡Oh fértil llano, oh sierras encumbradas
que privilegia el cielo y dora el día!
¡Oh, siempre gloriosa patria mía,
tanto por plumas como por espadas!
Si entre aquellas ruinas y despojos
que enriquece Genil, y Darro baña,
tu memoria no fue alimento mío,
nunca merezcan mis ausentes ojos
ver tus muros, tus torres y tu río,
tu llano y sierra, ¡oh patria, oh flor de España!

Otros son de motivos de amor, más o menos pasionales, en que se prescinde de la anécdota y rigen cada vez motivos más puros y densos de poesía *(De pura honestidad templo sagrado, Al tramontar del sol la ninfa mía, Tras la bermeja aurora el sol dorado)*.

Raya, dorado sol, orna y colora
del alto monte la lozana cumbre;
sigue con agradable mansedumbre
el rojo paso de la blanca aurora.
Suelta las riendas a Favonio y Flora,
y usando, al esparcir tu nueva lumbre,
tu generoso oficio y real costumbre,
el mar argenta y las campiñas dora;
para que de esta vega el campo raso
bordes, saliendo Flérida de flores;
mas si no hubiese de salir acaso,
ni el monte rayes, ornes ni colores,
ni sigas de la aurora el rojo paso,
ni el mar argentes ni los campos dores.

Poetas culteranos. — Al lado de Góngora ha de citarse el **Conde de Villamediana** (don Juan de Tassis), caballero del Buen Retiro y de Felipe IV, satírico conciso y punzante, pero buen torneador de sonetos y autor de la *Fábula de Faetón.* Otro gran poeta culterano es el granadino **Pedro Soto de Rojas,** cuyo *Paraíso cerrado para muchos, jardines abiertos para pocos* (1652), es una especie de *soledades* de los jardines y fuentes de Granada. Ha de agregarse a **Juan de Jáuregui,** que, aunque comenzó por atacar a Góngora *(Antídoto contra las soledades* y *Discurso poético),* varió a una forma depurada y culterana como en su poema *Orfeo* y en la traducción de la *Farsalia* de Lucano. Aún pueden agregarse otros nombres como el murciano **Polo de Medina,** que expresa líricamente el paisaje perfumado de la huerta, como en *Los naranjos,* y hasta algunos nombres de poetas hispanoamericanos, como **Domínguez Camargo** (autor del poema *San Ignacio de Loyola*) y la gran figura inolvidable, «la monja de Méjico», **Sor Juana Inés de la Cruz** (1651-1695), cuyo prestigio le dio con toda justicia el título de «Décima Musa». Los virreyes la visitaban para hacerle presente su consideración. Murió en su convento a consecuencia de una enfermedad contraída mientras asistía a las monjas enfermas de una epidemia. Su poesía — elaborada a base de juegos de palabras y de brillantes y originales metáforas — se halla adscrita al culteranismo español o gongorismo. Destacó como una gran poetisa, no sólo en el arte menor y en el soneto — tipos de métrica más cultivados a la sazón —, sino también por su poesía artificiosa, de orfebre, en la que alcanza tales exquisiteces que su nombre será siempre recordado como paradigma clásico de la literatura hispana del siglo XVII. Asimismo, fue la iniciadora de la poesía femenina en América. Su poesía amorosa, que corresponde a su etapa de adolescente en la corte virreinal, fue bellísima. Aunque cae en cierto prosaísmo *(Hombres necios que acusáis),* llega a hondas vibraciones humanas, como en el soneto *Detente, sombra de mi bien esquivo;* y a su más complicado barroquismo en *Primer sueño,* poema extenso de alta técnica.

La lírica popular y la reacción clásica del siglo XVII. Además de la poesía culterana, se notan otras tendencias: una en que, mediante formas populares de poesía, expresa religiosidad ingenua; otra de reacción clasicista moderada y reglada. La primera la puede representar el sacerdote toledano **Josef de Valdivielso,** que en la poesía religiosa tiene ternuras análogas a las de Murillo en la pintura. Su *Romancero espiritual del Santísimo Sacramento* contiene deliciosos villancicos:

Atabales tocan
en Belén, pastor;
trompeticas suenan:
alégrame el son.

Dentro de las poesías extensas se llega a una síntesis de elementos populares con un asunto profano disfrazado a lo divino y de cantares exquisitamente intercalados. La Encarnación, la Natividad, la Inmaculada Concepción, ésos son sus temas. Tal el *Retablo,* en que ocho niños cantan cogidos de la mano:

Arrojóme estrellas el cielo
por la Pascua de Navidad;

arrojómelas y arrojóselas,
y volviómelas a arrojar.

Tiene un poema en octavas reales: *Vida, excelencias y muerte del gloriosísimo Patriarca San José;* pero sobresalió en los autos sacramentales, en que llega a verdaderas obras maestras, como el *Hijo pródigo.*

En Sevilla, en el siglo XVII, se produce una escuela poética que es un caso típico de formas clásicas rezagadas en una época barroca. No obstante, no pudieron evitar el influjo de su tiempo. El más importantes es **Francisco de Rioja,** sevillano de gran cultura. Procede de Herrera y siente las ruinas en el paisaje normal. Se le ha atribuido sin fundamento la canción *A las ruinas de Itálica,* y con igual actitud que en éstas trató el mismo tema en un soneto, *Estas ya de la edad canas ruinas,* y siente las nostalgias de las ciudades sepultadas por el mar (el soneto *A las ruinas de la Atlántida*). Cantó, además, al Guadalquivir y a las flores, en silvas: la rosa, el clavel, el jazmín, la arrebolera, etc.

Otra figura sevillana es **Rodrigo Caro,** erudito a quien se deben las dos redacciones de la aludida *Canción a las ruinas de Itálica.* A esta escuela sevillana pertenece la **Epístola moral a Fabio,** que es el ejemplo más acabado del género moral en tercetos y una interpretación en imágenes y versos felices de la corriente estoica, senequista:

Quiero, Fabio, seguir a quien me llama,
y callado pasar entre la gente,
que no afecto los nombres ni la fama.

El soberbio tirano del Oriente
que maciza las torres de cien codos
del cándido metal puro y luciente,

apenas puede ya comprar los modos
del pecar; la virtud es más barata.
Ella consigo mesma ruega a todos.
... ...
Más precia el ruiseñor su pobre nido
de pluma y leves pajas, más sus quejas
en el bosque repuesto y escondido,

que halagar lisonjero las orejas
de algún príncipe insigne aprisionado
en el metal de las doradas rejas.

Esta epístola ha sido atribuida a Rioja, y al mismo Rodrigo Caro. Modernamente, al capitán Andrés Fernández de Andrade y a Francisco Medrano. En el grupo sevillano ha de incluirse al sonetista **Juan de Arguijo** y a **Pedro de Quirós,** también atraído por las ruinas

Lo clásico en un tono menor lo representa **Esteban Manuel Villegas,** de la escuela aragonesa de los Argensolas, que en el metro corto logró formas delicadas *(Yo vi sobre un tomillo, A las estrellas, Del amor y la abeja).* Tradujo a Anacreonte y adaptó las formas clásicas de la métrica, como la estrofa sáfica de su composición *Al céfiro:*

> Dulce vecino de la verde selva,
> huésped eterno del abril florido,
> vital aliento de la madre Venus,
> céfiro blando.

La épica en el siglo XVII. Balbuena. — Las imitaciones de Ariosto en la épica pueden considerarse como un brote tardío de la literatura caballeresca. Y este tema tan de época puede estar representado por **Bernardo de Balbuena,** sacerdote de Valdepeñas y de biografía americana (ejerció su ministerio en Méjico, fue abad de Jamaica y obispo en Puerto Rico). Escribió el *Bernardo o la Victoria de Roncesvalles* (1624), obra extensa, cinco mil octavas en veinticuatro cantos, de rica y brillante inventiva no falta de carácter moral. Bernardo del Carpio es el anti-Roldán, cuyos hechos consideraba más fabulosos que ciertos, incluso el triunfo de Roncesvalles.

En el poema entra de todo: hechicerías, leyendas caballerescas, los *Orlandos* italianos, las crónicas españolas, los romances, las alusiones en profecía a la grandeza nacional. Todo es fastuosidad barroca, pero no supo dar vida real a sus personajes, como Ercilla. Se distingue en las descripciones:

> Las altas torres con relieves varios,
> de almenas coronadas y molduras,
> de real stuco sutil lazos voltarios,
> de alegres contrapuestas ligaduras;
> y en columnas de mármoles contrarios,
> huecos globos, bellísimas figuras
> que en pompa adornan puestos por niveles,
> el peso a los bruñidos chapiteles.

También escribió *Grandeza Mexicana* (Méjico, 1604), poema didáctico descriptivo de la ciudad de Méjico a fines del siglo XVI.

La importancia y calidad artística de este poema movió a Menéndez y Pelayo a considerarlo como la obra inicial de la poesía americana. Lo más destacado de esta obra de Balbuena es el gran amor del poeta a la tierra mejicana. En sus poemas puede apreciarse el cultivo de los modos predilectos renacentistas. A ellos podríamos agregar otros ejemplos, aunque su mérito radique más en el valor arqueológico que en el literario. Sin embargo, constituyen una expresiva manifestación del desarrollo alcanzado por la poesía hispanoamericana.

En la épica sagrada hemos de citar a un dominico que vivió en Perú, **Fray Diego de Hojeda,** que en 1611 publicó *La Cristiada,* que desarrolla la Pasión de Cristo en doce libros, desde la Cena al Santo Entierro. Es un poema sobrio y sentido en torno a la historia de los Evangelios, a la que sobrepone elementos alegóricos. Hay algunas estampas delicadas de la Pasión y descripciones afortunadas.

De la conversión de motivos épicos en parodia surge la épica burlesca. **José de Villaviciosa** publica la *Mosquea* (1615); que es un ingenioso pasatiempo, a base de la guerra entre las moscas y las hormigas, adaptación libre de un poema en latín macarrónico y parodia de la *Eneida* y tal vez también de *Os Lusíadas.*

CAPÍTULO XXVI

LOS DRAMATURGOS PRECURSORES DE LOPE DE VEGA

El teatro anterior a Lope. — Hemos llamado *prelopismo* a la evolución de la escena española desde Gil Vicente hasta Lope de Vega. En este teatro se marcan diferentes tendencias: *a*) Religiosas (descomposición del *auto de nacimiento,* remozado por Lope; el género alegórico, derivado de las *moralités,* que lleva al auto sacramental; los temas de las historias milagrosas de santos; el teatro bíblico y el derivado de las *danzas de la muerte*); *b*) Clásicas (esbozos de la tragedia a la manera clásica, que no se amoldaron al gusto nacional); y *c*) Novelescas (de fuentes italianas, escenificaciones, en su mayoría, de asuntos de carácter narrativo procedentes de Boccaccio y Bandello).

Tendencia religiosa. — Puede observarse su evolución en el famoso *Códice de Autos Viejos* (que fue editado por Leo Reouanet en 1901). Contiene la colección más abundante de esta clase de obras. En estos autos se da el grupo *predominantemente historial* (Antiguo Testamento, ciclos de Navidad y Pasión y otros temas del Nuevo Testamento, como el de *la degollación de San Juan Bautista,* autos de santos y de Nuestra Señora) y *otro predominantemente alegórico,* precedente técnico de los *Autos sacramentales (La justicia divina contra el pecado de Adán, Farsa llamada de los lenguajes,* y *Farsa del Triunfo del Sacramento).* En este teatro se tiende ya a la introducción de abstracciones (Conciencia, Justicia, Misericordia, etc.). Como la obra sacra más bella de este período puede señalarse *La tragedia josefina* (la historia de José) de **Micael de Carvajal,** a quien también debemos el haber comenzado la farsa o auto de *Las Cortes de la muerte,* que es un amplio cuadro de todos los estados de la vida humana, que se distingue por su aparato escénico. Tuvo una gran popularidad y es una derivación del tema medieval de las *danzas de la muerte,* con temas folklóricos (la lámpara de aceite representando la vida de los hombres), evangélicos (como la parábola del Buen Pastor) y mitológicos (Caronte, las Parcas). El tema de la danza de la muerte se da también en **Sebastián de Horozco** en su *Coloquio de la muerte con todas las edades y estados.*

La tendencia clásica. — Los intentos de imitación grecolatina en el siglo XVI demostraron la resistencia del espíritu nacional a someterse a las unidades y reglas dramáticas clásicas. Por esta causa la tendencia clásica sólo produjo obras de mero valor histórico. Los cultivadores de esta tendencia son por lo general humanistas que traducen (el doctor López Villalobos traduce el *Anfitrión* de Plauto, como luego Fernán Pérez de Oliva). De Pérez de Oliva son también las traducciones en prosa de la *Electra* de Sófocles y la *Hécuba* de Eurípides, en que se llega a las más puras formas. Pero en estas mismas obras clasicistas las unidades no se observan muy exactamente. La más perfecta, dentro del canon clásico, tal vez sea la del portugués Antonio Ferreira sobre los amores y muerte de doña Inés de Castro, de la que proceden la *Nice lastimosa* y *Nice laureada* de fray Jerónimo Bermúdez, versificada en endecasílabo suelto y versos saficoadónicos y rima en medio para el coro. Luego se mezcla lo novelesco con lo clásico, como en **Cristóbal de Virués,** que (además de ser clasicista como en *Elisa Dido*) es autor de la tragedia *La infelice Marcela* (intento de seducción de una princesa por un súbdito, con escenas de pastores y salteadores). Estos elementos novelescos se acentúan en otros como en **Lupercio Leonardo de Argensola,** autor de las tragedias *La Isabela* y *La Alejandra.* En la dirección hacia la técnica novelesca de un teatro nuevo hay que situar la *Numancia* de **Cervantes.**

Juan Timoneda (muerto en 1583). — Este famoso editor valenciano, en su *Turiana,* colección de obras en verso, produjo alguna obra de asunto clásico, como la *Tragicomedia llamada Filomena* sobre la fábula de Tereo, Filomena y Progne. Su acción es difusa y predomina lo lírico. Tradujo también el *Anfitrión* y los *Menemnos* de Plauto en prosa. Pero también es notable como autor de autos, como en sus *Ternarios Sacramentales,* donde encontramos su arte más popular en el *Auto de la oveja perdida,* que se combina con la parábola del Buen Pastor.

Tendencia de fuentes italianas. Lo popular. Lope de Rueda (muere en 1565). — Con Juan de la Cueva y Cervantes es el más ilustre de los prelopistas. *Varón insigne en la representación y el entendimiento,* según el autor del *Quijote.* Lope de Rueda era sevillano. Como actor fue un buen conocedor de la técnica teatral y había visto representar a los comediantes italianos. En su teatro hay que distinguir entre *pasos* y *comedias.*

a) Los *pasos* son una reproducción fotográfica de un lance cuotidiano. Su acción es muy simple o carecen de ella. Sus personajes son humildes. El *bobo* de los pasos es una continuación del pastor y un precedente del *gracioso.* En estos pasos se llega a cuadros perfectos de la vida aldeana. Son diez: *Los criados, La carátula, Cornudo y contento, El convidado, La tierra de Jauja, Pagar y no pagar, Las aceitunas, El rufián cobarde, La generosa paliza* y *Los lacayos ladrones.*

El convidado. El caminante con *uno de los grandísimos trabajos que el hombre puede recibir en esta vida miserable que es el caminar, y el superlativo, faltalle dineros,* llega a la ciudad con una carta para su paisano el licenciado Jáquima, que lo invita a comer. Pero como el licenciado no tiene medios para llevar a cabo el convite, idea con su compañero el bachiller Brazuelo esconderse en la cama y decir al invitado que había tenido que salir de la ciudad llamado por el arzobispo. Cuando llega el caminante el bachiller le advierte que *no hay blanca, ni bocado de pan para convidalle;* y como el caminante no lo creyera, tira de la manta y aparece el corrido licenciado, que comienza a discutir con el bachiller, a quien dice que él le mandó que se escondiese. El caminante se impacienta y se marcha *(¡Id con todos los diablos! Allá os averiguad vosotros mesmos).*

b) Las *comedias* de Rueda tienen una leve trama de teatro

italiano y nos llevan a una ficción de arte, contrapesada por el colorido intenso de las figuras y episodios populares. Son cinco: una en verso *(Discordia y cuestión de amor)* y cuatro en prosa *(Eufemia, Armelina, Engañados* y *Medora).* Las fuentes de estas obras son latinas italianizadas o propiamente italianas, comedias o novelas. Al artificio italianizante se unen los tipos directamente observados; por ejemplo el de *negra.*

Comedia de los engañados (en prosa y diez escenas). El romano Virginio pierde a su hijo en la confusión del saqueo de Roma y se retira a Módena con su hija Lelia, hermana gemela del desaparecido. Lauro enamora a Lelia, pero luego se aficiona a Clavela, que tiene una criada negra, Guiomar, que es el gracioso de la comedia. Lelia había sido recluida por su padre en un convento, pero se escapa y disfrazada de hombre entra a servir de paje a su propio amante. Luego aparece Fabricio, el hijo desaparecido, que da lugar a frecuentes confusiones por ser muy parecido a su hermana. Descubiertas las verdaderas personalidades, termina en matrimonios. (Lauro con Delia; Fabricio con Clavela.)

Teatro nacional y novelesco. Juan de la Cueva (1543-1610). — Este dramaturgo sevillano, dentro de la influencia clásica, se ve atraído por lo novelesco. Pero al lado de los temas clásicos y novelescos del Renacimiento italiano tuvo el sentido del drama nacional en alguna de sus obras, siendo, por tanto, el precedente inmediato a Lope de Vega. Sus teorías las expuso en el *Ejemplar poético,* que es posterior a sus obras teatrales. Cultivó el teatro grecolatino, dándole carácter novelesco *(Tragedia de la muerte de Virginia)* y el de asunto contemporáneo *(Comedia del saco de Roma).* Por lo novelesco de su personaje se ha señalado *El Infamador* como la comedia de más interés de Juan de la Cueva. Su personaje Luciano, aunque más es burlado que burlador, se aproxima a lo donjuanesco, y su lucha con los poderes sobrenaturales y la intervención de las divinidades (Némesis, diosa de la venganza) en el castigo del difamador nos recuerda la parte del *Convidado de piedra* en la obra sobre don Juan Tenorio de Tirso de Molina. Pero el verdadero mérito de Cueva es el haberse adelantado a Lope en recurrir a los romances y a las crónicas, siendo una etapa imprescindible en el teatro de asunto nacional. Sus principales obras de este tipo son: *La tragedia de los siete infantes de Lara,* la *Comedia de la muerte del rey don Sancho* y la *Comedia de la libertad de España por Bernardo del Carpio.* La acción de sus comedias es muy extensa y, sobre todo, fue un improvisador que tuvo un poderoso instinto de los asuntos dramáticos, pero careció de cualidades esenciales.

"El viaje entretenido" de Rojas. — Un cómico madrileño, Agustín de Rojas, en 1603 publicó su *Viaje entretenido,* libro hoy necesario para el conocimiento del teatro de este período, sobre todo en su aspecto externo. Contiene gran cantidad de anécdotas, datos históricos y alusiones costumbristas de gran interés para la historia del teatro español. Está escrito en forma de diálogo sostenido con sus compañeros de farsa Rojas, Ramírez, Solano y Nicolás de los Ríos.

CAPÍTULO XXVII

LOPE DE VEGA

Lope Félix de Vega Carpio (1562-1635). — Como hombre Lope fue ya algo extraordinario. Era de familia modesta, su padre bordador. Estudió en el colegio de los Teatinos y en la universidad de Alcalá y mostró una gran precocidad (de niño tradujo el poema de Claudiano *De raptu Proserpinae*). Su enorme vitalidad le llevó a matrimonios y amoríos numerosos desde muy joven. Los nombres de las mujeres que amó están en sus obras: *Filis* (Elena Osorio), *Belisa* (Isabel de Urbina o de Alderete, con quien casó en 1588), *Camila Lucinda* (Micaela Luján), *Gerarda* (Jerónima de Burgos), *Amarilis* (Marta de Nevares, amor vehemente y último). En 1598 casó, en segundas nupcias, con Juana Guardo, mujer rica, por lo que sus enemigos dijeron que aquella boda fue un negocio. No falta en su biografía una página de soldado, pues a los pocos días de su primer matrimonio se alistó como voluntario en la Armada Invencible. No falta un período místico, que le llevó a ordenarse de sacerdote en 1614; entonces su poesía se llena del dolor de sus pecados.

Lope, poeta lírico. — Fue uno de los mayores adversarios de Góngora, pero compone poesías gongorinas y utiliza el avance culterano como elemento decorativo no substancial. Encuentra su forma más pura en las letras para cantar. Ha de distinguirse entre su poesía profana y la religiosa.

a) Poesía profana. Tiene romances, letrillas, canciones y sonetos famosos. Han de agregarse las églogas de carácter autobiográfico. Lirismo, musicalidad, utilización de lo popular. Motivos de la vendimia, del velador, del mes de mayo, de bodas, etc. Entre las más bellas composiciones, el romance de *Mis soledades (A mis soledades voy, — de mis soledades vengo), Barquilla mía* y *Canto del pan.* Entre sus sonetos: *Esto es amor (Desmayarse, atreverse, estar furioso...)* y *Azules son,* que se refiere a Camila Lucinda:

Marcio, yo amé y arrepentíme amando
de ver mal empleado el amor mío;
quise olvidar y del olvido el río
huyóme, como a Tántalo, en llegando.
Remedios vanos sin cesar probando
venció mi amor, creció mi desvarío;
dos veces por aquí pasó el estío
y el sol, nunca mis lágrimas secando.
Marcio, ausentéme y en ausencia un día
miráronme sus ojos y mirélos,
no sé si fue su estrella o fue la mía.
Azules son, sin duda son dos cielos
que han hecho lo que un cielo no podía;
vida me da su luz, su color celos.

Además tiene odas, epístolas en tercetos encadenados y silvas *(Oh libertad preciosa, ¡Dichoso aquel...!, A la muerte de su hijo Carlos Félix,* etc.).

b) Poesías religiosas. Antes de ser sacerdote ya se dio en él el vibrante sentimiento religioso que expresó en rimas y canciones *(Rimas sacras, Triunfos divinos).* Algunos sonetos han recogido brillantemente este hondo fervor de su amor divino (*Cuando en mis manos, rey eterno, os miro; Cuantas veces, Señor, me habéis llamado,* etc.). Recordemos uno de los más conocidos:

¿Qué tengo yo que mi amistad procuras?
¿Qué interés se te sigue, Jesús mío,
que a mi puerta, cubierto de rocío
pasas las noches del invierno escuras?
¡Oh, cuánto fueron mis entrañas duras
pues no te abrí! ¡Qué extraño desvarío
si de mi ingratitud el yelo frío
secó las llagas de tus plantas puras!
Cuántas veces el ángel me decía:
— ¡Alma, asómate agora a la ventana,
verás con cuánto amor llamar porfía!
Y cuántas, hermosura soberana,
— Mañana le abriremos — respondía,
para lo mismo responder mañana.

Lope, poeta épico. — Lope fue un gran poeta, pero no estaba bien dotado para la narración. De aquí que sus poemas épicos no tengan el acierto de su lírica. El mejor de ellos es el *Isidro,* en el que la nota lírica y dramática se avienen mejor con el poeta. Escrito en quintillas respira calma de aldea y alma ingenua de campesino castellano. Es un poema popular sobre el santo labrador. Presuntuosas como epopeyas, pero patrióticas por su sentido hispánico, han de citarse la *Dragontea* (contra el pirata Francis Drake) y la *Jerusalén conquistada,* en que ateniéndose sólo a la leyenda, hace entrar a Alfonso VIII junto a Ricardo Corazón de León en las Cruzadas. Las aventuras de Angélica y Medoro las canta en un poema en octavas reales, *La hermosura de Angélica,* en que imita a Ariosto. Cultivó también el tema mitológico *(Filomena)* y el didáctico *(Isagogue, Arte nuevo de hacer comedias* y el *Laurel de Apolo).*

El gran acierto de Lope en la época fue de valor paródico: *La Gatomaquia,* poema de gran viveza y gracia para efectos caricaturescos, con el que contribuye a la épica burlesca.

Lope, prosista. — Su narración en prosa, sobre todo en la novela, puede leerse. No es muy seguro en la narración, pero su prosa está salpicada de bellezas aisladas (fragmentos de prosa descriptiva, versos intercalados, trozos de estilo muy trabajado, etc.). Tiene novelas pastoriles *(Los pastores de Belén* y la *Arcadia)* y una obra extensa dialogada que el autor tituló *acción en prosa* y que es autobiográfica, *La Dorotea,* rica en rasgos psicológicos y comentarios de su tiempo y que es el eco de sus amores con Elena Osorio. Cultivó también la novela corta en *Novelas a Marcia Leonarda* y la de aventuras en *El peregrino en su patria.* Toca el tema histórico *(Triunfo de la fe en los reinos del Japón).*

El teatro de Lope de Vega. — Lope ha creado el teatro nacional español. Supo reunir todos los elementos dispares que le habían precedido. Comprendió el sentido épico popular y tradicional de la raza, al que supo unir lo circunstancial del halago al auditorio. Se hace eco de una España de acción, militante, dinámica; y a este fondo racial corresponde una comedia todo movimiento. La comedia de Lope fue un extenso cuadro, amplio y variado, de la vida, en su aspecto nacional y popular. Sus obras tienen gran variedad de escenas de compleja acción que se distribuyen hábilmente en tres jornadas. El aliento popular, el alma colectiva palpitante en sus obras hace difícil la existencia de una figura central. En las obras de Lope hay muchos personajes salientes y no es fácil que uno solo se lleve el máximo de la atención del público.

Lope tiene por características: fecundidad (se conservan cuatrocientas comedias y cuarenta autos; habiendo escrito unas 1.800, según se dijo), inventiva y espontaneidad. Su aptitud dramática fue tan extraordinaria que dramatizó todo, y pocos autores hay de tan compleja variedad de asuntos y personajes.

Clasificación de las obras dramáticas de Lope. — Su abundantísimo teatro, teniendo en cuenta la clasificación de Menéndez Pelayo, puede dividirse en:

a) Autos. Aunque suponen un gran progreso en riqueza poética respecto de los que le anteceden, no llega a amoldar el tema al simbolismo y a que las figuras abstractas adquieran relieve, como logra luego Calderón. Tiene autos de Nacimiento y Sacramentales como *El viaje del Alma, La siega* y *Las aventuras del Hombre.*

b) Comedias de santos. Cultiva desde el tema bíblico *(La creación del mundo)* hasta las comedias de santos en que el género se fija, como *La Buena Guarda,* emocionante leyenda mariana verificada en un ambiente actual con posibles recuerdos personales; y otras como *Lo fingido verdadero, La fianza satisfecha, Barlaam y Josafat, El divino africano* (San Agustín) y *El Serafín humano* (San Francisco de Asís).

c) Comedias de historia antigua y extranjera. La historia no española atrajo también a Lope, que nos dejó buenas obras como *Contra valor no hay desdicha,* basada en la legendaria infancia de Ciro, según Herodoto; *Roma abrasada* y *El gran duque de Moscovia.*

d) Comedias de historia y leyendas españolas. Contiene lo mejor de la producción de Lope. Sigue las líneas principales de la tradición oral o de la crónica en que encontró el asunto. En ocasiones cambia inexplicablemente los nombres. Lope puede considerarse como el dramatizador de la Historia de España, desde la época romana, como en *La amistad pagada,* hasta su tiempo, como en *El marqués de las Navas.* Citemos sólo algunas interesantes: *Las famosas asturianas, El bastardo Mudarra, El rey don Pedro en Madrid, Porfiar hasta morir, El caballero de Olmedo, El nuevo mundo descubierto por Cristóbal Colón* y *La serrana de la Vera.*

Peribáñez. Esta comedia, de las más representativas de Lope, tiene el siguiente contenido:

El Comendador de Ocaña, herido en un acoso de toros, interrumpe las bodas de Peribáñez con Casilda, de quien se enamora y solicita en balde. Casilda es la esposa buena y fiel que se define en un abecedario de amor.

Los labradores entonan sus cantares de bodas al comienzo. El comendador ha introducido uno de sus criados en la casa de la labradora como segador. La copla popular ya se hizo eco de los amores y de la honradez de Casilda:

Más precio yo a Peribáñez
con la su capa pardilla,
que no a vos, comendador,
con la vuestra guarnecida.

El comendador, para alejar a Peribáñez le nombra capitán y le arma caballero. Pero Peribáñez, que ha comenzado a sospechar por un retrato que vió en Toledo de su esposa, vuelve y se esconde en su casa. Luego oye al comendador y, cuando se convence de la inocencia de su esposa, sale y mata a aquél. Enrique III ordena sea castigado, pero Peribáñez se presenta ante los reyes, que acaban aprobando lo que hizo en defensa de su honor, confirmando su título de capitán y haciendo presentes a los esposos.

El *Peribáñez o El Comendador de Ocaña* tiene objetividad dramática, emoción lírica, da forma a las ideas del honor aldeano y al conflicto entre vasallo y señor, en la que el rey, siempre justiciero, es el árbitro supremo.

Fuenteovejuna. — El protagonista de esta obra es todo un pueblo que, colmada la medida de la paciencia, se lanza contra el Maestre. Al pasar todo el pueblo a la jurisdicción real, los Reyes Católicos le dan la razón.

e) Comedias de capa y espada. En la obra costumbrista Lope mueve una intriga hábil, fina y de diestra técnica. Fija un género en el que sus sucesores añaden pocas variantes. Unas son comedias de intriga como *El acero de Madrid* y *El anzuelo de Feniza;* y otras de carácter como *La dama boba.*

f) Comedias novelescas. Unas son dramáticas como *El castigo sin venganza* y otras filosóficas como *El villano en su rincón.*

g) Comedia pastoril. La égloga renacentista a la manera de Encina la cultiva Lope en su primera comedia, escrita a los trece años, refundida más tarde, cuyo título es *El verdadero amante.* Las comedias mitológicas de Lope también saben a pastorales italianas, como *El marido más firme,* sobre la leyenda mitológica de Orfeo.

La fama de Lope. — El caso de Lope ha sido uno de los más señalados de nuestra literatura. Se le llamó *Fénix de los Ingenios* y *Monstruo de Naturaleza.* Su fama no tiene precedentes. En su tiempo había un credo que decía *Creo en Lope de Vega,* *poeta del cielo y de la tierra.* A su muerte, Madrid entero se conmovió y a su entierro se asoció todo el pueblo, que le acompañó hasta la iglesia de San Sebastián de la calle de Atocha, donde recibió sepultura.

CAPÍTULO XXVIII

DRAMÁTICOS DE LA ÉPOCA DE LOPE. TIRSO DE MOLINA. ALARCÓN

Tirso de Molina (1584?-1648). — Éste es el seudónimo que empleó para su obra teatral Fray Gabriel Téllez, que profesó en el convento de la Merced de Guadalajara en 1601. Estuvo por dos veces en Santo Domingo, la segunda como definidor general de su congregación en la isla. Murió en Soria, de cuyo convento fue comendador. Una partida bautismal encontrada por doña Blanca de los Ríos parece demostrar que fue hijo bastardo del duque de Osuna y que las quejas contra las injusticias sociales, que aparecen en sus obras, pueden tener una interpretación biográfica.

El teatro de Tirso. — Los principales aspectos de este teatro son los siguientes:

a) *Teatro religioso.* — Cultiva el auto sacramental *(Colmenero divino),* la comedia bíblica y la comedia de santos, tales como *La mujer que manda en casa* (Jezabel), *La venganza de Tamar,* original poema dramático por el perfil de los personajes (Tamar, Absalón, Amnón) y *Tanto es lo de más como lo de menos,* en que se combinan las parábolas del rico avariento y del hijo pródigo.

La obra más importante en el aspecto religioso es *El condenado por desconfiado,* obra atribuida a Tirso, aunque no se puede comprobar sea de él, ya que no mostró tanta penetración en sus temas teológicos, que acusan diversa modalidad. Probablemente fue la obra de algún otro fraile. Nosotros, siguiendo la tradición, la estudiamos entre la producción tirsiana. Es un drama teológico que refleja la polémica sostenida entre jesuitas (el P. Luis de Molina, profesor en Coimbra) y dominicos (el P. Báñez, catedrático de Salamanca) acerca de la *predestinación.* El P. Molina llega a la posición más avanzada en la coordinación de la presciencia divina, que implica infalibilidad, pero no necesidad (el uso bueno o malo del albedrío es *contingente*), con la voluntad humana. *El condenado por desconfiado* propende a la teoría del P. Molina. Los dos personajes del drama son Paulo y Enrico, que reciben por igual la gracia; aquél es el asceta que vive en soledad y que al desconfiar de su salvación se dedica al bandidaje; Enrico es el hombre de acción que dentro de sus tropelías conserva virtudes como el amor y el respeto a su padre y una confianza casi temeraria en la misericordia de Dios. Enrico, que confía, no obstante sus crímenes, se salva; Paulo, el asceta, por desconfiar, se condena. El origen del drama parece hallarse en la literatura india, en un episodio en que se plantea el problema sobre qué puede ser más grato a la divinidad: si la virtud formularia y externa, desligada de lazos humanos y familiares, o la bondad filial de un hombre que socialmente sea considerado de bajo oficio y trato. Hay trozos muy bellos de versificación.

b) *Teatro histórico.* — Lo cultiva a base de las crónicas y las leyendas dramáticas de España. Las más importantes obras de Tirso en este aspecto son: *La prudencia en la mujer,* sobre la historia de Fernando IV, el Emplazado, en que destaca la reina madre doña María de Molina, mujer de voluntad firme, contra las intrigas de los regentes. *Las Quinas de Portugal,* basada en un episodio de la batalla de Ourique, en que los portugueses matan a cinco valíes moros, y la trilogía de los Pizarro: *Todo es dar en una cosa* (juventud de Francisco Pizarro en España), *Amazonas en las Indias* (sobre Gonzalo Pizarro en América) y *La lealtad contra la envidia* (sobre Hernando Pizarro).

c) *Teatro de costumbres.* — Su teatro, en este aspecto, es original y de gran mérito, debido a su vigorosa observación de caracteres que une a un concepto irónico malicioso. Es muy rico en vida, agilidad y color. Citemos algunos ejemplos de este teatro: *Marta, la piadosa,* cuya intriga es a base de la dama gazmoña que se vale de su aparente religiosidad para ocultar su amor. Su amante, disfrazado de *dómine Berrío,* vive en casa de la beata y le enseña latín en una escena formidable de equívocos. En *La gallega Mari-Hernández* desenvuelve, en un ambiente aldeano, un excelente tipo de raza entre canciones y expresiones populares gallegas. *El vergonzoso en Palacio,* en que retrata a Mireno, educado entre sencillos aldeanos, que se enamora de doña Magdalena, hija del duque de Aveiro, de quien era secretario. La insinuante coquetería de doña Magdalena hace contraste con el *vergonzoso* y termina la comedia con el triunfo del amor sobre el convencionalismo. En *Don Gil de las calzas verdes,* en que doña Juana, vestida de hombre y con el propio nombre de su amante, estropea sus planes matrimoniales con otra. En esta obra hay un tipo picaresco en Caramanchel, que traza un brioso aguafuerte en la pintura de sus diversos amos. *La villana de Vallecas,* en que una doncella se disfraza de aldeana y obliga a su seductor a que cumpla su palabra. Como antecedente del proverbio dramático moderno, puede citarse *El amor y la amistad,* en que destaca el tipo de la catalana *Estela.*

"El burlador de Sevilla y convidado de piedra". — Esta comedia fantástica es la que más fama ha dado a Tirso. Altamente original, se construye sobre dos tipos de elementos: el del joven libertino burlador de doncellas y el convite macabro. Ambas leyendas quedan bien marcadas en el doble título. Antiguas leyendas y romances de Galicia y León hablaban ya del joven frívolo que invita a comer a una calavera y es castigado sobrenaturalmente. Don Juan Tenorio ha pasado a ser universal y su figura ha sido tratada por Molière, Zamora, Mozart, Byron, Lenau, Zorrilla, Shaw y Lenormand entre otros.

Don Juan Tenorio burla a la duquesa Isabela con el nombre de su prometido el duque Octavio, personaje de melancólica pasividad. Por este motivo huye de Nápoles. Naufraga en las costas de Tarragona, donde seduce a una pescadora. En Sevilla intercepta una carta del marqués de la Mota para doña Ana de Ulloa, su prometida, y penetra en la casa de ésta. Cuando la dama se da cuenta grita y acude su padre, el comendador don Gonzalo, a quien mata y huye. Al pasar por Dos Hermanas se encuentra con una boda aldeana, engaña a todos y burla a la novia. Vuelve a Sevilla y como viese la estatua del comendador en una iglesia lo invita a comer. Acude el comendador a la invitación y don Juan es invitado a su sepultura; y, cuando el comendador le da la mano, le comunica un fuego infernal. Don Juan se condena.

Características del teatro de Tirso. — Ha sido uno de los más grandes creadores de caracteres que haya existido. Sobre todo, sus tipos femeninos son magníficos. La comedia, según Tirso, se dirige al ingenioso, al discreto; y el necio queda insatisfecho de ella. Se distingue en la intriga y compone una especie de *ballet* maravilloso de gracia y malicia, pintoresco en las costumbres de ciudad y de aldea, en que la trama inverosímil se combina con la parodia de motivos usuales en el drama de honor o caracteres. Se distingue por su sentido dramático, por su oposición a las unidades y por su defensa del teatro nacional. Poseyó también un gran valor como hablista. Muchos efectos cómicos proceden del dominio del idioma y la habilidad del diálogo y del verso.

Obras no dramáticas de Tirso. — A pesar de ser esencialmente dramaturgo, dejó ejemplo de condiciones de historiador *(Historia general de la Merced)* y de virtuosismo lírico. En la prosa literaria, descriptiva, novelística, dejó dos grandes colecciones misceláneas: *Los cigarrales de Toledo* y *Deleitar aprovechando*. En el primero defiende la comedia de Lope y nos ofrece una impresión de Toledo con sus monumentos y lugares. Las novelas cortas encuadradas en el marco brillante de cada *cigarral* demuestran sus magníficas condiciones para el cuento (es muy conocido el de *«Los tres maridos burlados»*). En los *Cigarrales,* galanes y damas se retiran a sus quintas huyendo del calor. En *Deleitar aprovechando,* los madrileños se entretienen con provecho para sus almas, apartados de los bullicios del Carnaval.

Juan Ruiz de Alarcón (1581-1639). — Nacido en Méjico, vino a España en 1600, se graduó en Salamanca y ejerció la abogacía en Sevilla. Aunque volvió a Méjico y ejerció su profesión, hacia 1614 estaba de regreso en España. Su deformidad física (jorobado de pecho y espalda) y sus manías de nobleza le hicieron objeto de burlas. En ocasiones se le llamó *un poeta entre dos platos, camello,* el *baúl-poeta,* etc. Esto creó un complejo de inferioridad y rencor en Alarcón, que le hace llamar *bestia fiera* al público.

El teatro de Alarcón. — Alarcón fue un fino artista y la clave de su obra teatral es el motivo de la lección moral. Fustiga los vicios sociales secundarios, y los personajes que los encarnan poseen tal gracia y vivacidad que se imponen al público y contrastan con la rigidez del castigo. Los principales aspectos de su obra son:

a) *Comedias de carácter y contra vicios sociales.* — La más importante y conocida es *La verdad sospechosa,* contra la mentira. El protagonista de esta obra — don García — miente continuamente y sus mentiras son verdaderas creaciones poéticas y cómicas y se le castiga duramente — pierde a la mujer que ama y ha de casarse con otra que no quería — precisamente en el momento en que dice la verdad. De su obra derivan *Le menteur,* de Pierre Corneille, y *El mentiroso,* de Goldoni.

Contra la maledicencia escribió *Las paredes oyen,* en que don Juan, pobre y feo, gana el corazón de doña Ana frente a don Mendo, rico y bien parecido, pero con el vicio de la murmuración. Igualmente fustiga la ingratitud *(La prueba de las promesas)* y la inconstancia amorosa *(Mudarse por mejorarse)*. A este grupo han de agregarse dos obras: *No hay mal que por bien no venga,* en que aparece el interesante tipo de don Domingo de don Blas, personaje original y simpático, que posee un gran instinto de la comodidad frente a las modas y usos sociales. Este personaje cree que vale más ser cortés y humano con todos que ir elegantemente vestido. En *El examen de maridos* la intriga se mezcla a la elección de esposo por Inés.

b) *Comedia nacional y heroica.* — En los temas historicolegendarios crea motivos de gran fuerza y varonil poesía. *Ganar amigos* es un poderoso drama en que los sentimientos de generosidad y abnegación llegan a los mayores extremos. El ambiente es en Sevilla, en tiempo del rey don Pedro. El marqués, don Fadrique, guarda al matador de su hermano, por tenerle empeñada la palabra, y evita el homicidio de otro. Cuando pierde el favor real y es condenado a muerte, los dos caballeros se ofrecen a morir por él. En este grupo se incluyen *Los pechos privilegiados* y la comedia dramática *La crueldad por el honor* sobre un episodio de la historia de Aragón.

c) *Comedias dramáticas.* — Alarcón no cultivó el drama sacro y sólo tiene una obra de este tipo, que es *El Anticristo,* en que se acumulan vuelos, apariciones y superficial milagrería. En ella demostró Alarcón su ineptitud para utilizar los recursos de Lope. Para hacer odioso al protagonista, acumula incestos y parricidios (el Anticristo mata a su madre y arroja su cuerpo a un precipicio). En este grupo han de incluirse *El tejedor de Segovia,* excelente obra, que presenta caracteres prerrománticos; *Quien mal anda, mal acaba* y *La culpa busca la pena y el agravio la venganza.*

d) *Comedias, en parte, de magia.* — *La cueva de Salamanca,* en que el venerable viejo Enrico obra maravillas, pero las hace por la ciencia, por fruto de sus estudios. *El saber es gran riqueza,* dice Enrico, y prefiere ser pobre sabio que enriquecerse sumido en la ignorancia. En *La manglanilla de Melilla,* comedia de moros y cristianos, se refiere a una estratagema o astucia de que se vale el capitán Venegas para vencer a los moros.

CAPÍTULO XXIX

OTROS AUTORES DRAMÁTICOS DE LA ÉPOCA DE LOPE DE VEGA

Otros autores dramáticos de la época de Lope de Vega. — Lope representó todo el genio nacional en el teatro de su época y, aunque muchas figuras que se venían estudiando como de segundo orden, lo eran de primero, entre los más representativos dramaturgos, además de Tirso y Alarcón, podemos señalar los siguientes, que son importantes:

a) **Antonio Mira de Amescua (1574?-1644).** — Canónigo de Guadix, su ciudad natal, corresponde por completo a la escuela y ciclo de Lope y se distingue como dramaturgo por su potencia de inventiva y su intensidad pasional. Escribió autos del Nacimiento y sacramentales (*Auto famoso del Nacimiento de Cristo Nuestro Señor* y *Sol a medianoche,* en que se mezcla el tema de los pastores con el teológico de la esclavitud del hombre por la culpa y en el que intervienen personajes alegóricos como la Naturaleza Humana, la Avaricia, la Soberbia; *Pedro Telonario* sobre el tema de la avaricia y la caridad, etc.); comedias de capa y espada *(Galán, valiente y discreto)*; comedias históricas *(La desdichada Raquel* y *Conde de Alarcos)*; comedias bíblicas y de vidas de santos *(El clavo de Jahel, Vida y muerte de San Lázaro).* Pero lo más interesante de la producción de Mira de Amescua son las comedias basadas sobre leyendas piadosas como *La mesonera del cielo, Lo que puede el oír Misa* y *El esclavo del demonio,* basada en la leyenda de Fray Gil de Santarem (Don Gil). Éste viene a ser una especie de Fausto español del siglo XVII, que llega a la venta de su alma, por ansia de acción, fatigado de ascetismo y teología. Su demonio familiar, Angelio, es un Mefistófeles con puntas de socarrón y matón que habla de mujeres hermosas y alaba la grandeza de París y los jardines de Valencia. Lisarda es un tipo femenino que llega en sus pasiones al sacrificio; se cree despreciada por

Lope de Vega

Pedro Calderón de la Barca

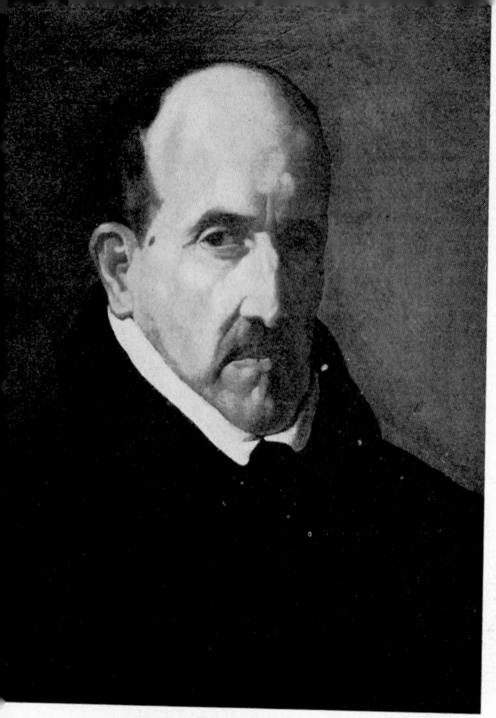

Luis de Góngora

Francisco de Quevedo

su amante y se da al bandidaje y en una de sus reacciones llega a arrepentirse y a disponerse a ser vendida como esclava. Leonor es una feminidad de otro orden menos real. El conflicto de toda la obra está en el momento cuando Gil exige al demonio que le cumpla el pacto por el que le ofreció Leonor. Se trata de una figura aparente que al correr su velo se convierte en un esqueleto. El Ángel de la Guarda libera a don Gil del diabólico pacto, pues lucha con el diablo, lo vence y devuelve la cédula de venta del alma de don Gil. En realidad la obra es una lección moral de la vanidad de la hermosura y de la falacia del placer, que conducen a la muerte.

b) **Luis Vélez de Guevara (1579-1644).** — Nacido en Écija, sentía una gran devoción por sus tierras sevillanas, fue soldado en Italia, abogado, pedigüeño y memorialista que canta hechos reales en Madrid en el reinado de Felipe III y Felipe IV. Destaca como novelista y poeta y su fama de dramaturgo la debe a tres grandes obras entre su producción: *La luna de la sierra, La serrana de la Vera* (basada en los romances del tema) y *Reinar después de morir,* su obra mejor, sobre la muerte legendariohistórica de doña Inés de Castro, cuyo cadáver fue coronado como reina de Portugal por su esposo el príncipe Pedro cuando fue proclamado rey. Es obra de intrigas y crímenes en que no falta la figura del gracioso, como Brito, y el dejo de los cantares portugueses. La noticia de la muerte de Inés llega al esposo, entre las notas de un romance tradicional:

¿Dónde vas, el caballero, dónde vas triste de ti?
Que la tu querida esposa, muerta es, que yo la vi.
Las señas que ella tenía, yo te las sabré decir:
su garganta es de alabastro y sus manos de marfil.

c) **Juan Pérez de Montalbán (1602-1638).** — Madrileño, editor y confidente de Lope, hizo comedias religiosas sobre vidas de santos y leyendas piadosas, además de autos sacramentales. En la comedia histórica ha de destacarse la del *Gran Séneca de España* que se refiere al rey Felipe II. Es una comedia en dos partes en que se desarrolla la vida íntima de su corte. Concibió el asunto histórico como un espejo de estoicismo y recta justicia en torno al monarca. De novela italiana con mezcla de tradiciones populares tiene *Los amantes de Teruel,* obra a la que deben su mayor divulgación los célebres amantes, Diego de Marsilla e Isabel de Segura.

Diego solicita un plazo de tres años y tres días para enriquecerse, combate con el emperador en Túnez, y cuando regresa — dos horas más tarde del plazo — su amada se ha casado ya con su rival. Diego muere de emoción y ella, dándole la mano, expira también.

d) **Guillén de Castro (1569-1631).** — La escuela de dramaturgos valencianos, aparte otras figuras, posee un valor apreciable en este capitán de jinetes del Grao y miembro de la Academia de Nocturnos. Según Juliá pasó por tres momentos o épocas: 1.ª Sigue una forma claramente prelopista a la manera de Virués (comedias como *El conde Irlos, El caballero bobo,* y el drama *Progne y Filomena*); 2.ª Sigue un poderoso realismo costumbrista *(Los malcasados de Valencia)* y una afortunada utilización de los romances *(El conde de Alarcos* y *Las mocedades del Cid)*; y comienza una adaptación de los motivos cervantistas *(Don Quijote, El curioso impertinente)*; y 3.ª En ella renueva procedimientos añadiendo energía y complejidad psicológica *(El nieto de su padre, La tragedia por los celos, La fuerza de la sangre* y *El Narciso en su opinión).*

Indudablemente la fama de Guillén de Castro se debe a su obra cidiana *Las mocedades del Cid,* cuya segunda parte en algunos textos se llama *Las hazañas del Cid.* Escrita en su madurez técnica, su gran éxito se debe a haber prescindido de todo subjetivismo y dado vida al héroe a base de la poesía tradicional de los romances. Es una comedia profundamente nacional y no hay en ella figura de gracioso. El Cid se encuentra entre el amor de Jimena y la afrenta que a su padre hizo el conde Lozano, padre de aquélla. En el reto que el héroe hace al conde se hallan presentes doña Jimena, desde una ventana, y el viejo afrentado, que con su voz le anima. Luego surge el conflicto de Jimena, que lucha entre vengar la muerte de su padre y el inolvidable cariño al matador. Rodrigo se acoge al sagrado de la casa de Jimena que, al fin, reconoce que el héroe sólo vengó la afrenta como caballero, pero añade:

Sólo te culpo, agraviada,
al ver que a mis ojos vienes
a tiempo que aún fresca tienes
mi sangre en mano y espada.

Jimena pide justicia al rey y comienzan las hazañas, no faltando ni el episodio aislado de San Lázaro. La segunda parte es en torno al cerco de Zamora, la muerte del rey don Sancho y reto de sus huestes a los defensores de la ciudad, hijos de Arias Gonzalo.

Pierre Corneille adaptó la primera parte a su obra *Le Cid,* utilizando lo que tenía un carácter más universal (el conflicto y los amores) y suprimiendo lo que sólo se adaptaba a la comprensión nacional española.

CAPÍTULO XXX

EL TEATRO DE CALDERÓN DE LA BARCA Y SU ÉPOCA

Pedro Calderón de la Barca (1600-1681). — Este dramaturgo, que define el segundo ciclo dramático, representa además la más poderosa síntesis de nuestra segunda época áurea. Es la figura significativa de la poesía del seiscientos. La biografía de este extraordinario escritor es muy distinta a la de Lope. Se distingue por su silencio, serenidad y apartamiento. Era madrileño, estudió en los jesuitas de Madrid y en las universidades de Alcalá y Salamanca. Tuvo lances juveniles como violar el sagrado del convento de las Trinitarias en busca del agresor de su hermano, y con este motivo el P. Paravicino predicó en la Corte contra cómicos y comediantes. También es circunstancial el Calderón soldado (*): asiste a la guerra de Cataluña y lucha como un valiente, pero se retira de la milicia. Apenas hace comentarios de esta guerra, como tampoco los hace de su amante y de su hijo natural. En 1651 se hizo sacerdote. De esta tardía ordenación hay ya más testimonios que expresan su potente religiosidad (dedicatoria de sus autos a Jesús Sacramentado o el romance *Lágrimas que vierte un alma arrepentida*). De la obsesión del desengaño, sus autos y comedias filosóficas son confirmación suficiente. Su perfil más claro es el del poeta cortesano que escribe fiestas reales protegido por el monarca, investido del hábito de Santiago y animador de aparatosas escenografías. Se le censuró que escribiese comedias mundanas, pero los reyes le animaron. En la madurez amó la soledad y vivió en Madrid en una casa que es un verdadero museo. Su vida llenó el siglo del barroco.

* Se cree, con motivos, que estuvo en Flandes, y asistió a la rendición de Breda.

El teatro de Calderón. — En el teatro de Calderón se señalan dos estilos:

1.° Uno en que continúa el sentido realista del drama de Lope y sus recursos escénicos. Calderón perfecciona la técnica. En algunos casos son refundiciones de originales de Lope que cobran nueva estructura. En su etapa más juvenil construye la obra con apasionamiento, pero siempre dispone los recursos escénicos con gran sabiduría. Las obras más importantes de este primer estilo son: *La devoción de la Cruz,* comedia de santos de asunto romántico inspirada en la piedad popular (el bandolero Eusebio ante la Cruz se detiene en sus crímenes y termina confeso); *Casa con dos puertas* y *La dama duende,* que son comedias de capa y espada; y magníficas comedias dramáticas: *La niña de Gómez Arias* (novelesca que se refiere al bandido que vendió su novia a los moros como esclava y fue castigado por la Reina Católica, casándolo primero y haciéndolo ajusticiar después) y la famosa de *El Alcalde de Zalamea,* que es la obra culminante del primer estilo. Lope tiene otra comedia del mismo título; pero Calderón hace obra diversa, acaso anteriormente, logrando un drama perfecto. Dos grandes figuras están, frente a frente, en la obra: don Lope de Figueroa y Pedro Crespo, el villano, que son representativas de la raza, de la patria y de la época. El rey Felipe II es el que refrenda la justicia del aldeano frente al desafuero del capitán. El contenido de esta obra grandiosa es el siguiente:

El tercio de don Lope de Figueroa pasa por Zalamea. El villano Pedro Crespo aloja en su casa al capitán don Álvaro de Ataide, que se prenda de Isabel, hija de Crespo, y, fingiendo una riña, llega hasta la habitación de Isabel. Pedro Crespo y su hijo reaccionan; y don Álvaro, después de diversos incidentes, rapta a la doncella y la deshonra. Pero es herido por el hermano de Isabel y ha de volver al pueblo, donde Pedro Crespo acaba de ser nombrado alcalde. Crespo va a suplicar a don Álvaro, que lo desatiende llamándole *viejo cansado y prolijo,* hasta que perdida su paciencia y viendo que nada valen súplicas para que repare su honor, Pedro Crespo actúa como alcalde y prende y procesa a don Álvaro. Don Lope, enterado de que han detenido al capitán, regresa y se enfrenta con Pedro Crespo en una brillante escena que pone de relive los dos caracteres raciales. El alcalde de Zalamea se niega a entregar al preso y, cuando los soldados se disponen a castigar al pueblo, llega Felipe II, que ve la justicia que asiste a Crespo y pide el reo para castigarlo; pero abren una puerta y está ya ajusticiado. El rey aprueba la justicia y le nombra alcalde perpetuo. Crespo termina la obra diciendo: «Sólo vos a la justicia — tanto supierais honrar.»

2.° La segunda etapa es más original y más cerca de nosotros

La ideología y la forma poética se sobreponen a los demás elementos. Representan este segundo estilo:

a) Comedias de santos, como *El mágico prodigioso* (el estudiante Cipriano quiere lograr el amor de Justina y hace pacto con el diablo. El joven ve a su amada y cuando cree abrazarla, abraza a un esqueleto; entonces se arrepiente y sufre con Justina el martirio) y *Los dos amantes del cielo* (Daría sólo ha de corresponder al amante que llegara a morir por ella, interpretándose al fin, como adivinación de Jesús Crucificado).

b) Comedia histórico-fantástica: *La hija del aire,* cuya protagonista, Semíramis, contrafigura de Segismundo, dialoga con su pensamiento, plantea el tema del libre albedrío y sigue la trama del vaticinio y el encierro, como en *La vida es sueño.*

c) Comedias mitológicas. En ellas llega a las más maravillosas combinaciones escénicas. Pueden citarse *La estatua de Prometeo, Eco y Narciso* y *Fortunas de Andrómeda y Perseo.*

d) Comedia filosófica. La obra más representativa de Calderón es *La vida es sueño* (1635). Su arquitectura es perfectamente barroca. Los dos grandes soliloquios de Segismundo, su protagonista, son como las dos columnas que sostienen la construcción del drama. Su idea es la común de la vanidad de la vida y de su fugacidad, semejante a un sueño. Junto al tema de la vanidad de la vida puede considerarse esbozado el pedagógico: la ignorancia del peligro lleva al fracaso. La predicación de la época estaba llena de comparaciones de la efímera vida humana con el sueño y la sombra. La muerte era el despertar a la verdadera realidad. Calderón, del escepticismo de los sentidos pasa a la afirmación de otra vida imperecedera. El héroe de Calderón es un creyente católico. He aquí su contenido:

Para evitar que se cumplieran los augurios que decían que el rey Basilio de Polonia sería humillado por su hijo, el príncipe Segismundo, éste es encerrado en una torre lejos de los hombres. Al único que trata es a Clotaldo, su ayo. El rey quiere probar al príncipe y, después de darle un narcótico, lo lleva a la corte. Al despertar muestra instintos de salvaje y a un cortesano lo arroja por un balcón. El rey Basilio mediante un nuevo narcótico lo vuelve a su prisión. Se le hace creer que las escenas pasadas fueron sólo un sueño:

> Es verdad, pues reprimamos
> esta fiera condición,
> esta furia, esta ambición,
> por si alguna vez soñamos;
> y sí haremos, pues estamos

en mundo tan singular,
que el vivir sólo es soñar;
y la experiencia me enseña
que el hombre que vive, sueña
lo que es, hasta despertar.
... ...
Yo sueño que estoy aquí
destas prisiones cargado,
y soñé que en otro estado
más lisonjero me vi.
¿Qué es la vida? Un frenesí.
¿Qué es la vida? Una ilusión,
una sombra, una ficción,
y el mayor bien es pequeño:
que toda la vida es sueño,
y los sueños, sueños son.

Hay un cambio en la moral de Segismundo. Los hados se cumplieron, pues el pueblo liberta al príncipe, que humilla a su padre, pero se porta generosamente con él, y refrena la pasión que había concebido por Rosaura, la primera mujer que había visto, a quien desposa con su prometido Astolfo.

Entre los dos estilos pueden colocarse otras de transición como *El príncipe constante,* típico ejemplo del costumbrismo con elementos de la más musical poesía y hondo concepto filosófico. En esta obra se exalta el patriótico sentir del infante don Fernando de Portugal que, prisionero del rey de Fez, decide morir antes que entregar por su rescate la plaza de Ceuta, como había autorizado el rey.

En esta obra se halla el magnífico soneto:

Estas que fueron pompa y alegría
despertando al albor de la mañana,
a la tarde serán lástima vana
durmiendo en brazos de la noche fría.
Este matiz que al cielo desafía,
iris listado de oro, nieve y grana,
será escarmiento de la vida humana:
¡Tanto se emprende en término de un día!
A florecer las rosas madrugaron,
y para envejecerse florecieron:
cuna y sepulcro en un botón hallaron.
Tales los hombres sus fortunas vieron:
en un día nacieron y espiraron;
que, pasados, los siglos horas fueron.

El honor y los celos en Calderón. — En *El Alcalde de Zalamea,* Pedro Crespo, y con más vehemencia su hijo Juan, establecen el concepto de honor; Crespo en sus réplicas a don Lope dice:

> Al rey la hacienda y la vida
> se ha de dar: pero el honor
> es patrimonio del alma,
> y el alma sólo es de Dios.

Las ideas sobre el honor y la venganza habían sido ya definidas por Lope; Calderón se limita a seguir lo admitido, no sin ciertas objeciones que aparecen en las comedias respecto a poner en mano ajena la opinión propia:

> ¡Siendo otro el delincuente,
> de su malicia afrentosa
> que a mí el castigo me den!
> ¡Mal haya el primero, amén,
> que hizo ley tan rigurosa!

Pero el tormento de los celos es la más apasionada nota del teatro calderoniano. Cuatro dramas trágicos se refieren al problema del honor y a la venganza del marido. Menéndez Pelayo, con un hondo sentido crítico, ha notado cierta gradación en ellos: en *El pintor de su deshonra,* don Juan Roca venga un adulterio; en *A secreto agravio, secreta venganza,* don Lope de Almeida se venga secretamente de un secreto propósito de ofenderle; y en *El médico de su honra,* la esposa amada, pero inocente, es tratada como enferma por su esposo Gutierre Alfonso Solís, que ordena al médico hacerle una sangría de la que muere inocente. Su cuarta gran obra de este género pertenece al campo de la idealización; *El mayor monstruo, los celos,* es de concepción elevada y lírica. El oráculo anunció a Marienne que moriría a manos del mayor monstruo; sus doncellas la desnudan y cantan: *Ven, muerte tan escondida...* El Tetrarca de Jerusalén no tiene celos de nadie; pero le atormenta la idea de que muerto él, su esposa pueda ser de otro hombre. No se puede comparar con Otelo de Shakespeare, pues los celos de este personaje eran muy humanos. Los del Tetrarca son intelectuales.

Autos sacramentales. — El auto ha de definirse *como una composición dramática* (en una jornada), *«alegórica»* y *relativa, generalmente, a la comunión.* Nótese, en esta definición, que es la alegoría lo que caracteriza al auto. Vemos en su desarrollo dos clases: 1.ª Fondo y forma se compenetran, produciéndose el tipo perfecto del drama simbólico. La idea capital del auto puede ser filosófica como en *El gran teatro del mundo,* donde la vida es como un vasto escenario en que los hombres son los actores; o filosófica moral como la lucha psicológica entre la pasión y el deber en *Los encantos de la culpa.* Otros autos de este grupo son: *El gran mercado del mundo, La cena de Baltasar, El veneno y la triaca, La vida es sueño, El pintor de su deshonra,* etc.

2.ª clase. Son como discusiones sobre los sacramentos y especialmente el de la comunión. Todo se mueve en torno a un hecho circunstancial, como, por ejemplo, el examen para ordenación de eclesiásticos *(La vacante general),* o el perdón a los presos de la cárcel de Madrid por Carlos II en *El indulto general.*

Escenografía de Calderón. — Calderón supo fundir la escenografía con la literatura y sentía el teatro como síntesis de las artes. El empleo, progresivamente rico, de motivos escénicos comenzó con Lope cuando la corte contrató a Cosme Lotti, florentino, que escenificó para Calderón, así como el valenciano Josef Caudí. Pero el poeta no sometió la independencia de su arte a ellos. Las llamadas *apariencias* permitían la aparición y desaparición maravillosas de ciertos personajes y paisajes escénicos. La conservación de alguna de las *Memorias de apariencias,* redactadas por Calderón, dan idea de los sorprendentes efectos que se lograban. En su última época, especialmente, llega a suntuosos decorados, a múltiples e ingeniosas trazas de fusionar elementos diversos.

He aquí las *apariencias* del auto *No hay instante sin milagro,* correspondiente al tercer carro:

El tercer carro ha de ser fábrica de palacio enriquecido en sus perspectivas de jaspes y bronces; ha de tener también en su segundo cuerpo los mismos movimientos que las devanaderas. *En la una mitad* se ha de ver a su tiempo un trono con sus gradas y dosel y una silla en que ha de aparecer sentado un hombre, y *en la otra mitad* una mesa de altar y en ella cáliz y hostia. La pintura deste medio carro ha de ser de nubes con estrellas y serafines, y tenga capacidad para verse a la mesa una persona.

Contemporáneos de Calderón. Francisco de Rojas Zorrilla (1607-1648). — Nació en Toledo, donde estudió, así como en Salamanca. Hacia 1631 ya eran célebres sus comedias. El rey le concedió el hábito de Santiago y en la información intervino Calderón. Por satirizar en un certamen fue gravemente herido.

Rojas es el más hondo psicólogo del teatro de Calderón. En él es notable el elemento picaresco. Algunas escenas de gracioso son verdaderos entremeses unidos hábilmente a la trama principal de la comedia. También el costumbrismo penetra profundamente en su obra.

Aparte de autos sacramentales, en sus comedias hay que distinguir entre el género trágico y el de costumbres. Como expresión del primero podemos citar la obra de tres títulos *Del rey abajo, ninguno — El labrador más honrado — García del Castañar,* que es una de las más conocidas y representadas de nuestro teatro. En ella, desde la leve insinuación del *cuento del cortesano,* se pasa al pleno conflicto dramático de la escena en que don Mendo — al que, por llevar una banda roja, García toma por el rey — entra por el balcón en casa del labrador. Éste se encuentra con la pugna del sentimiento del honor y el respeto al rey. García va a la corte para lavar el honor de su esposa, Blanca. Al darse cuenta de que el ofensor no es el rey, se queja del agravio, y cuando el rey le dice se lo muestre, él sale a la antecámara y lo mata:

> ... pero, en tanto que mi cuello
> esté en mis hombros robusto,
> no he de permitir me agravie
> del rey abajo ninguno!

Como expresión del teatro de costumbres de Rojas Zorrilla, la más notable es la comedia de *figurón, Entre bobos anda el juego, don Lucas del Cigarral,* en que, junto a los personajes de capa y espada, traza la figura caricaturesca de don Lucas del Cigarral, hombre desconfiado y de ruin figura, a quien su primo don Pedro de Toledo quita la novia, en una serie de incidentes de viaje mientras la acompaña para traerla ante su grotesco pariente.

Agustín Moreto y Cavana (1618-1669). — Era madrileño y el más equilibrado de la escuela de Calderón. Su teatro más interesante cae dentro del de costumbres. La más importante de sus obras es *El desdén con el desdén,* una de las más deliciosas y finas comedias de nuestra teatro. Su tema es que *los celos con celos se curan.* Don Carlos rinde el desdén de Diana, hija del conde de Barcelona, fingiéndose desdeñoso. Pero, tal vez, el más interesante personaje sea Polilla, el ingeniosísimo criado de Carlos, que desde la primera escena, con pintorescas comparaciones y consejos, dirige la actuación de su amo. La callada lucha interna es el ambiente psicológico en que vibran la gracia y el enredo del criado. Es una magnífica comedia de carácter, llena de finura y musicalidad.

También cultiva Moreto con brillantez la comedia de *figurón* en *El lindo don Diego,* que es un precedente inmediato de la ópera bufa del siglo XVIII. Presenta el caballero necio y presumido que se cree adorado de las damas *cuantas veo, si me ven,* y a quien los criados enredan con una fingida viuda. El elemento activo de la obra es Mosquito, el criado de don Juan. En la comedia de santos se distingue por su delicada y moderna sensibilidad como *San Franco de Sena o el lego del Carmen,* y *San Alejo.*

CAPÍTULO XXXI

EL CONCEPTISMO. QUEVEDO

El conceptismo. — Consistió en aguzar y sutilizar los conceptos. El conceptismo fue al pensamiento lo que el culteranismo a la forma. Surgió a veces como contradicción del culteranismo; y, en ocasiones, ambas tendencias se dan en un mismo escritor. El conceptismo retorcía el lenguaje para hacerlo más sutil valiéndose de los retruécanos, antítesis, equívocos, y por el contraste y doble sentido de los pensamientos. Por iniciadores de la tendencia se tiene a Alonso de Ledesma, cuya extravagante obra *Conceptos espirituales* (1600) parece haber dado nombre al conceptismo, y Alonso de Bonilla, autor del libro *Peregrinos pensamientos de misterios divinos.* Pero la gran figura de esta tendencia fue Quevedo.

Francisco de Quevedo y Villegas (1580-1645). — Nació en Madrid y sus padres estaban al servicio de la corte en tiempo de Felipe II. Estudió de muchacho con los jesuitas de Madrid, luego humanidades, lenguas modernas y filosofía en la universidad de Alcalá y Santos Padres y Teología en la de Valladolid. Su vida puede calificarse de aventurera, política y trágica. Ello ha hecho que se le envuelva en una leyenda heroica en la que no falta una hazaña caballeresca en la que hace pagar con la vida a un caballero el haber ofendido gravemente a una dama en una iglesia. Sirvió y honró al duque de Osuna, de quien fue consejero en Sicilia, donde aquél era virrey. Intervino activamente en la política italiana y estuvo a punto de perder la vida en la conjuración de Venecia, de donde huyó disfrazado de mendigo. Los venecianos quemaron su efigie juntamente con la del duque de Osuna. Caído el duque y vuelto a España, sufrió también persecuciones y destierros. A la muerte de Felipe III volvió al favor real, fue secretario del rey Felipe IV; pero sus desavenencias con el conde-duque de Olivares y unos pareados satíricos que aparecieron en la mesa del rey, le llevaron preso al convento de San Marcos de León. Son curiosos los libros que leyó y anotó en su celda. Caído el conde-duque, Quevedo salió de su prisión y se retiró a la Torre de Juan Abad. Dos años después moría en Villanueva de los Infantes. Sus burlas y sátiras (de las que no se libraron los frailes de la prisión de San Marcos, que le trataron muy bien) hicieron que se atribuyeran por el vulgo a Quevedo muchos chistes no siempre de buen gusto. Casó con doña Esperanza de Aragón, viuda y con hijos, pero su matrimonio fue un fracaso. El perfil de esta vida, llena de contrastes, es trágico, amargo y desengañado.

Quevedo, poeta. — Su poesía es de la más rica de la literatura. Su estilo unas veces es grandilocuente, otras ligero y burlón. La obra poética de Quevedo se publicó tres años después de su muerte por su amigo González de Salas, con el título de *Parnaso Español, monte en dos cumbres dividido, con las nueve musas castellanas*. Más tarde, un sobrino del poeta pudo terminar la publicación.

Se distingue por su abundancia de motivos. Aunque satirizó al culteranismo y a Góngora, en muchas ocasiones se aproxima a las poesías de éste. Cultiva el soneto unas veces de graves motivos, como el que trata del tiempo y sus efectos *(Miré los muros de la patria mía, Buscas en Roma a Roma, oh peregrino)*; otros festivos como el muy gracioso de *Érase un hombre a una nariz pegado*, realizado a base de hipérboles. Cultiva también la silva como *Al sueño* y *A Roma antigua y moderna.*

La musa satírica del poeta le llevó a su *Epístola satírica y censoria, contra las costumbres de los castellanos, al conde-duque de Olivares (No he de callar por más que con el dedo)*; y a la de los riesgos del matrimonio *(Antes para mi entierro venga el cura)*.

Tiene poemas extensos como *A Cristo resucitado* (heroico) y *Las necedades y locuras de Orlando* (satírico); pero no falta la musa popular en *romances (A la corte vas, Perico), letrillas (Poderoso caballero es don Dinero),* y alguna de bellos efectos líricos, como la que dice:

> Flor que cantas, flor que vuelas,
> y tienes por facistol
> el laurel, ¿para qué al sol
> con tan sonoras cautelas
> le madrugas y desvelas?
> Dígasme,
> dulce jilguero, ¿por qué?

jácaras a las que lleva el mundo rufianesco con el lenguaje de germanía *(Respuesta de Lampuga a la Perala, Carta de Escarramán a la Méndez, El desafío de los dos jaques),* y *bailes,* que los tiene muy bellos, como el de *Los Galeotes:*

> ¡Ay, que me anego
> bajelito nuevo!
> ¡Ay, que me ahogo!
> ¡Y me matan las velas
> a puros soplos!

Aunque en lo festivo llega a veces a lo grotesco, como en *Varios linajes de calvas,* cultiva, en cambio, con delicadeza la musa erótica, en la que cuenta sonetos, redondillas, romances y madrigales. Véase aquí uno de éstos, el titulado *A un bostezo de Floris:*

> Bostezó Floris, y su mano hermosa
> cortésmente tirana y religiosa,
> engastó en perlas, y cerró en corales
> crucificando en labios carmesíes,
> o en puertas de rubíes,
> sus dedos de jazmín y casta rosa.

La obra en prosa de Quevedo. — Quevedo es uno de los valores más representativos del siglo XVII, por su vida y por sus obras. De aquí la variedad de asuntos que trata y la cantidad de obras en prosa. Aparte su novela el *Buscón,* ya estudiada entre las novelas picarescas, su prosa admite la siguiente clasificación:

a) **Obras políticas.** — Un importante y extenso sector de su producción se refiere al tema político. De ellas las más importantes son: *Vida de Marco Bruto,* en que siguiendo a Plutarco expone su concepto de la alta política. Obra del final de su vida, el autor decía de ella: *Si todo lo que he escrito ha sido defectuoso, esto es lo menos malo.* Sigue en ella su técnica de contraposición y contraste; por esto Julio César y Marco Bruto se oponen, se complementan sirviendo de ejemplo a príncipes y a privados.

En *Política de Dios y gobierno de Cristo,* Quevedo presenta a Cristo como modelo de reyes y gobernantes, y propone un sentido católico de la política, que se sitúa en la línea de tradición nacional, en contra del *Príncipe* de Maquiavelo. Quevedo habla de la pereza y descuido de los reyes terrenales con doble dignidad de estilo:

> Rey que duerme y se echa a dormir descuidado con los que le asisten, es sueño tan malo que la muerte no le quiere por hermano, y le niega el parentesco; deudo tiene con la perdición y el infierno. Reinar es velar. Quien duerme no reina. El rey que cierra los ojos, da la guarda de sus ovejas a los lobos, y el ministro que guarda el sueño a su rey, le entierra, no le sirve...

Esta obra está dedicada a Felipe IV y al papa Urbano VIII.

b) **Obras ascéticas y morales.** — Traductor de Séneca, había compuesto una especie de historia y apologética de la doctrina estoica dentro de la tradición hispánica. Así tenemos *La cuna y la sepultura,* mezcla de humanismo senequista y sermón popular; *Las cuatro pestes del mundo* (envidia, ingratitud, soberbia y avaricia). Sus doctrinas ascéticas las expone en *Providencia de Dios* y en dos vidas de santos (San Pablo y Fray Tomás de Villanueva).

c) **Obras de crítica literaria.** — La sátira literaria de circunstancias aparece, como burla del lenguaje culterano, en *La culta latiniparla,* en que nos presenta una dama culta cuya preocupación es latinizar y encontramos muchos de los barbarismos que oscurecían el lenguaje culterano (*supinidades* por *ignorancia; manípulo* por *escudero,* etc.). Contra el culteranismo es también *Aguja de navegar cultos,* en que da recetas para escribir en culterano. Contra las vulgaridades y frases hechas escribe el *Cuento de cuentos.* En *La Perinola* fustiga a Pérez de Montalbán y también al gongorismo.

d) **Obras festivas.** — Pueden recordarse las **Premáticas** y las *Cartas del Caballero de la Tenaza, para guardar la mosca y gastar la prosa.* He aquí una de estas cartas:

¿Ventanicas para ver toros y cañas, mi vida? ¿Qué más cañas y toros que vernos a ti pedir y a mí negar? ¿Qué piensas que se saca de una fiesta de éstas? Cansancio y modorra y falta de dinero al que paga los balcones. Haz cuenta que los has visto y verás que nos pasamos, tú sin ventana y yo con dineros.

"Los sueños" de Quevedo. — Son unos cuadros fantástico-satírico-sociales a base de la burla y censura de los vicios y ridiculeces de los diversos estados y oficios, y de los tipos de hombres, ya genéricos, ya personajes concretos de la historia. Es un género muy original; muy de época y muy barroco. En los *Sueños* encontramos junto a los tipos humanos (médicos-verdugos, poetas cultos ilegibles, bellezas femeniles debidas al artificio de faldas, moños y afeites, arbitristas, casamenteros y tramposos) los motivos de los problemas políticos españoles de la época de la privanza del conde-duque de Olivares. Los principales *Sueños* son los siguientes:

El sueño de las calaveras (los muertos desfilan hacia el tribunal de Júpiter, el día del Juicio final).

El alguacil alguacilado (o endemoniado).

Las zahúrdas de Plutón o Sueño del Infierno es de los más ricos. Comienza con las dos sendas de la vida (una angosta y llena de abrojos; otra ancha y llena de pomposos cortejos); por la más cómoda se llega al infierno, que Quevedo pinta ingeniosa y bufonamente. En él encontramos cocheros, cómicos, juglares, poetas condenados por los consonantes, barberos, etc.

El mundo por de dentro, como su título indica, conocemos lo que hay bajo la hipocresía, siendo un notable cuadro de la sociedad humana en que llega a potentes realizaciones como el Desengaño representado por un viejo venerable, el entierro por la Calle Mayor y la cuerda de los colosos (símbolo de cuanto se hace *bajo cuerda* en el mundo).

La visita de los chistes, en que la Muerte concede audiencia a los difuntos y desfilan tipos imaginarios (el rey que rabió, Pero Grullo, Perico el de los Palotes, el marqués de Villena, etc.).

El entrometido, la dueña y el soplón es una fantasía en que estos tres personajes, soltándose del infierno, arman una revuelta, entre los demonios, con los tipos más monstruosos y ridículos.

Aunque no figura entre los *Sueños,* tiene gran semejanza con la anterior la fantasía titulada *La hora de todos y la fortuna con seso.* Es como un *mundo enmendado,* en que la loca Fortuna deja de repartir sus bienes casualmente para una actuación de verdadera justicia distributiva. En el contraste violento, entre cómo son las cosas y cómo debieran ser, brota la paradoja, el humor, el chiste, la doctrina y la sátira.

Los *Sueños* deben considerarse como una de las obras maestras del arte español. La visión deformada, caricaturesca de la realidad que nos da Quevedo, será luego el arte de la pintura de Goya (caprichos), el arte teatral de Ramón de la Cruz (sainetes) y el moderno de Valle-Inclán (esperpentos). Quevedo nos ha dado la vida de los vicios de la sociedad bajo los reyes Felipe III y Felipe IV.

Quevedo, patriota. — Una rama de la obra política de este polígrafo se refiere especialmente a motivos patrióticos, como la defensa de España de las mentiras y desdenes de detractores extranjeros. La emoción patriótica de algunas poesías se presenta también en una meditada exposición titulada *España defendida y los tiempos de ahora,* dedicada a Felipe III. Nuestra patria surge de la exposición de sus grandezas, de su historia, de sus bellezas naturales y de sus grandes ingenios en las artes y en las letras.

El patriotismo de Quevedo no era instintivo, sino fruto del conocimiento de la cultura española; por esto se dirige a España: *¡Revuelto he, mil veces, en la memoria tus antigüedades y anales y no he hallado por qué causa seas digna de tan porfiada persecución!* También respira patriotismo su *Memorial del Patronato de Santiago,* en que (aparte su deseo de excluir a Santa Teresa como copatrona de España) se alza frente al escepticismo de algún historiador extranjero en relación con la venida del Apóstol.

El lenguaje de Quevedo. — El siglo XVII es ya de decadencia de la prosa castellana. Menéndez Pidal señala que uno de los síntomas de ella es precisamente *el buscar como principal razón de la obra literaria el artificio y la agudeza.* El representante del estilo de su siglo es Quevedo, y puede considerarse como el maestro de los demás prosistas de su época. Como estilista va, desde una cierta retórica, aguda e intencionada, al período corto y rebuscado, con antítesis, juegos de palabras y conceptos, contraposiciones e hipérboles. Al final de su vida (en la *Vida de San Pablo,* por ejemplo) tiene una relativa sencillez, efecto del pulir su prosa y de haber llegado a dominar el idioma.

CAPÍTULO XXXII

PROSISTAS ESPAÑOLES DEL SIGLO XVII

Los historiadores. — Puede citarse a **Francisco de Moncada** (muerto en 1635), que escribe sobre la expedición de catalanes y aragoneses a Grecia en su libro titulado *Empresas y victorias alcanzadas por el valor de pocos catalanes y aragoneses contra los imperios de turcos y griegos,* basado en fuentes catalanas (Muntaner) y en griegas (Pachimeses y Gregoras); a **Francisco Manuel de Melo** (muerto en 1666), autor de la *Historia de los movimientos y guerra de Cataluña,* que representa una viveza más decidida en la pintura de los hechos vividos y un estilo brioso y cortante.

Sobresalen los historiadores de Indias como **Antonio de Solís** (muerto en 1686), autor de una famosa *Historia de la conquista de Méjico,* y el **Inca Garcilaso de la Vega** (1539-1615), nacido en Cuzco (Perú), de una princesa incaica y un soldado español, autor de unos famosos *Comentarios reales, que tratan del origen de los Incas* (1609), en que mezcla lo histórico con lo fantástico. Comenzó a escribir anciano. No sólo habló de la conquista, sino que nos hizo una relación completa del mundo de los incas. Desde cómo se descubrió el Nuevo Mundo, el nombre del Perú, la fundación de Cuzco, la labor de Manco Cápac instruyendo a los indios de las costumbres de los incas, de sus emperadores, conocimientos, frutos, frutas, fauna, templos, viviendas, caminos, etc., hasta que el virrey don Francisco de Toledo ordena la ejecución del príncipe inca Túpac Amaru.

La prosa didáctica. Diego de Saavedra Fajardo (1584-1648). — Diplomático y hombre mundano y culto, conocedor del derecho y la historia, nos ha dejado importantes obras en el campo de la política. Pero su importancia, como escritor de la época del barroco, no es por la originalidad de sus ideas, sino por su forma. Sus obras más importantes son:

a) *Empresas políticas* o *Idea de un Príncipe político cristiano representada en Cien Empresas.* Su ideario, respecto de la educa-

Tirso de Molina

Baltasar Gracián

Francisco de Rojas Zorrilla

Leandro Fernández de Moratín

Manuel José Quintana

Mariano José de Larra

Duque de Rivas

José de Espronceda

ción del príncipe perfecto, revela su hondo sentido político y su formación humanística. Su sentido pedagógico pedía que el príncipe conociera el mundo y no quedase en retraimiento. El rey debe estar por encima de las adulaciones y murmuraciones.

Sin dejarse halagar de aquéllas ni vencer déstas. Si se detiene el príncipe en las alabanzas y les da oídos, todos procurarán ganalle el corazón con la lisonja... Ofenderse de cualquier cosa es de particulares; disimular mucho, de príncipes; no perdonar nada, de tiranos.

Antimaquiavelista, no admite el disimulo y el engaño en la política, y sí sólo una prudencia de acuerdo con las ideas cristianas. Estas *Empresas* están escritas en forma elegante y concisa.

b) *República literaria.* Describe una ciudad fantástica, de fosos llenos de licor oscuro, murallas altas defendidas de *cañones de ánsares y cisnes, que disparaban bolas de papel,* torres blancas, frontispicios de columnas bellas de mármoles y jaspes, entre cuyas columnas se hallan los nichos de las nueve musas. A pesar del mármol, las esculturas tienen *aire y movimiento.* Coronaba la portada la estatua de Apolo. Todo este bello artificio sirve para discurrir sobre personalidades, con lo que se muestra la crítica de la época: Platón, Miguel Ángel, Velázquez, Garcilaso, Camoens, Góngora, etc. Un anciano, Varrón, le muestra la extraordinaria ciudad. Los libros de Historia, Medicina y Filosofía estaban excluidos del templo...

c) Saavedra Fajardo escribe otras obras de interés como *Corona gótica,* histórico-política, y *Política y razón de Estado del rey católico don Fernando.*

Patriotismo de Saavedra Fajardo. — Defendió a España de las calumnias y apasionados juicios de los extraños; y también el sentido católico de su actuación en Europa. Se emociona ante el P. Las Casas que defiende a los indios y ataca a los españoles. Explica la colonización de América y cree que, en general, España mantuvo los indios en justicia. Frente a las acusaciones que pudieran hacer contra España, señala los abusos y crueldades que en plena Europa se cometieron en las guerras coetáneas de religión. Además de lo que dice en las *Empresas,* tiene un diálogo lucianesco de tipo político titulado *Locuras de Europa,* en que defiende, una vez más, a España y a la dinastía de los Austrias de las acusaciones y enemigas de sus rivales del continente.

Baltasar Gracián (1601-1658). — Nació en Belmonte, cerca de Calatayud. Gracián es aragonés, además de por su cuna, por sus estudios en el ambiente arqueológico de Huesca y por haber vivido el literario de la casa y jardín de Lastanosa, que pagó la impresión de algunas de sus obras. Profesó en la Compañía de Jesús en 1635. Cuando la guerra de Cataluña fue sacerdote castrense y asiste a la batalla de Lérida. Como en un sermón de Valencia llegase a decir que leería una carta traída de los mismos infiernos, se le reprende y se le obliga a una retractación pública. Más tarde se le destierra a Graus. Sus obras le produjeron disgustos con los superiores de su Orden.

Las obras de Gracián. — Pueden agruparse en cuatro series: 1.ª Tratados cortesanos sobre el hombre perfecto *(El héroe, El Político* y *El discreto); 2.*ª La actitud del hombre, la vida y la naturaleza *(El oráculo manual* y *El criticón);* 3.ª Obras esencialmente literarias, sobre el estilo y formas del escritor de la época *(Arte de ingenio* y su refundición *Agudeza y arte de ingenio),* y 4.ª Escritos sagrados *(El comulgatorio).*

El hombre perfecto según Gracián. — Si Baltasar de Castiglione perfiló el hombre del Renacimiento, Gracián retorcería el alambicado pensamiento de un héroe, de un prudente, de un hombre de mundo, en la sociedad barroca y en el estilo del conceptismo. En *El héroe* se adelgaza el contorno del hombre eminente ideal. Es un tipo excelente, refinado y prudente. El héroe debe respetarse a sí mismo, dominarse, para poder imponerse a los demás. Junto a la cautela, no podía faltar el valor personal. La anécdota de la cimitarra pequeña ilustra esta idea *(Para un caballero animoso nunca hay arma corta, porque con hacerse él un paso adelante, se alarga ella bastante, y lo que le falta de acero, lo suple el corazón de valor).* Como dechado de políticos presenta al Rey Católico don Fernando en *El Político.* En cuanto al *Discreto* le lleva a otro orden de valores, al verdadero cortesano del siglo XVII. Preconiza el porte elegante, las buenas maneras, la galantería, el señorío; y también la adaptación a los medios de obras y circunstancias, y, sobre todo, la moderación armónica, la mesura. Debe haber tiempo para todo, para la ética grave y para la sátira burlesca, para la meditación y para la danza. El meditador de gabinete y el cortesano de salón deben darse la mano.

El Criticón. — Esta obra, en la que culmina el estilo de su época, es la cumbre de la producción de Gracián. En ella los hombres se convierten en símbolos y el ambiente natural en artificio de alegoría. Es una novela simbólica de nuestro siglo XVII. Aunque hay precedentes, con ella puede decirse que Gracián crea la novela alegórica. Se propone, según el autor, presentar en estilo cortesano el curso de la vida humana, procurando juntar *lo seco de la filosofía con lo entretenido de la invención.* Consta *El criticón* de tres partes que sistematizó en buena unidad *(En la primavera de la niñez y en el estío de la juventud, Juiciosa cortesana filosofía en el otoño de la varonil edad* y *En el invierno de la vejez).* Las dos grandes figuras son Andrenio y Critilo (el primero simboliza el hombre en estado de naturaleza, dominado por el apetito y las pasiones; el segundo, el hombre de razón, civilizado y dueño de sí mismo). Andrenio se había criado en una cueva entre fieras. De ella no había logrado salir, pero un día, por un derrumbamiento de tierras, se encuentra, hombre ya racional, con el espectáculo de la naturaleza. Andrenio se plantea la existencia de Dios *(Es lo que me tiene fuera de mí y todo en Él).* Pero Gracián es pesimista y su pesimismo se expresa en el momento en que ambos hombres salen de la soledad de la isla a vivir en la sociedad, entre los demás hombres. Su sentido patético de la existencia está en las primeras líneas de la obra:

> Todo cuanto hay se burla del miserable hombre: el mundo le engaña, la vida le miente, la fortuna le burla, la salud le falta, la edad se pasa, el mal le da prisa, el bien se le ausenta, los años huyen, los contentos no llegan, el tiempo vuela, la vida se acaba, la muerte le coge, la sepultura le traga, la tierra le cubre, la pudrición le deshace, el olvido le aniquila, y el que ayer fue hombre, hoy es polvo y mañana nada.

Pero Gracián no deja al hombre en pasividad, sino que su libro significa precisamente la liberación y superación de lo social y aun natural. Junto a las caídas de Andrenio, los triunfos callados del sabio virtuoso. Al final a Andrenio, purificado por las experiencias y dolores, y a Critilo, salvaguardado por sus estudios y meditación, se les *franqueó, de par en par, el arco de los triunfos a la mansión de la inmortalidad.*

"Agudeza y arte de ingenio". — Desde el punto de vista literario es lo más importante de Gracián. Se conocen las dos primeras ediciones: una de 1642, *Arte de ingenio,* que contiene principalmente ejemplos de autores latinos; y, seis años más tarde, *Agudeza y arte de ingenio,* que constituyen una antología de poetas culteranos y conceptistas, sobre todo aragoneses. Comienza con un panegírico del arte y sigue un discurso sobre la agudeza. Define los géneros y subgéneros literarios con numerosos ejemplos. Este libro de Gracián se considera como una verdadera preceptiva del conceptismo.

El estilo de Gracián. — Con este escritor se llega a la extrema posibilidad del estilo rápido y recortado y al triunfo de la expresión breve de complejos contenidos. Con Gracián el conceptismo llega a su más puro estado. A sus lectores exige no mitología, como en el culteranismo, sino simplemente aguda inteligencia y preciso conocimiento del lenguaje *(yo diría que a pocas palabras, buen entendedor)*. La principal regla de su estilo fue: *lo bueno, si breve, dos veces bueno; más obran quintas esencias que fárragos.*

La erudición y la crítica en el siglo XVII. — Con la crítica apareció una nueva forma de erudición histórica y literaria en la que se sistematizan nuevos valores científicos.

Sobre preceptiva histórica ha de citarse a **Fray Jerónimo de San José** (1587-1654), carmelita aragonés, hijo de un consejero del de Italia, historiador de su Orden y biógrafo de San Juan de la Cruz, que escribe el *Genio de la Historia,* dedicada al rey Felipe IV. Está dividida en tres partes: la primera trata de la importancia, dignidad y naturaleza de la historia; la segunda del método, estilo, igualdad y brevedad de la historia, y la tercera de los más principales requisitos del historiador (sabiduría, diligencia, etc.). Termina con un *Índice de las cosas notables desta obra.* He aquí los efectos y utilidades de la Historia:

> ... Testigo de los tiempos, nuncio de los siglos, luz de la verdad, vida de la memoria, espuela de la virtud, archivo de la posteridad, monumento de la antigüedad, incentivo del valor, estímulo de la gloria, tesoro de la prudencia, oficina de las artes, teatro de las ciencias, madre de los aciertos y espejo limpio de las acciones y costumbres humanas es la universal maestra de la vida. En su escuela se aprende la policía del Gobierno, la observancia de la Religión, la institución de la familia y la buena dirección de todos los estados. De aquí toma documentos la paz, esfuerzos la milicia, noticias el estudio, ejemplos el valor, y nuevos y mayores alientos la piedad.

El sevillano **Nicolás Antonio** (1617-1684) reúne un gran cuerpo de erudición sobre los antiguos autores hispano-latinos, desde la época de Augusto al año 1500, en su *Bibliotheca hispana vetus* (1672); y luego los autores castellanos desde 1500 hasta 1670, en *Bibliotheca hispana nova* (1696, póstuma). Estas obras aun hoy se consultan con provecho. También escribió *Censura de historias fabulosas,* contra los falsos cronicones, que se publicó en el siglo XVIII.

CAPÍTULO XXXIII

EL SIGLO XVIII

La literatura española del siglo XVIII. — A principios del siglo XVIII puede decirse que continúan los mismos elementos literarios del anterior (el barroco en los distintos géneros); pero el puesto de primer orden que España había jugado en Europa baja considerablemente. Sólo en el aspecto de la crítica y la erudición representa algún mérito. No fue un siglo de poetas, sino de filósofos. En el siglo XVII, la corte de Felipe IV, el Buen Retiro eran precursores del acento versallesco y francés del XVIII europeo. La influencia francesa que había comenzado en el siglo XVII acaba por invadirlo todo — las costumbres y la literatura — con el advenimiento de la casa de Borbón a la corona de España. El triunfo de la estética de Boileau y de la comedia y la tragedia clásica francesas (todo son arreglos e imitaciones en nuestro teatro) es lo más representativo de la influencia francesa en la literatura, como también lo fue para la arquitectura y la indumentaria.

El reinado de Felipe V. — Nombrado Felipe de Anjou, nieto de Luis XIV, rey de España, la influencia francesa se hizo mucho más fuerte y Francia fue la directriz de la vida política y cultural española. Felipe V entra en Madrid en 1701 y con él el gusto y las ideas francesas. Las costumbres y las decoraciones españolas hacen pensar en el Versalles de Luis XIV. Las instituciones culturales son a imitación de las francesas. He aquí las de mayor importancia:

a) **Biblioteca Nacional.** — Se fundó en 1712, próxima al Palacio Real. Don Juan Ferreras fue el bibliotecario mayor. Se formó con un fondo de 8.000 volúmenes, que se vio aumentado por las donaciones de nobles y eruditos.

b) **Real Academia Española.** — Su primera junta se reunió en 1713 y su primer director fue don Manuel Fernández Pacheco, marqués de Villena y duque de Escalona, que había defendido los derechos de Felipe V en la guerra de Sucesión. La Real Academia tendía a fijar, pulir y dar esplendor al idioma español y a depurar el estilo. Su primera etapa se hizo sin romper la tradición literaria y fijando los modelos clásicos españoles.

Desde el principio, la Academia ha realizado brillante labor y ha hecho publicaciones de gran importancia. La primera de ellas fue el *Diccionario de Autoridades,* en seis grandes volúmenes (Madrid, 1726-1739). Representa tal cantidad de citas de nuestros clásicos del XVI y XVII, que esta ingente tarea todavía no ha sido igualada. Es una obra paciente, objetiva y completa, en que se han eliminado los nombres propios. La actividad de la Academia no cesó de producir durante el siglo. Así publicó una *Ortografía* en 1741 y una *Gramática* en 1771: ambas obras son de interés considerable. En 1780, los seis volúmenes del *Diccionario de Autoridades* se redujeron a uno solo. Desde entonces, notablemente reformado, ha venido repitiéndose hasta nuestros días.

c) **Real Academia de la Historia.** — Fue fundada en 1735 con carácter particular, siendo luego instalada en la Biblioteca Real y adquiriendo carácter oficial. En ella se hicieron disertaciones interesantes (la de Campomanes sobre *Leyes y gobierno de los godos en España*), viajes de estudio, excavaciones e investigaciones en los archivos; se formaron colecciones litológicas, numismáticas y diplomáticas. También, como la de la Lengua, emprendió publicaciones de importancia histórica. Entre sus académicos tuvo en el siglo a Luzán, Campmany, Campomanes, Cerdá y Rico, Tomás Antonio Sánchez (primer editor de «Poetas castellanos anteriores al siglo XV») y a Jovellanos, entre otros notables.

El periodismo y las revistas literarias. — Durante el siglo XVIII aparecieron una gran cantidad de diarios y revistas literarias que jugaron papel importante en la serie de debates estéticos que se plantearon y en la erudición científica. Entre los que aparecieron en el reinado de Felipe V pueden citarse el *Diario histórico, político, canónico y moral,* que sólo se publicó durante 1732; y, sobre todos, el *Diario de los literatos de España,* revista trimestral de protección oficial que se publicó de 1737 a 1742, en el que colaboran Martínez de Salafranca, Huerta y Vega, Juan de Iriarte,

Mayans y José Gerardo Hervás. Entre los numerosos escritores de periódicos del siglo XVIII puede citarse al longevo y fecundo periodista Francisco Mariano de Nipho.

El teatro en tiempos de Felipe V. — En el comienzo del siglo XVIII pueden apreciarse las últimas formas del teatro nacional en la continuación de la escuela de Calderón. Dos nombres de autores dramáticos representativos pueden darse:

a) **José Cañizares (1676-1750),** capitán de coraceros, que tiene sentido popular y pintoresco, a la manera del castizo sainete madrileño. Su obra *El dómine Lucas* junta a este léxico expresivo la bufonada. Cultiva el teatro de Calderón en todos sus géneros; la comedia de santos (*A cuál mejor, confesada y confesor* sobre Santa Teresa y San Juan de la Cruz), y su mejor acierto es *El picarillo de España, señor de la Gran Canaria,* cuyo protagonista es hijo del descubridor de las islas Guanches. Es una pieza teatral en que se mezcla la habilidad calderoniana con intuición histórica de la corte de don Juan II y cierta «chulería» madrileña.

b) **Antonio de Zamora (1664?-1728).** — Defensor de los derechos a la corona de España de Felipe V, cuando éste entra en Madrid en 1701 colabora activamente en las representaciones que se hacen para el Corpus (hace una «loa» alusiva a su tiempo y hace más extenso un auto de Calderón y sus adiciones resultan identificadas con el texto). Supo, como Cañizares, remozar temas ajenos. Como *Por oír Misa y dar cebada, nunca se perdió jornada* (procede de *La devoción de la Misa,* de Calderón), *La defensa de Tarifa* (de Vélez de Guevara) y *La doncella de Orleáns* (de influjo francés). Cultiva con acierto la comedia de figurón, como en *Don Domingo de Don Blas* y *El hechizado por fuerza.*

Pero la obra verdaderamente interesante de Zamora es su comedia *No hay plazo que no se cumpla, ni deuda que no se pague y Convidado de piedra,* nueva interpretación de don Juan Tenorio, que hasta la aparición del de Zorrilla en el siglo siguiente se hizo la obra tradicional para las representaciones del día de los Santos y Difuntos. El don Juan de Zamora se distingue por su valor personal y su matonismo. Su muerte se anuncia con truenos y relámpagos (como en el siglo siguiente la de *Don Álvaro*) y se insinúa la salvación de don Juan. La figura del gracioso Camacho afirma el valor popular del tipo madrileño de la comedia que se desarrolla en Sevilla, a cuya Torre del Oro y río Guadalquivir hay brillantes alusiones.

Ignacio de Luzán (1702-1754). La "Poética". — Nació Luzán en Zaragoza y vivió en Barcelona, Mallorca, Monzón y Huesca. También viajó por Italia (Génova, Milán, Nápoles y Palermo; y se graduó de doctor en Derecho en la universidad de Catania) y Francia (estuvo en la Secretaría de nuestra Embajada en París). En Madrid perteneció a las Academias y fue tesorero de la Biblioteca Real.

Luzán en 1737 publica la primera edición de su *Poética o reglas de la poesía en general y de sus principales especies,* que significa una actitud contraria al teatro tradicional español, aunque no se trata de una oposición absoluta. Influido por Boileau y Muratori y por las ideas neoclásicas francesas, reacciona frente al incumplimiento de los preceptos y la no aceptación de las tres unidades dramáticas. Pero comprendió en parte nuestra comedia y alabó, aunque con grandes reservas, a Calderón. Distinguió tres clases de comedias en nuestros autores: *de teatro* (con decoraciones, máquinas y mutaciones de escenas), *heroicas* (asuntos y personajes de alta clase) y *de capa y espada* (personas inferiores en su traje regular, sin decoraciones ni mutaciones de escena). Exime de las unidades dramáticas al auto sacramental por su carácter alegórico.

En cuanto a la poesía, para Luzán es la «imitación de la Naturaleza, hecha con versos, para utilidad o para deleite de los hombres». Cree que el fin de la poesía es el mismo que el de la filosofía moral. Hace el estudio de sus orígenes y progresos y da una clasificación de ella en tres períodos: 1.º Hasta Enrique III (versos de catorce y dieciséis sílabas); 2.º Hasta Carlos V (versos de doce y de ocho sílabas; pie quebrado), y 3.º Desde éste hasta el tiempo de Luzán (versos de once y siete y sus combinaciones).

Cree que las artes tienden a la imitación y que ésta es el género de la poesía. Su estética está influida por la de Muratori y por la de Boileau *(L'Art poétique)*. La prosa de Luzán es fácil y precisa y su crítica original y comedida.

Los debates acerca del teatro español en el siglo XVIII. — La famosa polémica sobre el teatro español es algo de lo más representativo de este siglo esencialmente crítico. Con más o menos salvedades se dirigen duros ataques a nuestro teatro del siglo XVII por críticos como Blas Antonio Nasarre (era miembro de la Real Academia Española y concurría a la tertulia de la Academia del Buen Gusto, donde se discutían los principios de la dramática y se proclamaban las tres unidades), que edita a Cervantes, y en una disertación, a manera de prólogo de la edición, dice cosas tan pintorescas como que el célebre escritor había escrito mal expresamente sus comedias para ridiculizar las de Lope; como Agustín de Montiano y Luyando en sus *Discursos sobre la corrupción del teatro por Lope y Calderón;* como Nicolás Fernández de Moratín *(Desengaños al teatro español* y prólogo a *La petimetra);* como José Clavijo y Fajardo, que desde su periódico *El Pensador* censuró las tradiciones españolas, la lírica de Fray Luis y, sobre todo, los autos sacramentales como extraña mezcla de poesía sagrada y profana que formaba una farsa ofensiva para el arte y la religión.

No dejó de ser defendida la escena española y pueden darse los nombres de Juan Cristóbal Romea y Tapia, que defiende el auto sacramental desde su periódico *El escritor sin título,* donde muestra vasta erudición y buen criterio. A éste ha de agregarse la defensa de Francisco Mariano Nipho en su opúsculo *La nación española defendida de los insultos del Pensador y sus secuaces.* Estas defensas del año 1763 no pudieron evitar que el auto sacramental se prohibiese (Real cédula de 11 junio de 1765). Con esta disposición puede darse por derrotada la comedia barroca y nacional del siglo XVII y el triunfo definitivo del teatro neoclásico francés.

CAPÍTULO XXXIV

EL TEATRO EN LA SEGUNDA MITAD DEL SIGLO XVIII. MORATÍN

La tragedia neoclásica. — El teatro neoclásico (continuación del de Corneille y Racine, pasando por los enciclopedistas franceses) puede decirse que alcanzó un verdadero éxito en el reinado de Carlos III. El neoclasicismo triunfa en literatura como en arquitectura. El arte neoclásico escénico encuentra un decidido protector en el conde Aranda. Los principales autores de entonces que hacían tragedias «a la francesa» fueron:

a) **Agustín Montiano y Luyando,** que hace tragedias en verso suelto y divididas en cinco actos *(Virginia, Ataúlfo)*.

b) **Nicolás Fernández de Moratín (1737-1780).**— De acuerdo con las reglas neoclásicas, escribió *La petimetra,* que no llegó a representarse, y en cuyo prólogo ataca al teatro del siglo XVII; tampoco logró representar *Lucrecia,* y las que se representaron *(Hormesinda* y *Guzmán el Bueno)* tampoco tuvieron éxito.

Vicente García de la Huerta (1734-1787).—Nació en Zafra, estudió en Salamanca y en Madrid, y tuvo la protección del duque de Alba. Hay en su vida amoríos, prisiones y destierros. Hizo sátira política contra el conde de Aranda y fue también satirizado. Había estudiado en Salamanca y conocía nuestro teatro del siglo XVII. Publicó dieciséis volúmenes del *Teatro español;* el penúltimo es un índice de las comedias del Siglo de Oro, y el último, de sus obras propias. Esta publicación despertó enconadas polémicas, y en ella faltaban autores como Lope. Atacó al neoclasicismo y los clásicos franceses; pero tiene tragedias de este tipo como *Agamenón vengado* (adaptación de la *Electra,* de Sófocles), que, a pesar de sus sonoros versos, es una equivocación.

El gran éxito de García de la Huerta fue la tragedia *Raquel* (1778), que es la mejor tragedia neoclásica española. El tema seguía la tradición de la comedia española del siglo XVII (Lope, Mira de Amescua y Diamante). Es una obra con elementos del barroquismo y hacia el romanticismo del siglo siguiente. Era una tragedia de forma neoclásica, pero típicamente nacional en su fondo. De aquí su triunfo rotundo en la escena y en las ediciones y las envidias y ataques que cayeron sobre su autor.

Su neoclasicismo consistía en ajustarse a las tres unidades dramáticas (la acción única pasaba en un solo día en el Alcázar de Toledo); pero las cinco jornadas del teatro neoclásico quedaron reducidas a tres. Se desarrolla en un metro heroico (el endecasílabo). Su acción era sencilla: la tradición de Raquel, la hebrea amante del rey Alfonso VIII, que fue muerta por razones de Estado. El rey quiere evitar la rebelión de sus vasallos, y, entre este deseo y su amor se desarrolla la obra. La judía (astuta y enamorada) es desterrada, vuelta a sus prerrogativas y, por fin, muere en escena como en las tragedias románticas. Sus personajes y pasiones están muy bien caracterizados (el pérfido Rubén, el adulador Manrique, el noble Hernán García y el vengativo Alvar Fáñez).

Leandro Fernández de Moratín (1760-1828). — Nació en Madrid, hijo de Nicolás Fernández de Moratín, que le formó en su rigidez moral y literaria. Se distinguió por su timidez. Taciturno y reservado, tuvo gran capacidad para la parodia y la sátira (tuvo disgustos con sus contemporáneos por esto). Fue protegido de Godoy. Vivió en Inglaterra e Italia. En Francia fue testigo de la revolución. En Madrid tuvo cargos oficiales, como el de Director de Teatros, que renunció. Cuando la invasión napoleónica, fue afrancesado; y el rey José Bonaparte le nombró Bibliotecario Mayor. Caído aquél, tuvo que refugiarse en Francia y murió en París.

Moratín, poeta lírico. — En este escritor había un fondo lírico, que llevó a su perfección de forma. En sus palabras y estilo asoma un hombre prerromántico. En la métrica clásica puede citarse su oda *A la Virgen de Lendinara* (en estrofas sáficas) y algún soneto como el dedicado *A la capilla del Pilar de Zaragoza.* Gustó también del verso suelto, como en sus magníficos endecasílabos de la *Elegía a las Musas,* en que se notan atisbos de melancolía y funeral sentir, propios del romanticismo. Así:

Breve será; que ya la tumba aguarda
y sus mármoles abre a recibirme;
ya los voy a ocupar... Si no es eterno
el rigor de los hados, y reservan
a mi patria infeliz mayor ventura,
dénsela presto, y mi postrer suspiro
será por ella... Prevenid en tanto
flébiles tonos, enlazad coronas
de ciprés funeral, Musas celestes;
y donde a las del mar sus aguas mezcla
el Garona opulento, en silencioso
bosque de lauros y menudos mirtos,
ocultad entre flores mis cenizas.

Lo mismo encontramos en su bella composición *A la muerte de don José Antonio Conde,* como en la siguiente estrofa:

¡Te vas, mi dulce amigo,
la luz huyendo al día!
¡Te vas y no conmigo!
Y de la tumba fría
en el estrecho límite
¡mudo tu cuerpo está!

¡Y a mí, que débil siento
el peso de los años,
y al cielo me lamento
de ingratitud y engaños,
para llorarte, mísero,
largo vivir me da!

Entre sus sátiras son notables la que trata «de los vicios introducidos en la poesía castellana» y la *Epístola a Andrés.*

El teatro de Moratín. — Como dramaturgo es la primera figura creadora de nuestro siglo XVIII. Durante su estancia en Inglaterra estudió el teatro inglés y, aunque con objeciones a Shakespeare, tradujo el *Hamlet* en prosa española castiza y manifestó admiración por su grandeza trágica.

Su modelo más acusado fue Molière. Moratín, en su mejor prosa, hizo dos magníficas refundiciones de éste *(Escuela de los maridos* y *El médico a palos)* y su apología más entusiasta.

Sus ideas teatrales pueden encontrarse en sus *Orígenes del teatro español,* en que mantiene la ley de las tres unidades como la generación anterior, pero con mejor sentido. La comedia es para él «imitación en diálogo (escrito en prosa o verso) de un suceso ocurrido en un lugar y en pocas horas entre personas y particulares, por medio del cual y de la oportuna expresión de afectos y caracteres resultan puestos en ridículo los vicios y errores comunes de la sociedad, y recomendamos, por consiguiente, la verdad y la virtud». Como puede observarse, mantiene el principio moral del arte.

Tiene cinco obras dramáticas originales: *El viejo y la niña, El Barón, La Mojigata, La comedia nueva* y *El sí de las niñas.* La primera y la tercera están escritas en verso y todas envuelven una sátira social (el viejo que casa o intenta casarse con jovencita, el pícaro que se finge barón para casarse también, la hipócrita piadosa, etc.).

"El sí de las niñas", de Moratín. — Moratín creó en ella una obra maestra por el diálogo, por la comicidad de las situaciones y por el mundo — mitad irónico, mitad melancólico — que nos presenta. Observa rigurosamente las unidades dramáticas (sala de paso de una posada de Alcalá de Henares, desde las siete de la tarde hasta las cinco de la mañana del día siguiente, y una acción sencilla: doña Francisca pasa en este tiempo de un convento a las manos del joven don Carlos, en vez de a las de su anciano tío don Diego, según matrimonio concertado por doña Irene, madre de doña Francisca). El anciano don Diego es una figura muy distinta de la comedia de figurón (el don Lucas del Cigarral, de Rojas Zorrilla). Emoción amarga le lleva a su sacrificio final («¡Qué dolorosa impresión me deja en el alma el esfuerzo que acabo de hacer!

Porque, al fin, soy hombre miserable y débil»). La moral que se deduce es que no debe fiarse de las seguridades que dan padres y tutores del «sí» de las niñas.

"La comedia nueva". — Representada en 1792, no pudo sustraerse Moratín a la influencia del criticismo del siglo. *La comedia nueva* o *El café* es la sátira del autor contra la decadencia del teatro español en su época y los autores mediocres. He aquí un resumen de su argumento:

Don Eleuterio Crispín de Andorra ha escrito la comedia «El gran cerco de Viena». Ha sido alentado en su empresa por el novio de su hermana doña Mariquita, que es don Hermógenes, hombre pedante y repleto de citas, que paga sus deudas con los ahorros del despistado don Eleuterio. La tragedia — terrorífica de tramoya — va a ser estrenada. Y es un ruidoso fracaso. Don Pedro, seco y bueno, acaba protegiendo a la familia del fracasado autor, empleándolo en su administración.

Los personajes han sido discutidísimos y se ha visto en ellos a personas de entonces. En don Eleuterio se creyó ver a Comella (dramaturgo mediano) y hasta se pensó que en doña Mariquita se ridiculizó a una hija suya y que el café podía ser la fonda de San Sebastián, cuyo camarero Agapito era el Pipí de la comedia. En resumen, es una lección a los escritores decadentes de su época.

"La derrota de los pedantes", de Moratín. — Antes que *La comedia nueva* se publicó *La derrota de los pedantes,* sátira en prosa que, además de ser una entretenida ficción literaria, revela los gustos, preferencias y limitaciones del autor. Va contra los malos poetas y los escritores vanidosos y especialmente contra los últimos detritos del culteranismo: el palacio de Apolo y las musas es invadido belicosamente por una turba de poetas ridículos y pedantes. El ejército de los buenos escritores (Cervantes, Ercilla, Luzán, etc.) los rechaza arrojándoles sus propios libros. Los derrotados, algunos recibieron la limosna de unos maravedises y otros, por ser incurables, fueron a jaulas de locos. El estilo es, a veces, una divertida parodia.

Don Ramón de la Cruz (1731-1794). Sus sainetes. Este escritor nació y murió en Madrid. Tuvo la protección del duque de Alba y un empleo en la corte. Hizo primero tragedias y comedias al gusto de la época, arreglos del teatro del siglo XVII;

y, como una reacción frente a la ópera italiana, cierto número de zarzuelas que, en su forma, enlazan con la tradición española del siglo XVII.

Pero lo más característico y su verdadero éxito teatral lo constituyen una serie de pequeñas obritas, **sainetes,** que le han dado mucha fama. Pueden relacionarse con los «pasos» de Lope de Rueda y — salvadas las distancias — con los «entremeses» de Cervantes o las «farsas» de Gil Vicente. Su verdadero acierto fue presentarnos los tipos y costumbres de la España castiza del siglo XVIII, sobre todo los de la vida madrileña (majos, petimetres, vendedores ambulantes, barberos, aguadores, sin que falte algún abate). Son personajes en caricatura y los mismos títulos de los sainetes pueden mostrárnoslo, como *La noche de San Juan, El fandango del candil, La Plaza Mayor por Navidad, Las castañeras picadas, Los bandos del Avapiés, El Muñuelo, La presumida burlada.*

Algunos de sus sainetes son parodias; así *Inesilla la de Pinto,* que es una caricatura de *Inés de Castro,* de La Motte. También se anticipa, de una manera primaria, a Pirandello en lo de hacer «teatro en el teatro», como en *La comedia de Maravillas.*

Al hablar del sainete no puede olvidarse el nombre de **Ignacio González del Castillo,** gaditano, apuntador de teatros, que hace sainete andaluz, especialmente con tipos y costumbres de su ciudad natal (*La feria del Puerto, El día de toros en Cádiz, El desafío de la Vicenta,* etc.).

CAPÍTULO XXXV

LA PROSA EN EL SIGLO XVIII

Fray Benito Jerónimo Feijóo (1676-1764). — Nació en Casdemiro (Orense); perteneció a la Orden de los Benedictinos y fue catedrático de la universidad de Oviedo. Tuvo la protección del rey Fernando VI, que prohibió se le atacase. Escritor fácil, su fama llegó al extranjero; y su temperamento, distinguido y amable, abrió su celda a la consulta y a la amistad. Fue hombre representativo de su siglo: individualista y con una amplia y variada cultura en el sentido literario de la anécdota y de la amenidad. Representa el criticismo y, dentro del respeto a las doctrinas de la Iglesia, censuró toda clase de supersticiones y opuso la razón a las leyendas pueblerinas y a ingenuas costumbres médicas. Se le impugnó duramente y, entre sus impugnadores, hubo varios médicos; pero también le defendieron figuras ilustres como su hermano en religión Fray Martín Sarmiento y el Padre Isla.

El "teatro crítico" de Feijóo. — El título de la obra es típico de su carácter criticista: «Teatro crítico universal o discursos varios sobre todo género de materias para desengaño de errores comunes». Constaba de nueve volúmenes (el último, índice); más tarde, con el título de *Cartas eruditas y curiosas... impugnando o reduciendo a dudosas varias opiniones comunes,* publicó otra colección semejante. El *Teatro crítico* fue traducido al italiano y algunas partes al inglés, ya muerto su autor.

Son una serie de disertaciones que le muestran el primer verdadero ensayista de nuestra literatura que lucha por deshacer errores. Ejerció verdadera influencia en la vida y en la ciencia españolas. Se basa en la experiencia, que es para él la verdadera base del conocimiento científico (de niño se le había dicho que no podía comer ninguna cosa después de tomar chocolate, pues era nocivo para la salud; para comprobarlo, un día, después del chocolate, comió muchos torreznos y pudo notar que no le ocurría nada). Sus artículos son interesantísimos para su época: *Voz del pueblo* (desprecia al «vulgo», que para él se encuentra lo mismo en las clases altas que en las humildes), *Astrología judiciaria, Milagros supuestos, Vara divinatoria, Zahoríes* (contra supersticiones), *Razón del gusto, El no sé qué* (en que plantea problemas estéticos y cree que las reglas del arte más bien estorban al genio y, en cambio, son convenientes para que se aten a ellas los ingenios que no pasan de medianías); en *Reflexiones sobre la historia* dice:

> Más fácilmente harán un escrito perfectamente regular éstos que aquéllos. Éstos no caen porque no se remontan. Caminan siempre debajo de las reglas. Siguen una senda humilde, que no pierde de vista los preceptos. Aquéllos, dejándose arrebatar con vuelo generoso a mayor altura, suelen no ver lo que, por más bajo, está más distante. Tal vez es mayor perfección apartarse de las reglas, porque se sigue rumbo superior a los preceptos ordinarios.

Tiene además artículos de Filosofía o ciencias relacionadas con ella, como *Guerras filosóficas, Mérito y fortuna de Aristóteles* y

Defensa de las mujeres. Parte del pensamiento de Feijóo procede de Luis Vives. Respecto a las mujeres, dice:

Las hermosas que viven mucho padecen dos muertes: una en que expira, otra en que muere la belleza; y no sé cuál de las dos les es más dolorosa.

En cuanto a Medicina y Ciencias tiene notables artículos, como *Eclipses, Paradojas, El médico de sí mismo* y *Maravillas de la Naturaleza.*

El estilo de Feijóo. — Es claro, vivo y ameno. Jamás se nota cansancio ante su prosa, en que la anécdota y la ironía gallega ponen una nota amable en la parte árida de sus disertaciones. Acierta en la frase, aunque alguna vez, por exceso de facilidad, se resienten sus períodos; pero su obra es la de un verdadero maestro del ensayo.

Diego de Torres Villarroel (1693-1770). — Hijo de un librero, nació en Salamanca. Inquieto e indisciplinado, alcanzó gran fama en su tiempo. Sus escritos dice que nacieron:

Entre cabriolas y guitarras, y sobre el arcón de la cebada de los mesones, oyendo los gritos, chanzas, desvergüenzas y pullas de los caleseros, mozos de mulas y caminantes, y así están llenos de disparates, como compuestos sin estudio, advertencia ni meditación.

Hizo su propia autobiografía — que es una verdadera novela picaresca — con el título de *Vida, ascendencia, nacimiento, crianza y aventuras del doctor don Diego de Torres Villarroel* (1743). El autor — que se llama a sí mismo «medianamente loco, algo libre y un poco burlón» — aparece en su biografía con las ocupaciones más dispares: santero, curandero, torero, bailarín, alquimista, profesor y sacerdote. Estudia en Salamanca y se escapa a Portugal. Se hizo médico y tuvo hasta fama de adivino por los pronósticos de sus *Almanaques* en verso (acertó en algunos, como en la muerte del rey Luis I, el motín de Esquilache y la revolución francesa). Hizo hasta de guardián de la casa de la condesa de los Arcos para animar a la servidumbre, asustada por misteriosos ruidos nocturnos. Ganó, tras brillantes oposiciones, la cátedra de Matemáticas de la Universidad y su triunfo fue ruidosamente celebrado por estudiantes salmantinos. Se llamó a sí Lazarillo, Guzmán y Gregorio Guadaña. Su vida es la novela picaresca del siglo XVIII.

Otro aspecto de Torres Villarroel es haber adaptado la sátira de Góngora y Quevedo a su época. Ejemplo de esto son sus *Visiones y visitas de Torres con Quevedo por Madrid* y *Los desahuciados del mundo,* en la prosa; y en la poesía — ha de colocársele entre los poetas de la escuela tradicional castellana —, sus sonetos, letrillas, seguidillas y romances. El caso de este escritor es el de un temperamento del siglo XVII que no encaja en su época.

El P. José Francisco de Isla (1703-1781). — Nació en Vidanes (León) y fue jesuita. Sufrió, estando enfermo, la orden de destierro dictada contra la Compañía. Estuvo en Córcega y en Bolonia y, después de estar varias veces en España, murió en esta ciudad.

Su obra famosa es *Historia del famoso predicador fray Gerundio de Campazas, alias Zotes.* Era una sátira contra la oratoria sagrada de su tiempo, impregnada de barroquismos a la manera de Fray Hortensio Paravicino en el siglo XVII. El P. Isla conocía los tratados de oratoria y la novela picaresca. De aquí los dos aspectos de su obra:

a) Una narración picaresca que es una caricatura de los malos predicadores. Fray Gerundio — figura producto del criticismo — es ignorante y audaz; desconoce el latín y los textos sacros y sus sermones hacen reír. A su lado encontramos a su maestro Fray Blas, grotesco predicador culterano, y Fray Prudencio, sano y razonable.

b) Una serie de comentarios criticoteóricos que constituyen un verdadero tratado sobre la predicación clásica y las condiciones de esta oratoria sagrada.

La obra vale más por los detalles que por el conjunto. En el arte de la descripción supone un avance (un religioso versallesco, los gestos en la predicación de Fray Blas, etc.), como también es muy acertado en la presentación de tipos y costumbres populares (procesión de disciplinantes, cofradías y fiestas de pueblo, etc.). He aquí un fragmento de descripción:

Había un bufete con su sobremesa de jerga listoneada a flecos, un banco de álamo, dos sillas de tijera... otra que al parecer había sido de vaqueta como las que se usan ahora, pero sólo tenía el respaldar y en el asiento no había más que el armazón, un arca grande y junto a ella un cofre sin pelo y sin cerradura. A la entrada de la alcoba se dejaba ver una cortina de gasa con sus listas de encajes de seis maravedís la vara, cuya cenefa estaba toda cuajada de escapularios con cintas coloradas, y Santas Teresas de barro, con sus urnicas de cartón cubiertas de seda floja, todo distribuido y colocado con mucha gracia.

El "Gil Blas" de Lesage, traducido por el P. Isla. — La influencia francesa en el P. Isla quedó evidente con el *Fray Gerundio,* por su estilo e influencias; pero aún agregó una traducción que puede considerarse como introducción de la novela francesa cortesana. La traducción llevó este título: *Aventuras de Gil Blas de Santillana, robadas a España y adaptadas en Francia por Monsieur Lesage; restituidas a su patria y a su lengua nativa por un español celoso que no sufre se burlen de su nación.* Lesage había utilizado muchos episodios de la novela picaresca española, sobre todo el *Marcos de Obregón,* de Vicente Espinel; pero era una adaptación de la novela realista española en Francia. El libro de Lesage es plenamente francés y muy diverso de sus modelos españoles.

El contenido del libro es el siguiente:

Gil Blas nos cuenta que era asturiano y que se había educado con un canónigo tío suyo y que, cuando iba a estudiar a Salamanca, fue raptado por unos bandoleros, de cuya cueva logró escapar. Más tarde empieza a servir a distintos amos: un clérigo, un médico, un cómico, el arzobispo de Granada, el duque de Lerma..., el conde-duque de Olivares, al que acompaña a su destierro. Al final, Gil Blas se casa.

Se introduce además la historia del *Casamiento por venganza* y fragmentos de la vida de Lucrecia (su figura se ha dicho que es la de la Calderona, célebre comedianta) y la historia de Escipión, criado de Gil Blas.

No se incluyen en el libro de Lesage las reflexiones morales que aparecen en nuestros novelas picarescas.

CAPÍTULO XXXVI

EL PENSAMIENTO Y LA ERUDICIÓN EN EL SIGLO XVIII

La erudición española en el siglo XVIII. — En esta rama, la España del siglo XVIII nos presenta una meritoria labor en que, bajo las influencias europeas, llegan nuestros escritores a mostrar una ideología original; y, en algunos aspectos — el de las ideas estéticas, por ejemplo —, tenemos pensadores de relieve. Los jesuitas expulsos, como Isla, Arteaga y Masdeu, son de las figuras más distinguidas de nuestra literatura didáctica. Veamos algunos nombres de la erudición española del siglo XVIII.

a) **Gregorio Mayans y Siscar (1699-1781).** — Era un humanista. Conocía el siglo XVI español y admira a Vives («sencillo, metódico y claro») y a Fray Luis de León. Enlaza con los eruditos e historiadores del XVII. Edita a Nicolás Antonio y se interesa por el P. Mariana.

Entre sus iniciativas eruditas han de señalarse:

a) El haberse adelantado a las colecciones modernas presentando en antología a nuestros grandes prosistas, que estudia en su *Retórica.*

b) Escribir las primeras biografías de nuestros grandes escritores (hace la de Cervantes y la de Fray Luis de León).

c) Estudiar los *Orígenes de la lengua española.* Es también el primero en editar el *Diálogo de la Lengua,* de Juan de Valdés.

Demostró gran intuición y fue un gramático notable que protestó de que se enseñaran «una impertinente multitud de preceptos» en vez de racionalmente hacerlos comprensibles. Se mostró igualmente reformador en cuanto a la jurisprudencia, que también estudió.

b) **Esteban de Arteaga (1747-1799).** — Este jesuita expulso, que no llegó a ordenarse de sacerdote, es uno de nuestros pensadores más originales. Sobresale en estética. Publica *Investigaciones filosóficas sobre la belleza ideal, considerada como objeto de todas las artes de imitación,* obra en la que presenta un mundo de posibilidades e intuiciones críticas. Observa que las ciencias se han convertido en experimentales, la física se ciñe a la observación de los efectos naturales y la filosofía moral estudia *La naturaleza del hombre en las varias modificaciones que puede recibir de la educación, del clima, de la religión, de las leyes y demás circunstancias.* Igualmente son modernas sus apreciaciones sobre las bellas artes, sobre todo la música (había escrito en italiano una historia de la ópera).

c) **El P. Juan Francisco de Masdeu (1744-1817).** Jesuita expulso, también vivió en Italia e intervino en los debates sobre el valor de la cultura española. Su obra *Historia crítica de España y de la cultura española* corresponde a una concepción moderna de la cultura y de la civilización. Se caracteriza por su fervor hacia su patria (elogia el aire, la tierra española, sus paisajes, su arquitectura) y por su espíritu crítico (es escéptico ante las leyendas históricas).

La historia literaria. — Los estudios literarios y su historia alcanzan gran desarrollo en este siglo respecto del anterior. Aparte monografías, puede señalarse el intento de los hermanos **Fray Pedro** y **Fray Rafael Rodríguez Mohedano,** franciscanos, que ya titulan *Historia literaria de España,* aunque en sus diez tomos no estudien la literatura propiamente dicha, sino que se extienden en historia antigua y en las materias auxiliares.

Una figura de importancia en esta disciplina es el también jesuita expulso **P. Juan Andrés,** que escribió *Origen, progresos y estado actual de toda literatura,* que hace una síntesis divulgadora de la literatura, interesante, a la vez con errores y aciertos.

En la labor defensora de las letras patrias hecha por los jesuitas expulsos ha de incluirse al **P. Xavier Lampillas,** que defendió la parte gloriosa que los españoles tomaron en la literatura latina *(Ensayo historicoapologético de la Literatura Española contra las opiniones preocupadas de algunos escritores modernos italianos).*

El interés por la Literatura del siglo XVIII lo demostraron las ediciones de textos antiguos, iniciadas — como ya hemos indicado — por Mayans. Entre los editores de textos hemos de citar a **Cerdá y Rico** (editor de Jorge Manrique, Gil Polo, Villaviciosa, etc.) y sobre todos a **Tomás Antonio Sánchez,** que realiza obra de prerromanticismo, editando lo medieval en su *Colección de poesías castellanas anteriores al siglo XV,* en que se muestra erudito precursor de los modernos investigadores de nuestra Edad Media.

La lingüística. — En los estudios filológicos se distinguió en el siglo XVIII el **P. Lorenzo Hervás y Panduro,** también jesuita expulso, verdadero iniciador de la filología comparada en su obra *Catálogo de las lenguas de las naciones conocidas.* Conocía los principales idiomas y trató de agruparlos y relacionarlos con las razas, sin olvidar el éuscaro y las lenguas primitivas americanas. También estudió astronomía y costumbres sociales. No ha de olvidarse la obra citada de **Mayans y Siscar,** y el *Teatro historicocrítico de la elocuencia castellana,* de **Antonio de Capmany.**

Las ciencias históricas. — La especialización y la investigación histórica se desarrollan también y ha de citarse al agustino **Fray Enrique Flórez,** provincial de Castilla de su Orden y catedrático de la universidad de Alcalá, que en su *España sagrada, Theatro geograficohistórico de la Iglesia de España* publica una gran cantidad de documentos auténticos y sigue un método objetivo y científico. Es un gran paleógrafo, que publica una colección de fuentes inéditas referentes a diócesis, obispos, monasterios, santos y tradiciones locales.

Otro caso de especialización histórica es el citado **Antonio de Capmany** (catalán diputado de las Cortes de Cádiz, donde murió en 1813), que publica *Memorias históricas sobre la marina, comercio y artes de Barcelona.*

Gaspar Melchor de Jovellanos (1744-1810). — Nació en Gijón, estudió en Alcalá, fue magistrado (se dice que fue el primero que dejó de usar la peluca) y amigo y protegido del ministro Cabarrús, y, censor de la vida privada de Godoy, sufrió prisión y destierro en Mallorca. Después rechazó la cartera que le ofrecieron los afrancesados y renunció a la amistad de Cabarrús. Cuando los invasores napoleónicos tomaron Gijón, murió en su pueblo, donde se refugió. Fue un gran político y jurista y un gran español, ni afrancesado ni galófobo. En arte, Jovellanos tenía los prejuicios neoclásicos del XVIII, pero adivina los valores románticos.

Como prosista pueden citarse las siguientes obras:

a) *Elogio de las Bellas Artes.* Contiene juicios críticos sobre arquitectura (revaloriza el arte católico medieval; admira las catedrales de Burgos, León, Toledo y Sevilla; señala la importancia de nuestro siglo XVI, las personalidades de Berruguete, Becerra y Herrera, la sobriedad de El Escorial) y sobre pintura (Zurbarán, Murillo y comprende la importancia histórica de Velázquez).

b) *Elogio de don Ventura Rodríguez.* Al elogiar a este famoso arquitecto, conforme a su siglo, muestra su aprecio al clasicismo y su incomprensión ante el arte barroco.

c) *Informes de la Ley agraria.* Es una breve historia de la agricultura y cómo influyen en ella las leyes, proponiendo sirvan para protegerla y vigorizarla. Clasifica los estorbos que se oponen al progreso agrícola. Unos son políticos, como las mismas leyes (discute los baldíos, las tierras concejiles, la abertura de las heredades, la utilidad del cerramiento de las tierras, etc.); otros los llama orales o que derivan de la opinión (propone se instruya a los propietarios y labradores, formando cartillas rústicas), y otros físicos o que derivan de la Naturaleza (la falta de riego o de comunicaciones y sus remedios).

d) *Memoria en defensa de la Junta Central.* Él fue uno de los representantes de Asturias en la misma, y cuando aquélla terminó su misión, en 1810, fue calumniada. Jovellanos, en interés propio, la defiende un año antes de su muerte, en la prosa más castiza del siglo XVIII. He aquí un fragmento de esta defensa:

¿Cabía esto siquiera en el corazón humano? No por cierto. Capaz del bien y del mal, así como no se levanta de un vuelo hasta la cima de la heroica virtud, tampoco se despeña de un golpe en la sima de la inquietud. Máximas de prudencia y justicia, de moderación y honestidad, bebidas en la primera educación; ejemplos de fortaleza, de beneficencia y patriotismo presentados en la juventud y fielmente seguidos, forman los hábitos virtuosos que le perfeccionan y elevan por grados a la primera. Ignorancia y abandono en la primera edad, malos ejemplos aplaudidos o defectos tolerados, y pasiones mal reprimidas en la adolescencia, forman los hábitos perversos, que le corrompen y abaten hasta la segunda. Cabe sin duda en la flaqueza humana que un hombre antes inocente, agitado por el furor de una pasión fogosa y exaltada, se arroje sin reflexión a cometer alguna acción temeraria y violenta; ¿pero cabrá en este hombre un atroz designio, que no pueda concebirse sino por la más negra iniquidad, ordenarse sino con la más fría y profunda meditación, ni ejecutarse sino por medios viles, oficios tenebrosos, arterías y astucias pérfidamente maquinadas?

Han de agregarse otras publicaciones, como informes, discursos y memorias sobre monumentos, historia, literatura, ciencias, diarios y cartas, documentos interesantísimos del siglo XVIII y principios del XIX.

Juan Pablo Forner (1756-1797).—Este escritor extremeño representa la sátira más destacada del siglo XVIII. Intervino en diversas polémicas y con tan agrio tono que se le prohibió publicar obras sin la adecuada autorización. Discute con Iriarte (parodia sus fábulas en *El asno erudito*), con Huerta (en el soneto *El ídolo del vulgo* lo presenta como un monstruo), con Tomás Antonio Sánchez, con Trigueros, etc.

La obra más célebre de Forner es la ficción titulada *Exequias de la lengua castellana* («sátira menipea», que se relaciona con la *República literaria,* de Saavedra Fajardo, y *La derrota de los pedantes,* de Moratín). Juzga su siglo literariamente como de miseria («murió la lengua, acabóse la poesía»), necesaria consecuencia de la excesiva abundancia del siglo XVII. Supo ver la diferencia de estilo entre el del XVI («grave, robusto, natural») y el del XVII («galante, florido, delicioso»). El discurso final es una apología del idioma que hace Apolo.

Junto a estas cualidades de polemista unió su entusiasmo patriótico. Esta actualidad le hizo contestar a míster Masson, con su *Oración apologética por la España y su mérito literario* (1786), en que con sólida preparación humanística opone la grandeza de nuestros escritores del Siglo de Oro a la pregunta injusta de aquél, «Qué se debe a España».

En el aspecto histórico tienen interés sus *Reflexiones sobre el modo de escribir la Historia de España.*

CAPÍTULO XXXVII

LA LÍRICA DEL SIGLO XVIII

La lírica en tiempos de Felipe V. — Al comenzar el siglo se muestran en nuestra lírica las corrientes principales poéticas del siglo XVII. Se conservan elementos del culteranismo y conceptismo, pero con un predominio a la razón y al prosaísmo. Así se da la sátira en poesías, a la manera de Quevedo, como en **Torres Villarroel,** con sus sonetos *Ciencia de los cortesanos de este siglo* y *Confusión y vicios de la corte;* y la epopeya burlesca, como en la prosaica de *La burromaquia,* de **Gabriel Álvarez de Toledo,** humanista e historiador que murió en 1714 y que acabó en anacoreta sus días. Éste cultiva además el romance endecasílabo *(Al martirio de San Lorenzo)* y la silva asonantada *(A mi pensamiento).*

De esta época ha de citarse a **Eugenio Gerardo Lobo,** que sigue la tradición del soneto del XVII *(Ten esa mano, artífice, que errado)* y canta hechos de su momento *(A la muerte de Luis I);* a **Jorge Pitillas** (José Gerardo de Hervás), cuyo sentido criticista, tan propio a su siglo, le lleva a la famosa *Sátira contra los malos escritores de este siglo,* que deriva directamente de Boileau, y que se publicó en el citado *Diario de los Literatos de España.*

Un aspecto literario que se intensifica en el siglo XVIII y que encontramos desde sus comienzos es el bucolismo de las **Églogas** dialogadas y representables (*El Adonis,* de José Antonio Porcel, extenso poema en cuatro églogas venatorias).

La lírica en la segunda mitad del siglo XVIII. — Como centro de producción poética madrileño del reinado de Carlos III ha de citarse la tertulia de la Fonda de San Sebastián, que tuvo unos estatutos que sólo permitían hablar de poesía, comedias, toros y mujeres. Se considera como fundador a **Nicolás Fernández de Moratín** (1737-1780), poeta españolísimo en sus aciertos líricos. Escribió en quintillas *Fiesta de toros en Madrid,* que se cree influido por el *Isidro,* de Lope; la facilidad y sonoridad de estas estrofas son de gran popularidad:

> ... Nadie se atreve a salir;
> la plebe grita, indignada;
> las damas se quieren ir,
> porque la fiesta empezada
> no puede ya proseguir.
>
> Ninguno al riesgo se entrega,
> y está en medio el toro fijo,
> cuando un portero que llega
> de la puerta de la Vega
> hincó la rodilla y dijo:
>
> «Sobre un caballo alazano
> cubierto de galas y oro,
> demanda licencia urbano
> para alancear a un toro
> un caballero cristiano...»

Tiene además romances *(Don Sancho en Zamora),* anacreónticas, sonetos, sátiras y églogas. Son notables sus odas *(Al conde Aranda, A Pedro Romero, matador de toros)* y un poema retórico *Las naves de Cortés destruidas.*

La escuela salmantina del siglo XVIII. — Con Fray Luis de León como modelo, un grupo de amigos poetas establece en Salamanca un centro de producción poética bajo la aparente serenidad clásica. Se nota en ellos rasgos del romanticismo que seguirá. Se constituyó una especie de Arcadia y los poetas tomaron nombres expresivos (Jovellanos, el de *Jovino;* Meléndez Valdés, el de *Batilo;* Fray Diego González, *Delio;* Cadalso, *Dalmiro,* etcétera). La gran figura de esta escuela fue Meléndez Valdés, y su iniciador **Fray Diego González,** ilustre agustino que se ha hecho famoso por su conocida invectiva *El murciélago alevoso,* en que se funde el tono burlesco con la parodia trágica.

Gaspar Melchor de Jovellanos. — Este escritor, tan insigne en la prosa de su siglo, merece también citarse como poeta. Se distingue por su sobriedad y elevación moral. Pueden citarse sus epístolas *(Epístolas a sus amigos de Salamanca, Epístola de Fabio a Anfriso),* sus sátiras *(A Ernesto)* y sus composiciones en versos cortos propios del género anacreóntico (la cantinela *A Meléndez*). Se distinguió en la estrofa sáfica y en el endecasílabo suelto.

José Cadalso (1741-1782). — Este poeta gaditano frecuentaba en Madrid la tertulia de la Fonda de San Sebastián y, durante su destierro en Salamanca, formó parte de la llamada escuela salmantina. Cadalso ha de considerarse un prerromántico por su vida y por sus obras. Enamorado de la actriz María Ignacia Ibáñez, cuando ésta murió tuvo el macabro deseo de desenterrar su cadáver. Aranda le desterró para distraerlo. Luego, como oficial de caballería, murió ante Gibraltar cuando el bloqueo de esta plaza. Sus sombríos amores están dramatizados en *Noches lúgubres,* diálogos en prosa. Sigue la tradición nacional en la tragedia en pareados *Sancho García.*

Uno de los grandes aciertos de Cadalso fue la sátira en prosa. Muy de su siglo es la titulada *Las eruditos a la violeta* («publícase en obsequio de los que pretenden saber mucho estudiando poco»).

Su obra capital fue *Cartas marruecas,* libro de ambiente enciclopedista que ha sido relacionado con las *Cartas persas,* de Montesquieu. Exalta el humanitarismo y censura nuestra decadencia. Es un precedente de Larra y de la generación del 98. Se elogia con patriotismo a las grandes figuras de nuestra historia y literatura.

Como poeta publicó *Ocios de mi juventud* (1773). Sus fuentes son Villegas y Quevedo. Se distingue en las anacreónticas, como la que comienza *Unos pasan, amigo...:*

... Pero acá lo pasamos
junto al rincón del fuego,
asando unas castañas,
ardiendo un tronco entero,
hablando de las viñas,
contando alegres cuentos,
bebiendo grandes copas,
comiendo buenos quesos;
y a fe que de este modo
no nos importa un bledo
cuanto enloquece a muchos,
que serían muy cuerdos
si hicieran en la corte
lo que en la aldea hacemos.

También usó las letrillas *(De amores me muero, mi madre acudid)* y algunos notables sonetos *(Sobre el poder del tiempo).*

Juan Meléndez Valdés (1754-1817). — Nació en Ribera del Fresno (Badajoz), estudia con los dominicos en Madrid, vive en Segovia y en Salamanca, donde tiene la amistad de Cadalso y Jovellanos. Para reponerse de una enfermedad vivió mucho tiempo en el campo. Sus amadas encuentran nombres poéticos (Ciparis, Rosana, Filis). Fue profesor de Gramática en Salamanca. Sufrió destierro, y cuando la guerra de la Independencia, se mostró indeciso y hasta elevó su voz contra el invasor *(Alarma española),* pero al final se dejó llevar por el bonapartismo *(Oda a José I).* Al acabar la guerra se le expatrió. Entonces vivió en Francia y murió en Montpellier.

La poesía de Meléndez Valdés. — Este poeta es la más fina representación de nuestra lírica del siglo XVIII. Sus temas predilectos son el amor y la Naturaleza. A ellos se unía el humanitarismo, con su filantropía y sentido de hermandad humana. En su formación poética hay mucho de Anacreonte y Horacio, de Metastasio, de Fray Luis de León y de Villegas.

En el género anacreóntico son notables sus odas de temas ágiles y ligeros *(El amor mariposa* y *La paloma de Filis);* las letrillas y los idilios sensuales y halagadores, como *La flor del Zurguén:*

Parad, airecillos,
y el ala encoged;
que en plácido sueño
reposa mi bien.

Parad y de rosas
tejedme un dosel,
do el sol se guarde
«La flor del Zurguén»...

Meléndez Valdés se distinguió también en los romances. Algunos siguen la poesía tradicional del XVII, y en otros, el tema de la Naturaleza entra plenamente. De éstos pueden citarse *El árbol caído,* y de aquéllos *La mañana de San Juan* y *Rosana en los fuegos,* que comienza así:

Del sol llevaba la lumbre,
y la alegría del alba,
en sus celestiales ojos
la hermosísima Rosana,
una noche que a los fuegos
salió, la fiesta de Pascua,
para abrasar todo el valle
en mil amorosas ansias,

Por doquier que camina
lleva tras sí la mañana,
y donde se vuelve rinde
la libertad de mil almas.
El céfiro la acaricia,
la mansedumbre la halaga,
los Amores la rodean
y las gracias la acompañan.
... ...

Tiene también sonetos *(Las blandas quejas de mi dulce lira, Ora pienso yo ver a mi señora)*, elegías *(En la muerte de Filis)* y la silva, que maneja elegantemente, como en *Las flores, El lecho de Filis,* o la égloga *Batilo.* He aquí una estancia de ésta:

Corónase la tierra
de verdor y hermosura,
y aparecen de nuevo ya las flores;
líquida, de la sierra
corre la nieve pura,
y vuelven a sus juegos los pastores.
Todo el campo es amores;
retoñan los tomillos,
las bien mullidas camas
componen en las ramas
a sus hembras los dulces pajarillos,
y el arroyuelo esmalta
de plata el valle, do sonando salta.

Muy distinto al género anacreóntico es el Meléndez Valdés de las *Odas filosóficas y sagradas.* Sus tres temas son: la Naturaleza, la meditación del filósofo y el sentimiento de Dios *(Al sol, A las estrellas, A la luna, La tempestad, La noche de invierno, A la verdad, Los consuelos de la virtud,* etc.). Es muy conocida su *Oda a la presencia de Dios,* que recuerda las glosas de los salmos de Fray Luis; y no ha de olvidarse su poesía *En la desgraciada muerte del coronel Cadalso, mi maestro y tierno amigo, que acabó de un golpe de granada, en el sitio de Gibraltar.*

Meléndez Valdés representa el estilo del siglo XVIII en la lírica y en todos sus matices.

Los fabulistas. — La pobreza del siglo en cuanto a creación poética desarrolló, así como la sátira, la fábula, género artificioso que se vale de la técnica del apólogo. En los fabulistas españoles se encuentra la sátira que les ocasionó disgustos.

Las dos figuras de nuestra fabulística fueron:

a) **Tomás de Iriarte (1750-1791).**—Este escritor canario comenzó traduciendo comedias y tragedias francesas; también tradujo del latín. Tiene un poema didáctico, prosaico y duro, *La Música;* pero su celebridad la debe a las *Fábulas literarias* (1782). Los demás fabulistas se limitaron a repetir las fábulas de Esopo y Fedro. Iriarte hizo más: llegó a crear verdaderos tipos alegóricos (*El naturalista y las lagartijas, Los huevos,* etc.). Su moraleja es dentro de la estética regulada del siglo XVIII (muy significativa, *El burro flautista*). Rindió culto al criticismo e hizo crítica de las costumbres literarias y de los escritores *(El retrato de golilla,* contra Meléndez por sus aficiones a los arcaísmos) y de los tipos de su época *(La vida poltrona).*

b) **Félix María de Samaniego (1745-1801).**—Riojano, fue célebre por sus *Fábulas morales,* que proceden de Fedro a través de Lafontaine. Los temas cobran en él nueva vida, no obstante lo repetidos, como los conocidos temas de la lechera, las ranas que piden rey, la cigarra y la hormiga, y el parto de los montes. Aquí tenemos ejemplo breve de una de ellas:

«La mona»

Subió una mona a un nogal;
y cogiendo una nuez verde,
en la cáscara la muerde,
con que le supo muy mal.
Arrojóla el animal,
y se quedó sin comer.
Así suele suceder
a quien su empresa abandona,
porque halla, como la mona,
al principio que vencer.

CAPÍTULO XXXVIII

LA POESÍA A FINALES DEL SIGLO XVIII Y PRINCIPIOS DEL XIX

Manuel José Quintana (1772-1857).—Nació en Madrid y se formó en Salamanca. Admiró a Meléndez Valdés y se tuvo por discípulo de Cienfuegos. Se opuso a la invasión napoleónica, hubo de huir a Sevilla y fue miembro de la Junta Central.

En la etapa absolutista de Fernando VII fue perseguido y estuvo confinado en Pamplona durante seis años. La reina Isabel II lo coronó públicamente en 1855.

La poesía de Quintana. — Sus temas corresponden a las ideas del siglo XVIII (libertad, progreso y patria). Es un poeta retórico cuyos versos se dice que los escribía antes en prosa.

Sus cantos al progreso son lo más representativo de su obra poética, como la ampulosa oda *A la invención de la imprenta* y la titulada *A la expedición española para propagar la vacuna en América.* Han de agregarse sus poesías patrióticas, llenas de pasión y grandeza heroicas, como *Al combate de Trafalgar, El panteón del Escorial, A Juan de Padilla* (estas dos con cierto sectarismo liberal) y la de más belleza formal de esta clase *A España después de la Revolución de Marzo:*

> ¿Qué era, decidme, la nación que un día
> reina del mundo proclamó el destino,
> la que a todas las zonas extendía
> su cetro de oro y su blasón divino?
> Volábase a occidente,
> y el vasto mar Atlántico sembrado
> se hallaba de su gloria y su fortuna.
> Doquiera España: en el preciado seno
> de América, en el Asia, en los confines
> del África, allí España. El soberano
> vuelo de la atrevida fantasía
> para abarcarla se cansaba en vano.
> La tierra sus mineros le rendía,
> sus perlas y coral, el Oceano,
> y donde quiera que revolver sus olas
> él intentase, a quebrantar su furia
> siempre encontraba costas españolas...

Al lado de este tipo de poesía oratoria hay otra en que muestra cierta agilidad muy distinta, como *La danza (¿Oyes, Cintia, los plácidos acentos — del sonoro violín?)* o en las imágenes de *A una negrita protegida por la duquesa de Alba.*

El sentido del paisaje en Quintana es vago y convencional; pero no dejan de ser hermosos sus poemas *A Cienfuegos, convidándole a gozar del campo* y, sobre todo, su oda *Al mar,* de cierta sonora grandeza:

> Calma un momento tus soberbias ondas,
> océano inmortal, y no a mi acento
> con eco turbulento
> desde tu seno líquido respondas...

Quintana cultivó el teatro poético. Sus ideas, mostradas en su poema en tercetos *Las reglas del drama,* eran neoclásicas. Tiene dos tragedias, *El duque de Viceo* y *Pelayo,* que se ajustan a las reglas del XVIII y, aunque anteriores a la guerra de la Independencia, muestran su reacción ante la política prevista de Napoleón con ardor patriótico.

Quintana prosista. — Se distinguió como crítico e historiador siguiendo las corrientes del siglo XVIII. Su colección de *Poesías castellanas* es un acierto personal en la selección y en el prólogo, donde se valoran a Quevedo y a Góngora (aunque todavía es incomprensivo con las *Soledades*). Escribió la *Vida de Meléndez Valdés* (con el que es excesivamente elogioso) y la de Cervantes (valoriza a Cervantes a costa de sus contemporáneos).

Su obra capital en la prosa es *Vida de españoles célebres,* en la que, no obstante los prejuicios de su época, resultaba un historiador objetivo ante las figuras del Cid, Guzmán el Bueno, Roger de Lauria, el príncipe de Viana, el Gran Capitán, Balboa, Pizarro, don Álvaro de Luna y el P. Las Casas. Él mismo dijo tomaba como modelo a Plutarco. He aquí lo que contesta Guzmán el Bueno ante la intimación a rendirse y la amenaza de matarle al hijo:

«No engendré yo hijo — prorrumpió — para que fuese contra mi tierra, antes engendré hijo a mi patria para que fuese contra todos los enemigos de ella. Si don Juan le diese muerte, a mí daría gloria, a mi hijo verdadera vida, y a él eterna infamia en el mundo, y condenación eterna después de muerto. Y para que vean cuán lejos estoy de rendir la plaza y faltar a mi deber, allá va mi cuchillo, si acaso les falta arma para completar su atrocidad.» Dicho esto, sacó el cuchillo que llevaba a la cintura, lo arrojó al campo y se retiró al castillo.

No ha de olvidarse su aspecto de epistológrafo en sus *Cartas a Lord Holland* sobre temas políticos, en que expone sus ideas sobre gobierno y administración.

Nicasio Álvarez de Cienfuegos (1764-1809). — Nació en Madrid, vivió en Salamanca, se opuso a la invasión napoleónica y murió en el destierro en Francia.

Amigo de Meléndez Valdés, parte de su poesía imita el carácter anacreóntico de la de éste *(Los amantes enojados)*; pero ya muestra reacción contra el prosaísmo poético y tiene poesía prerromántica: *Al otoño, Mi paseo solitario en primavera, La rosa del desierto:*

Un recuerdo, un amor... no sé qué siento
allá dentro de mí, que enternecido
suelto la rienda al llanto...

La forma y los mismos títulos (*La escuela del sepulcro, El túmulo*) se anticipan al romanticismo.

Juan Nicasio Gallego (1777-1853). — Nació en Zamora, se ordenó de sacerdote en Salamanca, donde fue amigo de Meléndez Valdés, y fue secretario perpetuo de la Real Academia Española. Se opuso a la invasión y, a la manera de Quintana, hizo su elegía *El Dos de Mayo (Noche, lúgubre noche, eterno asilo — del miserable que esquivando el sueño...)*. Dentro de su musa retórica se distingue otra elegía famosa: *A la muerte de la duquesa de Frías:*

¡Y aquel mágico acento
enmudeció, por siempre, que llenaba
de inefable dulzura el alma mía!
¿Y qué, fortuna impía,
ni su postrer adiós oír me dejas?
¿Ni de su esposo amado
templar el llanto y las amargas quejas?
¿Ni el estéril consuelo
de acompañar hasta el sepulcro helado
sus pálidos despojos?
¡Ay!, derramen, sin duelo,
sangre mi corazón, llanto mis ojos...

Tiene poesías de belleza formal, como *La última cena;* y no falta en su obra poética el tono anacreóntico (anacreónticas *A la muerte de Lesbia*). Alguna de sus poesías es de carácter romántico como *El conde de Saldaña,* y tradujo *Los novios,* de Manzoni.

Juan Bautista Arriaza (1770-1837). — Este madrileño fue el más clásico de esta generación. Cultivó la musa patriótica (*El Dos de mayo de 1808,* muy inferior a Gallego); alcanza serenidad y belleza en *Terpsícore o las gracias del baile,* y tiene ejemplos típicos de prerromanticismo (*La noria triste o los tres niños ahogados en una de las del Retiro, El ciprés o el llanto de una madre*). Para recreo de la duquesa de Alba escribió el poema *Emilia o las Artes,* que Menéndez Pelayo vio como «una serie de cuadritos o más bien de paisajes de abanico». Arriaza fue un neoclásico en sus ideas estéticas («el orden estético es trasunto del orden moral»).

El grupo prerromántico sevillano. — Al finalizar el siglo XVIII la cultura de Sevilla se encuentra en las reuniones, academias y escritores que manifiestan su amor a lo clásico. Esto — la devoción a Horacio especialmente — une a los sevillanos con la llamada escuela salmantina; pero se agregó un cierto barroquismo, una riqueza de imágenes que unía a los escritores sevillanos del XVIII con los del XVII. El color — que había de ser un elemento importante para el romanticismo — fue una de las características de esta escuela. Fue la nota oriental — el atavismo moro andaluz — lo que los sevillanos opusieron a la influencia gálica. A este grupo sevillano pertenecen Manuel María de Arjona, el malagueño Juan María Maury, Félix M.ª Reinoso, José M.ª Blanco y el abate Marchena, entre otros.

Alberto Lista (1775-1848). — Nació en Sevilla, fue canónigo de su catedral. Enseñó en esta ciudad (Colegio de San Telmo), en Cádiz (dirigió el Colegio de San Felipe Neri) y en Madrid (Colegio de San Mateo, donde tuvo de alumnos a Espronceda y a Ventura de la Vega).

Como poeta, su modelo es Rioja; también Calderón en su «artificio admirable». Su poema *La muerte de Jesús* es lo más representativo de su obra:

¿Y eres tú el que velando
la excelsa majestad en nube ardiente,
fulminaste en Siná? ¿Y el impío bando,
que eleva contra Ti la osada frente,
es el que oyó medroso
de tu rayo el estruendo fragoroso?
... ...
Rasga tu seno, oh tierra;
rompe, oh templo, tu velo. Moribundo
yace el Creador; mas la maldad aterra,
y un grito de furor lanza el profundo:
Muere... ¡Gemid, humanos;
todos en Él pusisteis vuestras manos!

En esta musa religiosa han de citarse *A la resurrección de Nuestro Señor* y *Canto del esposo.*

El carácter filantrópico del siglo XVIII puede verse en sus composiciones *La providencia, La beneficencia, La bondad es natural al hombre, La amistad* y, con melancolía prerromántica, en su oda *Al sueño, el himno del desgraciado,* que acaba así:

Deslízate callado, y encadena
mi ardiente fantasía,
que asaz libre será para la pena,
cuando me entregues a la luz del día.
Ven, termina la mísera querella
de un pecho acongojado.
¡Imagen de la muerte!, después de ella,
eres el bien mayor del desgraciado.

Su dominio de la forma puede verse en las octavas de *La vida humana,* que tal vez ejercieron influencia sobre Espronceda en el *Canto a Teresa.* Fue además un buen sonetista (los dirigidos a Demóstenes y a Marco Aurelio).

Lista es una figura representativa de la transición al romanticismo. Es clásico por la perfección de la forma, pero andaluz por tradición.

El prerromanticismo en Hispanoamérica. Lizardi. — Las etapas culturales europeas tienen siempre su eco en América. Así llega el prestigio del inglés Young con sus temas dolientes y sus nocturnos. Esta influencia la recibe Hispanoamérica a través del coronel español José Cadalso, que en sus *Noches lúgubres* nos dio una tétrica expresión en que los temas se ungían de un sentimentalismo imposible de amor y muerte. «El pensador mexicano» (seudónimo de **José Joaquín Fernández de Lizardi,** 1776-1827) es el primer escritor americano de prosa imaginativa, y su obra *Periquillo Sarniento* (1816) es considerada como la primera novela americana. El libro recuerda la picaresca española, de la que es un tardío rebrote. Su autor — como la mayoría de los escritores americanos — procede de la prensa y de la polémica política. Lizardi nos dio un pícaro mejicano. El protagonista se llamaba *Sarmiento,* y la sarna lo convirtió en *Sarniento.* Tiene caracteres comunes con los de la novela hispana — narración autobiográfica, sin amparo de padres, mozo de muchos amos, desvergonzado, etcétera. — Sin embargo, tiene parentesco con la novelística española posterior al reinado de Felipe II por las digresiones morales que contiene, aunque es un libro de costumbres mejicanas y, por tanto, cae dentro de lo que ahora se llama *literatura nativista.*

CAPÍTULO XXXIX

LA POESÍA NEOCLÁSICA HISPANOAMERICANA

La poesía hispánoamericana en la primera mitad del siglo XIX. — Los caracteres que pueden señalarse a la poesía española del siglo XVIII y principios del XIX se reproducen en la poesía española de América. La musa de los poetas hispanoamericanos nos recuerda el tipo literario de Quintana. Predomina en ellos la musa heroica y sienten, en comunidad de ideales con España, la invasión napoleónica y nuestra guerra de Independencia, y se hace más fuerte que en los españoles el sentimiento de la Naturaleza (Rubén Darío dijo de la poesía americanoespañola que había sido «una inacabable oda a la agricultura de la zona tórrida»). Naturalmente que la independencia de América se hizo además con palabras y poemas españoles. El mérito de estos poetas de América es que hablan de tierras y cosas americanas. Después de ellos, para el tema local habrá que esperar a Lugones y Santos Chocano. Vamos a estudiar tres nombres: Olmedo, Bello y Heredia.

José Joaquín Olmedo (1780-1847). — Nació en Guayaquil, estudió en Lima, fue diputado en representación de su patria en las Cortes de Cádiz, y destacado político en la primera Junta de Gobierno del Ecuador y diputado de las constituyentes del Perú. Fue a Londres como enviado diplomático de Bolívar.

Menéndez Pelayo lo ha considerado el Quintana americano («es la grandilocuencia lírica, el verbo pindárico, la continua efervescencia del estro varonil»). Olmedo cultivó la silva y se inspira en los clásicos. No fue fecundo. De su musa épica puede citarse *La victoria de Junín,* oda epicolírica en que se glorifica a Bolívar. Es un poema de grandes dimensiones en que, a pesar del prosaísmo y retoricismo de sus versos, hay pasajes sugestivos, como el coro de las Vírgenes del Sol con que termina el poema y que pudiera recordar la futura poesía modernista. Ha de agregarse la poesía de circunstancias *(Silva a un amigo en el nacimiento de su primogénito)* y la de su juventud *(Elegía a la muerte de la princesa Doña María Antonia de Borbón* y *El árbol).*

Cantó en su poesía la Naturaleza americana: los Andes («enormes, estupendas moles sentadas sobre bases de oro») y los frutos de su tierra. Su técnica es deficiente (Menéndez Pelayo dice que su adjetivación es «parásita») y ni la grandilocuencia sentimental evita sus deficiencias.

Andrés Bello (1781-1865). Su poesía. — Era venezolano y en su juventud había sido maestro de Bolívar. Formó parte de la Comisión que el Gobierno de Caracas envió a Londres. Sin embargo, su labor cultural la desarrolló especialmente en Chile, jugando importante papel en el desarrollo de su diplomacia y de su enseñanza y redactando su primera legislación. Se le considera un autodidacto y es la personalidad civil más destacada de la América española de su tiempo. Fue ejemplo de ponderación, dignidad y fervorosa religiosidad.

Su poesía no es muy variada. Sus temas predilectos son la moral religiosa, la historia y la Naturaleza americanas. En estos aspectos son notables sus *Silvas americanas*. De ellas es muy popular la que, en su modelo de clasicismo, cantó la agricultura de la zona tórrida, en la que hace una enumeración de sus frutos. He aquí un fragmento:

> Tú das la caña hermosa,
> de do la miel se acendra,
> por quien desdeña el mundo los panales;
> tú en urnas de coral cuajas la almendra
> que en la espumante jícara rebosa;
> bulle carmín viviente en tus nopales,
> que afrenta fuera al múrice de Tiro;
> y de tu añil la tinta generosa
> émula es de la lumbre del zafiro.
> El vino es tuyo, que la herida agave
> para los hijos vierte
> de Anáhuac feliz; y la hoja es tuya,
> que cuando de suave
> humo en espiras vagorosas huya,
> solazará el fastidio al ocio inerte.
> Tú vistes de jazmines
> el arbusto sabeo,
> y el perfume le das, que en los festines
> la fiebre insana templará a Lieo...

En esta silva se presenta la Naturaleza americana de manera analítica con ojos de científico y moralista. Otro poema de Bello también muy popular en América es *La oración por todos,* paráfrasis de Víctor Hugo, de gran extensión, escrito en octavas y octavillas italianas:

> Ve a rezar, hija mía. Ya es la hora
> de la conciencia y del pensar profundo.
> Cesó el trabajo afanador, y al mundo
> la sombra va a colgar su pabellón.
> Sacude el polvo el árbol del camino
> al soplo de la noche; y en el suelto
> manto de la sutil neblina envuelto,
> se ve temblar el viejo torreón...

Tiene sonetos de gran perfección formal, como el dedicado a la *Victoria de Bailén,* que fue escrito cuando llegó a América la noticia de la gran victoria española sobre las tropas de Napoleón. Bello dice sus acentos españolistas *(El león despertó; temblad, traidores).*

Obras en prosa de Bello. — Fue Andrés Bello el humanista más insigne de su tiempo en la América de habla española. Hombre de estudio y educador, hizo una labor de erudición muy destacable. Abarcó el campo del derecho (redactó el Código Civil Chileno y escribió sobre *Derecho Internacional*), de la investigación literaria *(Estudios sobre el poema del Cid, Crónica de Turpín),* de la historia literaria *(Literaturas griega y romana)* y obras diversas *(Cosmografía, Filosofía del entendimiento, Opúsculos científicos).*

Lo más interesante de su obras son sus estudios de métrica y gramática, que son los mejores y más originales de su época. Aparte su *Ortología y métrica castellanas,* escribió una obra fundamental en los estudios gramaticales, que es su *Gramática de la Lengua Castellana destinada al uso de los americanos.* Esta obra, verdaderamente original, se apoya en que la única autoridad «en lo tocante a una lengua es la lengua misma» y en que es excesiva la sujeción al tipo latino de la teoría gramatical castellana. Declara haberse aprovechado de las obras de la Academia Española y, sobre todo, de la Gramática de Vicente Salvá. Las denominaciones que da lógicamente a los tiempos y la idea que tiene de los casos en la declinación son muy interesantes. He aquí alguna idea del prólogo:

> Es una preocupación harto común la que nos hace creer llano y fácil el estudio de una lengua hasta el grado en que es necesario para hablarla y escribirla correctamente. Hay en la gramática muchos puntos que no son

accesibles a la primera edad... Señalo rumbos no explorados, y es probable que no siempre haya hecho en ellos las observaciones necesarias para deducir generalidades exactas. Si todo lo que propongo de nuevo no pareciera aceptable, mi ambición quedará satisfecha con que alguna parte lo sea y contribuya a la mejora de un ramo de enseñanza, que no es ciertamente el más lucido, pero es uno de los más necesarios.

José María Heredia (1803-1839). — Desterrado de su isla natal — Cuba —, vivió en Estados Unidos y Méjico. Sus temas son la mujer, la libertad y la naturaleza americana. En este aspecto logra sus mejores éxitos. Su época celebró como extraordinaria su oda *Al Niágara;* pero Menéndez Pelayo prefería la titulada *En el Teocalli de Cholula,* que encontró majestuosa y reposada de movimientos. La escribió Heredia siendo muchacho, cuando visitó el famoso templo azteca. He aquí su entusiasmo:

Cuánto es bella la tierra que habitaban
los aztecas valientes. En su seno,
en una estrecha zona concentrados,
con asombro se ven todos los climas
que hay desde el polo al ecuador. Sus llanos
cubren a par de las doradas mieses
las cañas deliciosas. El naranjo
y la piña y el plátano sonante,
hijos del suelo equinoccial, se mezclan
a la frondosa vid, al pino agreste,
y de Minerva al árbol majestuoso.
Nieve eternal corona las cabezas
de Iztaccihual purísimo, Orizaba
y Popocatepec, sin que el invierno
toque jamás con destructora mano
los campos fertilísimos, do ledo
los mira el indio en púrpura ligera
y oro teñirse, reflejando el brillo
del Sol en occidente, que sereno
en hielo eterno y personal verdura
a torrentes vertió su luz dorada,
y vio Naturaleza conmovida
con su dulce calor hervir en vida...

Este amor a la Naturaleza palpita también en su *Viaje al nevado de Toluca.* En la musa del amor pueden citarse *El desamor* y *A Elpino.*

Tres años después de la muerte de este poeta cubano nació su primo el poeta francés del mismo nombre.

CAPÍTULO XL

CARACTERES DEL ROMANTICISMO. SUS COMIENZOS

El romanticismo. Sus orígenes. — El romanticismo, como movimiento literario, puede relacionarse con un sentir general que fue una reacción en la vida y en la política contra toda sujeción. El romanticismo fue para la literatura lo que la revolución para la vida social y política. Fue una exaltación del individualismo y del sentimiento. En la literatura fue la protesta contra las reglas y la moral neoclásicas; la personalidad libre del escritor frente a las normas y a todos los valores establecidos.

Desde el neoclásico siglo XVIII nos llegan las primeras actitudes románticas (recuérdese a Cadalso, el sentimiento de la Naturaleza de Meléndez Valdés, el mismo Moratín y casi todos los de principios del siglo XIX). Los grandes genios de la época, aunque clásicos en la forma, son románticos de sentimiento. Así es la música de Beethoven y, sobre todo, la literatura de Gœthe, llena de rebeliones: Werther (contra las leyes biológicas) y Fausto (rejuvenecido contra las leyes naturales por obra del demonio).

El romanticismo — que tan profunda tradición nacional había de encontrar en España — nos llega de fuera y son las literaturas alemana, francesa e inglesa las que influyen, a veces con temas de la misma España, sobre nuestros románticos.

Sus caracteres. — Los caracteres más distintivos del romanticismo eran los siguientes:

1.° Frente al tema clásico del XVIII, vuelta a los temas de la Edad Media.

2.° Frente a las reglas del normático siglo XVIII, la libertad artística.

3.° Nueva valoración de actitudes y paisajes (del paisaje interior a la proyección del alma sentimental sobre el mundo externo). El valor estético más esencial que introduce el romanticismo es el sentimiento de la Naturaleza.

4.° El individuo frente a la sociedad (exaltación de tipos absurdos al margen de la ley).

5.° El sentimiento frente a la razón clásica.
6.° Lo cristiano frente a la mitología.

Las dos direcciones del romanticismo español. — En los comienzos del romanticismo, Barcelona juega importante papel. Los periódicos *El Europeo* y *El Vapor* van en vanguardia de la nueva literatura. El autor preferido es Walter Scott, del que se publican numerosas traducciones en dicha ciudad. Comparte la fama, en Cataluña, Chateaubriand. Esta dirección romántica es arqueológica y cristiana.

La otra dirección la representan andaluces y extremeños (Rivas y Espronceda). El centro de ella es Madrid. Es un romanticismo liberal, cuyos autores favoritos son Hugo, Dumas y Byron.

Los eruditos del romanticismo español. — Al valorarse la Edad Media, Alemania dio como modelo lo que de hecho las literaturas española e inglesa no habían olvidado (recuérdese en nuestro XVIII la *Raquel,* de García de la Huerta, con un tema medieval). El alemán Juan Nicolás Bölh de Fáber, cónsul de su país, es el primero en difundir las ideas de los románticos en España (los hermanos Schlegel, Gœthe y otros admiradores del teatro español de Calderón y Lope). Bölh de Fáber exaltó nuestro teatro y nuestro *Romancero (Floresta de rimas antiguas castellanas* y *Teatro español anterior a Lope de Vega).*

Entre las figuras españolas que preparan el romanticismo hemos de citar a:

a) **Bartolomé José Gallardo (1776-1852).** — Hijo de labradores pobres, nació en Campanario (Badajoz), estudió en Salamanca y, durante la guerra de la Independencia, luchó como patriota con el pueblo. Conoció muy bien la *Enciclopedia* y sus autores. Fue bibliotecario de las Cortes de Cádiz.

A la manera extremeña de Forner, cultivó la polémica con agresividad que le acarreó disgustos (por su *Diccionario crítico burlesco* fue procesado y encarcelado); pero, sobre todo, fue un erudito que investigó siguiendo el sistema alemán de papeletas y también un precursor de lo que son hoy las ediciones de clásicos. Su *Ensayo de una Biblioteca española de libros raros y curiosos* es fundamental para la historia literaria de España.

Es curiosa su poesía *Blanca-Flor (A qué es puertas y ventanas — clavar con tanto rigor),* que publicó en 1828 con el subtítulo de *Canción romántica.*

b) **Agustín Durán (1793-1862).** — El nombre de este madrileño es necesario para estudiar los comienzos del romanticismo español. En el año 1828 empieza a publicar su *Romancero*, cuyo origen estudia; y de ese mismo año es su *Discurso sobre el influjo de la crítica moderna en la decadencia del antiguo teatro español,* que es una defensa del teatro de Lope y Calderón, a los que llama «románticos». Los puntos fundamentales de este discurso son:

Primero, que el drama antiguo español es, por su origen y por el modo de considerar al hombre, distinto del que imita al griego; segundo, que esta diferencia la constituyen dos géneros diversos entre sí, los cuales no admiten del todo iguales reglas ni formas en su expresión, y tercero, que siendo el drama español más eminentemente poético que el clásico, debe regularse por reglas y por licencias más distantes de la verosimilitud prosaica que aquellas que para el otro se hallan establecidas.

La transición al romanticismo. Francisco Martínez de la Rosa (1787-1862). — Nació en Granada, intervino activamente en política como liberal y fue desterrado durante los períodos absolutistas. Bajo la reina Cristina alcanza su máximo poder (embajador, ministro, presidente, etc.).

En política como en literatura fue transigente:

Me siento poco inclinado a alistarme en las banderas de los «clásicos» o de los «románticos»... y tengo como cosa asentada que unos y otros llevan razón cuando censuran las exorbitancias y demasías del partido contrario, y cabalmente incurren en el mismo defecto así que tratan de ensalzar su propio sistema.

Como poeta nos encontramos con la poesía anacreóntica tipo Meléndez Valdés *(¿Quién bebió en esta copa?, Los juegos del amor)*, que cae dentro de la del siglo XVIII, y otra que ya puede considerarse romántica por sus mismos títulos *(La soledad, La muerte, El huérfano)*.

Sus teorías dramáticas las expuso en su *Poética* en verso. Aunque influido por Boileau, supone una libertad de criterio más superior a sus precedentes. Son de gran valor sus propias anotaciones en prosa, aunque se deje llevar por las ideas del XVIII en algunos de sus juicios, como al apreciar el conceptismo o gongorismo. Los *Apuntes sobre el drama histórico* pueden considerarse como un ensayo casi romántico del todo.

Como dramaturgo pasa por una etapa clasicista (su tragedia *La viuda de Padilla* y el *Edipo*). Hace también comedia moral a la manera de Moratín, como *La niña en casa y la madre en la máscara* (contra el descuido de las madres).

Como romántico en el teatro comienza escribiendo en francés su *Aben-Humeya* en 1830. Es un drama histórico sobre la guerra de los moriscos de las Alpujarras. Aben-Humeya (Fernando de Valor) sufre las mudanzas de la fortuna y termina asesinado. Lo escribió en Francia durante su destierro. De regreso en 1834 lo tradujo el español.

"La conjuración de Venecia", de Martínez de la Rosa. — En abril de 1834 se estrenó esta obra en Madrid. Contiene ya todos los elementos románticos: el conflicto entre el amor y la política, la fatalidad, el exceso de sentimentalismo y situaciones románticas (escenas en un panteón, tribunales secretos). Es un drama en prosa, de fondo histórico (una fracasada conspiración veneciana del siglo XIV). Su argumento es el siguiente:

Es de noche y en un salón del palacio del embajador de Génova en Venecia se reúnen varios caballeros venecianos que tratan de acabar con la tiranía del Tribunal de los Diez que preside Pedro Morosini. Querinis y Thiépolos van contra esa familia tiránica. Uno de los conjurados es Rugiero, de origen desconocido, que está casado secretamente con Laura (sobrina de Morosini). Los amantes se encuentran en el panteón de la familia de ella. Morosini — que allí recibía confidencias de sus espías — oye cómo Rugiero cuenta a su esposa la conjuración. Rugiero es prendido. Laura cuenta a su padre lo sucedido y éste interviene en favor de Rugiero inútilmente. Durante el carnaval estalla la rebelión en el palacio ducal. Fracasa necesariamente y el tribunal condena a muerte a Rugiero, aunque de su declaración se deduce que es hijo de Morosini. Cuando entra en el cuarto del suplicio, Laura cae exánime.

Fue ésta la primera obra romántica que se representó en España y obtuvo un éxito clamoroso.

Mariano José de Larra (1809-1837). — Hijo de un médico del ejército napoleónico que tuvo que salir de España al acabar la lucha, se educó en Francia, haciendo en el idioma de aquel país sus primeras letras. Cuando regresa a Madrid estudia con los Escolapios. Luego cursa Leyes y se dedica al periodismo. Viajó por Francia e Inglaterra. No fue feliz en su matrimonio y un amor imposible fue la causa de su suicidio. Tuvo gran fama en su tiempo y la debió principalmente a sus artículos críticos y de costumbres.

Como dramaturgo repite muchas apreciaciones del siglo XVIII; pero tuvo más comprensión para nuestro teatro tradicional. A él se debe la segunda obra en el tiempo de nuestro teatro romántico:

el drama *Macías,* que se representó meses después que *La conjuración de Venecia,* de Martínez de la Rosa. La figura del poeta Macías, que murió víctima de una pasión adúltera, hace de protagonista rebelde ante las leyes sociales (contra el matrimonio y contra el vasallaje a don Enrique de Villena). Escrito en verso, no se caracteriza ni por su versificación ni por su valor escénico. Es sólo un documento de época y una primera muestra del amor trágico e indisciplinado del romanticismo (ante la muerte de Macías, su amada Elvira se rebela y en el desenlace se suicida). La exaltación pasional es típicamente romántica:

> Sí, Elvira, llega y habla;
> habla y oiga tu voz. ¡Cuán deliciosa
> suena en mi oído! Un bálsamo divino
> es para el corazón. ¡Ah!, de tus ropas
> al roce solo, al ruido de tus pasos,
> estremecido tiemblo, cual la hoja
> en el árbol del viento sacudida.

Larra volvió a tratar el tema de *Macías* en su novela histórica *El doncel de don Enrique el Doliente,* cuyo desenlace, en pleno ambiente medieval, es mucho más absurdo que en el drama. No obstante alguna descripción, sólo tiene valor arqueológico.

CAPÍTULO XLI

PLENITUD DEL ROMANTICISMO. RIVAS

El duque de Rivas (1791-1865). — Ángel Saavedra, luego duque de Rivas, es la figura más representativa del romanticismo español. Nació en Córdoba y es un escritor culto emparentado con el cultismo de Lucano, Mena o Góngora. Su nacimiento puede explicarnos también el valor colorista de su obra. Además se ha de recordar que mostró destreza para el arte de la pintura.

Fue rebelde en su propia vida (vota la suspensión de Fernando VII en las Cortes de Cádiz) y héroe de la guerra de la Independencia (fue gravemente herido en la batalla de Ocaña), y, condenado a muerte, hubo de huir y sufrir destierro. La nostalgia de la patria le hace melancólico y pesimista. Diez años duró su ausencia de España. En 1834, a su regreso, hereda de su hermano el título y se hace más conservador. En los momentos más populares de su vida y de su obra conserva una fina aristocracia. Tuvo altos puestos en la política, como ministro de la Gobernación. Precisamente desde esa fecha surge el romántico en literatura. Pero cada vez más ponderado en sus posiciones.

El teatro de Rivas. "Don Álvaro o la fuerza del sino" (1835). — Comienza cultivando el teatro neoclásico. A la manera de la tragedia clásica, en romance endecasílabo y con sujeción a las tres unidades dramáticas, escribe sus dramas *Arias Gonzalo* y *Lanuza*. Pero su obra dramática romántica fue el *Don Álvaro o la fuerza del sino,* cuyo estreno, comparable al *Hernani* de Víctor Hugo, representa el triunfo del romanticismo en España. Un fatalismo relacionado con atavismos arabigoandaluces acecha al protagonista de este drama, víctima de la desesperación romántica. Don Álvaro lucha con su «sino» inútilmente. El romanticismo de esta obra nos es familiar, como del teatro tradicional español (mezcla de elementos trágicos con cómicos y la prosa con el verso, cuya métrica es muy variada). Todo es inverosímil y absurdo, pero el personaje era profundamente nacional, como los cuadros de costumbres de la obra («un aguaducho o barraca de tablas y lonas», «la cocina de un mesón de la villa de Hornachuelos», la portería del convento, etc.). Las tintas románticas llegan también a la escenografía (puesta de sol en un día borrascoso, truenos y relámpagos).

Su contenido es el siguiente:

El marqués de Calatrava se opone al matrimonio de su hija Leonor con don Álvaro, indiano de desconocido origen. Éste se dispone a raptarla y a depositarla para su matrimonio, ya que es amado por ella. Mientras están en la habitación, el marqués los sorprende. Don Álvaro adopta ante él una actitud humilde, pero al tirar su pistola lo hiere mortalmente. El caballero huye y el marqués maldice a Leonor. Creyendo a ésta muerta, don Álvaro se ha ido a combatir a los tercios de Italia. Allí salva y cuida amorosamente a un militar que espera estar sano de sus heridas para desafiar a don Álvaro, pues es el hermano de doña Leonor, don Carlos, que quiere vengar a su padre. Don Álvaro se ve obligado a aceptar su desafío y lo mata. Horrorizado de su destino, lo encontramos en una ermita cordobesa como fraile. Hasta su celda llega un embozado — don Alfonso, el segundo hijo del marqués —. Ante él don Álvaro se muestra humilde, pero la furia del de Calatrava le obliga a aceptar el desafío y salen al campo («valle rodeado de riscos inaccesibles y de malezas»). Don Álvaro hiere también mortalmente al segundo hijo del marqués, que pide socorro. Acude a prestárselo doña Leonor, que también se había refugiado allí sin saber la proximidad de don Álvaro. El hermano interpreta mal su presencia, y creyéndola deshonrada la mata. Los truenos y relámpagos de la escena han ido aumentando y don Álvaro, desesperado, se arroja por el peñasco al precipicio.

El *Don Álvaro* logró un éxito resonante. El teatro español se olvidaba definitivamente de las unidades dramáticas.

Pasados algunos años, el duque de Rivas se aproxima al género dramático de Calderón de la Barca con su drama simbólico-fantástico *El desengaño de un sueño* (1842). La enseñanza filosófica de esta obra es la separación del mundo para alcanzar la felicidad. Lisardo, el protagonista, se queda en la roca cubriendo los enigmas de la vida con el impenetrable velo de un «jamás». Además de con *La vida es sueño,* está relacionada con *La tempestad,* de Shakespeare.

El duque de Rivas, poeta de transición. — Sus primeras poesías corresponden al clasicismo; pero luego, bajo la forma clásica, se esconden los temas de la tradición nacional. Así en octavas reales tenemos *El paso honroso* (defensa caballeresca del puente de Orbigo por Suero de Quiñones y los suyos) y *Florinda* (el tema de la Cava y el rey don Rodrigo).

La transición en la obra poética de Rivas la representa *El moro expósito,* poema sobre el tema de los infantes de Lara. Compuesto en el destierro, mezcla con el endecasílabo heroico el verso octosílabo, que se supone cantado. Está dedicado al inglés Sir John H. Frere, cuya amistad le había aproximado al romancero. Evoca su tierra natal cordobesa con el brillante color de su palabra, y la figura del expósito Mudarra es expresión del alma del desterrado.

El faro de Malta, desde el destierro de esta isla, se considera poema lírico romántico y en él evoca a Córdoba.

Jamás te olvidaré, jamás... Tan sólo
trocara tu esplendor, sin olvidarlo,
rey de la noche, y de tu excelsa cumbre
la benéfica llama.

Por la llama y los fúlgidos destellos
que lanza, reflejando al sol naciente,
el arcángel dorado que corona
de Córdoba la torre.

Las leyendas de Rivas. — El poeta épico que había comenzado con *El moro expósito* nos dejó composiciones famosas en las dos formas típicamente románticas: la leyenda y el romance.

Entre las leyendas ya hemos citado *El paso honroso, Florinda* y *El moro expósito.* Las verdaderamente románticas son:

a) *La azucena milagrosa,* dedicada a Zorrilla, narra un crimen y su expiación.

b) *El aniversario,* relacionada con fúnebres consejas, relata la misa de aniversario de la reconquista de Badajoz a los moros, un año en que los habitantes de la ciudad no habían acudido a la conmemoración. El sacerdote, al volverse a los fieles, se encontró con los esqueletos de los conquistadores. Recuerda las leyendas en prosa de Bécquer.

c) *Maldonado,* la mejor, es una leyenda genealógica que se refiere al almirante de Aragón Pérez de Aldana. Además de valor épico, lo tiene como recuerdo personal (la descripción de una tempestad en el mar, por ejemplo).

En estas leyendas imita el arte de Zorrilla; por lo general, queda por bajo de él.

Los romances de Rivas. — *Los romances históricos* (1841) llevan un prólogo que viene a ser como un ensayo sobre el género, en que defiende al metro romance por adaptarse «a todos los tonos de la poesía y, por lo tanto, a los atrevidos, variados y desiguales vuelos del romanticismo». Elogia los romances en que Calderón hace sus exposiciones y también los de Góngora (especialmente *Angélica y Medoro,* «tan lleno de poesía, de amor, de encanto»).

Los romances de Rivas tienen una primera etapa en que sigue anécdotas y ficciones de moda: *La vuelta deseada,* de tintas románticas (amor, muerte de la amada, suicidio en el Guadalquivir), así como *El sombrero* y *El cuento de un veterano,* sobre una venganza macabra.

El gran acierto del duque de Rivas son los históricos, procedentes de la Edad Media y de la época de los Austrias. Parte de crónicas o tradiciones, o bien los inventa situándolos en ambiente y personajes reales. Literariamente son de una gran riqueza decorativa y lo más perfecto de toda su poesía.

He aquí sus principales romances:

a) De la Edad Media: *Una antigualla de Sevilla,* que se refiere a la leyenda del rey don Pedro; *Don Álvaro de Luna,* en que se cuenta su muerte.

b) Del tiempo de los Austrias: destacan los referentes al período de Carlos V, como *Un castellano leal* (el conde de Benavente se niega a hospedar en su palacio al condestable de Borbón, traidor a su rey, y obligado por el emperador a hacerlo, incéndialo); *El solemne desengaño* (conversión de San Francisco de Borja); al rey Felipe II se refiere *Una noche en Madrid en 1578* sobre la muerte de Escobedo y la actuación de los tres galanes de la princesa de Eboli; a Felipe IV, cuya época refleja en *El conde Villamediana,* en que desarrolla en cuatro partes los supuestos «amores reales» del protagonista y su desgraciado fin:

Su carroza no parece...
En la de Orgaz toma puesto,
y ambos condes por las calles
(que aún no estaban cual las vemos
alumbradas con faroles)
veloces van y en silencio.
Grita en una encrucijada
una voz: «¡Conde!» El cochero
para al punto los caballos.
Pregunta Orgaz desde dentro:
«¿A cuál de los dos?» De fuera
«Villamediana», dijeron.
Villamediana al estribo,
juzgando que es mensajero
de la Reina quien lo llama,
sacó la cabeza y pecho;
y al punto se lo traspasa
una daga de gran precio
con tal furor, que a la espalda
asomó el agudo hierro.
Cayó el herido en el coche
un mar de sangre vertiendo;
y de su amigo en los brazos
al instante quedó muerto.

CAPÍTULO XLII

EL TEATRO ROMÁNTICO

GARCÍA GUTIÉRREZ. BRETÓN DE LOS HERREROS

Antonio García Gutiérrez (1813-1884). — Nació en Chiclana (Cádiz); estudió Medicina y, como soldado de la milicia nacional, estuvo en Cuba y Yucatán.

Aunque cultivó la poesía lírica (*Poesías* y *Luz y tinieblas,* en que encontramos — además de alguna afortunada traducción — sonetos y romances de inspirada belleza), su verdadera fama la consiguió como dramaturgo con su primer drama, *El trovador* (1836), obra atropellada y juvenil, en que su exaltado lirismo cubrió la deshilvanada trama dramática. La sonoridad de sus versos y un patetismo muy romántico la hicieron un gran triunfo de la época. El entusiasmo del público creó desde este éxito la costumbre de que los autores salgan a recibir los aplausos del auditorio. Su argumento es el siguiente:

La acción es en el reino de Aragón — Zaragoza — a principios del siglo XV, cuando la rebelión del conde de Urgel contra don Fernando de Antequera, nombrado rey por el compromiso de Caspe. Manrique, el trovador, es partidario del de Urgel. Pasa por hijo de la gitana Azucena y es preferido por doña Leonor, a quien también pretende el conde de Artal. Éste es nombrado Justicia de Aragón, y doña Leonor — que cree muerto al trovador — decide profesar en un convento. El conde de Artal quiere evitar la profesión; pero ella se desmaya al comenzar la ceremonia al reconocer al trovador. Manrique sabe que Azucena, por venganza, robó a un hijo de Artal; pero no quiere ser noble a costa del odioso apellido. Desde la confidencia de la gitana, el espectador sabe que el de Artal y Manrique son hermanos. Ello hace más fuerte la tragedia de su odio. Manrique consigue escapar con doña Leonor del convento. La gitana ha sido prendida. Narra que robó al hijo de Artal, pero el conde ignora que por equivocación quemó en su venganza a su propio hijo y no al del noble y que, por tanto, Manrique es su hermano. Manrique cuenta a doña Leonor que es hijo de la gitana; ella le sigue amando. Manrique y la gitana son condenados a muerte. Doña Leonor visita a aquél y muere en la prisión envenenada para no ser de Artal. La gitana cumple su venganza dejando morir en el suplicio a Manrique y diciendo entonces al de Artal que es su hermano.

Hay dos acciones. Una, la rivalidad del conde de Artal y el trovador, hermanos sin saberlo, disputándose el amor de doña Leonor; otra, la gitana Azucena, que prepara por años vengar la muerte de su madre, quemada en la hoguera, y lo consigue al fin. El drama es en prosa y en verso. Ha sido llevado a la ópera por Verdi *(Il Trovatore)*.

Otros dramas de García Gutiérrez han sido de más acierto, aunque, tal vez, de menos éxito de público. Merecen citarse *Simón Bocanegra* (el marino de este nombre, por sus hazañas, es nombrado Dux de Génova, procede como un tirano y es envenenado por un favorito que pretende el amor de María, hija perdida de Simón y Mariana, a quien deshonró y abandonó); *Venganza catalana,* inspirada en crónicas de Muntaner y Moncada, se refiere a cómo catalanes y aragoneses vengaron la muerte de su capitán Roger de Flor, asesinado en un banquete por Miguel Paleólogo, cuyo imperio se había salvado gracias a los de Roger. María, la mujer del héroe, que capitaneaba la venganza, puede decir:

Bien habéis cumplido, hermanos
de aquel varón noble y fuerte.
¡Habéis cansado a la muerte!

En *Juan Lorenzo,* el protagonista, durante las Germanías de Valencia designado jefe de la revolución, es tímido y se encuentra arrollado por otros más violentos y menos honrados. El final es de gran contraste: su novia, con las galas de boda, viene a buscarle, le cree dormido en un sillón y le encuentra muerto.

Cultivó además el teatro a la manera de Moreto e hizo agradables libretos para zarzuelas *(El grumete, La cacería real, La vuelta del corsario).*

Juan Eugenio Hartzenbusch (1806-1880). *Los amantes de Teruel.* — Hartzenbusch nació en Madrid, hijo de un ebanista alemán. En los comienzos ayudó al padre en su oficio. Tras privaciones y estudios alcanzó gran prestigio, llegando a ser académico, director de la Escuela Normal de Madrid y de la Biblioteca Nacional.

Se distinguió como erudito en su deseo de poner nuestra literatura del Siglo de Oro al alcance de todos, como en sus ediciones de la Biblioteca de Autores Españoles (Lope, Calderón, Tirso, Alarcón). Como poeta, aparte su traducción de *La campana,* de Schiller, ideó un tipo de fábula cuyo prosaísmo anuncia a Campoamor *(El león y la liebre, El milano y el pelícano).*

Su éxito en el teatro lo debe a *Los amantes de Teruel* (1837), que está relacionada con las obras del mismo título de Montalbán y de Tirso. Su argumento es el siguiente:

Diego de Marsilla vuelve rico y contento a su patria para cumplir la palabra dada a su novia, Isabel de Segura, en Teruel. Pero ha quedado cautivo del Amir en Valencia. La sultana, Zulima, se ha enamorado de él. Tiene que salir de Valencia para evitar la furia del sultán y jura vengarse de Diego e Isabel. Marsilla presta un gran servicio al Amir durante una conspiración y éste lo pone en libertad con sus riquezas. Mientras tanto, Isabel, que ha aguardado durante seis años la vuelta de su prometido, sorprende una conversación de su madre con Azagra, su pretendiente, y se entera de que éste posee unas cartas comprometedoras para aquélla. Entonces acepta el sacrificio de su matrimonio si cumplido el plazo no aparece Diego, a quien se cree muerto. Zulima comienza su venganza anunciándolo así y concierta a unos bandoleros para que detengan a Marsilla hasta que se verifique la boda de Isabel con Azagra. Zulima es asesinada por un emisario del Amir. Diego llega tarde y muere de dolor. Isabel se arroja sobre su cadáver.

> ... Su desgraciado amor es quien le mata.
> Delirante le dije: — «Te aborrezco.»
> Él creyó la sacrílega palabra
> y expiró de dolor.
> ... Mi bien perdona
> mi despecho fatal. Yo te adoraba.
> Tuya fui, tuya soy: en pos del tuyo
> mi enamorado espíritu se lanza.

Hartzenbusch redactó este drama tres veces. La famosa leyenda de los amantes de Teruel queda modificada en el sentido de que su retraso se debe a la reina mora de Valencia, enamorada de él; y el matrimonio de Isabel con Azagra queda concertado por la existencia de cartas comprometedoras para la madre.

Hartzenbusch tuvo otro éxito con *La jura de Santa Gadea* y fracasó en *Doña Mencía o la boda en la Inquisición.* Tiene también una comedia sacra, *El mal apóstol y el buen ladrón.*

No se ha de olvidar un teatro de magia, infantil, que cultivó Hartzenbusch y que tiene gran interés, sobre todo por la escenografía. A este grupo pertenecen *La redoma encantada* y *Los polvos de la madre Celestina.*

Otros autores del drama romántico. — Ha de citarse a **Antonio Gil y Zárate,** que fue director de Instrucción Pública y que en 1837 estrenó *Carlos II el Hechizado,* que fue aclamado por los espectadores, más que por sus escasos méritos artísticos, por los atrevidos conceptos que se emitían en él; también tuvo éxito su *Guzmán el Bueno,* que entusiasmaba de patriotismo a los espectadores; a **Patricio de la Escosura,** militar que escribió una docena de dramas, algunos de éxito, como *La corte del Buen Retiro* (1837), que se inspira en la vida del conde de Villamediana; a **Gregorio Romero Larrañaga,** autor de *Jimena Ordóñez* y *El gabán de don Enrique;* a **Gertrudis Gómez de Avellaneda** *(El Baltasar);* a **José María Díaz,** etc.

La comedia en la época romántica. Manuel Bretón de los Herreros (1796-1873). — En la plenitud del teatro romántico se da un comediógrafo que representa una tendencia nacional, la del costumbrismo observador y satírico. La comedia de Bretón, en este sentido, está emparentada con los artículos de costumbres de Larra y más todavía con los de Mesonero Romanos y Estébanez Calderón. Bretón de los Herreros, riojano que peleó en la guerra de la Independencia, había comenzado a escribir comedias antes del triunfo del teatro romántico; pero también había hecho traducciones de tragedias clásicas francesas y de autores románticos (tradujo *María Estuardo,* de Schiller). Bretón contribuye también al drama romántico en 1834 con *Elena.*

En la comedia empezó por seguir a Moratín con notas autobiográficas propias *(Los dos sobrinos, A Madrid me vuelvo);* pero sus comedias vienen a ser sainetes amplificados y motivos caricaturescos del romanticismo. En su comedia *Muérete y verás* pueden apreciarse elementos de parodia del romanticismo (después de escenas funerales, un personaje ensabanado se finge espectro; el exceso de ternura de algunas escenas), y alguna, *El poeta y la beneficiada,* por ejemplo, es franca caricatura de dicha tendencia literaria.

Como de lo mejor de sus comedias hemos de citar *Marcela o ¿cuál de los tres?,* que presenta a la mujer coqueta que juega con sus tres pretendientes, que tienen perfiles paródicos (un poeta melancólico, un goloso encanijado y un capitán hablador y vanidoso) y le declaran su amor por escrito, rechazándolos ella uno a uno en entrevista final para la que han sido convocados todos. Con el tema de ésta tiene relacionadas hasta cinco comedias.

Otra de las más aplaudidas es *El pelo de la dehesa,* comedia de figurón en que el baturro don Frutos Calamocha, rústico enriquecido, no se amolda a las costumbres de la capital y cuyo fondo de bondad se impone a todos en el desenlace; de ésta deriva *Don Frutos en Belchite.*

También cultivó el costumbrismo moralizante, con amplio cuadro de la época, en *La escuela del matrimonio,* en que tres matrimonios levemente desavenidos (uno por edad, otro por desnivel social y otro por cultura y educación) son arreglados por Luisa, una joven casada que, al final, expone su moral:

> Que miren cómo y con quién
> antes de casarse dos,
> y si no les sale bien
> ¿qué hacer? Llevarlo por Dios...
> Que cuando enferma un consorcio
> de achaques de desamor,
> mal remedio es el divorcio,
> y el escándalo, peor.

Como sátira social ha de considerarse *Todo es farsa en este mundo* y *La batelera de Pasajes,* inspirada en la guerra carlista y en la que ensaya Bretón su dramatismo.

CAPÍTULO XLIII

LA LIRICA ROMANTICA. ESPRONCEDA

José de Espronceda (1808-1842). — Hijo de un brigadier, nació en pleno campo de Almendralejo, cuando sus padres iban camino de Badajoz con motivo de las circunstancias que prepararon la guerra de la Independencia. Estudió en el Colegio de San Mateo, donde fue discípulo de Lista. Se distinguió, desde muchacho, por su carácter apasionado e individualista. Ya en su mocedad formó parte de una sociedad secreta infantil — «Los Numantinos» — que se reunía primero en una cueva de los desmontes del Buen Retiro y luego en el sótano de una botica que pertenecía al padre de uno de los muchachos. Las reuniones tienen todos los tintes románticos (paños negros cubriendo los objetos, faroles de papel rojo, huesos, calaveras, dos espadas y un par de pistolas, ropones y capas oscuras y caretas venecianas...). La actitud levantisca de los numantinos ante la muerte de Riego lleva a Espronceda al convento de San Francisco de Guadalajara y sus ansias de aventuras a Portugal. En Lisboa conoce a Teresa Mancha, hija de un coronel desterrado. Cuando esta familia siguió a Inglaterra, Espronceda fue también a Londres. Sus ideales revolucionarios le hacen luchar en Holanda y en París. Tomó parte en la revolución que organizó Chapalangarra y salió huido de España cuando fracasó con muerte del jefe de la expedición. En París encuentra a Teresa ya casada y la rapta y, ya amnistiado, viene con ella a Madrid. Tampoco fue feliz. Teresa murió tuberculosa y el poeta pudo ver su cadáver, a través de una reja, desde la calle. Murió a los treinta y cuatro años — cuando se disponía a casarse con doña Bernarda de Beruete — de una infección en la garganta.

Poesías de Espronceda. — El período inicial de la poesía de Espronceda tiene parentesco con los prerrománticos y cierta relación con Lista y con Meléndez Valdés. Tal es su poema *El pescador* y el soneto *Fresca, lozana, pura y olorosa,* y dos poesías fechadas en Londres: *Serenata* y *A la patria.* Lo mejor de esta etapa es su retórico pero brillante y sonoro *Himno al Sol.*

Ha de incluirse en este grupo una obra de empuje que es el fragmentario poema *El Pelayo,* que fue comenzado durante su reclusión en Guadalajara y que tuvo el elogio de Lista. Sometido a las formas del poema épico clásico, ya asoma la violencia del personal romanticismo del poeta.

Las poesías románticas de Espronceda, unas exaltan los valores vitales y son himnos triunfales a los sin ley: desolación, violencia, exterminio son sus elementos. Así tenemos el *Canto del cosaco* y *La canción del pirata.* Ha de agregarse *El mendigo,* en que el mísero se ríe del mundo, pregonando su holganza y su libertad.

Otras poesías románticas de Espronceda son temas de lamentación y simple evocación de los desgraciados. Así tenemos *El reo de muerte* (el condenado evoca sus ilusiones entre los gritos y borracheras de la calle) y *El verdugo.* Ha de agregarse *A Jarifa en una orgía,* que es no sólo el canto de una pecadora, sino una afirmación del pesimismo romántico.

Muere, infeliz: la vida es un tormento,
un engaño el placer, no hay en la tierra
paz para ti, ni dicha ni contento,
sino eterna ambición y eterna guerra.

"El estudiante de Salamanca". — Es un poema relativamente breve, pero expresivo de la forma de escribir de una generación y de una época. El estudiante de Salamanca es don Félix de Montemar, joven libertino, que encarna el más exaltado y vital romanticismo. Es el genio del mal y la destrucción, de la rebeldía por la rebeldía misma. Es una creación despiadada y terriblemente egoísta y el poeta sabe darle un encanto salvaje:

... que su arrogancia y sus vicios,
caballeresca apostura,
agilidad y bravura
ninguno alcanza a igualar;
que hasta en sus crímenes mismos,
en su impiedad y altiveza
pone un sello de grandeza
don Félix de Montemar.

Tras una vida de desorden en que don Félix desafía al amor, al honor, a las fuerzas sobrenaturales, contempla su propio entierro y sus desposorios con la muerte. La figura de lamentación del poema es Elvira, la víctima de don Félix, que es típica del romanticismo en su final y carta de despedida. He aquí la fina evocación que hace el poeta:

Bella y más pura que el azul del cielo,
con dulces ojos lánguidos y hermosos,
donde acaso el amor brilló entre el velo
del pudor que los cubre candorosos;
tímida estrella que refleja al suelo
rayos de luz brillantes y dudosos,
ángel puro de amor, que amor inspira,
fue la inocente y desdichada Elvira...

En cuanto a la forma externa se distingue el poeta por la variedad métrica y por la selección de vocablos para producir efectos unas veces de dulzura y melodía y otras de estruendo y bullicio.

"El diablo mundo". — Es el último gran poema de Espronceda. Quedó sin terminar y consta de una «Introducción» y seis cantos. Según el mismo autor, fue escrito «sin ton ni son» y para su propio gusto. La armonía verbal del anterior poema queda aquí superada en variadas estrofas y ricas onomatopeyas:

Baladros lanzan y aullidos,
silbos, relinchos, chirridos;
y, en desacordado estrépito,
el fantástico escuadrón
mueve horrenda algarabía,
con espantosa armonía
y horrísona confusión.

El protagonista es el anciano Adán, que vuelve a la juventud por medios no naturales. Lo mejor del poema son el canto de la Muerte, que es sencillo y melódico; el de la Inmortalidad, que es ágil y vibrante y señala el retorno a la Naturaleza viva y florida, luminosa y cambiante, y el *Canto a Teresa,* que es independiente del poema y un «desahogo» del corazón del poeta. Está escrito en octavas reales. Viene a ser una síntesis de la obra de Espronceda: el ensueño de la mujer ideal, el fuego de la pasión, el desengaño, el sentido trágico de la explotación y la muerte y un final sarcástico forzosamente cruel. He aquí una de las octavas en que se evoca a Teresa:

Aún parece, Teresa, que te veo
aérea como dorada mariposa,
ensueño delicioso del deseo,

sobre tallo gentil temprana rosa,
del amor venturoso devaneo,
angélica, purísima y dichosa,
y oigo tu voz dulcísima y respiro
tu aliento perfumado en tu suspiro.

Otros poetas del romanticismo. — En la lírica romántica citaremos algunos de los poetas más representativos:

a) **Juan Arolas (1805-1849).** — Escolapio barcelonés, poeta exaltado, que murió loco. Cultivó las *Orientales* — tan del gusto romántico — con verdadera inspiración y originalidad. Es muy notable *La odalisca,* cuya estrofa — final e inicial — es la siguiente:

¿De qué sirve a mi belleza
la riqueza,
pompa, honor y majestad,
si en poder de adusto moro
gimo y lloro
por la dulce libertad?

Su musa llega a ser emotiva y delicadamente honda, como en la dedicada *A una bella:*

Sobre pupila azul con sueño leve
tu párpado cayendo amortecido,
se parece a la pura y blanca nieve
que sobre las violetas reposó...
Yo el sueño del placer nunca he dormido.
¡Sé más feliz que yo...!

Se distinguió además en las leyendas caballerescas y alcanzó acentos vibrantes y grandiosos en la poesía religiosa.

b) **Gabriel García Tassara (1817-1875).** — Sevillano, cuya inspiración es esencialmente retórica a la manera de Quintana. Pero rindió su culto al romanticismo en un bello y sonoro canto más de pesimismo que de triunfo, aunque con hálitos de esperanza: *Himno al Mesías (Baja otra vez al mundo — baja otra vez, Mesías).* La musa erótica inspiró también sus mejores momentos líricos, como en el poema *A Laura,* escrito, según frase del poeta, con «sangre del corazón despedazado».

c) **Nicomedes Pastor Díaz (1811-1863).** — Escritor y político gallego que representa una modalidad emotiva, lúgubre y retórica. Es muy representativo de su época y en alguna de sus composiciones alcanza gran belleza *(A la luna, La mariposa negra)*.

d) Podrían citarse numerosos poetas de valor variado dentro del romanticismo y algunos inspiradísimos como **Enrique Gil y Carrasco** (recuérdese *La violeta* del romanticismo muelle y retórico); como **Eulogio Florentino Sanz** (el de la *Epístola a Pedro*); como **Gregorio Romero Larrañaga** (el de la oriental *El de la cruz colorada*), etc.

La poesía romántica en la América española. — Los temas de la poesía romántica fueron muy a propósito para entusiasmar a los juveniles y tumultuosos pueblos americanos de idioma español. Los escritores franceses y españoles del romanticismo fueron los inspiradores de los poetas hipanoamericanos, especialmente Espronceda y Zorrilla. Son ya muchos los nombres de los poetas románticos de América, y cada nacionalidad americana invoca los suyos (Eusebio Lillo, Guillermo Blest Gana, de Chile; Maitín y Acosta, de Venezuela; Acuña, de Méjico; Arboleda, Caro e Isaac, de Colombia; Echevarría, Mármol y Andrade, de la Argentina, etc.).

José Mármol (1817-1873). — Desterrado por Rosas, le imprecó en terribles invectivas. Su obra principal es *Cantos del peregrino,* escritos en el destierro, con poemas significativos, como *Los trópicos.*

Esteban Echevarría (1805-1851). — Argentino que también combatió a Rosas, es autor de *La Cautiva* y del *Ángel caído* y el poema *Elvira o la novia del Plata.* Obsérvase la inspiración zorrillesca en su descripción del desierto en la primera obra citada cuando para darnos la imagen del crepúsculo, nos habla de «una faja — negra como una mortaja», «luz trémula», «vacilante fuego», «soberbio chapitel».

Manuel Acuña (1849-1873). — Malogrado estudiante de Medicina mejicano que tiene poesías representativas de su romanticismo. Así *Entonces y hoy,* de ternura filial; *Ante un cadáver,* meditación materialista de un hombre de ciencia, escrita en tercetos encadenados, y el famoso *Nocturno,* canción amorosa a Rosario, compuesta horas antes de su dolorosa determinación de quitarse la vida, que termina así:

Ésa era mi esperanza...
Mas ya que a sus fulgores
se opone el hondo abismo
que existe entre los dos;
adiós, por la vez última,
amor de mis amores,
la luz de mis tinieblas,
la esencia de mis flores,
mi lira de poeta,
mi juventud, ¡adiós!

Gabriel de la Concepción Valdés (1809-1844). — El famoso poeta mulato cubano «Plácido», que apareció comprometido en una conspiración y fue condenado. En la prisión, y en vísperas de su muerte, compuso un doliente canto de resignación ante la tremenda pena que los hombres le imponían, con tan cristianos acentos de sinceridad, que Menéndez y Pelayo no dudó de la verdad de su inocencia. Camino del suplicio, fue recitando el poema, que impresionó a cuantos lo oyeron. Al parecer, eran las estrofas de su *Plegaria a Dios.*

Salvador Sanfuentes (1817-1860). — Chileno, discípulo de Andrés Bello, en su leyenda *El campanario* nos da una visión de Santiago de Chile a mediados del siglo XVIII, influida por una leyenda, de argumento semejante, del guatemalteco **José Batres Montúfar** (1809-1844), con los amores de un capitán con la hija de un marqués, narración que contiene todas las características románticas (una boda secreta que se interrumpe en la misma iglesia; la novia que va a un convento; los trágicos signos en sangre del amante, y la campana que suena sola en la noche porque la desesperada amante se ha colgado de una cuerda del campanario). En otras leyendas — también típicas de escuela —, los amores desventurados ponen en primer término al negro, como en *El bandido;* o a la india que ama al blanco que llega a su isla y, cuando éste mata a su padre — el cacique —, ella se arroja al mar abrazada al cadáver, siguiendo los impulsos de su sangre, como en *Inami o la laguna del Ranco,* inspirada en *La araucana;* su tema es tan típicamente nacional, que corresponde al tradicional, romanticismo.

Juan Zorrilla de San Martín (1855-1931). — Gran escritor uruguayo cuya obra poética más trascendental fue *Tabaré* (1888), poema que constituye una especie de elegía de la raza charrúa, cuyo tema le fue inspirado por una leyenda chilena que conoció el poeta cuando estudiaba en Chile. Un jefe español apresó a Tabaré, hijo de un cacique indio y de una prisionera española. Blanca, hermana del jefe hispano, intercede por él y obtiene su libertad. Tabaré se enamora de ella. Vuelve a su tribu, y cuando Blanca cae prisionera, lucha con los suyos hasta libertarla. Pero al ir a devolverla, el jefe hispano, que lo cree su raptor, lo atraviesa con su espada. Blanca, que ha comprendido el amor del indio, acompaña con lágrimas sus últimos momentos. Es un poema de gran belleza y de extraordinaria habilidad técnica.

Gertrudis Gómez de Avellaneda (1814-1873). — Aunque cubana de nacimiento, salvo un breve viaje a La Habana, vivió siempre en España. Casó y enviudó dos veces. Su modelo predilecto fue Quintana. Juan Valera la elogió en demasía. Pero más que una verdadera creación de poesía revela una gran sensibilidad lírica. Sus temas son religiosos y eróticos. Tiene traducciones poéticas de himnos eclesiásticos y cultivó con valentía variedades métricas (versos de 9, 13, 15 y 16 sílabas). En esto nos recuerda a Zorrilla, así como en alguna composición *(Al mar)*. *La pesca en el mar, La serenata, Amor y orgullo, La cruz (¡Canto la Cruz! ¡Que se despierte el mundo!)* son de los mejores. Tiene también un notable drama en verso *(Baltasar)* y novelas como *Sab* (el mulato que se enamora de la hija de su amo).

José Hernández (1834-1886). — En la poesía gauchesca argentina, Hernández crea *Martín Fierro* (1872), extenso poema popular y nacional, escrito en versos octosílabos, con las incidencias de la vida del gaucho perseguido, cuyas angustias y tipos que le rodean aparecen en el poema con sencillez:

> Hace mucho que sufrimos
> la suerte reculativa;
> trabaja el gaucho y no arriba,
> pues a lo mejor del caso
> lo levantan de un sogaso
> sin dejarle ni saliva...

Siete años después, cuando la popularidad del poema era inmensa, continuó la narración. Entonces cae dentro del tema indianista. Los dos gauchos son cautivos de los indios. Martín mata a uno de ellos, que maltrataba a una cautiva, después de haber degollado a su hijo... Y han de huir, ya muerto su amigo Cruz. Al volver, encuentra al hijo de éste — «Picardía» —, el cual nos cuenta su vida de gaucho guitarrista. Martín halla a sus hijos hostigados por la pobreza, pero ha de separarse de ellos, después de amonestarlos.

En esta segunda parte aparece una figura que llegó a competir en fama con la del propio Fierro: el Viejo Vizcacha, personaje en el que toma cuerpo una sabiduría popular, práctica y sin idealismos, que se vuelca en los llamados «Consejos del Viejo Vizcacha». He aquí algunos de esos consejos, referentes a la mujer:

Si buscas vivir tranquilo,
dedicate a solteriar;
mas si te querés casar,
con esta alvertencia sea:
que es muy difícil guardar
prendas que otros codicean.

Por el lenguaje en que estaba escrito y la realidad inmediata que describía, no obstante su intensa repercusión popular, pasaron algunos años antes de que se reconociera su auténtico valor dentro de la literatura. Fue don Miguel de Unamuno quien, en 1894, afirmó su calidad, manifestando asimismo: «*Martín Fierro* es, de todo lo hispanoamericano que conozco, lo más hondamente español.»

CAPÍTULO XLIV

EL ROMANTICISMO NACIONAL. ZORRILLA

José Zorrilla y Moral (1817-1893). — Nació en Valladolid, estudió en Madrid y comenzó Leyes en Toledo. Se dio a conocer en el entierro de Larra, donde leyó una poesía («Ese vago clamor que rasga el viento — es la voz funeral de una campana»). Casó con una viuda dieciséis años mayor que él. Por alejarse de ella estuvo en Francia y Méjico, donde le protegió el emperador Maximiliano. También viajó por Italia. Fue solemnemente coronado en Granada. Académico de la Española, ingresó con un discurso en verso. Menos culto que el duque de Rivas y Espronceda; pero se inspiró en la tradición nacional hispana. En este sentido representa el romanticismo nacional de España («Mi voz, mi corazón, mi fantasía, las glorias cantan de la patria mía»). De manera pintoresca nos narró gran parte de su vida en *Recuerdos del tiempo viejo* (1880-1883).

Fue de una extraordinaria fecundidad y de gran popularidad. Por esto nos recuerda la vitalidad de Lope de Vega. Su extensa obra puede ser clasificada en tres aspectos: a) Poesía lírica; b) Poesía legendaria, y c) Teatro.

Poesía lírica de Zorrilla. — La fecunda inspiración de Zorrilla le llevó a la abundancia, a tender a lo difuso y a caer en descuidos de técnica poética. En su poesía encontramos emoción y una brillantez imaginativa que no le evitan caer en rasgos de prosaísmo. De su obra de poeta lírico han de señalarse las *Orientales,* que aunque derivan de Víctor Hugo, adquieren en Zorrilla una objetiva y plena castellanización. Gallarda elegancia e improvisada facilidad se encuentran en las tres conocidas: *Mañana voy, Nazarena; Dueña de la negra toca* y *Corriendo van por la vega,* que acaba así:

> Escuchóla en paz el moro,
> y manoseando la barba,
> dijo como quien medita,
> en la mejilla una lágrima:
> — Si tus castillos mejores
> que nuestros jardines son,
> y son más bellas tus flores,
> por ser tuyas, en León,
> y tú distes tus amores
> a alguno de tus guerreros,
> hurí del Edén, no llores,
> vete con tus caballeros.

Entre sus otras composiciones líricas hemos de señalar *La Virgen al pie de la Cruz, El día sin sol, Las hojas secas, A una calavera, El reloj, La tarde de otoño, La noche de invierno, La margen del arroyo* («Qué dulce es ver muellemente — de un olmo a la fresca sombra»).

Entre su épica, de fragmentos líricos, ha de destacarse el poema *Granada* — en la leyenda de Al-Hamar el Nazarita —, cuyo asunto es la conquista de la ciudad por los Reyes Católicos. Sobresale el episodio *La carrera* por su musicalidad.

En poesía bíblica, el magnífico ejemplo de *Iras de Dios. El ángel exterminador,* en octavas.

Zorrilla, poeta legendario. — En la poesía épica, Zorrilla nos dejó un género típico y sin igual de nuestro romanticismo:

la leyenda. Los descuidos de toda su poesía no son obstáculo para que la acción — que sigue poéticas tradiciones nacionales — nos interese y esté trazada con toda brillantez. Sus leyendas tienen valor teatral y numerosos diálogos. He aquí las más importantes:

a) *A buen juez, mejor testigo.* Con lograda unidad desarrolla la leyenda tradicional toledana del Cristo de la Vega (el capitán Diego Martínez, a su regreso a Toledo, se niega a reconocer la promesa de matrimonio que ante el Cristo de la Vega hizo a Inés de Vargas. Ésta recurre a los tribunales y sólo puede poner al Cristo como testigo. Los jueces van ante el Crucificado a tomarle declaración y juramento. En los cielos se oyó: «Sí, juro», y la mano del Cristo desclavada posó en los autos en testimonio de la verdad de Inés de Vargas, que se refugió en un convento, así como su prometido).

b) *El capitán Montoya.* Como don Juan y el don Félix de Espronceda, asiste a su propio entierro y funerales en una escena de terribles rasgos. El capitán concierta casarse con una hija de don Fadrique de Toledo. Después de firmar su matrimonio, se dirige a un convento para raptar a doña Inés de Alvarado; entonces — al entrar en la iglesia — encuentra su propio entierro y se retira del mundo.

c) *Margarita la tornera.* Es la versión de Zorrilla a la leyenda de la monja tesorera que huye con un galán y deja las llaves a la Virgen. Procede de una cantiga del Rey Sabio y ha sido utilizadísima en literatura.

d) *El caballero de la buena memoria* (el caballero que huye de la justicia y se refugia precisamente en casa de la madre del asesinado y es ayudado. Pasado tiempo, loco de furor, persigue al matador de su hermano, pero al encontrarle asido a un Cristo, perdona como él había sido perdonado).

e) A éstas han de agregarse otras leyendas como *El desafío del diablo, Justicias del rey don Pedro, Montero de Espinosa* y *La leyenda de Al-Hamar,* ya aludida en el poema oriental *Granada.*

Sus imágenes se corresponden con una gran riqueza de métrica, como puede observarse en *La leyenda de Al-Hamar,* en que hay la descripción de una carrera a caballo, en que adapta el metro a los momentos y velocidad del jinete («Lanzóse el fiero bruto con ímpetu salvaje...»).

El teatro de Zorrilla. — El valor más hondo de Zorrilla está en la poesía dramática; y sus mejores obras son, como en las leyendas, las que siguen una tradición nacional sobre figuras vivas como expresión de raza. Su obra teatral es también extensa. No falta el ensayo de tragedia clásica *(Sofronia)*, ni las imitaciones del teatro clásico español *(La mejor razón, la espada; La Creación y el Diluvio)*. Pero, como indicamos, culmina en los dramas románticos de fondo histórico: *Sancho García* (la leyenda de los monteros de Espinosa), *El puñal del godo* y su continuación *La calentura* (sobre el rey don Rodrigo y la Cava). De este grupo tiene dos obras de importancia:

a) *El zapatero y el rey.* Consta de dos partes en que repite la leyenda del rey don Pedro. Nos lo muestra justiciero y grande, tomando la forma de un soldado para mejor conocer el ambiente de su pueblo y aun para sus amores y charlas como un particular cualquiera. El rey don Pedro de Zorrilla presenta un evidente acento individualista y racial que explica su éxito, entre la crueldad de una venganza, dura a veces, pero certera y noble, y la generosidad y el dominio de la pasión. Es la figura que conocemos de nuestro teatro del siglo XVII.

Juan Pascual (que es don Guillén de Castro, que conspira contra el rey don Pedro para vengar la honra de su hermana, mancillada por éste) se queja del mal gobierno del rey ante un cazador extraviado, que resulta ser don Pedro. Éste encarga a Juan Pascual del gobierno del país y le da por secretario a Blas Pérez (el hijo del zapatero). Éste ama a Inés de Castro (que pasa por ser hija de Juan Pascual); pero renuncia por gratitud al saber el interés del rey por ella. Doña Inés queda bajo la custodia de Blas Pérez para responder de las traiciones de su padre. Juan Pascual se dispone a entregar el rey a don Enrique, pero el capitán Blas Pérez interviene, valiéndose de doña Inés para salvarle.

Cercado don Pedro en Montiel, trata con Duguesclín, a cuya tienda acude, pero, traicionado, se encuentra con don Enrique. Luchan los dos hermanos y don Pedro muere. Blas Pérez — que ha hecho ejecutar al de Castro — se presenta en el campamento y entrega a don Enrique un pergamino en que se le dice que doña Inés es su hija perdida. Don Enrique pide la libertad de su hija, pero, a cambio, Blas Pérez pide la de don Pedro. Cuando el capitán Blas Pérez ve al rey muerto, toca una trompa y doña Inés es apuñalada.

El triste fin de doña Inés es un absurdo romántico en un drama apasionadamente fatal y verdadero.

b) *Traidor, inconfeso y mártir.* En este drama se trata la leyenda del rey don Sebastián de Portugal y del célebre proceso de Gabriel de Espinosa, el «Pastelero de Madrigal». Se desenvuelve en sobrio ambiente, sin episodios ni cambios de lugar (una misma escena para los dos primeros actos, otra para el tercero), en una digna competencia de caracteres.

El misterioso Gabriel Espinosa llega con su hija Aurora a una posada de Valladolid. El alcalde Rodrigo de Santillana le detiene. El hijo del alcalde, César, que está enamorado de Aurora, sabe que ésta no es hija de Espinosa, que en su declaración dice la rescató él de un navío. Los testigos declaran que Gabriel es el rey don Sebastián (al ser detenido, su espada tenía grabadas las armas de Portugal). La sentencia, que es de muerte, se cumple. El alcalde comprueba luego en los papeles de Gabriel que es el propio rey don Sebastián, y Aurora (que antes ha declarado su amor a Gabriel) es su propia hija, que, indignada, maldice a su padre.

"Don Juan Tenorio" (1844). — Este drama en verso fue compuesto por Zorrilla a los veintisiete años. Había enajenado la propiedad de la obra. En ella supo dar nueva vida al personaje mítico de don Juan. Nosotros ya conocemos el de Tirso *(El burlador de Sevilla o Convidado de piedra)* y el de Zamora *(No hay plazo que no se cumpla ni deuda que no se pague y Convidado de piedra)*. Sobre estos dos crea Zorrilla un alma capaz del amor y de la redención que aquéllos no adivinaron. La unión del tema del burlador y del «banquete macabro» resulta también más lógica. Zamora presintió la redención de don Juan; Zorrilla ha sabido unirlo a la mujer y al amor, dándole un típico sentido romántico. En el plano de lo sobrenatural del drama, la sombra de doña Inés, al lado de la de don Gonzalo, ha dado un lírico y misterioso encanto a la obra. Los personajes, como la acción, sobrepasan la moda de una época, y encontramos figuras y actitudes literarias conocidas: Brígida nos recuerda a Celestina, Ciutti es el «gracioso» de nuestro teatro clásico, don Gonzalo envuelve el más rígido concepto del honor, etc. Entre los personajes, don Luis Mejía, el antagonista de don Juan, no estorba, sino que acentúa la acción esencial.

En la obra de Zorrilla se dan las dos partes clásicas del don Juan: los cuatro primeros actos nos lo presentan arrogante y atropellador, es el clásico «Burlador»; los tres restantes, desde que aparece por primera vez el cementerio, representan la expiación y la parte del «convidado de piedra». Es don Juan Tenorio una típica creación racial que en Zorrilla nos da un personaje entre achulado y generoso que se ha convertido en una figura universal.

Desarrollada la obra en verso, no obstante vulgaridades y ripios, no deja de ser un drama de acción poderosa, de bien delineados personajes y de bellos versos. Es, tal vez, la obra más popular del teatro moderno español.

CAPÍTULO XLV

LA POESÍA ESPAÑOLA EN LA SEGUNDA MITAD DEL SIGLO XIX. BÉCQUER

El posromanticismo. — La poesía romántica, al perder su grado de exaltación e idealización hasta lo absurdo, pasa al realismo, desvirtuando entonces su propio contenido. La poesía posromántica ofrece numerosas figuras secundarias y aun las tres que vamos a destacar — Bécquer, Campoamor y Núñez de Arce — ofrecen un mérito muy distinto. De los tres se salva Bécquer, por ser el que más se aproxima a la esencia romántica.

Gustavo Adolfo Bécquer (1836-1870). — Nació en Sevilla, quedó huérfano, tuvo destinos de escasa importancia en Madrid. Pasó dificultades que alentaron su exquisita sensibilidad. Con su hermano Valeriano, pintor, visitó ciudades de arte españolas. Recluido en el monasterio de Veruela, redactó nueve cartas que se titulan *Desde mi celda.* Murió prematuramente, enfermo de los pulmones, a los tres meses de la muerte de su hermano Valeriano, que había sido, además, su mejor compañero.

"Las Rimas" de Bécquer. — El poeta llamó a sus poesías «Rimas». Son poemas cortos, pulcramente corregidos y de pensamientos claros y desnudos. Con ellas crea Bécquer una belleza más íntima y más pura que la de la lírica del romanticismo anterior. Su estrofa no es nada orquestal, pero tiene un inefable sentido musical. El poeta definió sus poemas como «cadencias que el aire dilata en las sombras». Muchas veces no tienen anécdota. Su lírica es pura y desnuda. Cuando hay un «asunto», llegamos al más popular de sus poemas: *Cerraron sus ojos.* En todas sus rimas encontramos el encanto de ver fundidos el mundo real del hombre con el inquietante misterio del sueño y del más allá.

Su obra de poeta no fue muy abundante, por lo mucho que se corregía. Las más notables de sus rimas son: *Asomaba a sus ojos una lágrima, Pasaba arrolladora en su hermosura, Cuando me lo contaron sentí frío, Me ha herido recatándose en las som-*

bras, Como se arranca el hierro de una herida, Olas gigantes que os rompéis bramando, Al ver mis horas de fiebre, Será verdad que cuando toca el sueño, Del salón en el ángulo oscuro, Las ropas desceñidas, etc. He aquí un ejemplo:

Te vi un punto, y flotando ante mis ojos
la imagen de tus ojos se quedó,
como la mancha oscura, orlada en fuego,
que flota y ciega si se mira al sol.

Adondequiera que la vista fijo,
torno a ver sus pupilas llamear;
mas no te encuentro a ti; que es tu mirada:
unos ojos, los tuyos, nada más.

De mi alcoba en el ángulo los miro
desasidos fantásticos lucir:
cuando duermo los siento que se ciernen
de par en par abiertos sobre mí.

Yo sé que hay fuegos fatuos que en la noche
llevan al caminante a perecer;
yo me siento arrastrado por tus ojos,
pero adónde me arrastran, no lo sé.

"Las Leyendas" de Bécquer. — En la prosa, Bécquer demostró también su gran alma de poeta. Son de extraordinario valor sus leyendas. La forma de su prosa es flexible y agradable. Es la de un gran lírico. Los temas de estas leyendas son muy variados. El interés, más que en la anécdota, está en el ambiente, en el encanto musical. Su especialidad es el misterio. Y el romántico tema de ultratumba: *Maese Pedro, el organista; El monte de las ánimas* y *El Miserere.* He aquí una breve síntesis de esta leyenda:

El autor dice que revolviendo en la biblioteca de la abadía de Fitero (Navarra) encontró el cuaderno de música de un «Miserere». Sólo alcanzaba diez versículos, y le extrañó que en vez de las palabras italianas que siempre se ponen en música (maestoso, allegro, etc.), se decían cosas como éstas: «Crujen los huesos y de sus médulas ha de parecer que salen los alaridos.» Entonces pide la explicación a un viejecito, que le refiere la leyenda: un día pidió refugio en la abadía un romero que dijo era músico y que de su arte había encendido pasiones que le arrastraron a un crimen. Llorando su culpa quería hallar una forma musical digna del gigante grito de contrición del salmo de David. Dijo haber recorrido Alemania e Italia en busca de inspiración para aquel «Miserere». Entonces uno que le escuchaba le habló del «Miserere» de la Montaña. Hacía muchos siglos había habido un monasterio famoso edificado por un señor con

Andrés Bello

José Zorrilla

Pedro Antonio de Alarcón

Juan Valera

José María Pereda

Benito Pérez Galdós

Marcelino Menéndez Pelayo

Rubén Darío

los bienes que hubiera legado a su hijo, a quien desheredó por sus maldades. Éste, sabedor del designio de su padre, reunió a unos bandoleros camaradas suyos, y la noche del Jueves Santo, cuando cantaban los frailes el «Miserere», fueron sorprendidos, incendiado el monasterio y asesinados. Y, en tal fecha como entonces, todos los años se ven luces por las ventanas rotas de la iglesia y las ráfagas de aire llevan los cantos lúgubres de los frailes, que vienen del Purgatorio a impetrar la misericordia de Dios, ante quien comparecieron sin estar preparados. El romero se informó de que, según estas noticias, dentro de tres horas debía comenzar y que el lugar estaba a tres leguas y media... Y, ante el estupor de los pastores, el romero fue en busca de la maravilla... Cuando estuvo en el derruido templo y dieron las once, todo pareció animarse en las ruinas hasta que quedó reedificado el templo y por el torrente, desde donde los despeñaron los bandidos, comenzaron a subir los esqueletos de los monjes y, ordenados en dos hileras, penetraron en el templo entonando lúgubremente el «Miserere». El romero cayó sin conocimiento y al día siguiente intentó escribir lo que había oído, pero sólo llegó a la mitad, pues se volvió loco y murió.

Tiene algunas leyendas de tipo indio, búdico, como *La creación* y *El caudillo de las manos rojas;* alguna es típicamente castellana, como *El Cristo de la calavera;* otras se refieren a temas borrosos de misterioso confusionismo, de origen británico o germánico, como *La ajorca de oro, El gnomo, La corza blanca, Los ojos verdes,* en que, con sabor septentrional, se mezcla el amor con un misterioso sentido trágico de la Naturaleza. Alcanza Bécquer detalles bellísimos, como en su leyenda *Creed en Dios,* cuando se describe a los ángeles:

Cabalgando sobre las nubes, vestidos de luengas túnicas con orlas de fuego, suelta al huracán la encendida cabellera, y blandiendo sus espadas, que relampagueaban arrojando chispas de cárdena luz.

Ramón de Campoamor y Campoosorio (1817-1901). Nació en Navia (Asturias), fue de ideología conservadora, empleado de Hacienda y gobernador una vez. Su obra encarna los gustos e ideas de los finales del siglo XIX. Sus contemporáneos superestimaron sus méritos; pues, aunque fue un gran talento, tuvo un concepto de la poesía demasiado prosaico. Para Campoamor «sólo el ritmo debe separar el lenguaje del verso del propio de la prosa», y el contenido de la poesía «no se pueda decir en prosa con más naturalidad ni con menos palabras» y, además, le era antipático «el arte por el arte». Todas estas ideas de afirmación prosaísta constan en su mediana *Poética* (1883).

Han de distinguirse en su poesía las obras extensas. Tres poemas narrativos: *Colón* (en octavas reales y de tendencia simbólica),

El drama universal (pretendió construir un gran poema sobre los problemas eternos de la Humanidad: Honorio, símbolo del amor sensual, transmigra del mármol del sepulcro de la amada a un ciprés; Soledad es el amor ideal, y Jesús el Mago, el amor divino) y *El licenciado Torralba* (trata de presentar el desarrollo de la inteligencia del hombre y del sentimiento de la mujer, mezclado con tradiciones de procesos inquisitoriales).

Cultivó Campoamor tres géneros originales: a) *Humoradas* («un rasgo intencionado, una rápida expansión de tendencia comicosentimental», cuya forma métrica es el pareado y también el cuarteto y la silva). Aunque estas composiciones son de gran deficiencia artística, tienen aciertos de ingenio e ironía:

Como te amaba tanto,
el curso se torció de mi destino;
pues iba para santo,
y, después que te vi, perdí el camino.

b) *Doloras* (humorada convertida en drama; unión de «ligereza con el sentimiento», de «concisión con la importancia filosófica»). Tienen estas composiciones mérito como eco de su tiempo y alcanzaron una popularidad extraordinaria (*Quién supiera escribir, El gaitero de Gijón, Las dos grandezas, Todo está en el corazón, Qué es amor,* etc.).

c) *Pequeños poemas* («una dolora amplificada», en la que queda desdibujado un alto pensamiento, mezclado con romanticismo y vulgaridad). También son muy populares estas composiciones (*El tren expreso, Los grandes problemas, Cómo rezan las solteras, Las tres rosas, La gloria de los Austrias,* etc.).

Campoamor tiene el mérito de haber sido retrato íntegro de un período histórico.

Gaspar Núñez de Arce (1834-1903). — Nació en Valladolid, intervino en política, llegó a ser gobernador de Barcelona, diputado a Cortes y ministro. Cultivó la dramática y en este género es notable su ensayo teatral *El haz de leña,* sobre el tema de Felipe II y el príncipe don Carlos.

En sus poemas se ha destacado el cultivo y perfección de la forma, por lo que se ha dicho que era «parnasiano», aunque no recibe ninguna influencia de los poetas franceses así llamados. Sí se distinguió, en un medio de descuidos, por cincelar cuidadosamente su estrofa. Su tema predilecto fue la duda y por esto su poesía es más retórica que sentida. Entre sus poemas deben citarse *La selva oscura* (tercetos y tema dantesco), *Raimundo Lulio* («poema simbólico de la razón y de la ciencia», según Menéndez Pelayo), *La visión de fray Martín* (sobre Lutero), *La última lamentación de lord Byron* (su mejor poema en octavas reales y que pone en boca del famoso poeta inglés).

Es romántico en *Maruja* (la niña pobre adoptada por unos condes sin sucesión), donde, no obstante vulgaridades y prosaísmo, tienen bellos versos inconfundibles; y alcanza emoción en *Un idilio, La pesca* (cuento de costumbres marítimas) y *El vértigo* (leyenda en décimas del miserable don Juan de Tabares).

La mayor emoción de la obra lírica de Núñez de Arce está en *Gritos del combate,* en que cultiva la más altamente inspirada poesía política y en la que tiene aciertos como la delicada visión de un templo gótico en que se deja sugestionar por la liturgia, como en su oda *Tristezas:*

> Haces de donde en curva fugitiva,
> para formar la ojiva
> cada ramal subiendo se separa,
> como al clamor de multitud que ruega,
> cuando a los cielos llega
> surge cada oración distinta y clara...

Así también sus poemas *A Darwin, A Voltaire, La duda* y alguno romántico, como el *Miserere.*

Otros poetas de la época. — Se ha de citar a los siguientes:

a) **Ventura Ruiz de Aguilera (1820-1881).** — Cultiva el tema del patriotismo en *Ecos nacionales* y alcanza su más sincera emoción y expresión en las *Elegías a la muerte de mi hija.*

b) **Federico Balart (1831-1905).** — Escribió *Dolores,* libro de elegías a la muerte de su esposa, en que, con la forma del prosaísmo, expresa sus tristezas, como en *Restitución:*

> ... Recuerdos de las horas que, embelesado,
> en nuestro pobre albergue pasé a tu lado,
> cuando al alma y al cuerpo daban pujanza,
> juventud y cariño, fe y esperanza;
> cuando, lejos del mundo parlero y vano,
> íbamos por la vida mano con mano;
> cuando, húmedos los ojos, juntas las palmas,
> en una se fundían nuestras dos almas...

c) **Manuel del Palacio (1831-1906).** — Este miembro de la «Cuerda granadina» escribió sonetos, canciones, leyendas y algún cuento bellísimo *(El niño de nieve).*

d) **Manuel Reina (1856-1905).** — Este andaluz hizo una primorosa traducción de Musset y se distinguió por la gran importancia que dio al color *(Cromos y acuarelas)* y a la música *(Andantes y allegros)* como un premodernista.

e) **Vicente Wenceslao Querol (1836-1889).** — Valenciano que se distinguió por su ternura en los temas de la familia y de la patria. Así su poema *En Nochebuena,* dedicado a sus ancianos padres *(Un año más en el hogar paterno — celebramos la fiesta del Dios niño...)*

f) **Joaquín Bartrina (1850-1880).** — Dentro del prosaísmo y humorismo campoamorino se distinguió por su materialismo y pesimismo. El libro de sus poesías se titula *Algo.*

g) No han de olvidarse otros poetas como el valenciano **Teodoro Llorente,** que se distinguió por sus traducciones de Gœthe, Byron, Hugo y otros, así como **Emilio Ferrari, José Velarde,** etc.

h) **Las poetisas. Carolina Coronado (1823-1911),** extremeña como Espronceda, interpretando con su sensibilidad femenina el romanticismo, produce poemas de nobles calidades, como *El amor de los amores,* en que el amor humano y el misticismo se funden en un ambiente de brumosa melodía.

La famosa poetisa gallega **Rosalía de Castro** (1837-1885) cultivó el castellano en libros de poesías: *En las orillas del Sar* destaca su emoción íntima y su belleza descriptiva; así en el poema *Santa Escolástica,* con la nostalgia de un paisaje compostelano:

> Una tarde de abril en que la tenue
> llovizna triste humedecía en silencio
> de las desiertas calles las baldosas,
> mientras en los espacios resonaban
> las campanas con lentas vibraciones,
> dime a marchar, huyendo de mi sombra.

El alma suave y fuerte a la vez de la escritora gallega alcanzó en castellano cadencias de su lirismo maternal y enérgico, logradamente exquisito y profundo.

CAPÍTULO XLVI

EL TEATRO REALISTA

El teatro realista. — Se puede llamar así al de la segunda mitad del siglo XIX, en que sigue la misma afectación en las pasiones y situaciones dramáticas; pero en que los sentimientos — que en la primera se aplicaban a altos personajes y héroes de otras épocas — se llevan al plano de lo contemporáneo. El ambiente mediocre de la época llevó al teatro una solución doméstica y casera muy distinta del romanticismo. Representativo es el don Juan de Ayala, en que la arrebatadora figura teatral se convierte en un objeto de burla. Veamos tres figuras de este teatro:

Ventura de la Vega (1807-1865). — Este escritor argentino cultivó el drama histórico (*Don Fernando de Antequera*) y, aunque muy tardíamente, la tragedia (*La muerte de César*); pero se adelanta al realismo con una obra que ya puede ser clasificada de «alta comedia» y que se titula *El hombre de mundo* (1845). Es una pieza fina e irónica en que no falta el tema moral tan del gusto entonces: el del hombre calavera que se casa y se siente celoso.

Adelardo López de Ayala (1828-1879). — Nació en Guadalcanal (Sevilla), pronto se distinguió como dramaturgo, intervino en política y fue ministro y presidente del Congreso, cargo que tenía cuando murió. También se distinguió como orador (se considera un modelo oratorio su discurso necrológico a la reina Mercedes). Tenía un gran temperamento artístico y poseía una gran cultura del teatro nacional español del siglo XVII, sobre todo de Calderón. Sintió, además, afición por la música. A esto unió un talento reflexivo que meditaba los planes de sus comedias. Ayala cultivó la comedia moral a la manera de Alarcón en el género de «alta comedia» que, aunque había sido intentada por otros, sólo tenía el precedente de *El hombre de mundo*, de Ventura de la Vega.

Comenzó Ayala con imitaciones de nuestro teatro del XVII y pueden citarse dos dramas históricos: *Un hombre de Estado* (sobre don Rodrigo Calderón) y *Rioja*. Luego produce su verdadero y original teatro: *El tejado de vidrio* (en que un caballero labra su propia deshonra aconsejando perversamente a un joven); *El tanto por ciento* (reacción contra el positivismo de la época); *El nuevo don Juan* (contra el donjuanismo, que resulta humillado). La más perfecta de sus obras es *Consuelo.*

Consuelo, muchacha coqueta con ansias de grandeza y figura hondamente humana, no obstante su bondadosa madre, rechaza los amores de don Fernando y prefiere a Ricardo, hombre positivista y de mejor posición económica. Cuando se casa se entera de los amores de su marido con una italiana, y para vengarse y darle celos a su esposo, busca a Fernando. Acaba abandonada de todos. La figura de Fernando, que representa un concepto demasiado rígido de la virtud, resulta fría y desagradablemente rectilínea. Los otros personajes están bien trazados, como la madre de Consuelo, toda bondad, o el ecléctico de Fulgencio.

Manuel Tamayo y Baus (1829-1898). — Madrileño que se formó en el ambiente de la escena (era de familia de actores y se casó con una sobrina de Máiquez) y desde muchacho hizo arreglos para el teatro. Fue director de la Biblioteca Nacional y académico de la Española.

Cultivó todos los principales géneros del siglo XIX: la tragedia clásica (*Virginia,* redactada dos veces y en la que figuran pasiones y elementos románticos); el drama romántico sentimental, muy influido de Schiller en *Juana de Arco* y *Ángela* (arreglo de *Intriga y amor* del citado trágico alemán). *Locura de amor* (sobre la pasión amorosa de Juana la Loca y en la que parece haber penetrado el ambiente de la época) y *El 5 de agosto.*

También cultiva el teatro de costumbres; así su comedia con rasgos dramáticos *La bola de nieve* (contra los celos infundados) y *Lo positivo* (la mujer frívola que sólo quiere al hombre rico y que luego se desengaña).

Otro aspecto de Tamayo es el teatro de tesis, como *Lances de honor* (sátira trágica contra el duelo, en que se presenta la abnegación de la madre católica) y *Los hombres de bien* (contra la tolerancia con que la sociedad mira a personajes indignos). Ambas obras resultan demasiado unilaterales y exageradas en sus ideas.

Como una muestra de su habilidad escénica, Tamayo escribió *Un drama nuevo* (1867). Representaba la técnica de un teatro en el teatro y hoy nos hace pensar en Pirandello y Azorín. Además representó la admiración del autor por Shakespeare, que aparece en escena. El amor, los celos, la envidia, que son los principales motores de la obra, nos hacen también pensar en el gran trágico inglés. El haber unido la comedia con la vida fue una gran novedad en España, en la forma de la realización. He aquí el argumento:

Shakespeare dispone los papeles de una nueva obra en su compañía. Da a Yorik, el gracioso, un papel trágico (un conde cuyo protegido se enamora de su esposa). Walton, envidioso de esta designación, despierta los celos en Yorik, haciéndole que mire fijamente a Edmundo. Éste, efectivamente, ama a Alicia, la mujer de Yorik, pero sin haber faltado a sus deberes de gratitud con éste. Shakespeare interviene y Walton promete silencio, pero no lo cumple. Yorik quiere vengarse, sin saber quién le ha ofendido. La comedia y la vida van entonces juntas. Cuando la obra se representa, Walton logra quedarse con una carta que Edmundo daba a Alicia. En la escena ha de entregar un billete a Yorik y entonces entrega la carta a Edmundo. Yorik, que tenía que fingir en el drama matar a Edmundo, lo mata en realidad. El público aplaude tan perfecta representación; pero Shakespeare tiene que salir a decir la verdad: el actor que hacía de Manfredo ha sido muerto «por equivocación» y Walton también ha muerto de una estocada en la calle.

El efectismo de los finales de acto resulta tan a propósito del tema, que no se presta a fácil triunfo, sino que revela un acierto inteligente y sabiamente preparado.

José Echegaray (1832-1916). — Madrileño, profesor de la Escuela de Ingenieros de Caminos, que ocupó importantes puestos públicos (director general, ministro dos veces). Su teatro, abundante y desigual, mezcló las exageraciones románticas con los problemas de la época positivista. En un neorromanticismo planteó el concepto del honor una vez más o se metió en los problemas religiosos en lucha. En este sentido adaptó toda clase de asuntos al ideario de su época. Así cultiva el tema oriental (*Un milagro en Egipto,* drama en verso tomado de una novela arqueológica); el caballeresco *(En el puño de la espada);* el que sigue la manera de Ibsen *(El hijo de don Juan,* en que Lázaro muere loco clamando por el sol, o *El loco Dios).* Los defectos románticos aparecen aumentados en Echegaray por su deficiente versificación y su falso sentido del honor; en cambio, logró captar los conflictos íntimos y una indudable intensidad trágica. En este aspecto pueden destacarse *O locura o santidad* (el hijo de un rico, enterado de que en realidad es hijo de la criada, decide renunciar a su posición; la familia, con fines egoístas, lo lleva a un manicomio), *De mala raza, Mancha que limpia* y *El gran Galeoto.* El contenido de ésta es el siguiente:

Ernesto, inteligente joven, es protegido por don Julián, hombre maduro casado con la joven Teodora. Las gentes murmuran de los jóvenes y don Severo (hermano de don Julián) transmite las murmuraciones al esposo, que siente celos. Ernesto se desafía con uno de los murmuradores y Teodora va a casa de él para evitar el desafío. Pero don Julián se ha anticipado a batirse y llega herido. Al ver a su esposa, la considera culpable y se desmaya. En su casa, don Julián se levanta de la cama al saber que ha llegado Ernesto, vuelve a encontrarlos juntos y abofetea a Ernesto. Vuelve a su cama y muere. Interviene don Severo, y Ernesto recibe en sus brazos a Teodora, ya que dice es el mundo quien se empeña en dársela.

Otros dramaturgos. — La mezcla de neorromanticismo y realismo de Echegaray puede encontrarse en otros dramaturgos nacidos algo después, aunque de su generación. Así puede citarse a **Eugenio Sellés** (1844-1926), autor de *El nudo gordiano,* obra muy celebrada en que se plantea una vez más el problema matrimonial; a **Leopoldo Cano** (1844-1934), que plantea un hondo problema social en *La trata de blancas,* y en *La mariposa* hace un drama de tendencia simbolista; a **José Felíu y Codina** (1847-1897), que en *La Dolores* hace un drama regional y pasional a lo Echegaray; a **Joaquín Dicenta** (1863-1917), que cultiva un teatro con los problemas sociales de la clase obrera; a **Enrique Gaspar** (1842-1902), que sigue el teatro de costumbres a la manera de López de Ayala, pero que ya inicia la tendencia simbólica en alguna comedia.

El sainete y la zarzuela. — En la segunda mitad del siglo XIX se cultivó un tipo de teatro breve que se denominó el «género chico». Las obras típicas fueron las zarzuelas, que eran piezas cortas como sainetes o entremeses con acompañamiento musical.

Estas obras presentan un interés documental por los tipos, costumbres y frases castizas, pero su calidad literaria es escasa. Los escritos en verso, cuando la renovación métrica de Rubén Darío, fueron puestos de ejemplo de versificación irregular, ya que la necesidad de adaptar los versos a formas cantadas hacía a los autores ejercitarse en las sujetas a un ritmo y no a un tipo formulario de estrofa. En general, los autores de estas piezas teatrales breves (los llamados «libretistas») sólo daban los motivos para que el compositor se inspirase y lograra una admirable música castiza.

Entre los autores de libretos de zarzuelas hemos de citar a Ventura de la Vega y su hijo Ricardo, Tomás Luceño, Javier de Burgos, José López Silva, Luis Mariano de Larra, Miguel Ramos Carrión y Fernández Shaw entre otros. Las partituras se debieron a maestros muy populares como Barbieri, Chapí, Bretón, Chueca, Giménez y otros.

En este género puede considerarse perfecta *La verbena de la Paloma,* libro de Ricardo de la Vega con música del maestro Tomás Bretón. Es un sainete de costumbres madrileñas con tipos de barrio musicalmente interpretados. Al diálogo madrileñísimo y achulado ha correspondido la interpretación genial de una música castiza. Todos los tipos de la obra — Julián, la señá Rita, Casta, Susana, etc. — son hoy muy populares.

Han de agregarse algunas otras notables zarzuelas como *La boda de Luis Alonso,* de Javier de Burgos, con música de Giménez; *La revoltosa,* de López Silva y Fernández Shaw, con música de Chapí; *El barberillo de Lavapiés,* de Luis Mariano de Larra, con música de Barbieri, el mejor de nuestros músicos de zarzuela, etc.

También empezó a cultivarse la revista. La primera, madrileña, fue *La Gran Vía,* letra de Felipe Pérez y González, en cinco cuadros, con música de los maestros Chueca y Valverde, a la que siguieron otras.

CAPÍTULO XLVII

LOS COSTUMBRISTAS DEL SIGLO XIX. LARRA

El costumbrismo. — Este género, esencialmente español, se desarrolló durante el siglo XIX al calor del periodismo. Las publicaciones madrileñas — como el *Semanario Pintoresco Español* (1832-1842) — acogieron los artículos de costumbres, que tan bien enlazaban con nuestra tradición. Los costumbristas, exaltando el llamado «color local», fueron, en cierto modo, románticos. Un castellano (Mesonero Romanos) y un andaluz (Estébanez Calderón) representaron este aspecto de la prosa del siglo XIX.

Ramón de Mesonero Romanos (1803-1882). — Era madrileño y se distinguió por su profunda observación de la realidad. Como periodista colaboró en la revista *Cartas españolas* y fundó el *Semanario Pintoresco Español.* Su estilo es sobrio y elegante y acierta en la pincelada pintoresca. El autor es optimista y rico de color. Las costumbres que pinta son las madrileñas, con sus fiestas y tertulias. Los tipos, o son populares, como majas y toreros, o son literarios. Reunió sus artículos en tres amplias colecciones: *Panorama matritense, Escenas matritenses* y *Tipos y caracteres.* De sus artículos literarios ha de recordarse *El romanticismo y los románticos,* graciosa sátira del romanticismo, pero ramplona; de los de costumbres, *La calle de Toledo, La capa vieja y el baile del candil, Requiebros de Lavapiés;* de sus retratos, *El lechuguino* y *El consejero de Castilla.*

Hizo además una especie de historia anecdótica de las calles y monumentos de la corte en *El antiguo Madrid, paseos historico-anecdóticos por las calles y casas de esta villa.* En 1880 publica sus *Memorias de un setentón natural y vecino de Madrid,* en que se refieren hechos de notable interés, unos históricos, como la guerra de la Independencia, siendo muchacho el autor; otros literarios, como el que describe la tertulia del *Parnasillo;* otros de costumbres madrileñas, como *Usos, trajes y costumbres.* He aquí la hora del paseo por el Prado, descrita por Mesonero:

Comíase entonces a las tres, y por lo tanto, no podía prolongarse el paseo matutino más de aquel par de horas, pero en ellas el espectáculo que ofrecía el hermoso salón era magnífico y fascinador. Las pieles y bordados, los terciopelos y encajes, los diamantes y pedrerías, que ahora parecerían exageraciones de mal tono y fuera de su lugar en un paseo público, eran entonces requisitos indispensables, obligados adornos de la escogida y brillante sociedad que frecuentaba el Prado a tales horas; y mezclados con los lucidos uniformes de los Guardias de Corps y de Infantería, que por entonces no se reservaban exclusivamente para los actos de servicio, antes bien gustaban de ostentar sus colores, galones y bordados entre los grupos de las bellas aficionadas; hasta los reposados y vetustos «equipajes» en que, a impulsos de dos modestas mulas, dejaban conducir por el paseo de la izquierda sus encumbradas personas los altos funcionarios y sublimados magnates; y los mismos silenciosos grupos de ancianos respetables, consejeros y religiosos, que en pausado movimiento se veían deslizar por el lado de San Fernando; todo ello, en fin, constituía un espectáculo tan original y característico de la época, que de ninguna manera podría adivinarse por el que presenta hoy este mismo Prado y esta misma sociedad.

Serafín Estébanez Calderón (1799-1867). — Este malagueño, que hizo famoso el seudónimo del *Solitario,* se distinguió también como costumbrista y trazador de ambiente, aunque inferior en estilo a Mesonero Romanos. Los recuerdos e impresiones de su región los reunió en *Escenas andaluzas* (1847). Es abundante y rebuscado de estilo, pero gracioso y veraz. Sus tipos son los de la clase baja de Andalucía; y sus bailes, ferias y «juergas» son las castizas de dicha región. Estos cuadros de costumbres poseen gran fuerza, como *Gracias y donaires de la capa, La rifa andaluza, Don Opando y unas elecciones,* etc. He aquí un fragmento del primero:

La capa es la concha del hombre, el arrimo del pobre, la medicina del menesteroso, el sanalotodo del enfermo, la guiropa del hambriento, el palacio del sabio, la estufa en el invierno, la garapiñera en agosto y, en una palabra, la carne y pulpa del hueso que se llama hombre, que aquí, hablando en puridad, es un purísimo, durísimo y malditísimo hueso... Después de la hoja de la higuera es la primera de la vestimenta humana... La capa, para ser capa, no debe llegar a los tobillos, ni quedarse por sombrero de los muslos, que al alargarse allá es achaque de hábito, y al quedarse por aquí es cosa de tacañería y prenda rabicortona; no debe exceder de siete varas, ni recortarse hasta las cinco de paño, que aquello es embarazoso y de estorbo, y esto es perder la prosapia de capa y trasladarse a la estructura de mal capote. La capa, pues, para que obedezca, debe estar muy hecha y algo manida, quiere decir que su amo la ha de conocer por tacto, uso y costumbre de tiempo atrás, ha de ser cosa llevada y traída por lo menos por seis meses y que haya dejado el husmo y lustre de la tienda, que es, como si dijéramos, perder el pelo de la dehesa y, en una palabra, debe haber pasado a ser mesmamente el tegumento y el pellejillo de la persona... La capa, sin ser inválida, bien pudiera tenerse y jactarse de muy veterana... La capa abriga en invierno y refrigera en verano...

Mariano José de Larra como costumbrista y crítico. Larra, que, como sabemos, murió en plena juventud, fue el más grande de los periodistas de su tiempo. Su obra, en conjunto, es un acierto literario y también un considerable aspecto de la ideología de la España del siglo XIX. Es pesimista, se preocupa por mejorar los modales del español, censura acremente sus defectos y se puede considerar un antecedente de la generación del 98.

Sus artículos *(Colección de artículos dramáticos, literarios, políticos y de costumbres)* se publicaron en *El pobrecito hablador,* en la *Revista Española* y en *El observador.* Pueden clasificarse así:

a) Artículos de costumbres. Estos cuadros animados le muestran como creador de belleza literaria y son verdaderos aguafuertes. Así tenemos: *Los calaveras* (de gracia enumerativa), *El castellano viejo* (su artículo más representativo y humorista, en que se describe una comida pintoresca en celebración de los días de un hombre de clase media con sueldo y hacienda, pero que no sabe vivir diariamente cómodo); *Un reo de muerte* (de los más amargos tonos).

El mundo todo es máscaras, todo el año es carnaval (animada y novelesca narración de gran valor literario) y *El día de difuntos de 1836; Fígaro en el cementerio,* fantasía caricaturesca de trágica emoción:

Día de difuntos, exclamé; y el bronce herido, que anunciaba con lamentable clamor la ausencia eterna de los que han sido, parecía vibrar más lúgubre que ningún año, como si presagiase su propia muerte. Ellas también, las campanas, han alcanzado su última hora, y sus tristes acentos son el estertor del moribundo... Quise salir violentamente del horrible cementerio. Quise refugiarme en mi propio corazón, lleno no ha mucho de vida, de ilusiones, de deseos. ¡Santo cielo! También otro sepulcro. ¿Qué dice? Leamos. ¿Quién ha muerto en él? ¡Espantoso letrero! ¡¡Aquí yace la esperanza!! ¡Silencio! ¡¡Silencio!!

Es este fragmento de un impresionante artículo en que Larra pasa de su sátira de las costumbres a ahondar en la tragedia de su propio corazón.

b) Artículos literarios. En varios artículos defiende el sentido tradicional de la lengua y ataca los galicismos. Así en *Filología:*

Si los jóvenes que se dedican a la literatura estudiasen más nuestros poetas antiguos, en vez de traducir tanto y tan mal, sabrían mejor su lengua, se aficionarían más de ella, no la embutirían de expresiones exóticas, no necesarias, y serían más celosos del honor nacional.

Sobre su manera de comprender nuestra escena, interesan los artículos *Reflexiones acerca del modo de resucitar el teatro español* y *Teatros,* en que leemos de los actores el siguiente juicio:

¿Qué no diremos de los actores? Si ven aprobado un traje inexacto sólo porque es ridículo, si oyen aplaudir un modo de decir falso sólo porque es exagerado, si ven desconocida a cada paso tal cual belleza que se les escapa, y bulliciosamente coronado de aplausos todo gesto innatural, todo ademán grotesco, ¿a qué han de fatigarse en buscar por senderos tortuosos una reputación, primer premio que anhelan, que a mucho menos costa y por cualquier camino se encuentra adquirida?

En lo que supera a todos en su tiempo es en la crítica literaria. Si acierta en sus juicios sobre literatura francesa (recuérdese su opinión sobre el *Hernani,* de Víctor Hugo), aún más en los de sus contemporáneos, donde alcanza elevación y dignidad, alentándolos en lo bueno y sin velar sus defectos. Así pueden recordarse sus críticas al estreno del *Trovador,* de García Gutiérrez; *La conjuración de Venecia,* de Martínez de la Rosa, y *Los amantes de Teruel,* de Hartzenbusch.

Larra, que popularizó el seudónimo de *Fígaro,* afirmó muchas veces que no había más que deshacer lo mal hecho y sus tipos no personalizaban a nadie concretamente, como dice en su artículo *La polémica literaria:*

Si acaso oye usted decir a las gentes cuando le vean por el mundo: «Ahí va el cliente de Fígaro: ése es el del artículo.» No lo creo, responda usted: el cliente de Fígaro es un ente ideal que tiene muchos retratos en esta sociedad, pero que no tiene original en ninguna.

CAPÍTULO XLVIII

LA NOVELA HISTÓRICA. LA NOVELA DE COSTUMBRES

La novela histórica del romanticismo. — El romanticismo español, que tan magníficas muestras de su genio creador había dado en el teatro y en la poesía, no dio novela de verdadero relieve. La idealización que nuestros románticos hacen de las pasadas edades no dieron resultados literarios notables. Nuestros novelistas siguen la novela histórica a la manera de Walter Scott (1771-1832), novelista escocés cuyas obras tuvieron numerosas traducciones en España. Entre las novelas históricas españolas que siguen la manera de Scott hemos de citar las siguientes:

a) *Los bandos de Castilla* o *El Caballero del Cisne* (1830), de **Ramón López Soler.**

b) *El doncel de don Enrique el Doliente* (1834), de **Mariano José de Larra,** en que narra, como en el drama, y a la manera de los románticos, una Edad Media pintoresca y tenebrosa, con un desenlace lánguido y desorbitado. No obstante méritos descriptivos, su valor no pasa de ser arqueológico.

c) *Sancho Saldaña o El castellano de Cuéllar* (1834), de **José Espronceda.** Este poeta la escribió durante su destierro en Cuéllar (Segovia). Es una serie de cuadros históricos de escaso interés.

d) *Doña Isabel de Solís, reina de Granada* (1837), de **Francisco Martínez de la Rosa.**

e) *El señor de Bembibre* (1844), de **Enrique Gil y Carrasco,** la mejor de las novelas históricas españolas. Está basada en el hecho de la extinción de la Orden del Temple en España, mezclado con los amores de Beatriz de Ossorio, que falta a la palabra dada a su amante don Álvaro Yáñez, quien, por accidente, se encuentra con todos los actores de la tragedia. Recuerda la trama novelesca de *La novia de Lammermoor,* de Scott. Aunque el ambiente medieval es convencional, el paisaje de la región del Bierzo, con las montañas de Galicia al fondo, es delicadamente descrito. Era la tierra natal del escritor. He aquí una descripción del otoño avanzado:

Los ríos iban ya un poco turbios e hinchados, los pajarillos volaban de un árbol a otro sin soltar sus trinos armoniosos, y las ovejas corrían por las laderas y por los prados, recién despojados de su hierba, balando ronca y tristemente. La Naturaleza entera parecía despedirse del tiempo alegre y prepararse para los largos y oscuros lutos del invierno.

f) Otros varios cultivan este género en España durante el romanticismo, como García Villalta, Estanislao de Kotska Bayo, Trueba y Cossío, Estébanez Calderón, Escosura, etc. Destacan las novelas históricas de Navarro Villoslada, como *Amaya o los vascos en el siglo VIII.*

La novela de costumbres. "Fernán Caballero" (1796-1877).—A doña Cecilia Bölh de Fáber, hija del hispanista alemán del mismo nombre, debemos el tránsito de la novela de elementos románticos a la de costumbres. Hija de alemán y de gaditana, había nacido de paso sus padres por Morges (Berna). Se educó en Alemania y, de vuelta a España, se casó y enviudó tres veces. Sus tres maridos fueron españoles. Muy protegida de la reina Isabel II, vivió hasta la revolución en el Alcázar de Sevilla.

Su mejor novela, *La Gaviota* (1849), representa la evolución de la novela romántica a la realista. Fue obra de su entusiasmo por España, por sus tipos, por sus costumbres. Es un paso hacia lo documental y la propia autora nos lo dice:

Escribimos un ensayo sobre la vida íntima del pueblo español, su lenguaje, creencias, cuentos y tradiciones. La parte que pudiera llamarse novela sirve de marco a este vasto cuadro que no hemos hecho más que bosquejar... Todas las (personas) que componen la sociedad prestan al pintor de costumbres cada cual su rasgo característico, que unidos todos como en un mosaico forman los tipos.

En esta novela documental no faltan los elementos románticos, como la tempestad en el mar de los comienzos, el convento sin frailes y sin liturgia, los conflictos sentimentales y el tono retórico; pero es un amplio cuadro de las costumbres de Andalucía y una novela que cae ya dentro del realismo. Su contenido es el siguiente:

Marisalada (la «gaviota»), hija de un pescador, vive en su choza, próxima a un convento abandonado en el condado de Niebla. Con ocasión de una enfermedad, es curada por Fritz Stein, médico alemán, protegido del duque de Almansa. Fritz y Marisalada se casan y el duque los hace salir de su retiro para que vivan en Sevilla. Ella causa admiración con su voz, pero su veleidad amorosa la hace enamorarse de un torero. Fritz Stein, desengañado, huye de ella y muere en América. Dios castiga a Marisalada, que pierde la voz y no puede seguir actuando en el teatro; que ve, en una emocionada descripción de una difícil corrida de toros, cómo uno de éstos «alzaba sobre sus astas, como un trofeo, al desmayado matador (su amante)»; y que se ve abandonada de todos. Cuando, al final de la novela, volvemos a encontrar a Marisalada, es la mujer del rapabarbas de su pueblo.

Fernán Caballero escribió otras novelas, también de costumbres. Tales son *Clemencia, La familia de Alvareda* y *Un verano en Bornos*. Demostró, una vez más, su afición a lo folklórico con sus *Cuadros de costumbres populares andaluzas,* en que colecciona cantares y cuentos de la región. He aquí un fragmento de *Don Próspero y la buena suerte:*

—Ahora tienen higos porque las higueras dan dos cosechas al año. ¿No sabes tú eso, María Moquillos?

—No, «señó».

—Pues sábetelo, y también por lo que eso sucede. Cuando andaba nuestro Señor por el mundo, descansó, en una ocasión, debajo de una higuera con San Pedro, que se chupaba los dedos por una breva; viendo el Señor lo mucho que le gustaba a su discípulo, le dijo: «Pedro, ya que tanto te agrada la fruta de ese árbol, de aquí en adelante dará no una, sino dos cosechas al año...»

... ...

Al oírlas (a las ranas) las niñas se pusieron a cantar cual ellas:

Cuando cantan las ranas
bailan los ranos
y tocan los palillos
los gusarapos.

—¿No sabéis vosotras, «chilindrineras», por qué cantan las ranas?—preguntó el tío Curro a las chiquillas.

—¡Toma! Para alegrarse—contestaron ellas.

—No, señor; cantan para pedir agua a su Divina Majestad, porque habéis de saber que una rana sin agua está lo propio que un hombre sin vino: Ahiláa. Sucedió que un año de seca, un pobre que veía que su pegujal se le secaba, se fue a una laguna que estaba cerca de su manchón, y les dijo con el sombrero en la mano a las ranas: «Animalitos de Dios: pedirle agua.» Las ranas se pusieron a cantar...

Antonio de Trueba (1819-1889). — Escritor vizcaíno y autodidacto que se hizo popular en su tierra como *Antón de los cantares* por ser intérprete de los populares. Se distinguió en las narraciones breves, siendo su obra más representativa sus *Cuentos de color de rosa,* que tituló así:

... porque son el reverso de la medalla de la literatura pesimista, que se complace en presentar el mundo como un infinito desierto en que no brota una flor, y la vida como una perpetua noche en que no brilla una estrella.

De acuerdo con esto su romanticismo es dulzón y optimista pero con bellos destellos descriptivos, sobre todo del paisaje natal, de «aquel rinconcito del mundo que se llama las *Encartaciones de Vizcaya*». Se distingue por su religiosidad: ve siempre a Dios sobre los campos. Muchos de sus cuentos los oyó contar al pueblo y él los recuenta *(Cuentos de vivos y muertos).*

Como una nota esencial de Trueba hemos de hacer constar que descubrió concienzudamente el paisaje de Castilla. Así en sus *Cuentos campesinos* hay alguno como *La felicidad doméstica* en que comprende, aunque hombre del Norte, el paisaje castellano:

Yo he vagado, sumido en honda meditación, por las llanuras de Castilla al nacer y al morir el sol, y he sentido mi alma sumergida en un piélago de poesía... El espectáculo que ofrece la llanura es solemne y triste... Por eso, campos de Castilla, he bendecido y he cantado a Dios, vagando en vuestras áridas soledades, como lo bendije y le canté vagando en las verdes soledades de los campos nativos.

De sus cuentos deben citarse *Gramática parda, La madrastra* y *El perro negro,* mezcla de misterio y optimismo.

De una orientación semejante fue **Selgas,** más conocido como poeta, de tiernas y delicadas descripciones.

La novela romántica hispanoamericana. — En los países americanos de habla española, también por el camino del costumbrismo, se pasó a la novela sentimental. Destacaron los cubanos como **Anselmo Suárez Romero** (1818-1878) con su novela esclavista *Francisco;* los mejicanos con sus narraciones históricas (Fernando Orozco y Berra, Juan Díaz Covarrubias, Florencio M. del Castillo, Justo Sierra, etc.); los argentinos con las de la época del gobernador Juan Manuel Rosas como la famosa *Amalia* (1851), de **José Mármol** (1815?-1873), o como *Facundo* (*Civilización y barbarie, Vida de Juan Facundo Quiroga,* 1845), apasionante re-

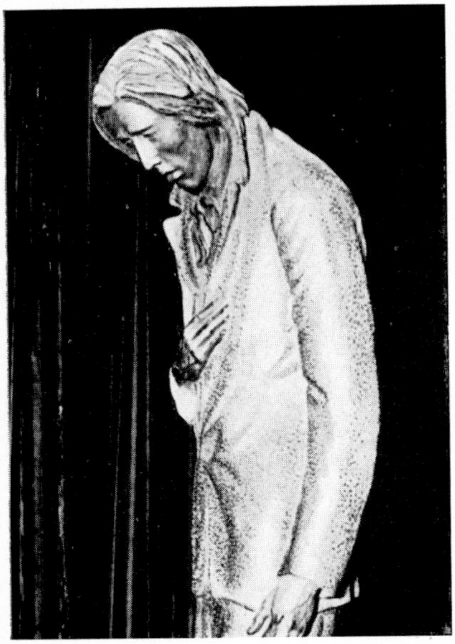

Florencio Sánchez

Miguel de Unamuno

José Enrique Rodó

Roberto J. Payró

Antonio Machado

Azorín (J. Martínez Ruiz)

lato sociológico de **Domingo F. Sarmiento** (1811-1888), que es una cumbre inicial de la literatura argentina; los uruguayos como **Alejandro Magariños Cervantes** (1825-1893) con *Caramuru* (1848); el guatemalteco **José Milla Vidaurre** (1862-1882), autor de novelas históricas, así como **Alejandro Tapia** (1827-1882), de Puerto Rico, que además presenta extraños relatos satíricos basados en la transmigración de las almas.

Dos novelistas americanos han conocido la fama especialmente. Uno es el ecuatoriano **Juan León Mera** (1832-1894), cuya novela indianista *Cumandá* (1871) es típico ejemplo del romanticismo americano. Pero la más conocida de este período en el continente fue *María* (1867), de **Jorge Isaacs** (1837-1895), en la que se interpreta la Naturaleza y el sentimiento criollos con las más suaves y pesimistas tintas del más puro y genuino romanticismo.

CAPÍTULO XLIX

LA NOVELA REALISTA. ALARCÓN. VALERA

Pedro Antonio de Alarcón (1833-1891). — Este escritor representa el primer nombre en la serie de grandes narradores que hacia la mitad del siglo XIX, siguiendo el camino de la observación directa y de la vida diaria, inician una poderosa escuela novelística. Nació en Guadix (Granada), su perfil literario lo formó en el ambiente de la famosa *Cuerda granadina* y, como otros muchos españoles, fue un autodidacto. Los libros, los viajes y los tipos que encontró en la vida fueron sus verdaderos maestros. Cambió de ideas y sentimientos. Pasó de dirigir un periódico anticlerical en Madrid a las ideas más conservadoras. Fue soldado voluntario en la guerra de África y asistió a la batalla de Alcolea. Fue diputado a Cortes, consejero de Estado y académico de la Española. Cuando murió en Madrid hacía nueve años que se había retirado de la literatura, dolido del vacío que hizo la crítica a su última obra.

Alarcón, cronista. — Tres libros de impresiones quedan como interesante testimonio de las condiciones hábiles de un narrador vigoroso e impresionante. Los tres representan la observación directa:

a) *Diario de un testigo de la guerra de África* (1859-1860) en que su sentido de lo fuerte y lo trágico le da un gran vigor descriptivo. Exalta lo dinámico y heroico. No ha de olvidarse que Alarcón ganó en esta guerra la cruz de San Fernando. Es una crónica de campamento.

b) *De Madrid a Nápoles* contiene las impresiones delicadas de un viaje a Italia en que revela su minuciosa observación y su sensibilidad ávida de temas de arte y paisaje.

c) *La Alpujarra.* Esta obra pudiera considerarse como el paso de los libros de crónica a la verdadera novela. Es la «crónica del caminante», según expresión del autor, con descripciones de tipos y paisajes; pero, además, se habla de la rebelión de los moriscos de las Alpujarras en tiempo de Felipe II.

Novelas cortas y cuentos de Alarcón. — Alarcón ha sido de los novelistas más hábiles para trazar una acción sobria y enérgicamente narrada, sin accesorios. Así lo demuestran sus *Historietas nacionales.* En ellas encontramos visiones retrospectivas, como *Las dos glorias* o los retratos de Carlos V y San Francisco de Borja; episodios de la primera lucha carlista, como *La trompeta de llaves;* de la guerra de Independencia, como *El carbonero alcalde* y *El afrancesado;* sabe combinar la aventura con la intriga en *La buenaventura* y *El libro talonario,* de simpática gracia andaluza.

En sus cuentos de tipo amatorio destaca *La comendadora,* de maliciosa ironía, y el hondo dramatismo de *El clavo.*

Por el camino del cuento amplificado han de citarse *El sombrero de tres picos* y *El capitán Veneno,* ambas de gran mérito.

"El sombrero de tres picos", de Alarcón. — Como tantas otras narraciones, procede de un cuento popular *(El romance del Molinero de Arcos)* y resulta la mejor de todas las suyas y un modelo de gracia, habilidad y sana malicia. Su tema es el del corregidor y la señá Frasquita, la Molinera. El corregidor queda burlado; y el tío Lucas, el marido de la molinera, que con las ropas del viejo corregidor intenta aplicar la pena del talión, también fracasa. La virtud de la corregidora y de la molinera quedan incólumes. El ambiente, los tipos, la indumentaria y la encantadora viveza del relato enlazan con las más vivas tradiciones orales populares y con el realismo de nuestra literatura del Siglo de Oro.

La gracia picaresca de estas páginas ha dado margen a las danzas del «ballet» de este título que tanta gloria han dado al maestro Falla como músico.

La señora Pardo Bazán lo llamó «el rey de los cuentos españoles».

La novela extensa de Alarcón. — La primera obra de Alarcón fue una novela, *El final de Norma,* escrita a los dieciocho años. Representaba esta obra, en caracteres y acción, un escritor atado al pasado. Se trataba de un artificio novelesco, pleno de romanticismo y falto de realidad. La aventura del violinista Serafín y la cantante Brunilda. Al frente de esta su primera novela el escritor nos dice que sólo conocía el mundo «por mapas y libros».

Lo que demuestra que Alarcón en la narración extensa era un valor de época es su novela *El escándalo* (1875), que tiene verdadera importancia. Salvando su irónica e inocente malicia, es obra de ideas conservadoras. Como en otras obras del momento, quedan elementos románticos: la pasión pura, la mujer buena, liberadora del libertino. Este hálito de romanticismo se envenena de la calumnia en una época prosaica y mezquina. El eje de la novela es la confesión o, mejor, confidencia del protagonista — Fabián Conde — con el padre Manrique. Aquél, joven aristócrata de vida revuelta, cuando encuentra el amor — Gabriela — se ve envuelto en la calumnia y, por sus antecedentes, nadie le cree. Siguiendo los consejos del padre Manrique, y a costa de grandes renunciaciones, se rehabilita. Es rica en matices y personajes la novela: el «caso» del padre de Fabián; sus dos amigos: el impulsivo Diego y el reflexivo Lázaro; y los tipos femeninos: Matilde, el amor impuro; Gregoria, la insoportable y calumniadora. Alarcón alcanza perfiles psicológicos de interés; así, el padre Manrique explica el caso Fabián: «No (es) un calavera vulgar... sino la viva personificación de una tragedia íntima, espiritual, ascética en el fondo, aunque revestida de tan mundanas formas».

Otra gran novela de Alarcón es *El niño de la bola* (1880), de trágica acción popular y ambiente heroico y agreste. Su protagonista, Manuel Venegas, según el propio autor, es «una gran soberbia, una pasión desenfrenada, un amor loco, mezclado con ira, sed de venganza y los más rabiosos celos, al par que servido por las fuerzas y arrogancias de un león, y hagamos ver de qué modo tan natural y sencillo esta que llamaré *noble fiera humana* fluctúa y oscila entre los furores de la bestia y las generosidades del ángel».

Su última novela *La Pródiga* (1882) — amores de Julia con

Guillermo de Loja —, aunque con un cierto vigoroso dramatismo, acusa la decadencia del gran novelista.

Juan Valera Alcalá-Galiano (1824-1905). — Nació en Cabra (Córdoba) de familia aristocrática, estudió en Málaga y fue colegial del Sacro Monte de Granada. Inició su carrera diplomática acompañando al duque de Rivas en una misión a Nápoles; después conoció Lisboa, Río de Janeiro, Dresde, Viena, San Petersburgo, Bruselas, Wáshington. Era un delicado temperamento de artista. En los finales de su vida perdió la vista.

Valera, humanista y crítico. — Tuvo el instinto de ir a los valores esenciales en las literaturas que conocía. Le ayudaba su fino gusto y aguda inteligencia. Empezó siendo un autodidacto, pero acabó en un escritor completamente formado, lo mismo en letras clásicas que en poesía moderna. Hizo finas imitaciones y traducciones de clásicos. Así puede citarse la prosa diáfana de la versión de *Dafnis y Cloe,* de Longo; sus versos del *Fausto,* de Gœthe; las citas, obras y cartas de autores portugueses, italianos y alemanes.

Su crítica es aguda e inteligente, como en sus discursos «sobre el *Quijote* y sobre la manera de comentarle y juzgarle» y sus notables *Cartas americanas,* en que descubrió las posibilidades poéticas de Rubén Darío con motivo del libro *Azul.* En el género epistolar fue gran maestro, que demostró, junto a la nota de ironía y citas inteligentes de humanista, su gran habilidad y cultura para agradar.

Los cuentos y novelas de Valera. — En sus *Cuentos, diálogos y fantasías* recogió diversos géneros de obras, como la fina narración infantil de *El pájaro verde* o la ingenua e irónica de *Garuda o la Cigüeña blanca;* el malicioso diálogo de *Asclepigenia;* el intento dramático de *La venganza de Atahualpa.*

Pero el valor de Valera es como novelista. Su primera novela es *Pepita Jiménez* (1874) que, dentro de lo que se propuso Valera, es perfecta y obra maestra. Su autor era un hombre maduro, próximo a la cincuentena. Sus dotes de epistológrafo le llevaron a desarrollarla en forma epistolar, hasta que la acción llega al más agudo conflicto y entonces la narración sustituye a las cartas. Según él mismo explica, aplicó a esta obra sus ideas sobre la novela: «Una novela bonita debe ser poesía y no historia, esto es, debe pintar las cosas no como son, sino más bellas de lo que son, iluminándolas con luz que tenga cierto hechizo». Dentro de una sencilla elaboración, su estilo es terso y elegante. El tema es también sencillo: el tránsito del amor místico del seminarista Luis de Vargas a la pasión por Pepita, viuda pretendida por el padre del protagonista. El seminarista en sus cartas al deán, su tío y maestro, nos va descubriendo gradualmente su alma en un alarde de agudeza psicológica de Valera. La obra acaba en boda. El padre de Luis de Vargas la prepara con ayuda de otro personaje: Antoñona, la criada de Pepita. Hay en la obra una gran ternura por el paisaje andaluz, cuyo ambiente primaveral ayuda al cambio de vocación de Luis de Vargas.

Un conflicto parecido al de esta primera novela se da en *Doña Luz* (1879); aunque más agudo y dramático, es más suavemente resuelto con el triunfo del misticismo.

Juanita la larga, en que el ambiente popular andaluz — el tema de la Semana Santa en una aldea — y la dulzura del amor unifica las edades y sirve de contrapeso. El cincuentón don Paco y la joven Juanita son los protagonistas.

Las ilusiones del doctor Faustino. El autor intentó encarnar en el protagonista el «mal del siglo», la insatisfacción de los ideales de la vida y el pensamiento de su generación y, a la vez, nos dejó una gran cantidad de recuerdos autobiográficos. Don Faustino es contradictorio, abúlico y fatalmente guiado a un fin doloroso. El tema más sugestivo del libro es el de los amores: María, «la inmortal amiga», tiene un encanto de poesía y fascinación, cuando en la primera parte de la novela se nos muestra ilusa, fiel enamorada que se cree atraída por el doctor, desde existencias anteriores; pero el misterio se pierde en el costumbrismo y desaparece su encanto cuando se revela el enigma en la segunda parte de la novela, con el episodio «de bandidos» de Joselito el Seco.

El estilo de Valera. — Este escritor, que también fue poeta, se aplicó a formarse un estilo. Sin duda, encontró dificultades y resistencias, pero fruto de reflexión y estudio, surgió su estilo terso, elegante y de aparente facilidad y sencillez. Puede decirse que su estilo lo formó en el género epistolar, que dominó formalmente y que se puede presentar como el mejor del siglo XIX y que, aparte distancias y diferencias, hace pensar en el de los Siglos de Oro. Obsérvese este trozo, anterior a *Pepita Jiménez,* de una carta desde San Petersburgo en que describe su viaje:

Todo se nos volvía caminar y más caminar, sin que se le viese el fin al camino, y sin que el camino ofreciese distracción alguna. Ora veíamos en torno nuestro una llanura sin árboles, que se extendía indefinidamente, confundiéndose a lo lejos con el aire, y que, cubierta de nieve, parecía un mar de plata; eran interminables bosques de pinos. Claro y sereno el cielo, durante cinco horas de verdadero día, en que el sol doraba la nieve con sus pálidos rayos. Por la noche, esto es, en las diecinueve horas restantes, una luz tibia, o por mejor decir, una luz incierta y blanquecina, que no tenía mucho de luz, pero lo que es de tibio nada tenía tampoco, una luz que no se parecía ni a la del sol ni a la de la luna, y que deja entrever los objetos de una manera fantástica, me hacía imaginar que estaba en el seno de una noche cimeriana. A todo esto añada usted hondo silencio y soledad que más bien y más a menudo interrumpían los grajos que los hombres.

CAPÍTULO L

JOSÉ M.a PEREDA. EMILIA PARDO BAZÁN

José María Pereda (1833-1906).—Nació en Polanco (Santander), residió de ordinario en su tierra y colaboró en periódicos locales. Pereda representa el triunfo de los elementos literarios regionales y de lo descriptivo frente a la trama novelesca. Lo perdurable de sus producciones es el ambiente, las peñas o el mar.

Comenzó por cuentos y cuadros de costumbres de sabor regional en los que muestra su realismo que, en parte, proviene de la tradición literaria española: *Escenas montañesas* y *Tipos y paisajes.* Pueden citarse de ellos narraciones de indudable grandeza: *La leva, El fin de una raza* y *La bruja.* No faltan a las descripciones un tono de sátira y ciertos rasgos de caricatura. He aquí el final de *La noche de Navidad* de *Escenas montañesas:*

La familia tira los últimos golpes a la cena, agotándose los jarros de vino, y el chicuelo despierta preguntando por los marzantes. Cuando sabe que se han marchado, alborota la cocina a berridos, dale su padre un par de guantadas, interpónense el seminarista y su madre, apágase la lumbre, oscila la luz del candil, dormita la moza, maya perezoso el gato, cáesele la pipa más de una vez de la boca al tío Jeromo, habla torpe sobre los fenómenos de la luz el seminarista, y cuando los relinchos de los marzantes se escuchan lejanos, hacia el fin de la barriada, desfila al paso tardo y vacilante la familia de tío Jeromo a buscar en el reposo del lecho el fin de tan risueña y placentera velada.

La tía Simona sale la última, y mientras se lamenta de haber dejado de rezar el rosario por causa del jaleo, y jura que al día siguiente ha de rezar dos, guarda en el arcón que ya conocemos los despojos del pan, del azúcar y de la manteca, para que en el primer día de Pascua pueda la familia, «manipulándoselo bien», recordar con algo más que la memoria la noche de Navidad.

Las novelas de Pereda. — En la producción novelística de Pereda han de distinguirse dos grupos:

a) Novelas en las que predomina el sentido docente. Aparecieron, entre 1872 y 1879, por este orden: *Los hombres de pro* (sátira de las habilidades del «arrivismo» político), *El buey suelto...* (caricatura chistosa y pintoresca de la vida del solterón), *Don Gonzalo González de la Gonzalera* (sátira del caciquismo político) y *De tal palo, tal astilla,* la mejor y más madurada de este grupo, que es una réplica a *Gloria,* de Pérez Galdós. Ambos novelistas tuvieron una sincera amistad. La de Pereda es el conflicto producido por la disparidad religiosa entre dos enamorados: Águeda, la católica; Fernando, el librepensador. Llega a resolverlo, por incompatibilidad, con la separación.

b) Novelas de la montaña y el mar. Más adecuadas que las anteriores al temperamento del santanderino, a ellas debe su gloria literaria. Abarca de 1881 a 1894. Comienza con *El sabor de la tierruca,* cuyo escenario es «Polanco y cuanto se divisa desde el porche de su parroquia», y sus personajes son modelos de la realidad. Esta novela, con prólogo de Galdós, fue clasificada con toda razón por Menéndez Pelayo así: «Libro rústico y serrano, que viene cargado de perfumes agrestes y no nos trae ni problemas, ni conflictos, ni tendencias, ni otra cosa ninguna sino lo que Dios puso en el mundo para alegrar los ojos de los mortales: agua y aire, hierba y luz, fuerza y vida.»

Sotileza es una obra maestra de Pereda. Su ambiente es el Santander viejo, anterior a 1850. Se distingue por el ímpetu de las descripciones, en lo que se muestra maravilloso paisajista, y por sus tipos de marineros. Entre todos, Sotileza, la protagonista, con un encanto enigmático que sugestiona por sus rasgos fuertes y femeninos a la vez. Es huérfana de un pescador y ha sido recogida por pescadores. El padre Apolinar la ayuda caritativamente y ampara las pretensiones de Cleto, hijo de Mocejón; también pretenden a la muchacha Andrés, hijo de un capitán de barco, y el monstruoso Muergo. La muchacha prefiere a éste, que muere en una galerna; y, al fin, casa con Cleto. Andrés también se casa con la hija de su jefe. Véase cómo Pereda nos presenta a Muergo:

—Vamos a ver—dijo el cura, dando un coquetazo al del chaquetón, que se entretenía en rebosar las narices contra los vidrios del balcón, el cual muchacho era morrudo, cobrizo, bizco y de cabeza descomunal—. ¿Quién dijo el credo?

Se volvió el rapaz después de largar un hilo sutil de saliva a la vidriera por entre dos de sus incisivos, y respondió, encogiéndose de hombros:

—¡Qué sé yo!

—¿Cuántos dioses hay?

—Pues habrá—respondió el interpelado, volviendo a cruzar los brazos atrás—a todo tirar ocho o nueve...

—«Resurge de profundis...!» ¡Ánimas benditas! ¡Qué pedazo de animal...! Y personas, ¿cuántas?

Miró el bizco a su manera, de hito en hito, al cura, que también le miraba a él como podía, y respondió con todas las señales de estar poseído de la mayor curiosidad:

—¿Personas? ¿Qué son personas, usted?

—San Apolinar bendito—exclamó el sencillo clérigo haciéndose cruces—, ¿conque no sabes qué son personas...? ¿Lo que es una persona? Pues, ¿qué eres tú?

—¿Yo...? Yo soy Muergo.

—Ni tanto siquiera, porque los hay en la playa con más entendimiento que tú...

La otra gran novela de Pereda es *Peñas arriba,* donde culmina el sentimiento de la Naturaleza y en la que todo—incluso los personajes—no son más que medios subordinados al aliento poderoso del alma de la Montaña. En ella el anciano don Celso atrae a Tablanca a su sobrino Marcelo, joven muy aficionado a la vida madrileña, que al principio encuentra la Montaña insoportable, pero luego acaba ganado por ella, rigiendo la casona a la muerte de su tío y casándose con joven montañesa. Los méritos de paisajista de Pereda llegan aquí a su máximo:

En lo más lejano, pero muy lejano, y como si fuera el comienzo de lo infinito, una faja azul recortando el horizonte: aquella jara era el mar, el mar Cantábrico; hacia su último tercio, por la derecha, y unida a él como una rama al tronco de que se nutre, otra mancha menos azul, algo blanquecina que se internaba en la tierra y formaba en ella como un lago: la bahía de Santander... La faja azul se presentaba a mis ojos mucho más elevada que el perfil de la costa, y... con ella se fundían otras mucho más blancas que iban extendiéndose y prolongándose hacia nosotros, quedando entre la mayor parte de ellas islotes de las más extrañas formas; picos y hasta cordilleras que parecían surgir de una repentina inundación. A todo esto, el sol, hiriéndole con sus rayos, sacaba de las superficies de aquellos golfos, rías y ensenadas, haces de chispas, como si vertiera su luz sobre llanuras...

En otras novelas de asuntos montañeses mezcló el campo y el mar—*La puchera,* que es un poderoso relato costumbrista—y cuanto pudiera relacionarse con la Montaña — *Nubes de estío, Al primer vuelo,* etc.

Emilia Pardo Bazán (1851-1921). — Hija de los condes de su nombre, nació en La Coruña, leyó y viajó mucho, fue del Consejo de Instrucción Pública y desempeñó una cátedra de la Universidad de Madrid. Es, sin duda, una figura de vigorosa personalidad. Como su primer recuerdo, nos hablaba de la entrada triunfal de las tropas en La Coruña de regreso de la guerra de África. Supo unir a la moda europea una fuerte corriente tradicional.

Como novelista, así como en arte en general, se inclinó al naturalismo. Los ensayos titulados *La cuestión palpitante* revelan que en los naturalistas franceses vio una posibilidad de hermanar el naturalismo con el realismo tradicional literario español *(La Celestina, El Quijote, Tirso)*. Esta obra, que elogió Zola, fue combatida por Valera.

Si Pereda fue el paisajista de la Montaña, la Pardo Bazán lo fue de Galicia. Pero al sentimiento hondo de la Naturaleza supo unir espíritu de observación psicológica. El paisaje gallego la conmovió «prendada del gris de las nubes, del olor de los castaños, de los ríos espumantes presos en las hoces, de los prados húmedos y de los caminos hondos de mi tierra». Sus mejores novelas son las de Galicia; *Los pazos de Ulloa,* en la que el ambiente de tierras húmedas y verdes explica los tipos de sensualidad primaria, en zonas sociales diversas, de Sabel y Rita. Junto a otros tipos de ambiente, la figura central de fina y tímida sensibilidad de Julián el sacerdote; y costumbres: cacerías, fiestas religiosas, danzas, reuniones en el hogar del «pazo» para presentarnos a nobles empequeñecidos y relajados. Veamos el baile en el atrio:

El baile en el atrio lleno de luz, el templo sembrado de hojas de hinojo y espadaña que magullaron los pisotones, alumbrado más que por los cirios por el sol que puerta y ventanas dejaban entrar a torrentes, los curas jadeantes, pero satisfechos y habladores, el santo (San Julián) tan currutaco y lindo, muy risueño en sus andas, con una pierna casi en el aire para empezar un minuete y la cándida palomita pronta a abrir las alas; todo era alegre, terrenal, nada inspiraba la augusta melancolía que suele imperar en las ceremonias religiosas.

La continuación, *La madre Naturaleza,* representa un canto a la vida en los dos jóvenes que se aman sin saber que son hermanos y que en ellos ha de expiar el padre sus vicios. *Morriña* — de título significativo — completa este grupo de novelas de la tierra gallega.

Hay otras novelas en las que se muestra idealista, como en *Una cristiana* y *La prueba;* pero el más sugestivo aspecto se da en la complejidad psicológica de *La Quimera* y en el motivo de misterio y tragedia poética de *La sirena negra.*

También se distinguió como autora de cuentos y los tiene muy bellos, como *Nieto del Cid* y *Los huevos arrefalfados.*

Se distinguió en la crítica en numerosas monografías y estudió especialmente las obras del padre Feijóo y la revolución y la novela rusa. En su obra no novelística destaca su evocación artística de *San Francisco de Asís,* libro de aguda belleza e interés.

CAPÍTULO LI

BENITO PÉREZ GALDÓS. "EPISODIOS NACIONALES"

Benito Pérez Galdós (1843-1920). — Nació en Las Palmas (Canarias), comenzó sus estudios en un colegio anglohispano de su tierra natal y luego estudió Leyes en Madrid, donde vivió siempre, salvo algunos viajes por Europa. Colaboró en periódicos y revistas madrileños. Fue ateneísta y académico. Como político fue liberal. De su tierra natal no quedó nada, pues fue totalmente ganado por su madrileñismo. En sus *Memorias de un desmemoriado* recoge muchas anécdotas de su vida juvenil, de los últimos años del reinado de Isabel II, de su destronamiento, del gobierno provisional. Era un hombre de apariencia inexpresiva, de gesto seco y siempre callado; había que adivinar la gran personalidad creadora que encerraba. Como su gesto, su estilo era pobre, descuidado y vulgar, pero sus tipos y caracteres fueron creaciones de extraordinaria grandeza. Fue un formidable improvisador, con todos los méritos y defectos de la improvisación. Caso típico del siglo XIX, a Galdós hay que valorarlo por su bondad de alma, por su facilidad por «copiar» tipos reales y por habernos creado una abigarrada muchedumbre humana de criaturas desproporcionadas y desiguales que son a la vez cima y cierre de la literatura española del siglo XIX. Fue el escritor más fecundo de su época, una especie de Lope de Vega de la novela, que alcanza con él su pleno desarrollo realista.

Los "Episodios nacionales". — Como narrador pintoresco que ve la historia patria desde Madrid, comienza en 1873 los *Episodios nacionales,* que pueden considerarse como la síntesis de la España del siglo XIX. Dirigidos al pueblo, se deja llevar por sus dotes de improvisador. Sus fuentes no están en archivos, sino en testigos de vista o recuerdos personales y algunos libros de fácil acceso; todo utilizado con facilidad y rapidez. Recurre a la historia inmediata, como luego Pío Baroja, por más asequible al público a que se dirige y por acomodarse más a su sentido de actualidad. Se trata de la historia novelada de España, desde *Trafalgar* — punto de partida — hasta *Cánovas* — último episodio —. Del cuadro de historia se separa para ahondar en interiores, en estudios psicológicos de personajes, en descripción de costumbres y ambiente. El siglo XIX aparece en Galdós tal cual es, con sus grandezas y miserias. A medida que fueron apareciendo los episodios, las condiciones literarias de Galdós fueron mejorando.

Están divididos en series, que son las siguientes:

1.ª serie. Contiene toda la grandeza popular de la guerra de Independencia (*El 19 de marzo y el 2 de mayo, Bailén, Zaragoza, Gerona,* etc.). Junto a los épicos hechos de armas, algunas visiones interesantes, como la de las gentes de teatro y la de las representaciones en los comienzos del siglo XIX *(La corte de Carlos IV).*

2.ª serie. Contiene las tragedias de la intervención francesa en el momento fernandino y las intimidades de la primera guerra carlista (*Los cien mil hijos de San Luis, Un voluntario realista, Los apostólicos,* etc.).

3.ª serie. Que empieza con *Zumalacárregui,* uno de sus mejores aciertos, en que identifica al héroe del episodio con el personaje Fago, planteando el problema de lo vivo y lo imaginado y que, junto a episodios guerreros y políticos, nos encontramos con temas literarios como *La estafeta romántica.*

4.ª serie. Continúan las luchas fratricidas y, junto a intrigas políticas de corte, las grandes personalidades (*Las tormentas del 48, Narváez, Prim, Los duendes de la camarilla,* etc.).

5.ª serie. Los rápidos cambios de Estado desde la revolución a la restauración (*España sin rey, La primera República, Cánovas,* etcétera).

Como creación, las dos últimas series se consideran inferiores a las primeras, no obstante ser, acaso en estilo, más logradas.

Las novelas de Galdós. — Galdós destaca como novelista, así lo advierte Menéndez Pelayo, cuando aún no había cristalizado el talento novelístico de Alarcón, Pereda o Valera. En 1870 publica su primera novela: *La Fontana de Oro,* que se produce entre la novela romántica y los cuentos sentimentales. Es ya realista plenamente y responde al activo madrileñismo del autor. Es una evocación del café donde se reunían los revolucionarios del tiempo de Fernando VII.

Preocupado Galdós, como muchos de sus contemporáneos, con los problemas sociales y religiosos, produjo sus obras más discutidas: *Gloria* (cristiana y judío, que no pueden casarse, convierten su problema religioso en motivo dramático porque el autor hace que el nudo trágico pueda resolverse sólo en catástrofe para producir efectos); *La familia de León Roch* (la tesis de esta novela es el divorcio moral de un matrimonio: Roch, librepensador, y María Egipciaca, católica); *Doña Perfecta* (un tipo de maldad femenina en el ambiente de intolerancia de una pequeña capital española que el autor llama Orbajosa); *Nazarín,* tal vez su obra más original y que se ha relacionado con Tolstoi, en que muestra el ambiente madrileño de barrios bajos (en el centro de una de sus mejores galerías de figuras encontramos a Nazario Zaharín — Nazarín —, que encarna un cristianismo amable, sin luchas, de pura caridad y acción para mejorar la sociedad), y *Halma* — continuación de *Nazarín* — con la «ínsula mística» e intrigas de alta sociedad.

Ha de señalarse una novela de tipo psicológico sentimental: *Marianela* (los hermanos Quintero la han adaptado al teatro) es la muchacha pobre y raquítica, guía y lazarillo del ciego Pablo Penáguilas. Éste la imagina de hermosura corporal. Los diálogos de ambos enlazan con el romanticismo. Cuando el ciego recobra la vista surge el contraste entre el ideal y la realidad. Marianela es la víctima inocente que, por el camino del sacrificio, llega a la muerte.

Sus novelas realistas, en algunas llega a una visión «fotográfica», son las siguientes: *Fortunata y Jacinta* (en el marco de las costumbres madrileñas, la intensa pasión de amor y celos de las dos mujeres que dan nombre a la novela); *Misericordia* (1897), la más notable de este grupo, que el autor preparó «visitando las guaridas de gente misera o maleante» durante largos meses. He aquí uno de los tipos de la galería humana de esta novela: la Pitusa:

En su cuello no cabían más costurones, y en una de sus orejas el agujero del pendiente era tan grande, que por él se podría meter con toda holgura un dedo. Los dientes mellados y negros, las cejas calvas, las pestañas pitañosas, los ojos tiernos, de mirada de lince, completaban su fisonomía. Del cuerpo no he de decir sino que difícilmente se encontrarían formas más exactamente parecidas a las de un palo de escoba vestido, o, si se quiere, cubierto de trapos de fregar suelos; de los brazos y manos, que al gesticular parecía que azotaban, como los tirajos de un zorro que quisiera limpiar el polvo a la cara del interlocutor; de su habla y acento, que sonaban como si estuviera haciendo gárgaras, y aunque parezca extraño, diré también, para dar completa idea de la persona, que de todas estas exterioridades desapacibles se desprendía un cierto airecillo de afabilidad, un moral atractivo, porque termino asegurando que la Pitusa no era antipática ni mucho menos.

Misericordia es la novela pesimista de Benigna, la criada filantrópica que, después de haber sido el paño de lágrimas de su ama, cuando ésta mejora de posición por heredar de un pariente, es tratada con ingratitud. Benigna pasa por santa al final de la obra. La otra gran figura del libro es el moro ciego Almudena, en que Galdós parece haber copiado la figura de un pobre Mordejai que pedía en el Oratorio del Caballero de Gracia.

Otras novelas de Galdós son *Ángel Guerra, Miau,* las novelas sobre Torquemada, encarnación de la avaricia, y *El amigo Manso.* Esta última nos presenta al profesor Máximo Manso — bondad y serenidad de ánimo — que, al final, arregla el matrimonio de Manuel Peña, su antiguo educando, con Irene, la mujer a quien amó con nimbo de idealidad. En ella se anticipa a Unamuno y a Pirandello en la clara definición del personaje puro de novela. Manso dice en la obra de Galdós: «Yo no existo... quimera soy, sueño de sueño y sombra de sombra, sospecha de una posibilidad... Me pregunto si el no ser nadie equivale a ser todos»; nos define cómo vino al mundo por obra de su autor: «El dolor me dijo que yo era un hombre». Ha de agregarse a la producción novelística de Galdós una obra que se considera derivada del *Rey Lear,* de Shakespeare, que es *El abuelo,* novela en cinco jornadas, creación genial, llena de vida, de caracteres, pasiones y personajes originales. El protagonista (don Rodrigo de Arista-Potestad, el «León flaco de Albrit») es un alma generosa y noble, con grandes virtudes y grandes defectos, cuyo conflicto alcanza gran interés debido a la nota original de lo infantil (las niñas Nell y Dolly, de ingenuos y emocionados diálogos). Hay tipos curiosos como don Pío Coronado (su lema es: «¡Dios mío, qué malo es ser bueno!»).

El teatro de Pérez Galdós. — Existía en él una gran capacidad teatral. Basta observar que en la mayor parte de sus obras nos encontramos con un esencial conflicto dramático. En cambio, le faltó capacidad técnica teatral para obtener éxito en las tablas.

Su obra maestra escénica es *El abuelo,* que es la adaptación de la novela citada. La necesidad de reducirse hizo desaparecer de la pieza escénica las más emotivas de las escenas. Igual ocurre con *Realidad,* adaptación también de la novela de igual título, en que se plantea el viejo tema del honor conyugal.

Desde luego, su teatro es muy inferior a su novela. Los temas de éstas pierden interés, como ocurre con *Electra.* Un momento poderoso de creación teatral lo tuvo en 1893 cuando el estreno de *La loca de la casa,* donde luchan y se complementan dos fuerzas opuestas: la protagonista — ángel cristiano — y su esposo — la fuerza materialista.

Como otras obras han de citarse *La de San Quintín* (sobre unos condes arruinados que se regeneran en el trabajo). *Santa Juana de Castilla* (sobre doña Juana la Loca), *Alcestes* (inspirada en Eurípides), *Mariucha* y *Casandra.*

CAPÍTULO LII

OTROS NOVELISTAS

El Padre Luis Coloma (1851-1915). — Nació en Jerez de la Frontera, estudió en Sevilla y perteneció a la Compañía de Jesús. Cultivó el cuadro de costumbres a la manera de Fernán Caballero, con quien tuvo buena amistad y en cuya propia vida inspiró alguna de sus narraciones *(El viernes de Dolores).* Sus novelas cortas tuvieron popularidad (*Pilatillo, Por un piojo,* etc.), pero la alcanzó mayor con *Pequeñeces* (1890). En esta novela nos presenta un ambiente mundano muy conocido de él. Es una sátira contra la aristocracia madrileña y un cuadro caricaturesco de las intrigas contra Amadeo de Saboya que prepararon la Restauración borbónica. Currita de Albornoz, la protagonista, llena el libro con su vida licenciosa, y su marido, el marqués de Villamelón, es una caricatura del noble degenerado. Las trágicas consecuencias del libro alcanzan su dramatismo en el mundo infantil (los hijos de Currita) y en la escena en que mueren en el mar dos niños.

Aunque el estilo de su narración sea periodístico, resulta ingeniosa y amena, sobre todo en los diálogos:

—¿Pero has visto...? ¡Si esto clama al cielo...! ¡Pícara! ¡Pícara madre...! Mientras este ángel llora, estará ella escandalizando a Madrid como acostumbra.

—¡Calla, mujer!—replicó la otra mirando con inquietud al niño.

—¿Pero quién ve con paciencia esto...? ¡Lástima de hijo para tal madre...! Desde el fin del mundo hubiera venido yo por ver recibir al mío su premio de gimnasia... ¡Anda con Dios, hijo! Eso indica que cuando seas grande sabrás tirar de un carro... ¡Con tal que me seas bueno...! ¿No es verdad, Calixto, vida mía?

Y estampaba en las mofletudas mejillas de su hijo esos estrepitosos y apretados besos de las madres, que parecen mordiscos del alma.

Lo mejor es siempre la acción novelesca y resulta interesantísimo como cuadro de época. Deben citarse también *Juan Miseria,* el cuadro realista de *La Gorriona* y sus novelas históricas como *Jeromín* (sobre don Juan de Austria).

Armando Palacio Valdés (1853-1938).—Nace en Entralgo (Asturias), estudia en Oviedo y Madrid y entra en la Academia Española sucediendo a Pereda. Entre los novelistas de fines de siglo es de los que representa las últimas formas del costumbrismo. Aunque no llega a poseer un poderoso estilo, puede distinguirse su prosa cuidada y limpia.

En sus novelas presenta distintos ambientes. Así interpreta el andaluz en *La hermana San Sulpicio* (1889), en la que plantea el tema de *Pepita Jiménez,* sin la profundidad de Valera, del amor humano y el amor divino. Sus cuadros de vida andaluza son presentados con un bondadoso humorismo. El protagonista, Ceferino Sanjurjo, decidido contra toda dificultad a conquistar a la alegre monjita andaluza que sólo ha hecho votos temporales, triunfa en sus deseos. Del relato quedará siempre la gracia, los tipos, los bailes (peteneras y seguidillas) y el ambiente andaluz visto por un hombre del Norte:

Detrás dejábamos el gran puente de Triana, cuyos ojos se iban achicando lentamente. Pronto salimos del atracadero de los barcos, y llegamos al recodo que guarnecen los naranjos del jardín de las Delicias. El río hace una gran ese revolviendo hacia Triana. Las orillas están orladas de mimbres en primer término. Por detrás de ellos asoman unas filas de álamos blancos, cuyas hojas plateadas, heridas por la luz y agitadas por el soplo blando de la brisa, despiden hermosos destellos. La falúa se deslizaba suavemente, aguantando imperturbable los rayos solares. El aire reseco había perdido sus condiciones de sonoridad. Sentíase en los oídos un suave zumbido constante, a través del cual los ruidos llegaban amortiguados y confusos. La vista no gozaba siquiera de la voluptuosidad de posarse en el agua, porque el río mismo despedía un aliento cálido. El sol implacable lanzaba de una vez en apretado haz todos sus rayos sobre nosotros, cual si quisiera aplastarnos, reducirnos a la nada, de donde su calor vivificante nos había sacado. ¡Qué hermoso, qué vivo, qué omnipotente sol...!

De ambiente asturiano son *José* y *Marta y María.* Aquélla es la vida de los pescadores; en ésta, como en las dos mujeres bíblicas de este nombre, se contrastan María, la mujer mística, y Marta, la hacendosa casera. El artillero Ricardo, novio de la primera, acaba casándose con la segunda. Lo mejor de este grupo es *La aldea perdida* (1903), en que presenta el dramatismo producido por el conflicto entre la tradición de la tierra, que añora la ingenuidad rural, pintoresca y bondadosa, y el mundo nuevo, que con sus explotaciones mineras destroza la vida aldeana y desenlaza la tragedia.

Hace un ensayo de análisis psicológico en *Tristán o el pesimismo,* cuyo protagonista todo lo encuentra mal y se hace desgraciado. En esta novela encontramos bellos detalles, como la unión del sentido del paisaje con las cavilaciones de las figuras novelescas:

La noche era caliente y poblada de estrellas. El paisaje severo, erizado, dormía bajo su dosel alargando la sombra inmensa de sus collados. Reynoso abrió los ojos sin ver, tenía los oídos sin oír, no viendo ni oyendo más que los latidos de su corazón desgarrado. Este corazón latía y hablaba. ¿Qué importa todo? ¿Qué vale cuanto existe en el mundo? Riqueza y miseria, grandezas y humillaciones, desgracia o ventura, todo cambia, todo se hunde al fin en los abismos de la mancha negra... Contempló el cielo largo rato, escrutando con avidez sus abismos azulados, sus millones de luminarias maravillosas...

Algunas novelas se desarrollan en Madrid y bastantes tienen carácter autobiográfico (*Riverita, Papeles del doctor Angélico, Años de juventud del doctor Angélico, La hija de Natalia,* etc.). De las últimas que publicó es la más notable *Sinfonía pastoral,* que es una vuelta, en asunto y paisaje, al tipo general bondadoso de su novela, que siempre nos da una visión agradable o por lo menos resignada de la vida.

Vicente Blasco Ibáñez (1867-1928).—En la novela que es como liquidación del realismo del siglo XIX ha de citarse este escritor, nacido en Valencia, político, periodista y viajero. En su tierra natal dirigió la Editorial Prometeo. No fue escritor de gran cultura y si, como dice, pasaba a veces mucho tiempo «pensando» una novela, el momento de la realización era rapidísimo; de aquí surgió su falta de medida o construcción y su redacción defectuosa. No obstante su descuido de estilo, tiene páginas entonadas. Tuvo una imaginación brillante y, fuera de España, una fama extraordinaria.

Blasco Ibáñez, como novelista, puede decirse que cierra la novela de personajes y ambiente naturalistas. El mar y los naranjales del paisaje levantino de Blasco son — salvadas diferencias de temperamento e ideas — equivalentes a las tierras peñascosas de la Montaña de Pereda. Dentro del naturalismo han de colocarse sus novelas regionales valencianas *Arroz y tartana* (1894), *Cañas y barro* (los pescadores de la Albufera), *Entre naranjos* y la más representativa de ellas: *La barraca* (1898), la tragedia de la huerta, la lucha por el agua y los sembrados. Blasco Ibáñez escribía para multitudes, y estas novelas regionales interesan lo mismo al campesino que al hombre de letras.

También tiene novelas de exaltación retórica que pueden considerarse continuación del sentimentalismo del XIX. En su desigualdad usual encontramos en ellas, junto a la intensidad pasional, caídas en la relajada vulgaridad *(La catedral, La bodega)*.

Cae en lo más superficial del género en *Sangre y arena,* que es una españolada de trágico desenlace; y es igualmente superficial cuando utiliza la mera actualidad circunstancial de la primera Guerra Europea *(Los cuatro jinetes del Apocalipsis, Mare Nostrum)*.

Cultiva la novela de base histórica. Su habilidad para la fácil síntesis hace que, no obstante su escasa documentación, ofrezca un verdadero encanto. Las mejores de estas novelas de carácter histórico son las que ofrecen relación con los motivos levantinos, que son su fuerte, como *El papa del mar* (sobre el antipapa Luna) o *A los pies de Venus* (sobre los Borgias). En ellas quedó su entusiasta patriotismo por la gran historia de España.

Escribe además narraciones cortas como los *cuentos valencianos* de su primera época o *Novelas de la Costa Azul,* en que hay bellas novelas cortas como *Puesta de sol,* en la que encontramos el siguiente fragmento:

Se había puesto el sol. Como último vestigio de su desaparición, quedó en las cumbres de los montes una mancha de rosa pálido. Sobre la sangre astral que empurpuraba el horizonte empezó a temblar un astro vespertino. Por el lado de Italia, el azul del cielo se mostró más intenso y oscuro, siendo punzado a trechos por los fulgores de nuevas estrellas.

El viento de la montaña se había lanzado de las cumbres al mar, estremeciendo con una fría ondulación el jardín de la iglesia...

La anciana se había apoyado en un brazo de él y empezó a caminar, golpeando al mismo tiempo el suelo con el bastón. No parecía entender las palabras de su acompañante ni darse cuenta de lo que la rodeaba. Seguía viviendo en el pasado. ¡Era tan dulce su contemplación! Se alejaron, bajando la cabeza ante las ramas de los árboles, mientras una voz temblorosa iba repitiendo: —¿Por qué calló usted entonces...? ¿Por qué no me dijo cuando era tiempo lo que me dice ahora...?

De sus viajes quedaron varias narraciones. La más conocida: *La vuelta al mundo de un novelista.* Helo aquí ante las ruinas de la ciudad vieja de Panamá:

He visto los restos de Panamá la vieja a la hora más favorable para estas visitas. Acababa de cerrar la noche. Árboles enormes extendían sus masas, como borrones de tinta, sobre la lámina celeste acribillada de puntos de luz. Los faros de nuestro automóvil subieron y bajaron, abarcando en sus mangas luminosas los restos de la antigua ciudad española. Así vimos surgir del misterio de la noche, con un resplandor purpúreo de incendio, el campanario de la derruida catedral y las murallas todavía en pie de las casas del gobierno. Antes había visto a la luz del sol la actual ciudad de Panamá...

La novela realista y naturalista hispanoamericana. — Los escritores americanos nunca han perdido su tinte romántico; pero en el realismo y en el naturalismo han dado páginas brillantes. Tal el grupo de *El Mosaico* en Colombia y numerosos escritores como Eugenio Díaz Castro, José Manuel Marroquín, Tomás Carrasquilla, etc.; los de Méjico, a partir de la generación de 1867, como **Ignacio Manuel Altamirano** (1843-1893), autor de la novela *El Zarco,* bello ejemplar de narración de bandidos y guerra, en la que tanto destacarán los mejicanos como **Manuel Payno** (1810-1894) con su extenso relato de *Los bandidos de Río Frío* (1889-1891), entre otros muchos escritores de Méjico (José Tomás de Cuéllar, Juan A. Mateos, Vicente Riva Palacio, Irineo Paz, Pablo Robles, Guillermo Prieto, etc.); y los argentinos como **Lucio Vicente López** y **Fray Mocho (José Sixto Álvarez).**

En la tendencia naturalista se distinguieron principalmente los chilenos como **Augusto D'Halmar** con su novela *Juana Lucero* (1902) y **Fernando Santiván;** pero la generación argentina de 1880 cuenta con figuras como **Eugenio Cambaceres** (1834-1888), exponente de su época y de la escuela naturalista; **Manuel Podestá, Miguel Cané,** hijo; **Eduardo Wilde, Claudio de Alas** y **Julián Martel** (n. 1868), que con su novela *La Bol-*

sa (1891) fija las nuevas tendencias y los temas del positivismo en literatura. Otros escritores del naturalismo americano son **Eduardo Acevedo Díaz** (1851-1924) y **Mateo Magariños Solsona** (1867-1925), de Uruguay; **Demetrio Canelas,** de Bolivia; **Federico Gamboa,** de Méjico; **Enrique Martínez Sobral,** de Guatemala, etc.

Una figura del mundo americano que merece mención aparte es **Juan Montalvo** (1832-1889), de Ecuador, un humanista que puede considerarse como el verdadero clásico del castellano en América. Sus *Siete tratados* (1872), emparentados con los de Montaigne, nos muestran su gran erudición, y en *Capítulos que se le olvidaron a Cervantes* (Barcelona, 1898) demostró su excepcional talento y comprensión del *Quijote*.

CAPÍTULO LIII

LA PROSA DIDÁCTICA Y LA ORATORIA DEL SIGLO XIX

La prosa didáctica. — Por los años en que triunfaba el romanticismo se da el caso de un historiador como **José María Queipo de Llano, conde de Toreno (1786-1843),** que hace una restauración de la prosa de la historia clásica en su *Historia del levantamiento, guerra y revolución de España* (1835-1837). Imita particularmente al Padre Mariana, pero ya no utiliza las arengas y discursos. El estilo del conde Toreno es fácil y elegante:

Cercábala (a Zaragoza) solamente una pared de diez a doce pies de alto y tres de espesor, en parte de tapia y en otras de mampostería, interpolada a veces y formada por algunos edificios y conventos y en la que se cuentan ocho puertas que dan salida al campo. No lejos de una de ellas, que es la del Portillo, y extramuros, se distingue la Aljafería, antigua morada de los reyes de Aragón, rodeada de un foso y muralla, cuyos cuatro ángulos guarnecen otros tantos bastiones. Las calles, en general, son angostas, excepto la del Coso, muy espaciosa y larga, casi en el centro de la ciudad, y que se extiende desde la puerta llamada del Sol hasta la plaza del Mercado. Las casas, de ladrillo, y por la mayor parte de dos o tres pisos; la adornan edificios y conventos bien construidos y de piedra de sillería. La piedra admira dos suntuosas catedrales: la de Nuestra Señora del Pilar y la de la Seo, en las que alterna por años, para su asistencia, el Cabildo.

Los estudios históricos, orientados hacia el campo de la arqueología, encuentran representantes en los catalanes, como en el poeta barcelonés **Pablo Piferrer,** autor de *Recuerdos y bellezas de España* (1839), cuya erudición arqueológica se amolda a su sensibilidad de artista. Esta obra fue continuada por el menorquín **José María Quadrado,** que además es autor, ya al final de su vida, de unos *Ensayos religiosos, políticos y literarios* (1896), prologados por Menéndez Pelayo.

Jaime Balmes (1810-1848). — En el pensamiento, Cataluña aporta, en lengua castellana, la obra de este escritor nacido en Vich. Polemista agudo y claro expositor, restaura los estudios filosóficos en España. Sus obras filosóficas — *El Criterio,* que tanto influyó en la educación de su época, y *Filosofía fundamental* — encierran una filosofía del sentido común que se amolda al espíritu de su siglo, sobre todo en España.

He aquí un fragmento de *El Criterio:*

Examen de la máxima: «Piensa mal y no errarás...» La máxima perniciosa que se propone nada menos que asegurar el acierto con la malignidad del juicio, es tan contraria a la caridad cristiana como a la sana razón. En efecto: la experiencia nos enseña que el hombre más mentiroso dice mucho mayor número de verdades que de mentiras, y que el más malvado hace muchas más acciones buenas e indiferentes que malas. El hombre ama naturalmente la verdad y el bien, y no se aparta de ellos sino cuando las pasiones le arrastran y extravían. Miente el mentiroso en ofreciéndose alguna ocasión en que, faltando a la verdad, cree favorecer sus intereses o lisonjear su vanidad necia; pero fuera de estos casos, naturalmente dice la verdad y habla como el resto de los hombres. El ladrón roba, el liviano se desmanda, el pendenciero riñe, cuando se presenta la oportunidad, estimulando la pasión; que si estuviesen abandonados de continuo a sus malas inclinaciones serían verdaderos monstruos, su crimen degeneraría en demencia, y entonces el decoro y buen orden de la sociedad reclamarían imperiosamente que se los apartase del trato de sus semejantes.

Infiérese de estas observaciones que el juzgar mal no teniendo el debido fundamento, y el tomar la malignidad por garantía de acierto, es tan irracional como si, habiendo en una urna muchísimas bolas blancas y poquísimas negras, se dijera que las probabilidades de salir están en favor de las negras.

Su recio carácter polemista explica la obra *El Protestantismo comparado con el Catolicismo en sus relaciones con la civilización europea* (1844), cuya hábil apologética puede considerarse como una filosofía de la historia y uno de los libros de más interés del siglo.

Juan Donoso Cortés, marqués de Valdegamas (1809-1853). — Escritor conservador y orador elocuentísimo, cuyo *Discurso sobre la Biblia* encierra incluso para el lector de hoy bellezas de imagen e ímpetu robusto con una gran cultura histórica. Su estilo es grandilocuente y puede considerarse como un precursor de Castelar. Veamos un fragmento del citado discurso:

Y, para hablar de nuestra España, ¿quién enseñó al maestro fray Luis de León a ser sencillamente sublime? ¿De quién aprendió Herrera su entonación alta, imperiosa, robusta? ¿Quién inspiraba a Rioja aquellas lúgubres lamentaciones llenas de pompa y majestad, y henchidas de tristeza, que dejaba caer sobre los campos marchitos, y sobre los mustios collados, y sobre las ruinas de los imperios, como un paño de luto? ¿En cuál aprendió Calderón a remontarse a las eternas moradas sobre las plumas de los vientos? ¿Quién puso delante de los ojos de nuestros grandes escritores místicos los oscuros abismos del corazón humano? ¿Quién puso en sus labios aquellas santas armonías y aquella vigorosa elocuencia, y aquellas tremendas imprecaciones, y aquellas fatídicas amenazas, y aquellos arranques sublimes, y aquellos suavísimos acentos de encendida caridad y de castísimo amor, con que unas veces ponían espanto en la conciencia de los pecadores, y otras levantaban hasta el arrobamiento las limpias almas de los justos? Suprimid la Biblia con la imaginación y habréis suprimido la bella, la grande literatura española o la habréis suprimido al menos de sus destellos sublimes, de sus más espléndidos atavíos, de sus soberbias pompas y de sus santas magnificencias.

Su doctrina y apología del cristianismo están contenidas en el *Ensayo sobre el catolicismo, el liberalismo y el socialismo* (1851).

Emilio Castelar (1839-1899). — Nació en Cádiz y fue catedrático de Historia de España. Como político fue Jefe del Poder Ejecutivo (1873). Entre sus actividades literarias se han de citar sus novelas históricas de tono exageradamente romántico, ricas en imágenes, pero desvaídas *(El suspiro del moro* y *La hermana de la Caridad).* De ellas es la mejor *Fra Filippo Lippi,* en que, amante del arte de la Italia antigua, encuentra un pretexto para trazar un problema en el marco de la maravillosa Florencia. Son notables sus libros de impresiones personales *(Recuerdos de Italia, Un año en París).*

Castelar ha sido justamente famoso como el gran orador del siglo XIX. Con una gran cultura histórica de lecturas y viajes, con aguda sensibilidad, con abundancia de expresivos y sonoros vocablos, subyugó a sus oyentes con su oratoria política, en la que, como en tono improvisador, no podía faltar el lugar común y el inevitable latiguillo final. Su fogosa oratoria transmitió sus características a los libros destinados a la lectura. Aunque el estilo castelarino es florido en general, en sus discursos puede notarse que tuvo una gran claridad mental que le permitía la alusión y la contestación rápidas e ingeniosas, y que podía prescindir de sus exaltados lirismos. Su defecto es, como en la mayoría de los escritores de su siglo, el exceso de facilidad verbal, que le perjudica, y no saber limitar y contener esta abundancia. En sus *Discursos* (Barcelona, 1874) encontramos las más elocuentes páginas de nuestra oratoria política y de su patriotismo. Por su elocuencia fraternal y cristiana puede citarse su discurso en «defensa de la abolición de la esclavitud» (julio de 1870) y su vibrante *Elogio de España y de la lengua española:*

Pero sobre todas nuestras creaciones se levanta la creación por excelencia del ingenio español, se levanta nuestra lengua. De varias y entrelazadas raíces; de múltiples y acordes sonidos; de onomatopeyas tan musicales que abren el sentir a la adivinación de las palabras antes de saberlas; dulce como la melodía más suave y retumbante como el trueno más atronador; enfática hasta el punto de que sólo en ella puede hablarse dignamente de las cosas sobrenaturales y familiares hasta el punto de que ninguna otra le ha sacado ventaja en lo gracioso y en lo picaresco... verbo de un espíritu que, si ha resplandecido en lo pasado, resplandecerá con luz más clara en lo por venir, puesto que no sólo tendrá este territorio y estas nuestras gentes, sino allende los mares territorios vastísimos y pueblos libres e independientes, unidos con nosotros, así por las afinidades de la sangre y de la raza, como por las más íntimas y más espirituales del habla y del pensamiento, cuya virtud nos obligaría ciertamente a continuar en el Viejo y en el Nuevo Mundo una historia nueva digna de la antigua y gloriosísima historia.

La crítica y la historia literarias después del romanticismo. — La más interesante aportación a la cultura castellana es la **Biblioteca de Autores Españoles** (1846-1880), que se convirtió en el más poderoso medio de divulgación cultural. Fue iniciada por Buenaventura Carlos Aribau y Manuel Rivadeneyra (de quien tomó el nombre de **Biblioteca Rivadeneyra** con que es popular entre los estudiosos). Los eruditos que se veían obligados a manejar ediciones raras, en la mayoría de los casos se encontraron ahora con un verdadero cuerpo de obras capitales de nuestra historia literaria. Consta de setenta volúmenes de mérito variable. Entre los publicistas de la Biblioteca ha de citarse a **Leopoldo A. de Cueto, marqués de Valmar,** que publicó *Poetas líricos del siglo XVIII* y que, por encargo de la Academia, editó las *Cantigas* del rey Alfonso el Sabio. La Biblioteca Rivadeneyra se continuó en 1907, bajo la dirección de Menéndez

Pelayo, con el título «Nueva Biblioteca de Autores Españoles», que, como es lógico, supera a la antigua.

Antes de llegar a Menéndez Pelayo han de citarse dos figuras importantes en la crítica literaria de España:

a) **Manuel Milá y Fontanals (1818-1884).**—Nació en Villafranca del Panadés y fue catedrático de Literatura Española de la Universidad de Barcelona. En ella es maestro de Menéndez Pelayo, que dice ser «el más docto y cariñoso de los maestros que en mi carrera tuve», «el único representante y cultivador que entre nosotros tenían los estudios de filología romance y de literaturas de la Edad Media en que él era sabio». Fue especialmente un hombre de ciencia; y unió al rigor de la investigación la comprensión de una sensibilidad abierta y la preparación europea de los materiales de trabajo. Tenía alma de poeta y presidió los primeros Juegos Florales del siglo XIX.

Tiene dos obras capitales: *De los trovadores en España,* en que estudia el desarrollo de la poesía trovadoresca en nuestro país, y *De la poesía heroicopopular castellana;* en ambas inicia la tendencia que ha de perfeccionarse después con Menéndez Pidal. Ponemos a continuación un fragmento en que se habla de los cantares de gesta:

De modo que Castilla tuvo una epopeya, dando a esta palabra la significación de un conjunto de cantos narrativos extensos de asunto nacional y de espíritu y estilo análogos, aunque relativos. Cuádrales, además, a estos cantos el nombre de epopeya por su notoria semejanza con las homéricas, tipo de este género poético, ya en cuanto a las costumbres que se describen, ya en cuanto al efecto que en el narrador produce el objeto descrito. Semejanza decimos, que no identidad, bien como se habla de plantas de una misma familia, siquiera sean muy diversas en vigor y lozanía, conforme el grado de fertilidad del suelo donde han crecido, o la mayor o menor destreza de las manos que las han cultivado, más de que se trata aquí de una epopeya heroica y no heroico-mitológica, como la de los griegos.

b) **Antonio Rubió y Lluch (1856-1937).**—Hijo de Rubió y Ors, poeta y humanista, fue también catedrático de la Universidad de Barcelona. Hizo crítica e investigación en literatura catalana. En castellano es autor de un *Sumario de la historia de la literatura española, El sentimiento del honor en el teatro de Calderón, Discurso en elogio de Menéndez Pelayo* y ensayos de verdadero mérito como *La expedición y dominación de los catalanes en Oriente, juzgada por los griegos* (1883) e *Impresiones* *sugeridas por el Quijote* (1905). Era discípulo de Milá y Fontanals.

c) Han de agregarse otros nombres como José Amador de los Ríos, Manuel Cañete, Manuel de la Revilla y los cervantistas, como Francisco Navarro Ledesma.

CAPÍTULO LIV

MARCELINO MENÉNDEZ PELAYO. SUS CONTINUADORES

Marcelino Menéndez Pelayo (1856-1912). — Nació en Santander, estudió en la Universidad de Barcelona con Milá y Fontanals y luego en las de Valladolid y Madrid. Obtuvo, por oposición, la cátedra de Literatura Española del Doctorado de esta última Universidad y fue director de la Biblioteca Nacional. Viajó, pensionado, por distintas ciudades europeas. Tuvo gran amistad con don Juan Valera, que le protegió, y con quien sostuvo una interesante correspondencia desde el punto de vista literario. Militó por sus ideas en el campo tradicional y católico, en el que, sin excluir la pasión y el ímpetu, se distinguió por su gran comprensión. Fue un gran español que puso su ciencia al servicio de un sabio patriotismo.

Menéndez Pelayo y la erudición. — Había estudiado profundamente humanidades y él solo realizó lo que en otros países se produce por un lógico escalonamiento. Es el maestro de la crítica e investigación españolas. Aunque ya hemos señalado valores positivos españoles de la erudición, él eleva la crítica de la literatura a un terreno de creación desusado. Menéndez Pelayo organizó definitivamente la historia de la literatura española y creó el sistema de conjunto que señala su valor insigne. Su forma expresiva parte de la oratoria y se hace cada vez más sobria y exacta.

Hombre de su siglo, fue un poderoso polemista. Esto explica sus dos libros geniales para el conocimiento de la cultura española, *La ciencia española* e *Historia de los heterodoxos españoles,* en los que se separó de la sequedad y pobreza que dominaba a los anteriores eruditos. Reveló allí su extraordinaria cultura y el valor dramático de sus páginas dialécticas, con rasgos pintorescos, frases donosas o agudas.

Menéndez Pelayo, artista. — Quien sentía como él las obras bellas, tenía que ser necesariamente un artista. Su arte lo demuestran las semblanzas de las figuras historiadas en sus libros, que adquieren el vigor de un episodio de novela. Su prosa alcanza una ponderada belleza expresiva que, aparte sus méritos críticos, revela un gran artista literario. Su sensibilidad y belleza de estilo quedan demostradas especialmente en su *Historia de las ideas estéticas,* obra cumbre de su serenidad espiritual y clásica, en que desde lo platónico griego a los Siglos de Oro late la cálida adhesión apasionada del estudioso a los momentos cumbres de fervor del pensamiento. No se cerró a la filosofía nueva, sino que, con un amplio espíritu, trató de valorizarla; esto explica su comprensión de las nuevas ideas que van de Kant a Schopenhauer. En el pensar es discípulo de Luis Vives. La misma comprensión tuvo para las bellas artes; por ejemplo, ante Wagner.

También hizo sus ensayos poéticos y, aparte traducciones, hemos de citar la *Epístola a Horacio, A mis amigos de Santander* y *La galerna del sábado de gloria:*

Puso Dios en mis cántabras montañas
auras de libertad, tocas de nieve,
y la vena del hierro en sus entrañas.
Tejió del roble de la adusta sierra
y no del frágil mirto su corona,
que ni falerna vid ni ático olivo,
ni siciliana mies ornan sus campos,
ni allí rebosan las colmadas trojes,
ni rueda el mosto en el lagar hirviente.
Pero hay bosques repuestos y sombríos,
misterioso rumor de ondas y vientos.
tajadas hoces y tendidos valles
más que el heleno Tempe deleitoso...

La crítica literaria de Menéndez Pelayo. — A través de su obra ha trazado páginas sobre todos los valores esenciales de la literatura española. Así pueden citarse *Horacio en España, Orígenes de la novela* (en la que estudia los precedentes clásicos del género hasta la época de Cervantes y cuyas apreciaciones sobre autores y obras, así como la línea sistemática de la evolución literaria, constituyen un conjunto insuperable); *Historia de la poesía castellana en la Edad Media* (prólogos a la *Antología de Poetas Líricos* *castellanos), Tratado de romances viejos, Juan Boscán.* He aquí un fragmento de éste:

Granada embelesó de tal modo a Navagero, que en sus jardines pareció olvidarse de Murano y de la Selva. Pero, a través de las lozanas descripciones, que reflejan el apacible contentamiento de su espíritu, no deja de revelarse el perspicuo y sagaz político en sus consideraciones sobre el estado social de la población morisca, sobre el inminente peligro de próximas revueltas traídas por el odio de raza y la conversión forzada... No debía de estar para galanterías el ánimo de Navagero, cuya situación diplomática comenzaba a ser insostenible, no por culpa suya, sino por la tortuosa y falaz política de los venecianos, que habían entrado con los demás adversarios de Carlos V en aquella coalición europea que del nombre de su principal fautor tomó el nombre de Liga Clementina...

Estos versos que ahora llamaríamos «de sociedad», lo mismo pueden ser de Boscán que de cualquier otro caballero galante y discreto de la corte del Rey Católico o de Carlos V que tuviese la suficiente habilidad técnica para describir o simular cuitas amorosas, esquiveces, favores y desdenes, en coplas de pie quebrado, quintillas dobles, glosas y villancicos. Apenas hay una sola de estas composiciones de la primera manera de Boscán que tengan vida interior y nos revele algo del alma del poeta exceptuando la «Conversión», que parece escrita en su edad madura y con un sentido más elevado del arte. Este sentido lo debió Boscán (justo es decirlo) a su educación humanista, a la imitación deliberada de la lírica italiana y de los modelos clásicos...

Este agradable decir e ilustración histórica del tema se da en todos los demás libros, como sus *Estudios de crítica literaria* (comprende estudios valiosísimos sobre mística, Tirso, Quintana, Martínez de la Rosa y algunos de sus contemporáneos como Rodríguez Marín y Pérez Galdós), y como su *Estudio sobre el teatro de Lope de Vega.* Tiene muchas páginas bellísimas y seguras. Algunos trabajos han sido rectificados, siguiendo el propio magisterio de Menéndez Pelayo, como ocurre con Góngora, revalorizado por Dámaso Alonso.

Es muy difícil intentar hacer un estudio sobre Literatura Española sin tener que referirse a Menéndez Pelayo, que estudió todos los campos con suprema maestría. Sin olvidar sus estudios sobre la literatura en nuestro idioma de América *(Historia de la poesía hispanoamericana* y *Antología de la poesía hispanoamericana).* Entre los diversos discípulos de Menéndez Pelayo deben citarse a Emilio Cotarelo y Mori, Julio Cejador y Adolfo Bonilla y San Martín.

La crítica literaria después de Menéndez Pelayo. — La historia literaria tal como la desarrolló Menéndez Pelayo encontró numerosos seguidores y discípulos que, en ocasiones, la han superado y constituido a la vez potentes y creadoras escuelas de investigación y crítica. El caso más destacado ha sido el de **don Ramón Menéndez Pidal,** asturiano y nacido en 1869, que, sin perder las esencias populares y tradicionales de nuestra cultura, abre la crítica y la erudición a los caminos más modernos. En el estilo de Menéndez Pidal ya han desaparecido los resabios retóricos del siglo XIX, y se nos muestra de gran sobriedad y hacia direcciones menos atractivas y efectistas. Representa la especialidad filológica y puede decirse que Pidal crea la ciencia de la Lengua Española, desde el punto de vista histórico. Su obra magistral es *Los orígenes del español,* en que se muestra — no obstante sus puntos de contacto con el 98 — su gran comprensión de la cultura española. Gracias a ella y a sus otras obras sobre la Edad Media — *Mío Cid, Infantes de Lara, Auto de los Reyes Magos, Disputas de Elena y María, El alma y el cuerpo, Roncesvalles, Poesía juglaresca y juglares, Romanceros* y, sobre todo, *La España del Cid* — se nos han revelado los comienzos de nuestro idioma y nuestra literatura; y su personal interpretación del P. Las Casas.

En torno a Menéndez Pidal se han agrupado valiosas figuras de la crítica: el fonetista Tomás Navarro Tomás, autor de un *Manual de pronunciación española;* Américo Castro, que ha puesto la erudición filologicohistórica al servicio de los clásicos *(El pensamiento de Cervantes,* y trata temas amplios en *España en su Historia);* Federico de Onís: Fray Luis de León y la poesía española e hispanoamericana más moderna; y tantas otras figuras de representación actual (Armando Cotarelo Valledor, Miguel Artigas, Pedro Sáinz Rodríguez, José Rogerio Sánchez, Narciso Alonso Cortés, Astrana Marín, Vicente García de Diego, Antonio Ballesteros Beretta, Julio Casares, Agustín Millares, Enrique Alarcos, Manuel de Montolíu, etc.).

Merecen mención especial los arabistas. La afición por los estudios orientales la inició Francisco Codera y Zaidín (1836-1917), profesor de árabe de la Universidad Central, cuyos discípulos han elevado los estudios a valores insospechados. Entre ellos ha de citarse a **Julián Ribera,** que abre el mundo nuevo del arabismo español (tiene valiosos trabajos sobre la epopeya andaluza y la música de las cantigas); a **Miguel Asín,** que con una obra genial — *La Escatología musulmana en la Divina Comedia* (1919) — revela horizontes nuevos y hace que la crítica española adquiera un triunfo de resonancia universal; a **Ángel González Palencia,** de importantes trabajos de investigación en literatura española e hispanoarábiga.

En la generación plenamente novecentista renueva el espíritu de nuestros arabistas, escribiendo con elegancia e ingenio, **Emilio García Gómez,** autor de valiosos estudios, especialmente sobre poesía.

No ha de olvidarse la crítica de arte, en la que destacan los profesores Jordán de Urríes, Elías Tormo, Manuel Gómez Moreno, Sánchez Cantón, Camón Aznar, etc. La historia del arte tiene una gran figura en J. Pijoán.

En el sector histórico-medieval catalán y castellano destaca Jorge Rubió.

CAPÍTULO LV

LA RENOVACIÓN DE LA POESÍA ESPAÑOLA A FINES DEL SIGLO XIX

La poesía española a fines del siglo XIX. — La poesía realista se había distinguido por su descuido de la forma. Como una reacción, a finales del siglo XIX, se crea un culto a la forma métrica y un estilo refinado, exquisito y rico. Al mismo tiempo se estilizan las corrientes románticas, que, en lo esencial, no habían llegado a desaparecer. La nueva poesía se reviste de formas de simbolismo o ambientes en miniatura costumbrista. La nueva poesía en nuestra literatura se denominó «modernismo» y corresponde a los distintos tipos de poesía que, desde el romanticismo, en Francia habían tomado los nombres de parnasianismo y simbolismo. El poeta que define y fija este estilo en idioma español es **Rubén Darío** y su poesía tiene trascendencia incluso para todas las literaturas latinas. La lírica de Rubén Darío tiene precedentes españoles concretos como Manuel Reina y Salvador Rueda; en la América de habla española también pueden citarse algunos poetas precursores.

Salvador Rueda (1857-1933). — El poeta malagueño puede considerarse como una avanzada del estilo de Darío, de quien luego fue un seguidor. Es un caso de imaginación y sensibilidad andaluzas muy desigual e intermitente. Logra una poesía típicamente meridional: sonora y fragante. Su defecto es la excesiva facilidad, que le hace caer en superficialidades. En sus poemas, junto a bellos y vibrantes versos encontramos vivacidad y vulgaridad.

Rueda realiza innovaciones métricas que hacen que cuando Rubén viene a España, se les suponga la misma revolución literaria en dos continentes. Sus libros de poesías son muchos; pueden citarse: *Cantos de la vendimia* (1891), *En tropel* (1892) (lo abrió el famoso *Pórtico* de Rubén Darío) y *Cantando por ambos mundos* (1913). Entre los poemas más representativos de su personalidad pueden citarse *Claveles reventones* o *La sandía:*

Cual si de pronto se entreabriera el día
despidiendo una intensa llamarada,
por el acero fúlgido rasgada
mostró su carne roja la sandía.

Carmín incandescente parecía
la larga y deslumbrante cuchillada,
como boca encendida y desatada
en frescos borbotones de alegría.

Tajada tras tajada, señalando
las fue el hábil cuchillo separando
vivas a la ilusión como ningunas.

Las separó la mano de repente,
y de improviso decoró la fuente
un círculo de rojas medias lunas.

Como seguidor de Rubén Darío pueden citarse sus serventesios de *Zumbidos del caracol* con pies silábicos constantes:

¡Un caracol es mi libro, formado de ritmos vehementes;
grande en su boca, que vibra cual ancha corona de palma;
si os ajustáis a los hondos oídos sus bordes ardientes,
percibiréis el hervir sempiterno del mundo y del alma!

Los precursores americanos. — En los poetas hispanoamericanos que representan la transición del romanticismo al modernismo, encontramos intenciones y estilo que anuncian a Rubén Darío. Hay ya en América muchos poetas independientes y renovadores. Provienen de las distintas nacionalidades americanas de hoy: colombianos, como Ismael Enrique Arciniegas y José Asunción Silva; cubanos, como José Martí y Julián del Casal; chilenos, como Pedro Antonio González; argentinos, como Pedro B. Palacios, «Almafuerte»; dominicanos, como Fabio Fiallo; mejicanos, como Manuel Gutiérrez Nájera y Salvador Díaz Mirón; peruanos, como Manuel González Prada, etc.

Salvador Díaz Mirón (1853-1928). — Este poeta de vida turbulenta (parte de su poesía se fraguó en la cárcel de Veracruz porque, frente a frente, dio muerte a un hombre) influye en la primera poesía de Rubén Darío. Sus *Poesías* se publican en 1886. En este libro encontramos poemas como el dedicado a *Gloria:*

No intentes convencerme de torpeza
con los delirios de tu mente loca:
mi razón es al par luz y firmeza,
firmeza y luz como el cristal de roca.

Semejante al nocturno peregrino,
mi esperanza inmortal no mira al suelo;
no viendo más que sombra en el camino,
sólo contempla el esplendor del cielo.
... ...
Depón el ceño y que tu voz me arrulle.
¡Consuela el corazón del que te ama!
Dios dijo al agua del torrente: «¡Bulle!»
Y al lirio de la margen: «Embalsama».

¡Confórmate, mujer! Hemos venido
a este valle de lágrimas que abate,
tú, como la paloma, para el nido,
y yo, como el león, para el combate.

Cuando a su agitada vida siguió el apartamiento y la soledad produjo el libro *Lascas* (1906) en que, como un parnasiano, cincela la estrofa hacia la perfección formal.

Manuel Gutiérrez Nájera (1859-1895). — Se hizo célebre en el periodismo mejicano como el *Duque Job.* Como poeta, por los temas, era completamente romántico; pero hay poemas que le muestran precursor del modernismo, como *Para un menú, Mariposas* y su famoso poema *La duquesa Job.* He aquí el comienzo de su poema *De Blanco:*

¿Qué cosa más blanca que cándido lirio?
¿Qué cosa más pura que místico cirio?
¿Qué cosa más casta que tierno azahar?
¿Qué cosa más virgen que leve neblina?
¿Qué cosa más santa que el ara divina de gótico altar?

Julián del Casal (1863-1893). — Una gran tristeza —comenzada quizás al perder a su madre a los cinco años — dominó su existencia. Murió joven y su muerte la presintió en sus versos y la cantó con las tintas del más horrible naturalismo (su poema *Horridum somnium*). Estaba familiarizado con la literatura francesa de su época. Heredia y Baudelaire son los poetas más próximos a él. Por la sobria perfección de su forma y por el refinamiento de sus pensamientos se le considera de los precursores del modernismo. Pueden recordarse los magníficos sonetos de *Mi museo ideal* y sus famosos *Cromos españoles.* Veamos a *Una maja:*

Muerden su pelo negro, sedoso y rizo,
los dientes nacarados de una peineta
y surge de sus dedos la castañeta,
cual mariposa negra de entre el granizo.

Pañolón de Manila, fondo pajizo,
que a su talle ondulante firme sujeta,
echa reflejos de ámbar, rosa y violeta,
moldeando de sus carnes todo el hechizo.

Cual tímidas palomas por el follaje,
asoman sus chapines bajo su traje,
hecho de blondas negras y verde raso,

y al choque de las copas de manzanilla
rima con los tacones la seguidilla,
perfumes enervantes dejando al paso.

José Asunción Silva (1865-1896). — Como diplomático, fue secretario de la Legación de Colombia en Caracas. Una parte de su producción literaria la perdió en un naufragio. Esto, unido a su ruina y a la muerte de seres muy queridos, le llevó a quitarse la vida. Sus poesías se publicaron después de su muerte. Tanto por la forma métrica como por sus temas posrománticos, es un modernista con una intensa sensibilidad poética. Se puede relacionar con los posrománticos de su época. Unamuno — que prologó la edición de 1908 — recordaba su poesía del más allá (su poema *Crisálidas,* por ejemplo). También cultivó la poesía de motivos infantiles como cantinela popular:

... y aserrín
aserrán,
los maderos
de San Juan
piden queso,
piden pan;
¡triqui, triqui, triqui, tran!

Pero la gran poesía que le ha dado su fama y popularidad es

la de los *Nocturnos,* en los que construye un poema con pie silábico predominante *(Nocturno III),* de maravillosa musicalidad. Su tema son misteriosas evocaciones de un alma de interesante exquisitez:

Una noche,
una noche toda llena de murmullos, de perfumes y de músicas de alas.
Una noche
en que ardían en la sombra nupcial y húmeda las luciérnagas fantásticas,
a mi lado lentamente, contra mí ceñida toda, muda y pálida,
como si un presentimiento de amarguras infinitas
hasta el más secreto fondo de las fibras te agitara,
por la senda florecida que atraviesa la llanura
caminabas;
y la luna llena
por los cielos azulosos, infinitos y profundos, esparcía su luz blanca...

"Almafuerte". — Usó este seudónimo el argentino Pedro B. Palacios (1854-1917), hombre bueno y de sentido popular, vivo y poderoso. Son famosas sus «décimas», como las tituladas *En el abismo:*

Yo soy el negro pinar
cuyo colosal ramaje,
cual un colosal cordaje,
no cesa de resonar;
soy el resuello del mar,
del mar augusto y perverso,
la repercusión, el verso,
la placa donde resuena
la formidable y serena
rotación del Universo.

Entre sus colecciones de versos se hallan *Lamentaciones* (1906) y *Amorosa* (1917). Representó una reacción hacia la expresión popular, desde antes del modernismo, entre sus precursores.

CAPÍTULO LVI

RUBÉN DARÍO

Rubén Darío (1867-1916). — Nació en Metapa (aldea de Nicaragua) y, por desavenencias de sus padres, se crió en León con una tía. Era mestizo y por su sangre corría la de indio chorotega. En su tierra estudió con los jesuitas y en el Instituto, y tuvo un empleo en la Biblioteca Nacional. En *La vida de Rubén Darío escrita por él mismo* nos dice que fue el niño prodigio de Centroamérica. Joven, salió para Chile y trabajó en el periodismo. Allí amplió sus lecturas, sobre todo de autores franceses, y publicó su primer libro fundamental (*Azul*, 1888). Vivió varios años en Buenos Aires, contribuyendo al desarrollo literario de la nación argentina. Residió en París seis años, desde la Exposición Universal (1900).

En 1908 fue nombrado ministro de Nicaragua en Madrid. Ya conocía España y sus hombres, de dos viajes anteriores (el primero cuando el Centenario del descubrimiento de América y entonces conoce las grandes figuras españolas de la Restauración; el segundo vino como periodista el año 98 y colabora con los jóvenes de entonces, como Benavente, Unamuno y Valle Inclán). Un cambio político de su país terminó a los dos años su misión diplomática. Con ayudas económicas volvió dos veces más a Europa. A consecuencia de una pulmonía que sufrió en Nueva York quedó enfermo. Parece que abusó bastante de la bebida. Fue a morir a la ciudad nicaragüense de su infancia, a León.

No fue muy feliz en su vida matrimonial. Se casó dos veces (la primera vez con Rafaela Contreras, hondureña, de la que tuvo un hijo; la segunda fue doña Rosario Murillo) y tuvo su compañera en la española de Ávila Francisca Sánchez, madre de su segundo hijo.

Rubén Darío y la poesía española. — Cuando Darío aparece en América, la poesía española sólo contaba con el hondo lirismo de Bécquer y el prosaísmo poético de Núñez de Arce y Campoamor. Rubén Darío ensancha la órbita de la literatura precedente. Él, que había vivido el ambiente general de las literaturas hispanoamericanas de fines del siglo XIX, de influencia de las letras francesas, da la forma última en español a las diferentes tendencias poéticas que conoció Francia y hace una renovación total de la métrica y el vocabulario castellanos. Todo lo anterior en poesía se supera en la forma de Rubén Darío. Desde la muerte de Góngora no se encuentra en la literatura española un lírico de tales alcances. En un prólogo escribió Rubén: «Al seguir la vida que Dios me ha concedido tener, he buscado expresarme lo más noble y altamente en mi concepción»; en otro libro agrega: «No me avengo con bajos pensamientos y vulgares palabras». Estaba clara la reacción frente al prosaísmo poético finisecular; y aunque Rubén cae también en cierto virtuosismo y retoricismo, por su alta y pura calidad intelectual y por su personalidad abre el mundo de lo contemporáneo a la poesía. La renovación poética de Darío recibió en nuestro idioma el nombre de *modernismo* y el poeta nicaragüense es el primero y el maestro de toda la escuela.

La obra poética de Rubén Darío. — Prescindiendo de su obra de adolescencia y juventud, influida por los franceses — sobre todo por Víctor Hugo — y los románticos y posrománticos españoles, su posibilidad de gran poeta se revela en *Azul* (Valparaíso, 1888). Luego aludiremos a la prosa maravillosa de ese libro. En las pocas poesías que le acompañan no hay aún apenas innovaciones métricas. Sigue la forma tradicional del romance y la silva en los cuatro poemas sobre las estaciones *(Primavera, Estival, Autumnal* e *Invernal),* en que revela una intuición honda de la Naturaleza, y une, en ocasiones, una fina ironía francesa al tema, en cierto modo trascendental. El más delicado, el primero, recuerda a Wagner; es como un preludio suave, de canto a las fuerzas que eternamente renacen (el «gran bosque» como templo y el «santo perfume de amor», tan significativos del fin del siglo XIX). Incluye Rubén sonetos alejandrinos a la francesa. Citemos *Caupolicán:*

Es algo formidable que vio la vieja raza;
robusto tronco de árbol al hombro de un campeón
salvaje y aguerrido, cuya fornida maza
blandiera el brazo de Hércules, o el brazo de Sansón.

Por casco sus cabellos, su pecho por coraza,
pudiera tal guerrero, de Arauco en la región,
lancero de los bosques, Nemrod que todo caza,
desjarretar un toro, o estrangular un león.

Anduvo, anduvo, anduvo. Le vio la luz del día,
le vio la tarde pálida, le vio la noche fría,
y siempre el tronco de árbol a cuestas del titán.

«El Toqui, el Toqui», clama la conmovida casta.
Anduvo, anduvo, anduvo. La aurora dijo: «Basta.»
E irguióse la alta frente del gran Caupolicán.

"Prosas profanas" (Buenos Aires, 1896). — Es el libro del poeta conseguido y la plenitud de su primer estilo. En cuanto a la métrica, representa la castellanización de las formas francesas y su triunfo en las letras españolas. En él la lengua española se asimila y logra el ritmo suave y flexible del alejandrino francés. Como ejemplo típico puede citarse la *Sonatina,* en sextinas, en que combina terminaciones agudas, llanas y esdrújulas:

Oh, quién fuera hipsipila que dejó la crisálida.
(La princesa está triste, la princesa está pálida.)
Oh, visión adorada de oro, rosa y marfil,
quién volara a la tierra donde un príncipe existe —
la princesa está pálida, la princesa está triste —
más brillante que el alba, más hermosa que abril.

La musicalidad de esta estrofa es no sólo de versos, sino además de cadencias, de ideales y a base de las ideas, de las sugerencias. Otra estrofa también tomada de los modelos franceses es la del *Responso* a Verlaine (Alejandrinos A,A; Eneasílabo C'; Alejandrinos B,B; Eneasílabo C'):

Que tu sepulcro cubra de flores primavera,
que se humedezca el áspero hocico de la fiera
de amor, si pasa por allí;
que el fúnebre recinto visite Pan bicorne,
que de sangrientas rosas el fresco abril te adorne,
y de claveles de rubí.

Encontramos adaptación de metros españoles como el dodecasílabo *(Era un aire suave...)* con ritmo análogo al alejandrino francés; y, con espíritu moderno, utiliza formas primitivas y medievales de los Cancioneros del siglo XV («decires, layes y canciones»).

En cuanto a los temas, ese libro se ha alejado definitivamente de todo costumbrismo prosaico. Lo clásico de Rubén Darío viene a través del siglo XVIII francés (*Era un aire suave* es un claro ejemplo). Entre sus motivos predilectos, los cisnes *(El olímpico cisne de nieve)* y lo clásico a la manera de Leconte de Lisle *(Coloquio de los centauros, Friso)*. Un poema maestro que es síntesis de diversos motivos poéticos: *El canto de la sangre*. Todavía queda lo romántico estilizado *(¿Recuerdas que querías ser una Margarita Gautier...?)*.

Reacción de Rubén hacia lo hispánico. "Cantos de vida y esperanza" (Madrid, 1905). — El segundo gran libro de Rubén se caracteriza por la franca reacción hacia lo hispánico, hacia los motivos de raza. Rubén canta a España y a Hispanoamérica con una fe, un entusiasmo y una esperanza de optimista. Esto culmina en algunos poemas como *La salutación del optimista* (en que incorpora el hexámetro a la métrica española):

¡Ínclitas razas ubérrimas, sangre de Hispania fecunda,
espíritus fraternos, luminosas almas, salve!

Otro poema es *Al rey Oscar,* que basó en la información periodística que dijo que el rey de Suecia y Noruega, al pisar tierra española, gritó «¡Viva España!»:

Mientras el mundo aliente, mientras la esfera gire,
mientras la onda cordial aliente un sueño,
mientras haya una viva pasión, un noble empeño,
un buscado imposible, una imposible hazaña,
una América oculta que hallar, vivirá España.

En el poema *A Roosevelt,* con voz hispánica, dio la voz de alerta a la América del Norte («Tened cuidado. Vive la América española. Hay mil cachorros sueltos del León español»). El tema hispánico surge por todo el libro: *¿Qué signo haces, oh cisne, con tu encorvado cuello?* (en él está su mejor declaración: *Soy un hijo de América, soy un nieto de España*), *Un soneto a Cervantes, A Goya, Soneto Autumnal, Al marqués de Bradomín, Letanía de Nuestro Señor don Quijote,* etc. En *Cantos de vida y esperanza* se da una mayor libertad métrica. La música de Rubén es ahora una orquesta. El caso más representativo del libro es *La marcha triunfal.* El cortejo que se describe no es más que un pretexto para la musicalidad de la estrofa. Tiene libertad métrica, pero un ritmo constante. Es la expresión sonora del aliento épico del libro. Otros poemas de interés son *Marina* y *Helios.* Y, como contraste, surge en el libro una nota de nostalgia y melancolía en *La canción de otoño en primavera (Juventud, divino tesoro).*

Los otros libros poéticos de Darío. — Son claramente inferiores a los anteriores. El más notable, aunque en declive, es el *Canto errante,* que contiene algunos poemas importantes *(A Colón, Revelación, Metempsícosis, A Francia* y *La canción de los pinos).* De sus otros libros pueden citarse *Canto a la Argentina* y *Oda a Mitre,* tan extensos como desiguales, y *La canción de los osos* y *Los motivos del lobo.*

La prosa española y Rubén Darío. — No existía en castellano — haciendo honrosa excepción de las «leyendas» de Bécquer, que suponen un intento — un sentido de prosa poética. Los refinados cuentos del citado libro *Azul* revelan una fina originalidad y una sensibilidad nueva en nuestra lengua. Valera, que alabó y censuró el libro, señaló en Rubén un gran prosista y salvó su galicismo por lo perfecto. Menos *El fardo,* que es realista, todos los cuentos del libro son fantásticos. Pueden citarse: *El rey burgués, El velo de la reina Mab, El rubí* y *La canción de oro,* que Valera llamó *letanía:*

Aquel día un harapiento, por las trazas un mendigo, tal vez un peregrino, quizás un poeta, llegó bajo la sombra de los altos álamos a la gran calle de los palacios, donde hay desafíos de soberbia entre el ónix y el pórfido, el ágata y el mármol; en donde las altas columnas, los hermosos frisos, las cúpulas doradas, reciben la caricia pálida del sol moribundo... ¡Cantemos el oro! Cantemos el oro, rey del mundo, que lleva dicha y luz por donde va, como los fragmentos de un sol despedazado...

Cantemos el oro, porque es, en las orejas de las lindas damas, sostenedor del rocío del diamante, al extremo de tan rosado y bello caracol; porque en los pechos siente el latido de los corazones y en las manos a veces es símbolo de amor y de santa promesa.

CAPÍTULO LVII

LA GENERACIÓN DEL 98. UNAMUNO

La generación del 98. — Lo que fue la llamada generación del 98 se encuentra en el ambiente del fin del XIX. Vino paralelo al sentido cosmopolita del modernismo, representando una nueva actitud ante las cosas. Se afina una sensibilidad del pequeño detalle y se adopta una actitud crítica ante el problema nacional español. Un íntimo recogimiento lleva a los autores a que esta crítica sea más negativa que positiva. No se trata de abarcar los períodos históricos en síntesis geniales, sino de desmenuzar los hechos, estudiar los detalles con la intención de llegar a más hondos aspectos. La fecha de 1898 señaló el desaliento y llevó a la crítica más negativa y doliente de los valores de nuestra raza.

El pesimismo de los escritores condujo a hacer literatura de lo más humilde y, por esto, se volvió la vista hacia la aldea solitaria y hacia los campos más pobres. La gran adquisición estética del 98 fue haber descubierto el paisaje de Castilla. Los escritores de esta generación son grandes viajeros por tierras de España, se duelen de las miserias sociales de los pueblos que visitan, pero también vamos conociendo las bellezas ignoradas, los monumentos escondidos en los rincones olvidados de las tierras españolas. Esta actitud crítica venía de Larra, y, antes de la fecha típica del 98, se pueden señalar como precursores a Costa, a «Clarín» y a Ganivet.

Joaquín Costa (1844-1911). — Escritor aragonés que siente gran curiosidad por nuestro pasado *(Poesía popular española y mitología y literatura celto-hispana)* y que trata de hacer un tratado político del folklore nacional. Es uno de los primeros ensayistas en que se plantea el propósito de regenerar a España y el problema nacional a la manera de la generación del 98 y con afirmaciones en que no faltan paradojas, pero que siempre hacen meditar y no pierden actualidad.

Leopoldo Alas, "Clarín" (1852-1901). — De familia asturiana, nació en Zamora y se educó en Oviedo, de cuya Universidad fue profesor de Derecho. Como periodista hizo célebre el seudónimo de «Clarín», con su acerada crítica y sus famosos *Paliques,* llenos de humor:

> Lo que no admito que se sostenga, como se ha sostenido, es que quiero formar escuela. Lo que yo quiero formar es cocina. Una cocina económica, pero honrada. Yo no soy rico por mi casa ni por la ajena; pulso la opinión, como los diputados; y, por conducto de los empresarios de periódicos, veo que la opinión quiere paliques y hasta los paga, aunque no tanto como debiera... Pues allá van, ¿qué mal hay en ello? «Que me gasto.» ¿Qué me he de gastar? Más me gastaría si me comiera los codos de hambre.

Fue apasionado en sus polémicas, pero en ellas se refleja un mundo nuevo.

En la novela y el cuento representa un avance notable. Defendió el naturalismo. De sus cuentos hay algunos bellísimos como *Adiós, Cordera,* de melancólica nostalgia del pasado arrollado por la civilización, que es una fina miniatura bucólica. Pero lo mejor de su producción es la revelación del mundo asturiano en su novela extensa *La Regenta* (1884), cuadro detallista de arte de la vida en una provincia española que el autor denomina *Vetusta* y que es Oviedo.

Ángel Ganivet (1862-1898). — Estudió en la universidad de Granada, su ciudad natal. Es un autodidacto que completa su cultura con las estancias en el extranjero a que le obliga su profesión consular. Vivió en Amberes, Helsingfors y Riga, donde sus dudas y amarguras le llevan al suicidio. Dio el nombre de *Pío Cid* al héroe de sus novelas alegórico-críticas (*La conquista del reino de Maya por el último conquistador español Pío Cid*, 1897; y *Los trabajos del infatigable creador Pío Cid*). Sus libros recogieron la aguda crítica del granadino y su curiosidad por los países extranjeros que le permitía valorar mejor los méritos españoles y las posibilidades de reencumbramiento (*Cartas finlandesas*, *Hombres del Norte*); ello no supuso falta de amor a su patria, pues puede recordarse el homenaje a su tierra en *Granada la bella*, en que su estilo manifiesta una sensibilidad ágil y graciosa.

Su obra más representativa es *Idearium español* (1897), en que abre un nuevo período de nuestra historia crítica. Es el primer libro español en que se plantea el problema nacional. No es ya el libro optimista en que se cantan las glorias hispanas, sino la meditación severa sobre las causas de nuestra decadencia y sobre las posibilidades de volver a ser lo que éramos en el mundo. Supo ver con claridad muchos de los problemas nacionales. El pensamiento español en su línea del senequismo, la alta significación de don Quijote como símbolo, la grandeza simbólica de Calderón (como neocalderoniano ha de clasificarse su drama místico *El escultor de su alma*) y las calidades de invención e improvisación en muchos órdenes de nuestra cultura.

> ... Compararé el zapatero del portal con el fabricante de zapatos. Si pregunto cuál de los dos es más meritorio en su oficio, se me dirá que el fabricante, porque éste trabaja en grande escala, con mayor delicadeza y elegancia y acaso a más bajo precio. Yo estoy por el zapatero de portal, porque éste trabaja sólo para unos cuantos parroquianos y llega a conocerles los pies y a considerar estos pies como cosa propia. Cuando hace un par de botas, no va sólo a ganar un jornal; va a ganarse cuanto pueda para que los pies encajen en las botas perfectamente, o, cuando menos, con holgura; y esta buena intención basta ya para levantarle a mis ojos muy por encima del fabricante que mira sólo a su negocio, y del obrero mecánico, que atiende sólo a su jornal...

Ganivet fue un hombre de inquieto espíritu que está ya dentro de la generación del 98.

Miguel de Unamuno (1864-1937). — Estudia el Bachillerato en la ciudad de su nacimiento — Bilbao — y luego Filosofía y Letras en la Universidad de Madrid. Fue catedrático y rector de la Universidad de Salamanca. Viajó por Italia y Suiza, y estuvo desterrado en Fuerteventura. Vivió y murió — Salamanca, 1.º de enero de 1937 — en contradicción con todo el mundo. Es la figura de más relieve de la literatura española en el primer tercio del siglo xx, y el escritor más profundo y más representativo de la generación del 98. Independiente y batallador, gran poeta y gran pensador, en él la raza, la inmortalidad y el sentimiento de Dios se retuercen en paradojas trascendentales. La contradicción es su esencia: «El Unamuno de mi leyenda, de mi novela, el que hemos hecho juntos mi yo amigo y mi yo enemigo y los demás, mis amigos y mis enemigos, este Unamuno me da vida y muerte, me crea y me destruye, me sostiene y me ahoga. Es mi agonía.» Amó a España con dolor («Me duele España») y se compenetró con Salamanca («Siempre que os hable de mí, de mi España, de cualquier otra cosa, os estoy hablando de ella»). En el centro de todas sus obras encontramos los problemas unamunescos (Dios, Yo, la vida y la muerte, el nacer y el desnacer, la inmortalidad, la historia, la fama, etc.).

El teatro de Unamuno. — Es desnudo, rectilíneo, esquelético. Sus más importantes obras como dramaturgo son *Fedra* (visión moderna de un alma llena de los conflictos de amor y odio, en el orden paterno-filial); *Sombras de sueño,* que surgió de su estancia en Canarias y es bella expresión escénica del conflicto de la isla, de la separación del mundo; *El otro* (pirandelliana) y *El hermano Juan o El mundo es teatro,* vieja comedia nueva con la última interpretación de lo donjuanesco.

Unamuno, poeta. — En la poesía española es uno de nuestros más esenciales valores. Como lírico se opone a la riqueza exterior y se caracteriza por la dulzura de forma. En 1907 publica *Poesías,* libro de místicas inquietudes, de cariño a la tierra natal, de visiones de arte. Tiene poemas como *Elegía en la muerte de un perro* y *Hermosura:*

> El reposo reposa en la hermosura
> del corazón de Dios, que así nos abre
> tesoros de su gloria.
> Nada deseo;
> mi voluntad descansa,
> mi voluntad reclina
> de Dios en el regazo su cabeza,
> y duerme y sueña...
> Sueña en descanso
> toda aquesta visión de alta hermosura.

Rosario de sonetos líricos, Rimas de dentro y *Teresa* son otros libros de versos, siempre paradójicos y sin gala exterior. *El Cristo de Velázquez* es la evolución del artista que sale de la negación que supone el 98 a una afirmación de los valores perennes de raza, de las verdades eternas y de lo humano esencial:

Mientras la tierra sueña solitaria,
vela la blanca luna, vela el Hombre
desde su cruz, mientras los hombres sueñan;
vela el Hombre sin sangre, el Hombre blanco
como la luna de la noche negra;
vela el Hombre que dio toda su sangre
porque las gentes sepan que son hombres...

Glosa Unamuno en este poema los términos dados a Cristo en la Escritura *(Nube, Cordero, Noche, Rosa, León)* y hasta las ideas fundamentales a la redención *(Muerte, Salud, Verdad, Reino de Dios, Ansia de Amor)*, para acabar en una fervorosa y alentadora oración.

Unamuno, novelista. — Otro gran aspecto unamunesco de importancia es en la novela. Tenemos *Paz en la guerra* (1897), novela humana, llena de recuerdos y ambiente, con un episodio de la guerra carlista. Luego las más típicas: *Amor y pedagogía,* que es característica del 98 (un personaje prepara a su hijo para «genio» pero el resultado es un fracaso); *Abel Sánchez* (Abel y Joaquín, los grandes amigos que en el fondo son enemigos irreconciliables), que puede considerarse como paráfrasis bíblica del primer fratricidio; entre ellos destacan *Nada menos que todo un hombre* y *La tía Tula* (la maternidad); también tiene cuentos y novelas cortas *(El espejo de la muerte, Tres novelas ejemplares y un prólogo).*

La más representativa es *Niebla,* que no es una novela en el sentido preceptista, por lo que su autor la llamó «nivola». Su protagonista Augusto Pérez es una paradoja, un tipo ejemplar del 98 y una proyección del autor. Culmina la obra cuando Augusto Pérez hace su presentación al autor. Es un diálogo hondamente trágico entre autor y personaje. El personaje comunica al autor su deseo de matarse y Unamuno le prohíbe el suicidio, pero le obliga a morir. La angustia agónica del personaje ansioso de vida culmina en estas páginas:

No quiere usted dejarme ser yo — dice Augusto a Unamuno —, salir de la niebla, vivir, vivir, vivir, verme, oírme, tocarme, sentirme, dolerme, serme, ¿conque no lo quiere?, ¿conque he de morir ente de ficción? Pues bien, mi señor creador don Miguel, también usted se morirá, también usted, y se volverá a la nada de que salió. ¡Dios dejará de soñarle! Se morirá usted, sí, se morirá aunque no lo quiera; se morirá usted, y se morirán todos los que lean mi historia, todos, todos, todos, sin dejar uno. ¡Entes de ficción como yo, lo mismo que yo! Se morirán todos, todos, todos. Os lo digo yo, Augusto Pérez, ente ficticio como vosotros, «nivolesco» lo mismo de vosotros. Porque usted, mi creador, mi don Miguel, no es usted más que otro ente «nivolesco» y entes «nivolescos» sus lectores, lo mismo que yo, Augusto Pérez, que su víctima...

Unamuno, ensayista. — En el ensayo ha de distinguirse el libro de viajes como *Por tierras de Portugal y España* y *Andanzas y visiones españolas,* en que descubre el paisaje castellano eterno (Ávila, Palencia, León, Salamanca) y comprende genialmente el de Portugal; el de crítica como los que él llamó «ensayos» (entre ellos muy notable el titulado *En torno al casticismo*), *Contra esto y aquello* (típico del polemismo de Unamuno), *La vida de don Quijote y Sancho* (comentando capítulo por capítulo, incorpora el mito hispánico a la España de su tiempo). Destaca el libro de puro pensamiento como *Del sentimiento trágico de la vida en los hombres y en los pueblos* (el más filosófico) y *La agonía del cristianismo* (el cristianismo como lucha).

Ramiro de Maeztu (1875-1936). — Es una de las más importantes figuras del 98. Nació en Vitoria, hijo de vasco e inglesa, y se dedicó al periodismo, que cultivó en España, en Londres (como redactor de *Heraldo de Madrid*) y en la Argentina (donde fue embajador de España). Escribió también en inglés, como en su libro *Crisis del Humanismo*. Sus ensayos en español son de alta calidad *(Don Quijote, Don Juan, La Celestina)*. Figura preeminente de la intelectualidad española, en su juventud fue ardiente representante de la generación del 98; y pasó de la crítica negativa a un franco españolismo, siempre haciendo con su labor grandes aportaciones a la cultura española. Libro representativo de la última fase de este gran periodista fue su *Defensa de la Hispanidad,* un poderoso libro abierto a la fe de los nuevos escritores y al optimismo hispánico en que se plantea una vez más el problema de nuestra colonización y la importancia de nuestra misión histórica en el mundo.

Estoy seguro de que el descubrimiento de la creencia nuestra en las posibilidades superiores de todos los hombres ha de empujarnos a realizarlas en nosotros mismos, para ejemplo probatorio de la verdad de nuestra fe, y que la lección que dimos ya en nuestro gran siglo, volveremos a darla para gloria de Dios y satisfacción de nuestros históricos anhelos.

CAPÍTULO LVIII

LA GENERACIÓN DEL 98 *(terminación)*

Pío Baroja. — Nació en San Sebastián en 1872 y murió en Madrid, en 1956. Ejerció la carrera de médico en Cestona y además tuvo una panadería. Baroja es el hombre típico de la generación del 98, aunque él se empeña en no admitir esta fecha: paisaje castellano, valor pictórico, pesimismo de intención en que se combina la influencia del pensamiento alemán (Schopenhauer, Nietzsche) con la abulia y el descorazonamiento racial de los hombres de dicha fecha; «anticasticista» (se esfuerza en no incluir en su habla todo lo que sean antiguallas retóricas, desprovistas hoy de sentido inmediato); individualista (*Juventud, egolatría* es un título representativo de su personalidad y de su momento).

La novela de Pío Baroja. — Baroja es concretamente un novelista. Sus modelos han sido reconocidos por él (los novelistas rusos: Dostoievski, Turguenev; los ingleses y angloamericanos: Dickens, Edgar Poe); pero es siempre intensamente español y de su época. En cuanto a su técnica se amolda a la curiosidad e interés del «caso» visto por un espectador. Hay además una ponderada evolución biológica que explica los tipos, las pasiones, los conflictos, los desenlaces. Todo ha de estar situado en un paisaje concreto («No podría hablar de un personaje si no supiera dónde vive y en qué ambiente se mueve»). Es muy realista y la acción es rápida, incluso brusca en ocasiones.

Tiene narraciones cortas en las que se muestra muy hábil, como en *Idilios vascos* y *Vidas sombrías;* y entre sus novelas *La casa de Aizgorri,* en que se muestra dramático y melancólico; *Inventos, aventuras, mixtificaciones de Silvestre Paradox* y *Paradox, rey,* ambas de ingenioso humorismo; *Camino de perfección, El Árbol de la Ciencia* y *El mayorazgo de Labraz,* las más típicas del 98; *Zalacaín el aventurero,* tal vez la mejor de sus obras, en que en el ambiente de las guerras carlistas se traza la figura de un personaje lleno de vitalidad y de simpatía, cuyo fin es a la vez una ley de herencia y una tragedia de raza.

Son muy interesantes también las novelas que llama «memorias de un hombre de acción» como *El aprendiz de conspirador* y *El escuadrón del brigante.*

Su estilo, aunque seco, resulta atractivo. He aquí un fragmento de su elogio sentimental del acordeón incluido en *Paradox, rey:*

¡Oh la enorme tristeza de la voz cascada, de la voz mortecina que sale del pulmón de ese plebeyo, de ese poco romántico instrumento! Es una voz que dice algo monótono como la misma vida; algo que no es gallardo, ni aristocrático, ni antiguo; algo que no es extraordinario ni grande, sino pequeño y vulgar, como los trabajos y los dolores cotidianos de la existencia. ¡Oh la extraña poesía de las cosas vulgares! Esa voz humilde que aburre, que cansa, que fastidia al principio, revela poco a poco los secretos que oculta entre sus notas, se clarea, se transparenta, y en ella se traslucen las miserias del vivir de los rudos marineros, de los infelices pescadores... ¡Oh modestos acordeones! ¡Simpáticos acordeones! Vosotros no cantáis grandes mentiras poéticas como la fastuosa guitarra; vosotros no inventáis leyendas pastoriles como la zampoña o la gaita... Vosotros sois de vuestra época: humildes, sinceros, dulcemente plebeyos, quizá ridículamente plebeyos; pero vosotros decís de la vida lo que quizá la vida es en realidad: una melodía vulgar, monótona, ramplona...

José Martínez Ruiz, "Azorín". — Nació en Monóvar (Alicante) en 1874. Es un verdadero artista de su generación, en la que representa una nueva sensibilidad del paisaje (es un fino espíritu de levantino que comprende a Castilla). Como artista, se recrea en los detalles minúsculos, en las cosas pequeñas de la vida cotidiana. Es sobrio en su estilo, pero prolijo en las enumeraciones.

Es un incansable lector y comentador de libros. Su crítica comienza siendo negativa e injusta *(Rivas y Larra)* y luego más sagaz *(Los dos Luises y otros ensayos, De Granada a Castelar, Los Quintero y otras páginas).* También ha cultivado la dramática, en que ha llegado a terrenos de seguridad técnica (la trilogía *Lo invisible*).

La novela de "Azorín". — Su arte exquisito de paisajista se aplica a la novela. Comienza con una obra representativa de su generación, *La voluntad,* y consigue una perfección novelística en sus libros de casi ninguna acción en que el paisaje lo es todo, en que la ciudad en que se desarrolla el mínimo de vida se describe con el cariño de los rincones, de los cuartos silenciosos, de los detalles puestos en primer plano. Obras maestras de esta técnica son *Don Juan* y, sobre todo, *Doña Inés.* El éxito de Azorín está en la poetización de lo modesto e insignificante:

El viejo reloj de caja está en la vasta sala. La sala está enladrillada de azulejos blancos y negros. A tres, cuatro, seis generaciones ha acompañado con su tictac rítmico, incansable, el viejo reloj. No es el reloj un artificio mecánico. Diríase que es, en la casa, un ser viviente. Con su ruidito inacabable — noche y día — acompaña a la familia en todos los instantes de la vida. Los niños y los viejos — durante dos siglos — le han mirado con simpatía y curiosidad, los primeros; con tristeza y tal vez un poco de enojo, los segundos. Han pensado los primeros: «La vida se abre ante nosotros. ¡Cuántas horas ha de marcarnos todavía este reloj!» Los viejos pensaban: «La vida acaba para nosotros. ¡Qué pocas horas le quedan que señalarnos a este reloj!»

Sus últimas novelas siguen, en un acercamiento a la nueva literatura, en la acción retardada y el ambiente poético.

Ramón del Valle Inclán (1869-1936). — Este escritor gallego y alta figura puede representar el puente desde el modernismo y la generación del 98 a las nuevas direcciones literarias del siglo XX. Se formó en el modernismo y de éste pasó a un mundo nuevo de humor y de forma renovada. A ello unió cierto carácter de su región gallega (superstición y juego macabro con la muerte, ironía e ingenuidad a la vez). Cultiva el verso, la novela y el teatro.

a) En la lírica, *Aromas de leyenda* es una clara derivación rubeniana, pero en *La pipa de Kif* deriva a lo grotesco, a lo acartonado, a lo trágico-humorista, como en *El crimen de Medinica* y *Garrote vil:*

Un gitano vende churros
al socaire de un corral;
asoman flautistas burros
las orejas al bardal;
y en el corro de baturros
el gitano de los churros
beatifica al criminal...

b) En el teatro pasa también Valle Inclán del modernismo *(Voces de gesta)* a un teatro humorista y caricaturesco *(Farsa y licencia de la Reina castiza* y las obras teatrales que el autor llamó *Esperpentos)*. Este último aspecto sitúa a Valle Inclán como figura del gran teatro español del novecientos.

c) En la novela sigue también la mencionada trayectoria. Sus cuatro *Sonatas* representan un modernismo de arte refinado, un estilo exquisito y un ambiente melancólico. El personaje central — el marqués de Bradomín — es donjuanesco, decadentista y lleno de contradicciones. He aquí un fragmento de *Sonata de otoño:*

Yo bajé a reunirme con ella. Cuando descendía la escalinata, me saludó arrojando como una lluvia las rosas deshojadas en su falda. Recorrimos juntos el jardín. Las carreras estaban cubiertas de hojas secas y amarillentas, que el viento arrastraba delante de nosotros con un largo susurro. Los caracoles, inmóviles como viejos paralíticos, tomaban el sol sobre los bancos de piedra. Las flores empezaban a marchitarse en las versallescas canastillas recamadas de mirto, y exhalaban ese aroma indeciso que tiene la melancolía de los recuerdos. En el fondo del laberinto murmuraba la fuente rodeada de cipreses, y el arrullo del agua parecía difundir por el jardín un sueño pacífico de vejez, de recogimiento y de abandono.

Del estilo preciosista de fin de siglo pasa a un estilo realista de despiadado y trágico humorismo. Su novela americana *Tirano Banderas* es un ejemplo de este último. Es el libro de la lucha y del salvaje individualismo de los cabecillas de América. Está escrito en un pintoresco vocabulario que da en los diálogos una personal interpretación del habla hispanoamericana. El mismo matiz de caricatura se da en el ciclo histórico que él denominó *El ruedo ibérico* (*La corte de los milagros, Viva mi dueño,* etc.).

Gabriel Miró (1879-1930). — Nació en Alicante y es un artista puro que puede catalogarse como novecentista. Como novelista, lo que más le importa es la belleza de la forma y el marco que envuelve a sus figuras, resultando un prosista de exquisita y deslumbrante belleza. Se interesa, como los escritores del 98, por la vida lenta, de sabor arcaico, de racial supresión del tiempo de las provincias y de las aldeas. Pero su prosa descriptiva y su tipo de novela difusa representan un notable avance. Entre sus libros han de citarse *Figuras de la Pasión del Señor,* que se desenvuelven en un ambiente que revela la situación geográfica y el estilo del novelista. No es sólo la gran figura del Redentor, sino también las figuras secundarias que cobran vida (el dueño del cenáculo, los sanedritas, el mancebo que abandonó su vestidura, etc.).

En las narraciones extensas han de citarse *Nuestro Padre San Daniel* y *El Obispo leproso,* que se desarrollan en Olesa (Orihuela) en un ambiente de ternura íntima y de españolísima piedad aldeana, unidas a una sinceridad fraternal de amor franciscano a todas las cosas, misericordia para los dolores y las caídas y de benignidad con los mismos personajes. He aquí un trozo de la segunda, que es continuación de la primera:

En la puerta labrada del refectorio de los padres apareció Monseñor Salom rodeado de la comunidad. Más que hombre era la imagen viva de un santo de los primitivos de la Iglesia. Vestía un hábito negro con cíngulo bermejo como una cicatriz de toda la cintura; le colgaba por pectoral un rudo crucifijo con orla de toscos granates; era su sombrero redondo, duro, sin felpa; su piel, de breña, y sus barbas, de crin. Hambres, trabajos, vigilias, rigores de climas y penitencias habían plasmado en piedra volcánica aquel cuerpo de justo. Se le vio en seguida la señal de su martirio: una mano mutilada bárbaramente. Le quedaban dos dedos: el pulgar y el índice; los otros se los cercenaría el hacha, el cepo, el bracero, las púas, los cordeles, el refinado ingenio de los suplicios en que tanto se complacen los pueblos idólatras... Y el apóstol de Oriente se volvía de una fila a otra del concurso y en sus órbitas parecía que se asomasen dos diminutos anacoretas en cuevas recremadas...

La novela de Ramón Pérez de Ayala (1881-1962). Asturiano, representa un valor en la novela novecentista — también es poeta creador — no obstante tener muchas de las características del 98, cuyos temas remoza. Las figuras de su novela tienden a convertirse en símbolos. Su crítica es afirmativa *(Política y toros)* y sus apreciaciones literarias *(Las máscaras)* las lleva a sus mismas novelas *(Troteras y danzaderas, El curandero de su honra)*. Sus primeras novelas son realistas *(La pata de la raposa)*; pero, a partir de *Belarmino y Apolonio,* se inicia un estilo en que se recrean las figuras más complejas y se origina una nueva forma de novela. A ésta siguieron dos series de dos novelas cada una: *Luna de miel, luna de hiel* y *Los trabajos de Urbano y Simona,* y *Tigre Juan* y *El curandero de su honra.* La figura central de *Tigre Juan* es una intensa creación intelectual:

Tigre Juan, de cintura arriba, iba vestido a lo artesano: camisa sin corbata, almilla de bayeta amarilla, que le asomaba por el chaleco y éste de tartán a cuadros. De cintura abajo se ataviaba como un labriego de la región: calzones cortos de estameña; polainas de paño negro, abotonadas hasta la corva; medias de lana cruda y zuecos de haya, teñidos de amatista con entalladuras ahuesadas. Andaba siempre a pelo. Su pelambre era tupido, lanudo, entrecano, que casi le cubría la frente y orejas, como montera pastoril de piel de borrego... En el pescuezo flaco, rugoso, curtido, avellanado y retráctil, tan pronto largo de un palmo como enchufado entre las clavículas (al encogerse de hombros suprimía el cuello), estaba espetada, afirmada, la testa con rara energía, mostrando en una manera de altivez el rostro cuadrado, obtuso, mongólico, con mejillas de juanete, ojos de gato montés y un mostacho lustroso y compacto, como de ébano, que pendía buen trecho por ambas extremidades...

Su estilo está clásicamente elaborado, y su metáfora, aun en lo más costumbrista actual, está estilizada, y su prosa a veces tiene un intenso valor poemático. Estos dos últimos escritores significan como un «remozamiento» del 98.

Otros novelistas. — Frente a las últimas formas de la novela naturalista del final del siglo XIX hay una cierta tendencia literaria académica en **Ricardo León** (1877-1943), escritor malagueño, que, en los comienzos de siglo, al componer sus primeras novelas, sigue la narración tradicional y el lenguaje arcaico y sentimental. Tiene libros de versos (*Lira de bronce* y *Alivio de caminantes)* y son muy populares sus novelas como *Casta de hidalgos,* que representa una vuelta a los valores antiguos (pundonor, ideal esencial cristiano), y *El amor de los amores* (conflicto entre el amor divino y el humano), cuyos personajes y ambientes están idealizados por un nimbo poético. Su rítmica prosa admite, en ocasiones, su medida en versos exactos endecasílabos.

Otra figura de nuestra novela es **Concha Espina** (1877-1955). Nacida en Santander, puede significar un remozamiento de la novela montañesa de Pereda. Su narración es amena y sus caracteres y descripciones regionales interesantes. Entre sus novelas recordaremos *La esfinge maragata, El metal de los muertos* y *Altar mayor.*

La novela, tan abundante a finales del siglo XIX y principios del XX, ha dado muchos y buenos novelistas, notables en determinados aspectos o en obras aisladas, como **Alejandro Pérez Lugín** (1870-1927) que, con las más viejas fórmulas del pasado realismo, nos ha dado un buen cuadro de la vida estudiantil gallega en su conocida novela *La casa de la Troya.*

CAPÍTULO LIX

LA NOVELA HISPANOAMERICANA MODERNA

La novela modernista. Larreta. Reyles. — El modernismo en la novela se inclinó hacia la poetización de la historia y de las realidades actuales. Uno de los novelistas más brillantes de esta escuela fue **Enrique Larreta** (Enrique Rodríguez Larreta, 1875-1961). Su novela más característica es *La gloria de Don Ramiro* (1906), obra típicamente hisponamericana, pues aunque su geografía y ambiente son españoles en sus comienzos — a través del romanticismo francés —, termina en el ambiente colonial peruano. La anécdota nos habla de una vida en tiempos del rey Felipe II. Constituye una acabada pintura de época en tierras de Ávila, Toledo y Córdoba, relatada con un estilo castizo. Larreta interpretó también la Pampa argentina en *Zogoibi* (1926), «el dolor de la tierra», la tragedia de los campos modernos, las pasiones y ensueños de sus extraños moradores en un poblado de la provincia de Buenos Aires. El criollo enamorado de la mujer del extranjero que apuñala, por error, a su novia, se suicida con el mismo cuchillo, clavándolo en la tierra y arrojándose sobre él... La tragedia vive latente en la Pampa:

Desde ahora, y aunque pasen muchísimos años, al cruzar la Pampa nocturna, más de un caminante sentirá que su espíritu no es solo en la sombra, y creerá escuchar, por momentos, un rumor de otra vida parecido al sollozo del trébol húmedo cuando lo rasga la espuela.

A semejanza de Larreta, **Carlos Reyles** (1868-1938), uruguayo, utiliza en sus novelas la geografía española — *El Embrujo de Sevilla,* 1922 —, sin olvidar tampoco la de su tierra — *El terruño* y *El gaucho Florido,* 1935 —. *El Embrujo de Sevilla* es una realización literaria que contiene todo el arte, toda la pasión y toda la emoción de la famosa ciudad andaluza. A veces el estilo está tan lleno de sugerencias que llega hasta la extravagancia — en la corrida, «diestro y toro formaban una epiléptica pelota» —. Es la labor de un modernista, pero también una obra vivida por el autor. Evoca horas de su juventud, pero la escribe en su madurez. Maravilla su poder de captación.

Novela criolla. — El primer gran prosista del criollismo fue **Horacio Quiroga** (1878-1937), que, aunque nacido en Uruguay, es un adelantado de la literatura argentina y se le considera como maestro de narradores y uno de los cuentistas más destacados de la América Latina. Había ya publicado algunas obras cuando se fue a trabajar a la región misionera, situada al nordeste de la Argentina. Allí conoció los hombres y el ambiente que inspirarían sus grandes relatos, como *Cuentos de amor, de locura y de muerte* (1916), *Cuentos de la selva, Anaconda, La gallina degollada y otros cuentos,* etc. Al malogrado novelista colombiano **José Eustasio Rivera** (1889-1928) corresponde el mérito de haber llevado a su cima — punto de partida de una novelística magistral — a la novela criolla hispanoamericana. En 1924 escribió su única novela — *La vorágine* (Bogotá, s. f.) —, que despertó un extraordinario y justificado entusiasmo en toda la América del Sur. *La vorágine* es, en realidad, un gran poema en prosa que ha sabido captar la grandeza de las selvas caucheras, la imponente geografía del Río Negro o Guaimía, las tierras de Casanare, Cáqueza o Villavicencio. La Naturaleza lo llena todo. Tras esta obra han de citarse las de **César Uribe Piedrahíta** (1897-1951), como *Relatos de cauchería* y *Mancha de aceite,* vigorosas narraciones, y su magistral novela *Toá* (1933) — que lleva el subtítulo de *Narraciones de caucherías* — que lo ha convertido en uno de los primeros narradores hispanoamericanos. Como al gran novelista del criollismo ha de citarse a **Rómulo Gallegos** (nacido en 1889) con sus grandes creaciones: *Doña Bárbara* (Barcelona, 1929) y *Cantaclaro,* de la llanura, y *Canaima,* de la selva. *Doña Bárbara* significó la consagración del autor. No es ajena a influencias, y se le han señalado precedentes incluso en América. En efecto, el ritmo criollo de *Doña Bárbara* ya lo encontramos en *La vorágine,* de Rivera. El libro de Gallegos — con su pura originalidad hispanoamericana — es de una fuerte personalidad y brillante estilo, con gran riqueza de valores humanos. Aunque cae dentro del realismo y del naturalismo, no tiene preocupaciones deterministas ni llega a minuciosidades descriptivas. Como novela regionalista supera lo regional, aunque nos haga pensar en ello el vocabulario que la acompaña. *Doña Bárbara* es algo más que una novela de ambiente criollo. En ella triunfan la verdad y el bien, la civilización frente a la barbarie. La extensa obra es como una síntesis de la narración criolla que canta a la Naturaleza americana con sus temas predilectos (problema social de los campos vírgenes por el choque de la fuerza bruta con la ley; nacionalización de las tierras; depuración de la administración de justicia y exaltación de lo criollo, como Luzardo y Marisela). Junto a Gallegos ha de destacarse a otro recio novelista venezolano: **José Rafael Pocaterra** (1888-1955), que nos presenta la sociedad de su patria a fines del siglo XIX y principios del XX (*La casa de los Abila* y sus breves y dramáticos *Cuentos grotescos,* entre otras narraciones). Una brillante y moderna interpretación del tema gauchesco se debe al argentino **Ricardo Güiraldes** (1886-1927) que, en 1926, con *Don Segundo Sombra* impone de nuevo el gaucho en las letras rioplatenses. Ya no es exactamente el gaucho del siglo XIX, pero subsiste lo esencial: su espíritu. Ricardo Güiraldes, que ya había publicado *Raucho* y *Xaimaca,* entre otras obras dio con *Don Segundo Sombra* la novela de la pampa. Apenas si hay en ella un argumento: un muchachito — Fabio — escapa del cuidado de unas tías pueblerinas, y, atraído por la personalidad de un viejo gaucho — Don Segundo — lo sigue fielmente, aprendiendo a su lado el oficio de hombre de campo, hasta que, beneficiado por una herencia y convertido en propietario, se ve obligado a abandonar a su mentor y su vida de libertad. *El caballo y su sombra* (1939) es otro buen libro de literatura gauchesca. Su autor es el uruguayo **Enrique Amorim** (1900-1960). El argumento contiene una acción paralela, desarrollada con viva sensibilidad: la mujer del gaucho, que da a luz un hijo del amo, y la yegua zaina, cuya cría tiene por padre a un caballo de linaje. Una destacada figura del criollismo ha sido **Benito Lynch** (1885-1952), que nos hace vivir ambientes campesinos — bien conocidos por él en su infancia — en cuentos y novelas que gozan de gran fama. Lynch no es un estilista, pero conoce de una manera extraordinaria el ambiente en que se mueve el gaucho. Sus dos grandes novelas son de tipo rural: *Los caranchos de la Florida* (1916) y *El inglés de los güesos* (1924). Especialmente esta última es una obra maestra de la literatura argentina, aunque las pasiones de sus personajes son primitivas e ingenuas. En las narraciones de negros y brujas ha de citarse al hispanocubano **Lino Novás Calvo** (1905) que, en obras como *La luna de los ñáñigos,* nos ofrece un poemático relato de la desesperación, utilizando como fondo del tema el folklore y la brujería. El autor nos presenta una pretendida transubstanciación — por la danza — de la mujer blanca en negra... Al llegar la luna nueva y llena, tensos los bongoes y preparados los ñáñigos, los negros que iban a matar a la blanca se extasían al oír su voz, que tenía «negror de dentro», y danzan porque ellos «no tienen más color que el de la música». En la novela histórica moderna se señala como a maestro y a iniciador a **Ricardo Palma** (1833-1919), del Perú, por sus famosas y bellas *Tradiciones peruanas,* que constituyen una extensa y brillante labor que pasa del romanticismo y modernismo a las más modernas escuelas; al dominicano **Manuel de Jesús Galván** (1834-1911), autor de *Enriquillo* (1879); al mejicano **Artemio del Valle Arizpe** (1888-1961), que se distingue por sus temas tradicionales en cuadros tan logrados como *Doña Leonor de Cáceres* (1922), *Tradiciones, leyendas y sucedidos del México virreinal* y *La güera Rodríguez.* En la literatura venezolana moderna se han destacado, sobre todo, autores de biografías novelescas; **Enrique Bernardo Núñez** (1897), cuyos dos libros, *Cubagua, Orinoco,* evocan, en visión casi alucinante, los primeros días de conquista y exploración de Venezuela en las islas del Caribe y en los grandes ríos del sur del país; **Ramón Díaz Sánchez** (1903), quien además de sus magníficas novelas *Mene, Cumboto, Piedra Azul, Casandra* (1957), con «misterioso sabor isleño», en la que nos presenta a una anciana, «la loca de la playa», y del volumen de cuentos *La virgen no tiene cara,* es autor de la monumental y ágil biografía de *Guzmán: Elipse de una ambición de poder,* en la que reconstruye gran parte de la historia política de Venezuela entre 1830 y 1888. **Héctor Mujica,** en 1958, estudió el mismo personaje y complementó y aclaró aspectos de las anteriores interpretaciones del mismo. Junto a sus ensayos hay que señalar, en Venezuela, las novelas históricas y las biografías de **Mariano Picón Salas** (1901). La *Odisea de tierra firme,* publicada cuando el autor vivía en Chile (1931), evoca los más variados ambientes de Venezuela bajo la dictadura de Juan Vicente Gómez. Su *Miranda* es un retrato dramático de la vida del gran precursor de la independencia venezolana con una visión orginalísima del personaje. *Pedro Claver, el santo de los esclavos,* puede ser considerada como la extraordinaria novela de la esclavitud africana en Cartagena de Indias durante los días coloniales. *Los días de Cipriano Castro* es documento de la angustia venezolana. La chilena **Magdalena Petit** en *Don Diego Portales* (1937) muestra los más humanos aspectos del personaje.

Junto a la novela del gaucho se ha ido desarrollando en la Argentina una novelística dedicada a evocar lo pasado, los ambientes provincianos de las zonas andinas, del litoral o de las despobladas regiones patagónicas. En *Juvenilia,* **Miguel Cané** (1851-1905) nos dejó un ágil relato de la vida estudiantil en el Buenos Aires de fines del siglo pasado. **Lucio V. Mansilla** (1831-1913) aportó a la literatura argentina, con *Una excursión a los indios ranqueles,* una obra que, si bien no es en realidad una novela, por lo ameno de su narración y la veracidad de los hechos y ambientes despierta en el lector el mayor interés. **Juan Agustín García** se orientó hacia la vida colonial en *La Chepa Leona* y *Memorias de un sacristán,* en tanto que **Bernardo González Arrilli** recuerda las invasiones inglesas al Río de la Plata con *La invasión de los herejes.* **Martiniano Leguizamón** (1858-1935) describió las costumbres y paisajes del litoral en *Montaraz* —cuya acción transcurre en el siglo pasado—, *Alma nativa, De cepa criolla* y *La cinta colorada;* **Mateo Booz** (Miguel Ángel Correa) evocó a Santa Fe durante la época de Rosas en *El tropel,* y la historia de Rosario, en *La ciudad cambió la voz.* **Guillermo House** (Agustín G. Casá) ha descrito las tierras del Sur en el siglo pasado, en *La tierra de todos* y *El último perro,* con los ataques de los indios y las duras condiciones de vida. También la región del Sur ha inspirado a **Eduardo Acevedo Díaz,** hijo, *Cancha larga* y *Ramón Hazaña.* Las provincias del norte de la Argentina, con su rico folklore indígena han inspirado numerosos cuentos y novelas, entre los que se destacan los de **Juan Carlos Dávalos, Fausto Burgos** y **Carlos B. Quiroga,** y la obra del notable educador y político **Joaquín V. González** (1863-1923) *Mis montañas.* La vida en las islas del río Paraná ha sido captada por **Ernesto L. Castro** en *Los isleros.* Un novelista cuya obra alcanzó gran difusión es **Gustavo Martínez Zuviría** (1883-1962), más conocido por su seudónimo de «Hugo Wast». Un lenguaje sencillo, una historia amable y personajes simples, sin complicaciones psicológicas, le han conquistado el amplio sector de público que sólo busca en el libro un agradable entretenimiento. En sus obras ha pintado los ambientes del interior y de la ciudad, de los tiempos actuales y del siglo pasado, siguiendo siempre una línea de corrección literaria y moral. De sus libros, bien conocidos también fuera de su país, cabe citar *Flor de durazno, Alegre, Desierto de piedra, La corbata celeste, La casa de los cuervos* y *Valle Negro.* Se conocen muchas traducciones de sus obras. Cabe citar asimismo a **Roberto Arlt** (1900-1942), que fue el novelista de una alucinante protesta social en narraciones de personajes tan excitados como él mismo, gentes de la clase media oprimidas en el deprimente medio de la gran ciudad (*Los siete locos,* 1929; *Los Lanzallamas,* 1921; etc.). Uno de los temas predilectos de la novela histórica moderna en Hispanoamérica ha girado alrededor de la vida nacional en las distintas repúblicas después de la independencia. Las revueltas civiles han sido magníficamente descritas por diversos autores y constituyen páginas originales de la novela hispanoamericana. Uno de los temas más fecundos y de más persistencia es el que se refiere a la época de Rosas en la Argentina. En estas novelas destaca **Manuel Gálvez** (1882-1962) con su serie rosista como *El gaucho de los Cerrillos* (1931), *La ciudad pintada de rojo* (1948) y *Así cayó don Juan Manuel* (1954), la primera de las cuales se ha considerado magistral. Las de los novelistas mejicanos con el tema de su revolución de 1910 tiene un ejemplo brillante en **Mariano Azuela** (1873-1952) por sus relatos realistas y emocionales, dentro de la sobriedad e ironía características de los autores aztecas, como *Andrés Pérez maderista* (1911), *Los de abajo* (1927) o *El que la debe.* Han de agregarse otras novelas del tema como *La sombra del caudillo* (1929) de **Martín Luis Guzmán** (1887) o como *Vámonos con Pancho Villa* (1931) de **Rafael F. Muñoz** (1899). Otros novelistas mejicanos: **Gregorio López y Fuentes** (1897) con *El indio* (1935) y con su sátira *Acomodaticio: novela de un político de convicciones* (1943); **Mauricio Magdaleno** (1906) con *El* *compadre Mendoza* (1934); **José Rubén Romero** (1890-1952) con *Mi caballo, mi perro y mi rifle* (1936); y los que tratan el tema del presidente Carranza como **Francisco L. Urquizo** y **Fernando Benítez;** y novelas de tanto interés como *La creación* (1959) de **Agustín Yáñez** (1904) y libros como los de **Salvador Calvillo Madrigal** (*La revolución que nos contaron,* 1959) o como los de **Daniel Moreno** (*Figuras de la revolución mexicana,* 1960). Entre los narradores de las guerras citemos a los de la del Chaco como los bolivianos **Eduardo Anze Matienzo** (*El martirio de un civilizado,* 1935), **Rafael Ulises Peláez** (1902) con *Cuando el viento agita las banderas* (1950), Oscar Cerruto, Roberto Leyton, etc., y como los paraguayos Arnaldo Valdovinos *(Bajo las botas de la bestia rubia),* José P. Villarejo *(Ocho hombres),* etc. En los cuentos de este tema, los de *Sangre de mestizos* del boliviano Augusto Céspedes se consideran los mejores. El venezolano **Arturo Uslar Pietri** (1905) evoca la barbarie de las luchas civiles en *Las lanzas coloradas* (1931), una de las mejores novelas de este tipo de guerras. Al nicaragüense Hernán Robleto se debe la interpretación de las guerras de penetración estadounidense en los países hispanoamericanos con las luchas de Sandino como en *Sangre en el trópico* (1930).

Entre los últimos novelistas mejicanos modernos: Juan José Arreola (1918), de gran humor en su *Confabulario* (1952); Juan Rulfo con *Pedro Páramo* (1955); Miguel N. Lira (1905-1961) con *Mujer en soledad* (1956); Rafael Solana (1915) con *El sol de octubre* (1959); Carlos Fuentes con *Las buenas conciencias* (1959); Luis Spota con *Casi el paraíso* (1956); etc. Respecto a los cuentos se han publicado algunos mejicanos importantes como los ocho de *Cañón de Juchilpa* (1959), de Tomás Mojarro; los de *El laurel de San Lorenzo* (1959), del erudito Antonio Castro Leal; etc. En la novela mejicana se han distinguido también las mujeres como Maruxa Villalta, Carmen Rosenzweig, María Lombardo de Caso, Luisa Josefina Hernández, etc.

En la novela social, los chilenos como **Mariano Latorre** (1886-1955) con *Zurzulita* (1920) y **Luis Durand** (1894-1954) con *Frontera* (1949); sin olvidar a las novelistas chilenas como Marta Brunet o María Flora Yáñez. Entre las más recias novelas del hombre chileno en su lucha por la vida, **Armando Méndez Carrasco** nos da *El mundo herido* (1955), en la que por el camino de la angustia llega a un final de gran ternura. En esta novela social han de agregarse tres novelistas chilenos: **Manuel Rojas** (1896), famoso por *Lanchas en la bahía* (1932), que nos ha dado una verdadera obra maestra en el *Hijo de ladrón* (1951), a la que siguieron, años después, una segunda y tercera partes; ganó el Premio Nacional de Literatura en 1957, y con *Mejor que el vino* (1958), el Premio Mauricio Fabry a la mejor novela de autor chileno. Le siguen en importancia **Nicomedes Guzmán** (1914), con su recia prosa, brutal en ocasiones, de *La sangre y la esperanza* (1943), y **Oscar Castro** (1910-1947), que en *La vida simplemente* (1951) nos relata las desgracias de un muchacho de arrabal, y en *Llampo de sangre* (1954) — ambas novelas publicadas por su esposa después de la muerte de su autor — nos explica la miserable existencia del obrero del cobre. Esto convierte a las novelas en páginas de protesta social del trabajador indio, que aspira a una vida mejor. Ecuatorianos, bolivianos y peruanos se han distinguido en este tipo de narraciones. En *Raza de bronce* (1919), el boliviano **Alcides Arguedas** (1879-1946) nos ofrece un documento social de los pobres indios del yermo, gentes del Lago que no conocen siquiera el sabor de la leche. Arguedas no nos presenta el indio como un ser inocente — pues hay ladrones, incendiarios, etc. —, pero sí como una víctima del mestizo — un «cholo grosero, codicioso y brutal» (el administrador) — y del patrón, que todo lo atropella. La obra recuerda en ciertos aspectos las novelas antiesclavistas antillanas del siglo XIX. Una de las más vibrantes muestras de la novela indianista de América es la del peruano **Ciro Alegría** (1909): *El mundo es ancho y ajeno* (1939), en la que se pinta la sufrida y muda existencia de los indios peruanos. Los novelistas hispanoamericanos han profundizado en el análisis psicológico y los venezolanos han ido desde el intimismo de **Teresa de la Parra** (1890-1936), con sus encantadoras obras *Ifigenia* y *Memorias de Mamá Blanca* hasta las novelas de la infancia, en las que destacan Antonia Palacios, Julián Padrón y Trina Larralde. En el existencialismo: el uruguayo Juan Carlos Onetti con sus narraciones como *Para esta noche* (1943) o el venezolano Guillermo Meneses con *El falso cuaderno de Narciso Espejo* analizan las almas perdidas en el laberinto moral de nuestra época. El humorismo vanguardista aplicado al mundo económico nos lo da la novela *El socio,* del chileno **Jenaro Prieto** (1889-1946). Pero hemos de destacar al también chileno **Eduardo Barrios** (1884-1963), uno de los más grandes novelistas de América, con *Gran señor y rajadiablos* (1949), novela del huaso, señor de la hacienda campesina, y *Los hombres del hombre* (1950), su creación más técnica en la que sabe hermanar personajes reales y símbolos y el hombre con sus hombres interiores. A éstas habrían de unirse otras magníficas narraciones de Barrios como *El niño que enloqueció de amor* o *El hermano asno.* **Eduardo Mallea** (1903), argentino, destaca por su profundidad psicológica en *Historia de una pasión argentina* y en *Todo verdor perecerá* (1941). A su trilogía sobre la familia argentina *Las águilas, La torre* y *La tempestad* han de unirse *Sala de estar* (1953), «narración poemática» de «un pueblo subterráneo» en la que nos muestra el alma de siete personajes introvertidos. El guatemalteco **Miguel Ángel Asturias** (1899), con un genial barroquismo y técnicas de vanguardia, escribió narraciones de extraordinario interés y brillo como su trilogía sobre la explotación bananera del Caribe *(Viento fuerte, Los ojos de los enterrados* y *El papa verde)* y como *Hombres de maíz* (1949), inspirada en la mitología maya-quechua. Pero su novela político-social *El señor Presidente* (1946) alcanza la más alta calidad a que ha llegado la novela hispanoamericana. Con sus interpolaciones surrealistas, nos presenta, dentro de un tremendismo moderno, la vida terrible de un país criollo, bajo un presidencialismo tiránico. No ha de olvidarse al chileno **Fernando Alegría** (1918) con su novela política *Camaleón* (1950). Éste puede ponerse también como ejemplo de autor de biografías noveladas *(Recaberren* y *Lautaro)*; así como al panameño **Octavio Méndez Pereira** *(El tesoro del Dabaibe).*

CAPÍTULO LX

POETAS REGIONALES Y MODERNISTAS DEL SIGLO XX

La poesía regional en el siglo XX. — De este siglo ha de considerarse un tipo de poesía campestre y regional que por sus características aparece atada a la de las generaciones precedentes. Como en todo cruce de siglos, se cruzan autores y escuelas que dificultan una clasificación perfecta. Ejemplos, en una distinta valoración, son Vicente Medina, Enrique de Mesa y Gabriel y Galán. **Vicente Medina** (1866-1938) es un poeta murciano que canta su región, con desigualdades de forma, pero revelando sentido del paisaje y del ambiente de la huerta de su tierra *(Aires murcianos)*. **Enrique de Mesa** (1879-1929) deriva en parte del modernismo y luego tiende a motivos castellanos de tono de égloga, de vuelta a las serranillas tradicionales con los motivos del 98 (*Tierra y alma, La posada y el camino*).

José María Gabriel y Galán (1870-1905). — Nació en Frades de la Sierra (Salamanca) y fue labrador y maestro de escuela. Se le ha considerado, como poeta, representante y verdadero lírico del realismo. La mayor fuerza de su obra está en las descripciones poéticas. Coincide con el 98 en el descubrimiento del paisaje castellano, en su atención a los motivos aldeanos, pero es ingenuamente optimista sobre los dolores del país o la miseria de los campos estériles.

En cuanto a la forma, hay dos aspectos en Gabriel y Galán; unas poesías escritas en lenguaje correcto, incluso académico, en que expresa sentimientos populares; y otras en que la misma expresión se hace con el lenguaje vulgar. Atendiendo a la misma clasificación de sus obras completas, ha de distinguirse:

a) *Castellanas,* expresión del costumbrismo regional castellano e impregnadas todas de un fervoroso cristianismo. A ellas pertenece uno de sus más logrados poemas, *El ama,* en que es magnífica la emoción junto al paisaje:

> Cantaba el equilibrio
> de aquel alma serena
> como los anchos cielos,
> como los cantos de mi amada tierra;
> y cantaban también aquellos campos,
> los de las pardas onduladas cuestas,
> los de los mares de enceradas mieses,
> los de las mudas perspectivas serias,
> los de las castas soledades hondas,
> los de las grises lontananzas muertas...

b) *Extremeñas,* se corresponden con la novela regional de Pereda y en ellas imita la jerga popular de las tierras de Salamanca y Extremadura. Tuvieron mucho éxito y numerosos imitadores. Entre ellas son muy conocidas *El Cristu benditu* y *El embargo,* de gran dramatismo y emoción pintoresca y de mucho valor documental.

c) *Religiosas.* Aquí una de sus más bellas poesías, *El Cristo de Velázquez,* en que interpreta la obra de Velázquez como ensueño místico de un autor, «sonámbulo, trémulo», arrebatado por el éxtasis:

Con fiebre en la frente,
con fuego en el pecho,
con miradas de Dios en los ojos
y en la mente arrebatos de genio,
el artista empapaba de sombras
y de luces de sombras el lienzo...
No eran tintas que copian inertes,
eran vivos dolientes tormentos,
eran sangre caliente de mártir,
eran huellas de crimen de réprobos,
eran voces justicia clamando,
y suspiros clemencia pidiendo...
¡era el drama del mundo deicida
y el grito del cielo...!

d) *Campesinas.* En este grupo de poesías llega a un verdadero estilo amoldado a sus condiciones descriptivas, vigoroso, sonoro, emocionado. Ejemplos de ellas pueden ser *Fecundidad* y *Los pastores de mi abuelo,* que es un acierto de ritmo y melodía interna en sextinas:

Una música que dice cómo suenan en los chozos
las sentencias de los viejos y las risas de los mozos
y el silencio de las noches en la inmensa soledad;
y el hervir de los calderos en las lumbres pavorosas,
y el llover de los abismos en las noches tenebrosas
y el ladrar de los mastines en la densa oscuridad.

En este grupo encontramos reacciones simpáticas y justas ante lo social como en *Mi vaquerillo.*

Los poetas modernistas españoles. — La riqueza orquestal de Rubén Darío formó escuela en España, y sus motivos — princesas pálidas y dolientes, parques dieciochescos, orientalidades, etc. — los encontramos en los poetas españoles que amoldan a su matiz personal el colorido y la música del modernismo. Aparte el ya citado **Salvador Rueda** — precursor y continuador a un mismo tiempo de Darío —, hemos de mencionar:

a) **Tomás Morales (1886-1921).** — Que demostró ser un potente virtuoso de la forma modernista, que aplica a un típico sentimiento del mar propio a los poetas de su isla natal (Gran Canaria). Su libro *Las rosas de Hércules* es de inestimables valores y la *Oda al Atlántico* muy representativa.

b) **Manuel Machado (1874-1947).** — Nació en Sevilla. Nos recuerda mucho a Rubén Darío en composiciones como

Figulinas o *Jardín neoclásico;* pero alcanza su propia personalidad en los motivos andaluces (canta la guitarra, el «cante jondo», los toros, etc.). Entre sus poemas más representativos pueden citarse *Adelfos* (revela la esencia de su alma: la abulia andaluza de abolengo moro), *Castilla, La mariposa negra, Oasis;* y en aquellos en que se adelanta, aunque por distinto camino, a la afición de estilizar lo popular que han tenido los poetas andaluces del novecentismo *(Cantares, Cante hondo, Cualquiera canta un cantar).*

c) **Francisco Villaespesa (1877-1935).** — Poeta andaluz de extrema fecundidad y de fácil superficie decorativa rubendariana como indican los mismos títulos de sus libros *(La musa enferma, Los remansos del crepúsculo, Ajimeces de ensueño, La sombra de los cipreses).* Se distinguió más especialmente en el teatro modernista, donde desbordó su fantasía poética (*El Alcázar de las perlas* tuvo un gran éxito dentro del teatro poético).

d) **Emilio Carrere (1880-1947).** — Nació en Madrid, llevó al modernismo el tema de la bohemia callejera y fue traductor de Verlaine, en quien se inspiró muchas veces. Entre desigualdades, acierta con entonaciones de verdadero poeta como en *Aguafuerte taurino, La princesa muerta, El caballero de la muerte* y *Dietario sentimental.*

e) **Eduardo Marquina (1870-1946).** — Nació en Barcelona, y dentro del modernismo significa una contención *(Odas, Vendimión, Tierras de España, Juglarías).* Mejor que Villaespesa, obtuvo grandes éxitos en el teatro poético modernista *(En Flandes se ha puesto el sol, El monje blanco, Teresa de Jesús, María, la viuda).*

En este grupo ha de citarse, como ya se ha indicado, a **Valle Inclán,** además de otros poetas como Enrique Díez Canedo, Salvador de Madariaga (notables como prosistas) y Luis Fernández Ardavín.

Antonio Machado (1875-1939). — Este poeta de Sevilla representa la última y más honda calidad del 98: técnica sobria, detallista, analizadora e ideológica y alejada de toda retórica; el pesimismo y la comprensión del paisaje castellano. En su primer libro, *Soledades* (poesías de 1899 a 1907), encontramos ya poemas representativos como *El viajero,* tan del momento (tristeza, fracaso, dolor íntimo en la casa solitaria y monótona), y *Las moscas* (la atención por lo cotidiano y minúsculo). Pero el libro de la gran personalidad de Antonio Machado es *Campos de Castilla* (1912), donde se encuentran sus más destacados poemas, que corresponden a su estancia como profesor del Instituto de Soria, cuyas tierras canta como en *A orillas del Duero:*

Veía el horizonte cerrado por colinas
oscuras, coronadas de robles y de encinas;
desnudos peñascales, algún humilde prado
donde el merino pace y el toro, arrodillado
sobre la hierba, rumia; las márgenes del río
lucir sus verdes álamos al claro sol de estío,
y, silenciosamente, lejanos pasajeros,
¡tan diminutos! — carros, jinetes y arrieros —
cruzar el largo puente, y bajo las arcadas
de piedra ensombrecerse las aguas plateadas
del Duero...

Las encinas y *Campos de Soria* han de citarse entre las mejores. También pertenece a este libro el extenso romance *La tierra de Álvar-González,* en que a los sombríos tonos con que se describe la tierra se une el crimen de las herencias. En *Nuevas canciones* (1924), sin olvidar la inspiración castellana, se amolda a formas de cantar popular:

Por las tierras de Soria
va mi pastor.
¡Si yo fuera una encina
sobre un alcor!
Para la siesta,
si yo fuera una encina
sombra le diera.

Otras veces, como *Por un ventanal,* adquiere ágil modernidad. Advirtió que no había seguido la senda de Rubén Darío; y así es.

Los poetas modernistas hispanoamericanos. — El impulso renovador de Rubén Darío agrupó en torno de él a numerosos poetas hispanoamericanos que llevaron la buena nueva poética por toda la América de habla española. El modernismo encontró en ese continente excelentes creadores de una poesía personal. Señalemos algunos de los valiosos nombres que pueden señalarse:

a) **Leopoldo Lugones (1874-1938).** — Poeta argentino y profesor de Literatura. Su poesía tiene cierto retoricismo: comienza romántico en su libro *Las montañas de Oro,* rubendariano en *Los crepúsculos del jardín,* muy extravagante en *Lunario sentimental* y fácil en *Odas seculares* y *Los poemas solariegos.* Es un poeta que se aparta del tema modernista en busca de los motivos americanos (canta a los Andes, las pampas, los ríos, los gallos que alborozan los campos, los ganados y las mieses).

b) **Amado Nervo (1870-1919).** — Mejicano cuya poesía ha sido muy conocida en España. Se aparta de la forma orquestal de Darío, no tiene perfección exterior, pero su lírica es profunda y significa un proceso de acercamiento a Dios. Se le ha señalado como místico seglar. Sus obras poéticas *(Perlas negras, Místicas, Serenidad* y *Elevación)* señalan este proceso. La muerte de su amada le llevó a escribir uno de sus libros más divulgados, *La amada inmóvil,* en que se nos muestra como poeta del amor y la muerte. He aquí una estrofa del poema *Gratia plena:*

Ingenua como el agua, diáfana como el día,
rubia y nevada como Margarita sin par,
al influjo de su alma celeste, amanecía...
¡Era llena de gracia, como el Avemaría;
quien la vio no la pudo ya jamás olvidar!

c) **Ricardo Jaimes Freyre (1872-1933).** — Profesor y diplomático boliviano, que incorpora al modernismo las mitologías nórdicas y los dioses germanos. Es un parnasiano seducido por el exotismo europeo *(Castalia bárbara* y *Los sueños son vida).*

d) **Enrique González Martínez (1871-1952).** — Médico y diplomático mejicano (fue embajador de su país en Madrid). Representa otra modalidad del modernismo que se aleja de lo orquestal. Ha traducido los poetas franceses modernos, y sus libros poéticos — *Silénter, Los senderos ocultos, La muerte del cisne,* etc. — han acusado la reacción contra el modernismo (recuérdese su poema *Tuércele el cuello al cisne*).

e) **Guillermo Valencia (1872-1943).** — Nació en Popayán (Colombia). Poeta e intelectual, siente anhelos de perfección poética como un parnasiano. Este cuidado de forma encontramos en *Los camellos* y en los poemas extensos *Palemón el Estilita* y *San Antonio y el Centauro* (diálogo de los dos mundos y las dos civilizaciones: el paganismo y el cristianismo; acaba con el triunfo de éste y de la virtud). He aquí a Cristo:

> Él sabe lo que dice la voz de las colmenas,
> y ama los canes tristes como las azucenas;
> y son sus ojos grandes, melancólicos, vagos,
> y en su fondo reflejan como místicos lagos,
> el divino silencio de las noches tranquilas;
> y cual besos que miren, sus absortas pupilas
> aprisionan la calma del azul horizonte;
> con sus manos delgadas como lirios de monte...

f) **Julio Herrera y Reissig (1875-1911).** — Poeta uruguayo, de un humorismo mitad parnasiano, mitad simbolista, que le lleva a ser el primer poeta vanguardista de nuestro idioma. En su poesía barroca se confunden los motivos mitológicos y los modernos junto a las más fantásticas imágenes. En sus libros poéticos *(Los éxtasis de la montaña, Sonetos vascos, Los parques abandonados* y *Las Pascuas del Tiempo)* encontramos poemas como *Fiesta popular de ultratumba, Nirvana crepuscular* y *Nivosa,* donde se amontonan adjetivos, y el que lleva el título de uno de sus libros *(Los éxtasis de la montaña),* cuya primera estrofa es como sigue:

> Es una ingenua página de la Biblia el paisaje...
> La tarde en la montaña moribunda se inclina,
> y el sol su postrer lampo, como una aguja fina,
> pasa por los quiméricos miradores de encaje...

g) **José Santos Chocano (1875-1934).** — Peruano, de vida novelesca, es un poeta americano y de raza. En sus libros *(Selva virgen, Alma América* y *Fiat Lux)* se encuentra la verdadera poesía hispanoamericana. Explicó su personalidad poética en *Blasón* («Soy el cantor de América autóctono y salvaje»):

> Cuando me siento Inca, le rindo vasallaje
> al Sol, que me da el cetro de su poder real;
> cuando me siento hispano y evoco el Coloniaje,
> parecen mis estrofas trompetas de cristal.

Compuso poemas sobre base rítmica *(Los caballos de los conquistadores)* y es el verdadero representante de la musa heroica hispanoamericana en su *Epopeya del Pacífico* y en *El Hombre-Sol* (Bolívar), en que muestra su cordialidad fraternal a España («¡Madre España! Sentimos el orgullo — de que tu sangre se haya mezclado con la nuestra»).

h) **Rufino Blanco Fombona (1874-1944).** — Venezolano que ha estudiado el modernismo y los poetas modernistas. Su poesía — *Pequeña ópera lírica: Trovadores y trovas* — es típicamente hispanoamericana y supone un ansia de aristocracia formal.

A estos nombres pueden agregarse otros de valor: panameños, como Darío Herrera y Ricardo Miró; chilenos, como Manuel Magallanes Moure y Carlos Pezoa Velis; ecuatorianos, como Medardo Ángel Silva; mejicanos, como Luis G. Urbina y José Juan Tablada, etc.

i) **La poesía femenina hispanoamericana.** — Desde el modernismo especialmente la mujer ha demostrado gran capacidad para la poesía. En nuestros días los nombres femeninos llenan las antologías hispanoamericanas. La calidad adquirida por las poetisas es extraordinaria. Nos referimos solamente a aquellas cuya fama se ha hecho continental y, en ocasiones, universal, como la de la chilena **Gabriela Mistral** (1889-1957), Premio Nobel de Literatura. Su poesía — pensamiento profundo de forma seca — recuerda la de Santa Teresa. Pide perdón a Dios y le ofrece sus dolores, la pérdida del ser querido. Su libro *Desolación* es un cancionero cristiano del amor infeliz. Maestra de profesión, comunica a sus versos una gran ternura maternal o la tristeza de la esterilidad. Rendidamente, pide a Dios perdón para el amante suicida:

¡Di el perdón, dilo al fin! Va a esparcir en el viento
la palabra el perfume de cien pomas de olores
al vaciarse; toda agua será deslumbramiento;
el yermo echará flor y el guijarro esplendores.

En los temas infantiles, Gabriela Mistral ha escrito poemas en que ahonda los problemas de la niñez. En su libro *Ternura* (1925), encontramos muchos de estos motivos infantiles, como *Plegaria por el nido, Caricia* y *Hombrecito,* de bella ingenuidad *(Madre, cuando sea grande — ¡ay, qué mozo el que tendrás...!).* El alma de su poesía triunfa plenamente en el poema infantil. Siguieron otros poemarios, como *Tala* (Buenos Aires) y *Lagar* (Santiago de Chile, 1954), su último libro, que encierra una poesía de gran sencillez. La influencia de Gabriela Mistral ha sido profunda en la poesía femenina chilena, que cuenta con nombres tan prestigiosos como **María Isabel Peralta** (1904-1926), **Olga Acevedo, Mila Oyarzun, Gladys Thein, Stella Corvalán** y **Sylvia Moore.**

En cuanto a la uruguaya **Juana de Ibarbourou** (nacida en 1895), fue coronada en 1929 como «Juana de América». Su musa es restallante, hecha de anhelos basados en el amor y en la Naturaleza. Uno de sus motivos poéticos más obsesionantes es el agua. Su mejor poemario es *Raíz salvaje* (1922). En *Romances del destino* (1955) muestra una gran sencillez y ya aparece desprovista de aquella pura y desnuda sensualidad que conmovía en sus primeros libros. Otra gran figura es la poetisa argentina **Alfonsina Storni** (1892-1938), nacida en Suiza, un gran temperamento poético que se vale de la Naturaleza como símbolo para el amor tempestuoso, como en *Noche lúgubre* («Rebaños de lobos hambrientos me siguen...»). Amó los temas del mar, y un día su cadáver apareció flotando sobre las aguas próximas a la playa del Mar del Plata. En su musa hay poemas esenciales, como *Letanías de la tierra muerta* y *Alma desnuda.* Y no puede olvidarse la poesía, encendidamente femenina, de **Delmira Agustini** (1886-1914), otra poetisa uruguaya cuyos poemas eróticos, desde *El libro blanco* (1907), han ido acrecentando sus imágenes poéticas. Citaremos también a la uruguaya **María Eugenia Vaz Ferreira** (1875-1924) y, en nuestros días, **Ester de Cáceres, Sara de Ibáñez** y **Sara Bollo,** la poetisa de *Ciprés de púrpura* (1944). En Venezuela, Ida Gramcko, Enriqueta Arvelo Larriva, Luz Machado de Arnao, Ana Enriqueta Terán, etc., no desean ser llamadas «poetisas» y aspiran a expresar en su poesía temas más universales que el del amor y la pasión femenina.

CAPÍTULO LXI

LA POESÍA NOVECENTISTA ESPAÑOLA

El novecentismo. — Los escritores que hemos de clasificar como novecentistas no tuvieron entre sí tantos puntos de contacto como los dos estilos que les precedieron («modernismo» y «generación del 98»); pero, no obstante su fuerte personalidad, se les advierte algunos puntos de contacto: europeización, visión cosmopolita, predominio de lo conceptual. Ya hemos anotado como caen dentro del novecentismo algunos aspectos de la generación del 98, como la novela de Unamuno y el teatro de Valle Inclán. En la poesía lírica novecentista ha de señalarse el caso de Juan Ramón Jimé-

Ramón del Valle Inclán

Mariano Azuela

Eduardo Barrios

Enrique Larreta

Rómulo Gallegos

Fernando Silva Valdés

nez, que, partiendo de un estilo anterior, inicia y es el maestro de la poesía pura (sin anécdota).

Juan Ramón Jiménez (1881-1958). — Nació en Moguer (Huelva) y comienza bajo el signo de un modernismo esfumado. Sus poemas — en los que lo musical se une a un sentimiento melancólico, refinado y estilizado — se distinguen por lo depurados y por sus tonos y matices (sus libros *Almas de violeta, Arias tristes, Elegías, Baladas de primavera, La soledad sonora,* etc.). La musicalidad le lleva a basar algún poema en el espíritu de la música de Beethoven (la sexta sinfonía), en que transcribe en alejandrinos la esencia de los paisajes:

En este mismo valle de plata y de verdura
como las mariposas volaron mis amores;
en este mismo valle, más tarde mi amargura
vio negro el sol, sangrientas las aguas y las flores...

Sus *Sonetos espirituales,* aunque sometidos a la forma clásica del soneto, pueden considerarse alargados ideológicamente. Ejemplos: *Árboles altos, Octubre, Nada.*

La madurez del artista se logra con su libro poético *Diario de un poeta recién casado,* escrito en 1916 y publicado el año siguiente. Hasta esa fecha se ha señalado un primer estilo de Juan Ramón; desde ella adquiere una técnica en que no sólo ha eliminado los detalles directos de la anécdota, sino cuanto pueda significar halago. Su arte se hace más elemental y sencillo y llega a la más pura esencia poética (el estilo y las metáforas hablan sólo al alma). Son sus libros más logrados, como *Eternidades* y *Piedra y cielo.* Pueden citarse como representativos los poemas *Ruinas blancas, Tesoros de azul... Epitafio ideal de un marinero:*

Hay que buscar, para saber
tu tumba, por el firmamento.

(Llueve tu muerte de una estrella.
La losa no te pesa, que es un universo
de ensueño.)

En la ignorancia estás
en todo (cielo, mar y tierra) muerto.

En la prosa ha hecho un libro — *Platero y yo* — que le muestra como un prosista exquisito con un estilo diáfano y perfecto.

Orientaciones de la poesía española en el primer tercio del siglo XX. — Antes de llegarse al predominio de la poesía pura, aparecen poetas de situación intermedia, como el malagueño **José Moreno Villa** (1889-1954) que, no obstante relaciones con Juan Ramón, llega a un tipo abstracto de poesía; el malogrado **Mauricio Bacarisse** (1897-1931), que lleva su humorismo a la escuela modernista (su poema *El Madrid de las Rondas*); y así podrían citarse otros (León Felipe, Juan José Domenchina, José del Río Sanz, **Ramón de Basterra,** etc., sin olvidar la escuela canaria: Rafael Romero, Fernando González, Saulo Torón...). No ha de olvidarse algún poeta, como **José María Pemán** (nacido en Cádiz en 1898), que logra éxitos en el teatro poético *(El divino impaciente)* y que cultiva la anécdota tradicional y el naturalismo regional (su poema *El viático* y *La feria de Jerez*) y se asoma a una estilización de lo popular *(Soledad)*. Su libro poético en que se nos muestra más depurado es en *La Señorita del Mar.*

Antes de llegar a las grandes figuras de la nueva lírica se produjo un movimiento de renovación poética cuya labor no llegó a la fama (el «ultraísmo» de Pedro Garfias, Guillermo de Torre, Ciria y Escalante y otros). El «creacionismo» («crear un poema como la Naturaleza crea un árbol») fue traído a España por el poeta chileno Vicente Huidobro (nacido en Chile en 1893) y nos ha dado un poeta como Gerardo Diego; lo popular ha llegado a su mayor estilización y pureza con los andaluces García Lorca y Alberti; y hemos tenido la más pura poesía intelectual en un Jorge Guillén. España ha dado una intensa floración de poesía creadora. Veamos algunos de los más importantes poetas de la llamada «generación del 27», fecha del centenario de Góngora:

a) **Gerardo Diego.** — Profesor de Literatura y músico, nació en Santander en 1896. Es un hondo poeta que proclama un nuevo «génesis» de la vieja literatura. Comienza con libros como *El romancero de la novia* e *Imagen,* que son de versos humanos, de vivos colores y música vibrante; pero pasa al creacionismo en *Manual de espumas* (1924) con poemas cubistas *(Paraíso, Nubes, Vendimia)*. Se llega a cierta arbitrariedad coordinativa, como en *Liebre en forma de elegía:*

> ... Yo que me paso la vida
> ante la primavera a ver si la convenzo
> ayer mientras te oía
> tuve que prorrumpir en color amarillo
> y construir del paraíso otoño e invierno
> un triángulo aproximadamente de sexo alterno.

Utiliza la forma gongorina con acierto en la *Fábula de Equis y Zeda.*

b) **Federico García Lorca (1898-1936).** — Este poeta — el que mayor fama y entusiasmo ha despertado de su generación — nació en Granada. Comienza su poesía en la imitación de Juan Ramón Jiménez y algo del modernismo (*Libro de poemas,* 1921), pero su gran personalidad se afirma con el progreso técnico que representa su libro *Canciones* (1927), de fina elegancia y de imágenes diáfanas y nuevas y en que llega a la consecución de un mundo infantil de delicadas miniaturas (sus poemas *Cortaron tres árboles, Cazador, Arlequín;* sus canciones para niños: *Canción china en Europa, Cancioncilla sevillana, El lagarto está llorando;* sus canciones de cuna, los nocturnos de la ventana, etc.). Véase *La canción del naranjo seco:*

Leñador.
Córtame la sombra.
Líbrame del suplicio
de verme sin toronjas.
¿Por qué nací entre espejos?
El día me da vueltas.
Y la noche me copia
en todas sus estrellas.
Quiero vivir sin verme.
Y hormigas y vilanos,
soñaré que son mis
hojas y mis pájaros.
Leñador.
Córtame la sombra.
Líbrame del suplicio
de verme sin toronjas.

La cima de la obra y de la fama del poeta está en su *Romancero gitano* (1928), reflejo de la Granada trágica y gitana del Albaicín. En ella Lorca llega a crear verdaderos mitos de poesía con una maravillosa estilización de lo gitano, mostrándose, con gran riqueza de imágenes originalísimas, un auténtico intérprete del alma popular de su tierra. Hay ejemplos bellísimos como *Romance de la luna, Muerte de Antoñito el Camborio, Romance sonámbulo,* etc. He aquí un fragmento del *Romance de la pena negra:*

... Soledad, ¿por quién preguntas
sin compaña y a estas horas?
Pregunte por quien pregunte,

dime: ¿a ti qué se te importa?
Vengo a buscar lo que busco,
mi alegría y mi persona.
Soledad de mis pesares,
caballo que se desboca,
al fin encuentra la mar
y se lo tragan las olas.
No me recuerdes el mar
que la pena negra brota
en las tierras de aceituna
bajo el rumor de las hojas.
Soledad, ¡qué pena tienes!
¡Qué pena tan lastimosa...!

Otros aspectos de Lorca son la *Oda a Salvador Dalí* (según De Torre, la teoría en verso del estilo cubista) y la *Oda al Santísimo Sacramento del Altar,* que recuerda las fiestas del Corpus Christi granadino. Después de un viaje a América sus poemas son superrealistas.

c) **Rafael Alberti.** — Nacido en Puerto de Santa María (Cádiz) en 1903 es, como Lorca, un estilizador de los temas folklóricos. En sus primeros libros encontramos la gracia y el garbo del Sur: *Marinero en tierra, La amante, El alba del alhelí.* De ellos son representativas las «chuflillas» sobre «el Niño de la Palma». Su máxima potencia poética la consigue en un libro dinámico: *Sobre los ángeles* (1929), de una poesía impetuosa y caótica, que crea un universo abstracto, pero en movimiento, y que abrió un nuevo mundo a los poetas de su momento. Es un libro que supera la poesía superrealista de su fecha.

d) **Jorge Guillén.** — Profesor de Literatura en las Universidades de Murcia y Sevilla, nació en Valladolid en 1893. Traduce a Paul Valery y es un poeta intelectual que ha llegado a la eliminación de la anécdota. Carece de color y musicalidad. Su punto de partida no es la realidad, sino que sus materiales están hechos con metáforas y reflejos de las cosas. Su libro de poesías es *Cántico,* en el que hallamos una unidad esencial y un contenido intenso de constante creación lírica. Sus motivos son reflejos de la ciudad, del paisaje castellano y del aire. Hay en él cierto clasicismo de forma (recuérdense las sextinas eneasílabas de *La Florida*).

e) **Pedro Salinas (1892-1952).** — Madrileño, y también profesor de Universidad. Como poeta ha sido la gran sensibilidad poética que comienza con el influjo de Juan Ramón Jiménez, pero que pronto crea un mundo nuevo de esencia de las cosas. Sus libros son: *Presagios,* el de iniciación; *Seguro Azar* y *Fábula y signo,* los de madurez, en los que no rehúye el motivo exterior, incluso anecdótico; *La voz a ti debida,* gran poema contemporáneo de amor en su unidad, y *Razón de amor,* razón, pero también intensa pasión de amor.

f) **Dámaso Alonso.** — Otro profesor universitario, nacido en Madrid en 1898 y que es una figura significativa del momento literario contemporáneo. Humanista y filólogo, prosista original y crítico eminente que nos ha descubierto el mundo de las *Soledades,* de Góngora. Como poeta comienza también siguiendo las huellas de Juan Ramón, acusando su fina personalidad *(Poemas puros, poemillas de la ciudad),* que afirma en sus siguientes publicaciones poéticas, en las que alcanza superior maestría técnica.

g) A estos nombres pueden agregarse los de otros poetas ya consagrados: Luis Cernuda, Emilio Prados, Vicente Aleixandre, Manuel Altolaguirre, Antonio Oliver, Carmen Conde, Pedro Pérez Clotet, etc. Sin olvidar algún caso — como el del cantor de la Andalucía Baja **Fernando Villalón** — que, no obstante su cronología (1881-1930), no se formó como poeta hasta la nueva generación.

CAPÍTULO LXII

LOS POETAS HISPANOAMERICANOS CONTEMPORÁNEOS

Poetas hispanoamericanos novecentistas. — América ha mantenido en nuestro siglo una creciente devoción por la poesía. Desde Rubén Darío, todas las escuelas poéticas han tenido representantes.

La poesía desde el Nativismo. — La poesía del novecientos en los países hispanoamericanos parece afirmar su matiz autóctono frente a lo extranjero. En el ansia de exaltar lo nativo se ha distinguido el poeta uruguayo **Fernán Silva Valdés** (nacido en 1887), que se inició modernista — *Ánforas de barro,* 1913 —, pero luego dio categoría artística a las formas populares criollistas, sin perder su orgullo racial. *Agua del tiempo* (1922) es un libro trascendental en la poesía uruguaya, y, con él, Silva Valdés creó el *nativismo.* Este «ismo», en ocasiones deriva hacia el ultraísmo como en el también poeta uruguayo **Emilio Oribe** (1893). En Chile y en los poetas modernistas alienta el vanguardismo como en **Pedro Prado** (1886-1952), que funda en Santiago el grupo de «Los Diez», de considerable influencia sobre los poetas jóvenes. Prado inicia el versolibrismo en Chile con *Flores de cardo* (1908) y llega a sus sonetos de *El camino de las horas.* Pero su lirismo brilla en prosas poemáticas de gran valor literario como *Los pájaros errantes* (1915) y en su obra maestra *Alsino* (1921), fórmula novelesca en que se mezcla la realidad y la ficción. Junto a Prado, han de citarse a Manuel Magallanes Moure y a Jorge González Bastías. Como una nota común de la poesía chilena podría mencionarse su patetismo. Éste alcanza una excepcional intensidad en el sentir y el decir poéticos de **Pablo Neruda** (Neftalí Ricardo Reyes, nacido en 1904) en *Veinte poemas de amor y una canción desesperada* (1926). Afirma su personalidad en *Residencia en la tierra,* iniciada en 1933. A veces resulta de difícil interpretación, por su sintaxis y la acumulación de sugerencias y metáforas. Neruda alcanza su máxima resonancia poética con *Canto general* (1950), en el que utiliza, con grandiosa concepción artística, las ansias generales americanas, aunque con enfoques partidistas. Con *Odas elementales* (1954) inaugura una tercera época en la que con lenguaje más accesible, canta a los seres humildes y las cosas cotidianas. Su popularidad es enorme y algunos de sus poemas — como *Farewell* — son conocidos de memoria en los países de habla española. La poesía de tipo nerudiano domina casi todo el panorama de la poesía chilena moderna, ya sea por el interés que se tiene a cantar lo social (**Efraín Barquero,** 1930; **Gonzalo Rojas,** 1917), ya porque se profundiza en los parajes descubiertos por Neruda (**Juvencio Valle,** 1905; **Miguel Arteche**, 1926), aunque hay un grupo de poetas, en menor número, que se mantiene ajeno a tal influencia (**Ángel Custodio González, David Rosenmann Taub,** 1927). Los posteriores son los del «Grupo Fuego» y entre los últimos, Fernando González y Raúl Rivera, José Miguel Vicuña y María Piwonka. Pero el poeta chileno más trascendental, dentro de los vanguardismos, ha sido **Vicente Huidobro** (1893-1948), que se inició en poesías sentimentales, se adscribió al grupo de «Los Diez» y es modernista en *La gruta del silencio* (1914). Su originalidad comienza con *Adán* (1916) y con su libro en francés *Horizon carré* (1917). Inicia el «creacionismo» en lengua castellana.

Respecto a este «ismo» sostuvo una polémica con Reverdy que ha sido revisada en 1954 por el poeta y tratadista Antonio de Undurraga. Aunque las características de Huidobro se asemejan a las del cubismo francés, su creacionismo lo explica así: «Hacer un poema como la Naturaleza hace un árbol.» Sus *Últimos poemas* se publicaron póstumos, en 1948; pero en los primeros renovadores —*Temblor de cielo* y *Altazor*— había afirmado su creacionismo. Huidobro influyó también sobre los poetas chilenos como Humberto Díaz Casanueva, Rosa-Mel del Valle y los surrealistas del grupo «Mandrágora», Teófilo Cid y Braulio Arenas. Otra figura de los vanguardismos hispanoamericanos fue **José M. Eguren** (1872-1942), poeta peruano que se ha considerado como precursor de Huidobro.

En Méjico han de citarse a los poetas del grupo «Contemporáneos» que se propuso una renovación y perfeccionamiento de la forma, como **Xavier Villaurrutia** (1903-1950), con su *Nostalgia de muerte* (1939) y *Canto a la primavera y otros poemas* (1948); **Jaime Torres Bodet** (1902) que, en *Destierro* (1930), comienza con poemas realistas y surrealistas para llegar a su mejor expresión en *Fronteras* (1954) y *Trébol de cuatro hojas* (1958); **Carlos Pellicer** (1899), magnífico sonetista que ensaya poesía mística en *Práctica de vuelo* (1956); y tantos otros como Salvador Novo (1904), José Gorostiza (*Canciones para cantar en las barcas,* 1925), Bernardo Ortiz de Montellano (*Sueño y poesía,* 1952), Manuel Maples Arce (1898), creador del «estridentismo»; etc. Como poetas destacados de este medio siglo citemos a **Ramón López Velarde,** al polígrafo **Alfonso Reyes** y al poeta de tono religioso **Francisco González Guerrero.** De los actuales poetas mejicanos destaca **Octavio Paz** (1914), del grupo de la revista «Taller», con su posición poética neosurrealista (*Libertad bajo palabra,* 1949); **Ali Chumacero** (*Imágenes desterradas,* 1948; *Palabras en reposo,* 1956; etc.); **Efraín Huerta** (*Estrella en alto,* 1956); **Guadalupe Amor** (*Galería de títeres,* 1959), etc. De los novísimos, Manuel Calvillo, Manuel Durán, etc.

Entre los poetas de los demás países citemos al gran poeta moderno colombiano **Rafael Maya** (1898), con sus *Coros del mediodía* (1928) y poemas como *Capitán de veinte años;* a Gregorio Castañeda Aragón y a los «piedracelistas» colombianos como Eduardo Carranza, Jorge Rojas, León Greiff, Carlos García Prada, Germán Pardo García, José M. Vivas Balcázar, etc.; a los ecuatorianos como **Hugo Mayo,** poeta social, como **Jorge Carrera Andrade** (1902), que en *Edades poéticas* (1958) alcanza su madurez con poemas como *Cántico de la unidad universal;* y otros como José Villacreces Suárez, Cevallos Larrea, etc. En la poesía argentina **Jorge Luis Borges** (1899), en 1921, introdujo en su patria el ultraísmo; y, en 1923, publicó *Fervor de Buenos Aires,* al que siguió *Luna de enfrente* (1925), con poemas tan conocidos como *El general Quiroga va en coche al muere;* y tantos otros como Juan Carlos Ghiano, Leopoldo Marechal, Arturo Marasso, Norah Lange, Silvina Ocampo, Ricardo Molinari, Francisco Luis Bernárdez, Carlos Mastronardi, Alfredo Bufano, etc. Entre los uruguayos, **Emilio Frugoni** y **Carlos Sabat Ercasty** (1887), a quien se debe, en prosa y verso, una obra poética de gran empuje y dinamismo como sus *Poemas del hombre* y sus *Retratos de fuego,* vigoroso cantor de la Naturaleza, especialmente del mar, e idealizador del indio uruguayo en *El charrúa Veinte Toros* (1957). Entre los venezolanos, los de la generación de 1920: Andrés Eloy Blanco, Luis Enrique Mármol, Fernando Paz Castillo, Enrique Planchart, Jacinto Fombona Pachano, Rodolfo Moleiro, etc. Como un ejemplo destacado de estos venezolanos, el de **Antonio Arráiz** (1903), con su libro *Áspero,* que aporta una nota directa fuerte y nueva a los temas de la poesía de Venezuela. Entre los centroamericanos: Rogelio Sinán, Moisés Castillo, Ana Isabel Illueca, Eda Nela, etc., de Panamá; Pablo Antonio Cuadra, de Nicaragua; Eunice Odio, Manuel Picado Chacón, etc., de Costa Rica; Serafín Quiteño, Alberto Ordóñez, Virgilio Rodríguez Beteta, etc., de El Salvador; Rafael Cabrera, de Guatemala; etc. De los antillanos: los poetas desde el movimiento trascendentalista de Puerto Rico: Francisco Lluch Mora, Ramón Zapata Acosta, Jesús Hernández Jiménez, etc.; y esa rica poesía afrocubana, derivación del tema esclavista y orientada hacia el ritmo y la ironía sentimental que ha encontrado geniales poetas como **Nicolás Guillén** (1904), mulato cubano que capta la cadencia negra en *Sóngoro Cosongo* (1931), de gran popularidad, que afirma en *El son entero* (1946); como el puertorriqueño **Luis Palés Matos** (1899-1959), uno de los iniciadores del movimiento «diepalista» que, con su expresión del ñañiguismo, mediante onomatopeyas, en el año 1921, fue una novedad en Puerto Rico (*El palacio en sombras, Canciones de la vida media,* etc.); y como el dominicano **Manuel del Cabral** (1907), no sólo intérprete de temas afrocubanos sino creador de *Compadre Mon* (1949), estampa del criollo antillano. Esta poesía del tema del negro es de las creaciones más originales de la poesía hispanoamericana. También han de mencionarse a Eugenio Florit, poeta hispanocubano, y Héctor Incháustegui Cabral, dominicano. Juega un papel importante en la comprensión de los vanguardismos de lengua española, desde la Argentina, el crítico español Guillermo de Torre.

CAPÍTULO LXIII

EL TEATRO EN EL PRIMER TERCIO DEL SIGLO XX

El teatro de Jacinto Benavente. — Dentro de las últimas formas del costumbrismo teatral en el siglo XX ha de destacarse la labor dramática del madrileño Jacinto Benavente (1866-1954), con el que el teatro español adquiere un tono fino de salón y de agudeza mundana. Lo mejor de la producción de este escritor coincide cronológicamente con la «generación del 98», pero no en la cuestión del problema nacional propio de ella. Dos aspectos pueden señalarse en su dramática:

a) Uno de pura observación costumbrista, salpicado con las ironías intelectuales del autor, en que traza cuadros excelentes con agudas y maliciosas notas psicológicas. A este aspecto pertenece *El nido ajeno* (1894), su primera obra; *Lo cursi, Rosas de otoño,* etc. En otras su sátira es despiadada *(La comida de las fieras)*. Luego es más constructivo *(Vidas cruzadas)*. Por su importancia hemos de señalar un sector rural en el que logra ambientes adecuados y en el que llega a los desenlaces más trágicos; tal vez lo mejor de su obra sea *La malquerida,* un tema de tragedia clásico llevado a la vida de pueblo, llena de odios y venganzas, con un desenlace funesto y una imitación algo artificiosa del lenguaje vulgar castellano. Igual grandeza consigue en otro drama rural, *Señora Ama,* aunque queda debilitada su fuerza trágica por un final que supone un arreglo trivial.

b) Ofrece otro aspecto cuando nos presenta un mundo levemente idealizado y literario que se relaciona con determinadas facetas del modernismo. Tal es *La noche del sábado* (1903), una de las mejores concepciones de Benavente, en que, junto a la crítica irónica de una sociedad frívola, se da un drama intelectual trágico de intensos momentos (la muerte del príncipe) y de personajes de penetrante psicología (la vieja Maestá, Imperia), que lleva a un final en que triunfa la ambición sobre el instinto de maternidad. La otra gran obra del grupo es *Los intereses creados* (1900), en que se une lo tradicional en la escena española con los personajes de la *commedia dell'arte* italiana. Es una sátira social del mundo de las hipocresías y de los negocios: la encarna el gracioso Crispín, que hace de criado de Leandro.

Crispín. — No temáis. A mi amo le hallaréis el más cortés y atento caballero. Mi desvergüenza le permite a él mostrarse vergonzoso. Duras necesidades de la vida pueden obligar al más noble caballero a empleos de rufián... Mi señor y yo, con ser uno mismo, somos cada uno una parte del otro. ¡Si así fuera siempre! Todos llevamos en nosotros un gran señor de altivos pensamientos, capaz de todo lo grande y de todo lo bello... Y a su lado, el servidor humilde, el de las ruines obras, el que ha de emplearse en las bajas acciones a que obliga la vida... Todo el arte está en separarlos de tal modo, que cuando caemos en alguna bajeza podamos decir siempre: no fue mía, no fui yo, fue mi criado. En la mayor miseria de nuestra vida siempre hay algo en nosotros que quiere sentirse superior a nosotros mismos. Nos despreciaríamos demasiado si no creyésemos valer más que nuestra vida... Ya sabéis quién es mi señor: el de los altivos pensamientos, el de los bellos sueños. Ya sabéis quién soy yo: el de los ruines empleos, el que siempre muy bajo, rastrea y socava toda mentira y toda indignidad y toda miseria. Sólo hay algo en mí que me redime y me eleva a mis propios ojos. Esta lealtad de mi servidumbre, esta lealtad que se humilla y se arrastra para que otro pueda volar y pueda ser siempre el señor de los altivos pensamientos, el de los bellos sueños. (Se oye música dentro.)

Dentro de este grupo ha de considerarse el teatro infantil, que es una de las más interesantes facetas que cultiva Benavente. Son composiciones rápidas, de gran riqueza escénica y que exigen el apoyo de una máquina teatral apropiada (*El príncipe que todo lo aprendió en los libros, Y va de cuento, La cenicienta* y otras).

Entre los últimos éxitos de Benavente se hallan *Lo increíble* y *La infanzona.*

Entre sus coetáneos, Benavente ha tenido seguidores, algunos de mérito y personalidad, como Manuel Linares Rivas, Gregorio Martínez Sierra (el autor de *Canción de cuna*) y Felipe Sassone, escritor peruano que tiene aciertos teatrales como *La señorita está loca.*

El teatro regional de costumbres. — El regionalismo pintoresco — relacionado con la literatura de costumbres del siglo XIX — encuentra expresión teatral en el primer tercio de nuestro siglo, dándonos típicos cuadros de ambiente andaluz y madrileño. Hemos de citar:

a) **Serafín Álvarez Quintero** (1871-1938) y su hermano **Joaquín** (1873-1944), ambos de Utrera (Sevilla), que se identifican en una cordial colaboración. Expresan en su teatro lo más pintoresco y llamativo de la región andaluza y de su gracejo, manifestados, entre toques al sentimentalismo, en un hábil diálogo que da vida a sus mejores aciertos. Entre sus comedias citaremos: *El genio alegre, Las flores, Amores y amoríos, La puebla de las mujeres, El patio, Malvaloca.* A veces ensayan lo madrileño y llegan a tipos bien perfilados como en *Ramo de locura.* Sus entremeses y sainetes están llenos de gracia y agilidad *(Los piropos, El flechazo).* En otras ocasiones se inclinan al teatro poético, como en *Cancionera.*

b) **Carlos Arniches (1866-1943).** — Aunque alicantino de nacimiento, se asimiló al madrileñismo de tal modo, que es el más castizo representante del sainete y la comedia de tipos y costumbres madrileñas. Une siempre a lo anecdótico de Madrid una emoción de melodrama efectista. Su teatro es un documental de costumbres y se basa en el chiste y la caricatura. Tiene comedias famosas como *La señorita de Trévelez, La condesa está triste;* y zarzuelas como *El santo de la Isidra, Alma de Dios* y *Las estrellas.* En este teatro de costumbres madrileñas colaboran escritores todavía populares como García Álvarez y Fernández Shaw.

c) Otro aspecto del teatro de costumbres se da al plantear, además, el problema social, como ocurre en el teatro del bilbilitano Joaquín Dicenta (autor de *Juan José,* 1895) y en José López Pinillos, «Pármeno» (autor de *La tierra*). Este teatro, dada su finalidad apartada de fines artísticos, había de caer en efectismos y trucos teatrales de dudoso gusto.

El teatro de Muñoz Seca. — Pedro Muñoz Seca (1881-1936) ha representado un teatro derivado del realista, cuya finalidad artística parecía exclusivamente hacer reír al auditorio con las comicidades más exteriores y los chistes más extravagantes. Ha llegado a consagrarse con lo que se llamó el género del «astracán». No ha de olvidarse su valor como documento de farsa de una época que puede seguirse en sus incidencias políticas y sociales a través de sus obras (*La caraba, Usted es Ortiz, Los extremeños se tocan,* etc.). A veces ensaya la comedia seria *(La pluma verde)* y hace una divertida parodia de la tragedia en *La venganza de don Mendo.*

Las nuevas tendencias del teatro español en el siglo XX. — He aquí algunos aspectos del teatro en lo que va de glo:

a) **Teatro poético.** — Con una derivación modernista, algunos de los poetas de esta escuela lograron éxitos estimables en el teatro en verso que divulgó por España y América la compañía de la actriz doña María Guerrero y las que de ella salieron. Ya hemos mencionado *El Alcázar de las perlas* (1911), de Villaespesa; *El monje blanco,* de Marquina; y a otras obras poéticas de estos autores podemos agregar *Desdichas de la Fortuna o Julianillo Valcárcel* (1928), de Antonio y Manuel Machado, más las obras poéticas de Fernández Ardavín. Apartado del modernismo y en una dirección tradicional de nobles intentos en los asuntos y habilidad técnica, se destaca **José María Pemán,** ya citado como lírico, cuyo triunfo teatral iniciado con *El divino impaciente,* sigue con obras de ambiente gaditano *(Cuando las Cortes de Cádiz, Noche de levante en calma)* y, en lo histórico, se inclina hacia la biografía poética *(Cisneros)*. Últimamente ha cultivado el teatro en prosa tendiendo a una intencionada ironía *(Julieta y Romeo, Ella no se mete en nada, Hay siete pecados)* y ha tenido un acierto de finura en la interpretación histórica *(Metternich)*.

Dentro del teatro poético ha iniciado una nueva interpretación **Federico García Lorca,** que a sus primeros ensayos dramáticos líricos (*Mariana Pineda, La zapatera prodigiosa, Amor de don Perlimpín con Belisa en su jardín* — maravilloso juego irónico — y *Doña Rosita la soltera, o el lenguaje de las flores* — estampa neorromántica —) siguió un teatro de verdadero mérito con *Bodas de sangre* (1933), tragedia del fatalismo, en que inunda la escena de auténtica poesía, y *Yerma,* tragedia rectilínea del humano conflicto de la mujer infecunda, dejando su obra más teatralmente perfecta en *La casa de Bernarda Alba*. Lorca es muy tradicional y de muy nueva belleza al mismo tiempo.

b) **El teatro de Jacinto Grau.** — Este escritor, nacido en Barcelona en 1877, representa un tipo de teatro excepcional, pues valiéndose de temas eternos (Biblia, romancero, don Juan) les da actualidad y consigue originalidad en lo esencial teatral. Su falta de estilo y de expresión conseguida ha hecho que su teatro no haya llegado a nuestro público; la mediocridad de nuestros actores tampoco ha podido comprenderlo. Sin embargo, Jacinto Grau ha sido representado en el extranjero, y sus obras merecen estudiarse (*El* *conde de Alarcos, Entre llamas, El hijo pródigo, El señor de Pigmalión* y *Don Juan de Carillana,* entre otras). Murió en Buenos Aires en 1958.

c) **El teatro de Azorín.** — Este escritor del 98 ha sentido el deseo de renovar el teatro español sacándolo de la postración de los últimos tiempos. La técnica lenta de sus novelas no podía dar muy buenos resultados en el teatro, cuyos tanteos — no obstante sus delicados rasgos de ingenio mitad irónico, mitad patético — no resultan atractivos para el público. Los méritos de sus obras quedan anulados por la languidez con que se mueven las figuras (*Old Spain, Brandy, mucho brandy* y *Comedia del arte* — teatro en el teatro —). Sus esfuerzos por remozar el teatro le llevan a una colaboración con Muñoz Seca, *El clamor,* que determinó protestas violentas.

Lo mejor de sus intentos quedó en la estilizada trilogía *Lo invisible,* de efecto impresionante y de fino análisis psicológico, en que se utilizan las últimas ideas europeas del arte y de la vida. Renueva el tema eterno del tiempo y lo maravilloso en su auto *Angelita.* Su dramática es un ensayo irrealizado de superrealismo.

d) **Otras figuras del teatro.** — El teatro español ha seguido, en general, en estos últimos tiempos cauces fáciles de un realismo empobrecido. Junto a los intentos anteriores se ha de citar a **Ramón Gómez de la Serna,** que hizo, como Azorín, ensayos superrealistas con poca habilidad en la técnica escénica *(Teatro en soledad* y *Los medios seres);* a **Alejandro Casona,** que se presentó en el teatro con una obra en que el doble plano de realidad y ensueño produce un impresionante efecto *(La sirena varada, Otra vez el diablo),* y sigue con intensos acierto, *La dama del alba, La barca sin pescador,* etc.; a **Max Aub** *(Espejo de avaricia, Narciso);* a **José Bergamín** *(Tres escenas en ángulo recto),* y a **Valentín Andrés Álvarez** *(Tararí).*

CAPÍTULO LXIV

TEATRO HISPANOAMERICANO MODERNO

El género dramático ha sido el menos desarrollado en Hispanoamérica y el movimiento teatral muy escaso, con la excepción de Méjico y Buenos Aires, especialmente esta última que, desde el siglo XIX, había visto representar en sus escenarios a las grandes compañías europeas. El teatro rioplatense fue el primero en adquirir personalidad nacional. Uruguayos y argentinos ven pronto representar autores locales por compañías nacionales. El teatro propio empezó con una pantomima gauchesca que se convertiría en el *Juan Moreira* (un folletín que exaltaba al gaucho y que representó un payaso, José J. Podestá, que pasaría a ser el primer actor y cabeza de una dinastía de actores). Como espectáculo gauchesco empezó en el circo en 1884. Siguió su popularidad y evolución con tal mejoramiento que la primera década de nuestro siglo se ha denominado «dorada» por la cantidad de sus autores (Martín Coronado, Roberto J. Payró, Gregorio de Laférrere, Nicolás Granada, Enrique García Velloso, Alberto Ghiraldo, etc.), como por los teatros en que actuaban compañías criollas. La gran figura es el uruguayo **Florencio Sánchez** (1875-1910), que en los teatros argentinos realizó una fecunda labor que interrumpió su muerte prematura en Europa. Sánchez plantea los problemas de la vida argentina (el campo y la ciudad, lo viejo y lo nuevo, el inmigrante y el criollo, etc.) en obras que tuvieron gran éxito en la atención criolla y que producían gran efecto en el público porteño porque se aplicaban al medio bajo influencias de los teatros europeos de moda: *M'hijo el dotor, La gringa, Nuestros hijos, Los derechos de la salud,* etc. En 1920, cuando el teatro argentino había alcanzado un gran apogeo, aparece **Samuel Eichelbaum** (1895) que, con su estreno *La mala sed,* abre una producción densa de valores psicológicos. A ésta siguieron otras obras importantes como *Un guapo del 900* (1940), drama en el que nos presenta dos caracteres maestros: el «guapo» Ecuménico y Natividad, su madre; *Un tal Servando Gómez* (1942), con la evolución del alma criolla hacia el bien; *Dos brasas* (1955), una magnífica y deprimente versión de la avaricia; etc. Dado el gran desarrollo del teatro argentino resulta interminable la lista de nombres: **César Tiempo** con *El teatro soy yo* (1933), *Clara Beter vive, El lustrador de manzanas,* etc.; el binomio Darthés-Damel con *Los chicos crecen,* y el de Devoto-Sabato, con *Un responso para Lázaro,* y tantos otros como Emilio Berisso, José Antonio Saldías, Arturo Cancela, etc. La creación de la Comedia Nacional Argentina (1936) en el Teatro Cervantes representó un considerable impulso oficial. Mientras tanto aparecían los teatros libres y de ensayo. El Teatro del Pueblo, bajo la dirección de **Leónidas Barletta,** reacciona contra los estancamientos del teatro exclusivamente comercial. Su acción logró fructificar con los años y llegó un momento en que los teatros profesionales quedaron desbordados y hasta se nutrieron de los autores y actores procedentes de los experimentales. La farsa ha sido cultivada con técnica y originalidad por Rodolfo Falcioni, Osvaldo Dragún, Agustín Cuzzani, Aurelio Ferretti, etc. El sainete porteño cuenta con ejemplos famosos como Alberto Vacarezza e Ivo Pelay; y hasta se llega a un tipo de sainete con catástrofe muy típico, como los de Carlos M. Pacheco y José González Castillo, que nos llevan al «grotesco», creación teatral propia en la que sobresalió el vanguardismo de Francisco T. Defilippi Novoa y, sobre todo, Armando Discépolo con *Mateo, Stéfano* y *Relojero.* Entre los dramaturgos de los experimentales han de citarse: Juan Carlos Ferrari, Julio Imbert, Alberto Zavalía, Juan Carlos Gené, Horacio Rega Molina, Bernardo Canal Feijóo, Marta Lehmann, Enrique Agilda, Omar de Carlo, etc. En el Uruguay, la Comedia Nacional de Montevideo ha representado obras de León Bengoa, Pérez Petit y Antonio Larreta. Como un gran dramaturgo uruguayo ha de citarse a **Ernesto Herrera** con *El león ciego,* contra las luchas civiles; a **Justino Zavala Muñiz** con su teatro social como *La cruz de los caminos* (1933); y **Fernán Silva Valdés,** el citado poeta nativista, que ha realizado una moderna estilización de las leyendas autóctonas como la de la gauchesca en *Santos Vega* (estrenada, con gran éxito, como «misterio del medievo platense», en 1952). Otros uruguayos: Yamandú Rodríguez, Plaza Nobilía, Salvaño Campos, etc.

Méjico es otro de los países hispanoamericanos donde se registra mayor actividad teatral. En este sentido, el teatro azteca recibió el más poderoso impulso de José Vasconcelos, cuando ocupaba el cargo de ministro de Educación. En 1923, el Ayuntamiento de la ciudad de Méjico creó el Teatro Oficial. De los dramaturgos mejicanos modernos han de citarse a **Agustín Lazo** (1910), **Xavier**

Villaurrutia (1903-1950) y **Luis G. Basurto** (1921), entre otros. Ha destacado por su fuerte originalidad **Rodolfo Usigli** (1905), que estudió drama en la Universidad de Yale y fundó el Teatro de Medianoche de Méjico. Su producción dramática muestra aristas muy discordantes y desconcertantes, pero siempre dentro de la consecución del juego escénico. Ha preferido el drama poético de fantasía y ha estrenado obras de importancia, como *Corona de sombra* (1943), «pieza antihistórica», con el tema de Maximiliano y Carlota, a uno y otro lado del Atlántico, planos que se nos dan en doble escenario de realidad y ficción, matizados por los efectos luminosos. Una pieza que conmovió el medio mejicano fue *El gesticulador* (1947), arrogante denuncia de los males de la Revolución (un profesor miente hasta meterse en una vida ajena, absorbérsela y vivir y morir como un héroe revolucionario). A éstas han seguido otras discutidísimas, como *El niño y la niebla* (1951) y como *Jano es una muchacha* (1952). Entre los autores teatrales mejicanos de las promociones más recientes figuran **Sergio Magaña** (1925) y **Emilio Carballido** (1924). El primero es autor de *Los signos del Zodíaco* y de *Moctezuma II,* y el segundo, de *Rosalba y los llaveros* y de *Palabras cruzadas*. Ambos buscan, con un éxito ya halagüeño, los caminos para una renovación del teatro nacional. Ocupan también destacados lugares en el teatro mejicano **Jorge Ibargüengoitia** (1928), **Luisa Josefina Hernández** (1928), **Luis Moreno** (1935), **Federico S. Inclán** (1910), **Wilberto Cantón** (1923), **Hugo Argüelles Cano,** etc. Destaca la labor del Teatro Universitario Mexicano, que dirige el guatemalteco Carlos Solórzano, que ha estrenado *Doña Beatriz* y *El hechicero,* en 1952 y 1954, respectivamente.

La nueva generación literaria venezolana está demostrando un interés por el teatro que prácticamente no existió en las generaciones anteriores. Una poetisa de tan alta calidad como **Ida Gramcko** ha escrito admirables dramas poéticos, inspirados en mitos y leyendas venezolanos, como *Belén Silvera, María Lionza, La rubiera, Juan Palomo,* etc. Otro poeta joven, **Rafael Pineda,** ha escrito el violento drama *Los conjurados* y algunas graciosas comedias de la vida provinciana, como *La inmortalidad del cangrejo*. **Román Chalbaud,** conocido autor y director de televisión, estrenó con gran éxito su drama *Caín adolescente*. **Ali Lasser** ha cultivado el drama histórico de intención política y sociológica, como en su discutido *Piar*. El desarrollo de muchos grupos teatrales que empiezan a montar audaces obras de teatro moderno, está suscitando un nuevo interés de los escritores por este género tan poco

Gabriela Mistral

Pedro Prado

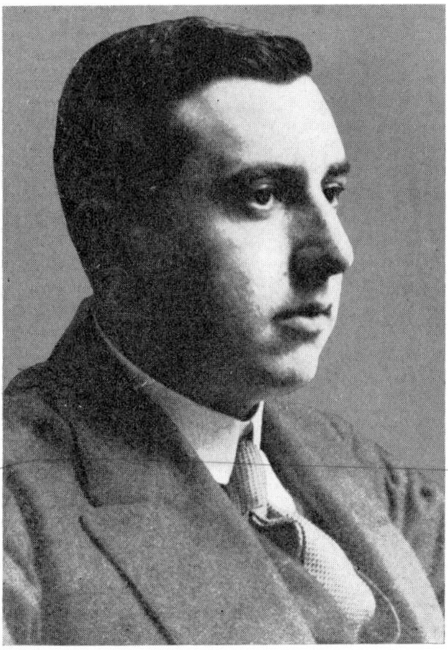

Vicente Huidobro

José María Pemán

Federico García Lorca

Vicente Aleixandre

Gerardo Diego

Camilo José Cela

cultivado en las letras venezolanas. **Aquiles Certad** es otro de los escritores venezolanos que ha despertado un extraordinario interés.

En Bogotá, **Víctor Mallarino** dirige una escuela de Arte Dramático en el Teatro Colón y entre los autores últimos han de citarse **Luis Enrique Osorio, Oswaldo Díaz y Antonio Álvarez Lleras** (1892-1956). Éste ha sido considerado como el iniciador del teatro moderno colombiano. Penetra la psicología humana ya en las costumbres del pasado, como en el drama histórico *El virrey Solís* (1948), ya en las de la actualidad (*Como los muertos* fue un extraordinario éxito).

Los ecuatorianos se han destacado también por sus dramas ideológicos del siglo XIX, de los cuales pasaron al drama criollo costumbrista y al áspero teatro social inspirado en los novelistas. Uno de éstos, **Demetrio Aguilera Malta** (1909), es considerado como el mejor dramaturgo del Ecuador por su «Trilogía ecuatoriana» (Méjico, 1959), formada por *Honorarios, Dientes Blancos* y *El tigre*.

En Chile, el teatro ha sido generalmente folklórico, salvo algún drama de historia o de política actual. Los más notables comediógrafos han sido **Armando L. Moock** (1894-1943), autor de unas veinte comedias (una de ellas, *Rigoberto,* comedia graciosa y fina, con ligeros toques sentimentales, en la que se plantea la tragedia de un hombre tímido, víctima de tres Elenas — dura, la suegra; indiferente, la mujer, y frívola, aunque inocente, la hija); y **Antonio Acevedo Hernández** (1886), que ha profundizado, sobre todo, en el drama rural con *La canción rota, Árbol viejo,* etc.; que prácticamente ha sido la única modalidad ensayada. Con intención universal, aunque no menos costumbrista, escriben para el teatro **Daniel de la Vega** (1892) con *El bordado inconcluso* y **Víctor Domingo Silva** con *El mestizo Alejo y la criollita,* que es lo más popular y conocido de su obra. En los teatros experimentales se han distinguido el de la Universidad de Chile, fundado por Pedro de la Barra en 1940, y el Teatro de Ensayo de la Universidad Católica, fundado por Pedro Mortheiru al año siguiente. De estos esfuerzos surgieron autores como María Asunción Requena, Gabriela Roepke, Sergio Vodánovic, Julio Asmussen Urrutia, Isidoro Basis Lawner, Luis Alberto Heiremans, Manuel Rojas, Isidora Aguirre, Fernando Josseau, etc.

Otros dramaturgos hispanoamericanos, a manera de ejemplo, Pablo Antonio Cuadra, de Nicaragua; Walter Béneke y Roberto Menéndez, de El Salvador; Percy Gibson Parra, Bernardo Roca

Rey, Sebastián Salazar Bondy, Enrique Solari Swayne, del Perú; Luis A. Baralt, José Cid, Carlos Felipe, Renée Potts, Marcelo Salinas, de Cuba; Francisco Arriví y Renée Marqués, de Puerto Rico, etc., etc.

CAPÍTULO LXV
LA PROSA MODERNA ESPAÑOLA

La novela moderna. — Las manifestaciones novelísticas españolas modernas no han alcanzado la grandeza de la poesía; pero sí pueden presentarse escritores de ricos matices y sugestiones interesantes:

a) **Ramón Gómez de la Serna (1891-1963).** — Inventor del género moderno de la «greguería», consigue grandes aciertos en la novela de un mundo pintoresco y de caricatura, como *El torero Caracho,* en que, aunque en parte sigue la técnica anecdótica del 98, predomina el arte de la greguería en su derroche de frases ingeniosas y de madrileñismo especial. Otras de sus novelas nos muestran igual riqueza de ingenio: *La viuda blanca y negra, Gran Hotel, El caballero del hongo gris* y *El incongruente:*

Lo que le pasaba mucho al «Incongruente» es que cuando cogía un tenedor del cajón de los cubiertos se le convertía en cuchara, y viceversa. No era cosa de magia. Era cosa de la incongruencia. Lo que está más preparado para la incongruencia, lo que la acepta más, es eso: que uno crea haber cogido un tenedor y resulte una cuchara o viceversa. El «Incongruente» sonreía cuando veía aquella sencilla pega material. De tal modo era incongruente, que no se curaba sino por los contrarios. Si el médico le recomendaba una medicina, debía estudiar en la casa del boticario cuál era la contraria...

El «Incongruente» estaba nervioso, porque no había nada que le excitase tanto como esas epilepsias de los automóviles parados y palpitantes. Siempre que tenía que pagar un automóvil que esperaba con ese rezongueo que lo pagase, lo pagaba con prisa, con atrabancamiento, dándole al chófer todo el cambio, por no esperar más, porque aquello no estuviese tan nervioso...

Donde se muestra la gran facilidad literaria de Gómez de la Serna es en sus *Seis falsas novelas,* en que demuestra su capacidad de adaptación al estilo de la novela de seis literaturas diferentes. La más vulgar anécdota, la tragicomedia de la vida cotidiana se estilizan en el garbo humorista de este novecentista.

b) **Benjamín Jarnés (1888-1949).** — Escritor aragonés que ha revelado sus dotes de satírico en una galería de retratos abstractos y precisos *(Fauna contemporánea)* y que comenzó, dentro de su siempre exquisito estilo, con una novela lenta *(El profesor inútil)*. Logra hacer interesante la acción y consigue profundidad humana en *El convidado de papel,* novela amena en que se mezclan sus recuerdos vividos con la ironía de su ingenio. Noveliza lo presente en *Paula y Paulita* (1929): «Será preciso — dice en nota preliminar — que volvamos a enamorarnos del mundo, risueñamente, como niños»; y leyendas lejanas en *Viviana y Merlín.* El momento culminante de su novela es *Locura y muerte de nadie,* en la que plantea el problema de la personalidad. Cultiva también los temas históricos, ya la hagiografía *(Vida de San Alejo y Sor Patrocinio, la monja de las llagas)*, ya la biografía intensa *(Zumalacárregui)*. En *Teoría del zumbel* ha trazado una ingeniosa y viva estética. La actitud de Jarnés en la novela está cerca del mundo estilizado de la lírica de su momento.

Otras figuras de la prosa contemporánea. — **Antonio Espina,** nacido en 1894, que también es poeta, descubre emoción contrastada con risa burlesca. Su mejor obra en prosa es *Pájaro pinto* (1927), en la que destacan las bellas imágenes e ingeniosidades de la novelita *Xelfa, carne de cera.* Otro libro interesante es la novela *Luna de copas* y su biografía de *Luis Candelas, el bandido de Madrid* (1929).

Han de agregarse los que presentan nuevas formas como **Mario Verdaguer** (1893-1963), escritor balear que nos presenta el paisaje de Mallorca en *La isla de oro* (novela de pasión y paisaje), y rinde tributo a la moda de su momento en una obra de tipo pirandelliano y de fondo cubista *(El marido, la mujer y la sombra);* **José Díaz Fernández,** autor de *El blocao, novela de guerra en Marruecos,* de *La Venus mecánica* (conflicto de la pasión humana) y de un ensayo: *El nuevo romanticismo;* y tantas otras figuras de interés actual (Luys Santamarina, autor de *Nubes de antaño* y de las biografías de *Cisneros* e *Isabel la Católica;* Antonio Marichalar, Fernando Vela, Rosa Chacel, Eugenio Montes, Domenchina, Ledesma Miranda, Antonio de Obregón, Samuel Ros, Federico Carlos Sáinz de Robles, María Zambrano, José Ferrater Mora, Rafael

Dieste, etc.; sin olvidar los canarios, como el malogrado Agustín Espinosa, y Claudio de la Torre).

Los ensayistas. — En el ensayo y en la crítica contemporánea ha destacado **José Ortega Gasset** (1883-1955) como el pensador del novecentismo y el centro de los valores intelectuales españoles en el primer tercio del siglo. Su sistema reflexivo se ha formado en la nueva filosofía alemana, y con gran agilidad de síntesis armoniza los temas de última moda con hondos razonamientos filosóficos. Su libro *La España invertebrada* es esencialmente negativo y está relacionado con el 98, ya que es el último libro en que se plantea el problema nacional. En las *Meditaciones del Quijote* nos da una teoría de la novela; y en los ensayos contenidos en *El Espectador,* con las mejores calidades de estilista, las impresiones del momento:

Hay momentos sublimes en que nos parece coincidir con todo el universo; nuestro ánimo se expansiona y virtualmente abarca el horizonte y somos una misma cosa con cuanto nos rodea, y nos percatamos de una subitánea armonía que gobierna las cosas. Es el momento del placer, es como la cima de la vida y su integral expresión. Y entonces unas manos espirituales se alzan en nuestro espíritu y se agarran al instante, y pugnan por retenerlo. Mejor aún: de un brinco nos lanzamos dentro de ese instante que pasa veloz, decididos a entregarnas a él sin reservas ni suspicacias...

En *La deshumanización del arte* (1925) trata de definir y sistematizar el nuevo sentido del arte puro, pudiendo considerarse lo más extenso como teoría estética sobre la literatura nueva. Con *La rebelión de las masas* (1930) afirmó su fama universalmente.

b) **Eugenio d'Ors** (1882-1954), catalán, que llega a dominar la prosa castellana y es en ella un agudo crítico de arte, un hondo meditador y un gran artista del presente. En su etapa de escritor en catalán utiliza el seudónimo de «Xènius». Su estilo lleva una prosa reverberante que se renueva sobre las ideas y expresiones de la más joven generación. He aquí un fragmento de *Cinco minutos de silencio* en que se describe la ceguera del poeta en la leyenda homérica:

Yo contemplaba largamente la sabana del mar, que se había encendido toda en resplandores esplendentes de metal... A poco el espectáculo se volvía más extraordinario aún. Mezclábanse los brillos al oro; y, a las lenguas de metal, puntos resplandecientes que ya no sólo se agitaban entre aquéllos, sino que saltaban y recorrían, a veces, grandes espacios, como, en las noches del solsticio, una estrella que cae. Estos puntos tuvieron pronto un movimientoo de rotación y dibujaban círculos ante mí, círculos que a su vez se estrellaban en una multiplicidad temblorosa de radios. Luego los radios se irisaron en muchos colores. Hubo, además de brillantes topacios, esmeraldas, amatistas, rubíes...

Sus «glosarios» son cuadros segmentados del vivir cotidiano; y de la «glosa» pasa al ensayo artístico y crítico *(Tres horas en el Museo del Prado)* y a lo que llamó «tragedia política» *(Guillermo Tell)* y a su libro *Cézanne.*

c) Otras figuras de importancia son: **Gregorio Marañón** (1887-1959), médico, que interpreta en prosa tersa y con matiz científico la historia y los mitos literarios (don Juan, Amiel, Enrique IV, Olivares, Antonio Pérez, etc.), siendo muy notable su libro sobre las *Ideas biológicas del P. Feijóo;* **Salvador de Madariaga; Eduardo Gómez de Baquero, "Andrenio"; José María Salaverría,** y otros que han representado con brillantez la prosa en el ensayo y en el periódico contemporáneos.

En la generación novecentista destacan **Eugenio Montes, José Camón Aznar** (pensador, poeta y crítico de arte), **P. Mourlane Michelena, Alfredo Marquerie, Francisco** y **José María de Cossío, José María Castro Calvo,** etc.

Ernesto Giménez Caballero (escritor nacido en 1899) comienza su obra con un libro de impresiones de la guerra de África *(Notas marruecas de un soldado),* rico en perfiles psicológicos e ideas nuevas; pero su obra de más importancia son sus *Carteles editados,* síntesis intuitiva de motivos plásticos que dan exacta medida de la crítica viva del escritor de vanguardia; y, sobre todo, su obra de innovador que abre en España la literatura freudiana y que dejó huella en muchos escritores jóvenes *(Yo, inspector de alcantarillas).* Como crítico humanista de arte y folklore tiene *El belén de Salzillo en Murcia,* en que partiendo de los retablos a los pasos de procesión llega a Salzillo, cuya escultura interpreta agudamente. Tiene planteado el eterno y profundo problema español en su libro *Genio de España.*

La erudición y la crítica modernas. — La crítica se remoza y, a la vez, enlaza con la literatura de creación. El caso más típico es el del profesor y poeta, ya citado, **Dámaso Alonso,** cuyo humanismo y gran preparación literaria quedaron demostrados con la versión en prosa, comentada, de las *Soledades,* de Góngora, a la que han seguido valiosos estudios sobre Erasmo y Gil Vicente, así como bellos ejemplos de prosa literaria (*Torcedor de crepúsculo y violín* y *Cédula de eternidad*). Otros nombres han de agregarse, como José F. Montesinos (investigador y escritor), Rafael Lapesa, Jaime Oliver Asín, Ángel del Río, Manuel García Blanco, Luis Morales Oliver, Juan Tamayo, Melchor Fernández Almagro, Ángel Lacalle, Guillermo de Torre (autor de *Literaturas europeas de vanguardia*), Juan Chabás, José Manuel Blecua, Francisco Sánchez-Castañer, Martín de Riquer, etc.

CAPÍTULO LXV

LA PROSA HISPANOAMERICANA MODERNA

El ensayo y la crítica desde el modernismo. — La prosa didáctica no ha encontrado hasta el siglo XX autores sistemáticos en Hispanoamérica. El libro *Ariel* (1900) de **José Enrique Rodó** (1871-1917), uruguayo de formación humanística, abre el siglo y resume el pensar y el sentir de los hispanoamericanos con un noble idealismo. Dedicado por su autor a la juventud de América, constituye un ataque al positivismo, intentando borrar de la conciencia de Hispanoamérica cierto complejo de fracaso. Alentó su idealismo y les hizo ver cómo con él evitarían el peligro que para su originalidad representaba el utilitarismo norteamericano. No obstante esto, este crítico continental tampoco despreció las ventajas del progreso materialista. La glosa del «arielismo» de Rodó aún continúa en América. Y tanto en ésta como en sus demás obras (*El que vendrá, Los motivos de Proteo,* etc.), Rodó representa la mejor prosa del modernismo.

En Méjico, el llamado grupo del Ateneo o del Centenario ha dado grandes ensayistas, entre los que se cuentan el gran humanista **Alfonso Reyes** (1889-1959), que además es poeta y cultiva el relato con gran maestría; el filósofo **Antonio Caso** (1883-1946) y el crítico y técnico de Literatura, el dominicano **Pedro Henríquez Hureña** (1884-1946), formaron una promoción de escritores que renovaron las tendencias intelectuales del país, destruyendo la filosofía oficial del positivismo y haciendo resurgir la afición por las humanidades. Uno de los grandes propulsores y la más viva expresión del pensamiento hispanoamericano fue el discutido **José**

Vasconcelos (1882-1959), que supo dar al vocablo «criollo» toda su significación, entendiendo lo hispanoamericano como suma de razas. Se pronuncia por los mestizajes como creadores de culturas y civilizaciones distintas de las actuales. En torno a Vasconcelos se ha polemizado muchos años sobre los problemas y conflictos del continente, que, según él, tiene misiones mesiánicas que cumplir, mostrándose optimista respecto a sus recursos. Éste es el optimismo del hispanoamericano que ha representado Vasconcelos y que predominaba en libros como *La raza cósmica* (1925), *Indología* (1926), y en uno de sus primeros libros de interpretación mejicana que tituló *Ulises Criollo* (1936), con avisos y diatribas del intelectual que se han hecho luego más fuertes contra el «optimismo estólido». Con este título, como epílogo, cerró su *Breve Historia de México* (Madrid, 1952), con palabras doloridas aunque no exentas de esperanza. «En el sino trágico de México tiembla, a pesar de todo, la promesa», dice de su patria el intelectual de América que más fe tuvo en nuestra raza. Uno de sus últimos libros ha sido *En el ocaso de mi vida* (Méjico, 1957), en el que insiste en la «pesadilla de un gobierno mundial». En 1959 apareció *La flama,* su obra póstuma, *Los de arriba de la Revolución,* considerada como una quinta parte del *Ulises Criollo,* su importante autobiografía.

Entre los modernos ensayistas de Méjico hemos de mencionar a **Alfonso Junco,** veterano escritor, con *El increíble fray Servando* (1959), y al citado poeta **Octavio Paz,** con sus ensayos sobre poesía (*El arco y la lira,* 1956) o sus interpretaciones sobre lo mejicano (*Laberinto de la soledad,* 1959); y, en la historia y crítica literarias Julio Jiménez Rueda, Carlos González Peña, Antonio Castro Leal, Vicente T. Medina, Juan B. Iguiniz, Alfonso Méndez Plancarte, etc.

Entre los argentinos, a **Francisco Romero** en el campo de la Filosofía, a **Ezequiel Martínez Estrada** (1859-1964), cuya *Radiografía de la Pampa* (1933) es una acerada interpretación de la Argentina, a la que han de agregarse sus ensayos sobre Buenos Aires contenidos en *La cabeza de Goliath* (1940); y en los distintos campos de la prosa: Carlos Octavio Bunge, José de Ingenieros, Roberto F. Giusti, Arturo Berenguer Carísomo, Guillermo Furlong, S. J., Juan Carlos Ghiano, Luis Ordaz, Alfredo de la Guardia, Luis Franco, Pablo Rojas Paz, Romualdo Brughetti, José Luis Romero, Leónidas de Vedia, Rafael Alberto Arrieta, etc. Entre los de Colombia, desde el venerable maestro **Baldomero Sanin Cano,** Germán Arciniegas, Eduardo Caballero Calderón, Luis López de Mesa, P. Félix Restrepo, Antonio Gómez Restrepo, Enrique Carlos de la Casa, P. Eduardo Ospina, S. J., etc. Entre los de Cuba, Félix Lizaso, José M.ª Chacón y Calvo, Juan J. Remos, Jorge Mañach, Medardo Vitier, Emeterio S. Santovenia, Herminio Portell Vila, Juan J. Arróm, etc. Entre los de Chile: Arturo Torres Rioseco, Omer Ometh, Alone, Ricardo A. Latcham, Raúl Silva Castro, Armando Donoso, Eduardo Solar Correa, etc. Entre los de Bolivia, Gamaniel Churata, Guillermo Francovich, Manuel Frontaura, Joaquín Gautier, Gustavo Adolfo, Enrique Finot, Carlos Medinaceli, Augusto Guzmán, etc.

Citemos otros notables prosistas hispanoamericanos como Raúl Montero Bustamante, Alberto Zum Felde, Carlos Vaz Ferreira, José G. Antuña, Juan Ilaria, etc., del Uruguay; a Max Henríquez Ureña, de Santo Domingo; a José Lladó de Cosso, José Zerón, hijo, Eliseo Pérez Cadalso, Manuel Bonilla, etc., de Honduras; Francisco y Ventura García Calderón, Víctor Andrés Belaunde, Aurelio Miró Quesada, Raúl Porras Barrenechea, Alejandro Deustua, etc., del Perú; José Gil Fortoul, César Zumeta, Laureano Vallenilla Lanz, Pedro Emilio Coll, Mario Briceño Iragorry, Arturo Uslar Pietri, Augusto Mijares, Eddie Morales Crespo, Eduardo Arroyo Lameda, Juan Oropesa, etc., de Venezuela; Isaac J. Barrera, Augusto Arias, Benjamín Carrión, etc., del Ecuador; etc., etc. Destaquemos al crítico e historiador boliviano **Fernando Díez de Medina** (1908) que, en las crónicas y críticas de su *Fantasía coral* (1957) como en *El arquero* (1958), retrato de Bolívar, y como en sus ensayos de *El libro de las ideas,* se nos muestra el más representativo valor de las jóvenes generaciones bolivianas; al venezolano **Mariano Picón Salas** (1901), uno de los ensayistas más representativos de América, que, como en sus novelas y biografías, se nos muestra un gran artista en *De la conquista a la independencia, Comprensión de Venezuela, Regreso de tres mundos,* etc.; y al peruano **José Carlos Mariátegui** (1891-1930), un clásico americano en *Siete ensayos de interpretación de la realidad peruana.*

CAPÍTULO LXVI

LA LITERATURA ESPAÑOLA CONTEMPORÁNEA

Evolución de la generación del 27. — En el segundo tercio del siglo XX, y en especial desde su mitad en adelante, vemos completarse la «generación del 27» y aparecer nuevas tendencias y figuras. En general, el tono revolucionario con que empezó parte del grupo sustituye por una serena perfección en cierto modo clásica. A la tendencia de la «poesía pura» se integra un amplio concepto humano. Puede decirse que su punto de partida más o menos gongorino supone una exigencia formal, que se llena cada vez más de profundo calor humano. Gerardo Diego publica en la posguerra española *Alondra de verdad* — sonetos — y especialmente *Ángeles de Compostela* (1940), poema de la unidad en lo diverso. Jorge Guillén aumenta su *Cántico,* y cada vez une más su rigor clásico y nuevo a una humanidad intelectual. Salinas († 1952) cultivó el teatro y la narración con ágiles realizaciones, y en la poesía dejó entrar la angustia abismal de la época en *Todo más claro y otros poemas.* Alberti realiza poemas sobre temas de pintura con una absoluta maestría, y sin perder la agilidad de su obra juvenil, en diversos temas, y perfecciona sus intentos teatrales. Dámaso Alonso compone su libro más intenso, *Hijos de la ira* (1944), entre subconsciente y elevación, fastidio, ironía y plegaria, todo profundamente humano. Su sentido religioso sigue en *Hombre y Dios* (1955). En la crítica, sus estudios de estilística y erudición marcan una indiscutible altura. Vicente Aleixandre publica sus mejores poemas: *Sombra del Paraíso* (1944), *Historia del corazón* y *Nacimiento último* (1953).

En el teatro, Alejandro Casona produce sus obras maestras, *La dama del alba* y *La barca sin pescador,* en 1944 y 45. La primera es una original revisión y poética evocación resignada de la muerte, la «peregrina»; la segunda, una original revisión del mito de Fausto y el diablo. Además, la ironía de *Las tres perfectas casadas* o la visión poético-histórica de *Corona de amor y muerte* — sobre Inés de Castro —, mantienen su prestigio de primer dramaturgo de su generación.

En los investigadores, Entrambasaguas ha completado sus estudios sobre Lope, y cultivado la poesía de corte intelectual. Salvador Fernández Ramírez publica sus profundos estudios sobre sintaxis. En el ensayo, y crítica, Guillermo Díaz-Plaja alcanza su madurez en *El espíritu del Barroco* y otros ensayos, y sobre todo en *Modernismo frente a 98* (1951). Guillermo de Torre llega a una contenida crítica en *La aventura y el orden* (1943) y *Las metamorfosis de Proteo* (1956). Joaquín Casalduero (n. en Barcelona, 1903), crítico original y agudo en sus estudios sobre Galdós, y, sobre todo, sobre la obra teatral de Cervantes, acaso el mejor libro, *Sentido y forma de «Persiles»* (1947). En la prosa de creación, Bergamín continúa su obra importante en *El pozo de la angustia* y *Fronteras infernales de la poesía.* En la crítica de arte y creación literaria, Camón Aznar en sus *Tragedias* — profundo teatro intelectual —, su estudio sobre el Cubismo, y el referente a Velázquez, y sus poemas angustiados.

La generación de 1935-40. Poesía. — Marca la «vuelta a Garcilaso», en contraposición al neogongorismo anterior, pero sin perder el contacto con los poetas del 27. Un valor aparte fue el de Miguel Hernández (1910-1942), de gran fuerza y originalidad, apasionado y retorcido en su técnica (*El rayo que no cesa,* 1936). Luis Rosales (n. 1910), en sus finas esencias granadinas, publica *Abril,* en 1935, canto juvenil a las fuerzas de la Naturaleza, con alusiones religiosas. Su nueva forma se halla en *La casa encendida* (1949), como un proceso íntimamente poético del caos a la creación luminosa. Rosales a la vez es crítico y antologista. Luis Felipe Vivanco (n. 1907), de fondo castellano, sobrio e intenso en *Cantos de primavera* (1936), se hace más profundo y ascético en *Tiempo de dolor* (1940), y une paisajes y rezos, en el tono nuevo de *Continuación a la vida,* 1949. Leopoldo Panero (1909-1962), poeta profundo y humano en *Escrito a cada instante* (1949), escribe *Canto personal,* como respuesta y reproche al libro de Neruda, con sobria dignidad. La forma garcilasista adquiere un especial neopetrarquismo en la forma cuidada, junto a la cadencia íntima, de Dionisio Ridruejo (n. en Burgo de Osma, 1912), en *La doncella y el río* y *En la soledad del tiempo,* con perfectos sonetos. Añádase *En once años,* 1950.

Bajo el signo de Garcilaso. — Con este título puede designarse una de las direcciones de la nueva peosía, en que figura al frente José García Nieto (n. en Oviedo, 1914), juntando tradición y recreación, en una íntima melodía humana, con el fondo de una Castilla esencial: *Poesía,* 1944; *Retablo del ángel, el hombre* *y la pastora,* 1945; *Toledo,* etc. Añadimos los nombres de José Antonio Muñoz Rojas, Enrique Azcoaga. El santanderino José Hierro (n. 1922) publica su *Antología poética,* de intensa contención, en 1953.

Poesía del dolor y la angustia. — José Luis Hidalgo (1919-1947) con el desgarrado y abismal poema *Los muertos.* Germán Bleiberg (n. en Madrid, 1915) traspasa de inquietud la perfección formal de *Más allá de las ruinas* (1947). Vicente Gaos en *Arcángel de mi noche* y Alejandro Gaos en *Vientos de la angustia,* penetran en este mundo de inquietudes y ensueño. También predominan los tonos angustiados en *Los desterrados,* de Rafael Morales (n. 1919). Puede señalarse el paso de la angustia a la serenidad en la obra de Leopoldo de Luis (n. 1918), en los tonos de soledad y sombra de *Los imposibles pájaros* (1949), en *El extraño,* 1955, y su nueva tendencia llena de tema social. El sevillano Rafael Montesinos (n. 1920) deja entrar la melancolía en *El libro de las cosas perdidas* (1946). El murciano Salvador Pérez Valiente (n. 1919), pasa de un desgarro casi anárquico a la resignada madurez humana, que hace pensar en el tono de un Antonio Machado. Victoriano Crémer (n. en Burgos, 1910), apasionado y violento, *La espada y la pared,* 1949, ofrece fuerzas opuestas en lucha. También penetra una voz honda en los tonos andaluces, en parte neobecquerianos, de un intenso poeta, José Luis Cano (n. Algeciras, 1912), entre la gracia o la angustia de un meridional de resonancia universal: *Sonetos de la bahía* (1942), y la profundidad de la *Voz de la muerte,* 1945. En su obra, en que destacan exquisitos sonetos, se halla también una excelente capacidad crítica.

Lo religioso y el paisaje estremecido dan una nota peculiar y honda a la poesía de Carlos Bousoño (n. 1923), en los salmos de *Subida al Amor* (1945) o en *Primavera de la muerte,* de un profundo misticismo angustiado. Bousoño es a la vez un teórico y crítico de la escuela estilística española, en su aportación a las *Seis calas en la expresión literaria española,* de Dámaso Alonso, y en su *Teoría de la expresión poética,* 1952, o en su estudio sobre la poesía de Aleixandre.

La nota religiosa, la angustia del tiempo que pasa y los temas de amor se unen en la penetrante poesía *La espera,* de José María Valverde (n. en 1923), en que unas veces aparecen como silencios o adolescencia de auroras, y otras una resignada serenidad. El autor es profesor universitario e historiador de la Literatura universal, y excelente traductor en verso.

Otros poetas. — Entre otros nombres, destacan el gallego que pasa al mundo levantino Dictinio de Castillo Elijabeitia (nacido en 1906), cuya obra poética culmina en *Argos,* 1947; los poetas religiosos como Manuel Díez-Crespo y Leopoldo Eulogio Palacios; el grupo murciano señalado en las *Loas* de Antonio Oliver, de la generación del 27, y con diversos caracteres, desde el clasicismo a la desnudez humana, en Francisco Cano Pato, Salvador Jiménez, Jaime Campany y Juan García Abellán. O los levantinos Luis Guarner, de Valencia, poeta, traductor y crítico, o Julián Andúgar, de Alicante, *Entre la piedra y Dios* (1949). De diversas latitudes Ginés de Alvareda, aragonés; E. Calle Iturrino, vasco; Diego Díaz-Hierro, de Huelva, o Lope Mateo, anterior, de Salamanca, o el madrileño Jaime Delgado, o José M.ª Souviron, poeta y articulista, figuran entre otros, cuya no mención no implica discriminación. El superrealismo catalán, aparte del pintor y escritor Salvador Dalí, se halla en Juan Eduardo Cirlot, poeta y crítico del arte nuevo, y teorizador de las nuevas tendencias, Manuel Segalá y Julio Garcés. Lorenzo Gomis, de otra determinación, aparece como «surrealista» en *El caballo,* 1951. Ramón de Garciasol, de profunda tradición castellana. Los religiosos aportan una nota nueva y sacra, como el P. Juan Bautista Bertrán (*Del ángel y del ciprés,* 1950) y el P. Jorge Blajot, de los más hondos, ambos jesuitas.

Un excelente poeta y crítico es José Cruset, independiente y penetrante, en el grupo barcelonés.

Entre los nombres que han alcanzado renombre universal destaca Blas de Otero (n. en Bilbao, 1916), con sus inquietantes libros de poemas, *Ángel fieramente humano,* 1950, y *Redoble de conciencia,* 1961. Entre las últimas tendencias poéticas se halla la de influjo social. De esta tendencia es también Gabriel Celaya.

El teatro. — Indicados los éxitos de García Lorca y Casona, en la generación del 27, corresponde a ese grupo el teatro de humor, lleno de ingenio y gracia hasta la caricatura y lo desorbitado de Enrique Jardiel Poncela (1901-1952), en *Eloísa está debajo de un almendro, Noche de primavera sin sueño* o *Los habitantes de la casa deshabitada.* El teatro de humor evoluciona hasta nuestros últimos años, con las ironías de *Tono,* Miguel Mihura y Álvaro de Laiglesia.

En la reincorporación del mundo freudiano y psicológico, con el tema bíblico, es obra fundamental *El viaje del joven Tobías,* de Gonzalo Torrente Ballester, novelista y crítico, que tuvo otro acierto teatral penetrante en *Lope de Aguirre,* 1941.

Una renovación en la escena, desde el lado postpirandelliano y costumbrista, viene con Víctor Ruiz Iriarte, con *El puente de los suicidas,* 1944. En su evolución, entre el mundo de la sátira social levemente ironizado y el ensueño, destacan obras como *El landó de seis caballos,* de lo más bello del teatro actual. Otras veces en la aparente comicidad incide una resignada melancolía. Joaquín Calvo Sotelo tuvo un éxito con la sucesión de escenas emotivamente evocadas de *Plaza de Oriente* (1947). Entre sus mejores obras de una serie extensa destacan *El Jefe,* y como resonancia teatral la sátira de *La muralla,* con la problemática de un caso de conciencia en pugna con los convencionalismos e intereses de su sociedad, y la actual sobre el proceso del arzobispo *Carranza.*

En los años que siguen, penetran tendencias en relación con la angustia existencialista y los problemas sociales. Antonio Buero Vallejo renueva el tema costumbrista en *Historia de una escalera* (1949), teatro desnudo y fuerte, intenso y nostálgico. Sigue con obras de gran mérito como *En la ardiente oscuridad,* en cuyo caso del sanatorio de ciegos puede haber un amplio simbolismo, o en la renovación del mito de Ulises en *La tejedora de sueños,* o la asfixia angustiada, del tema y la unidad de lugar y tiempo, en *Madrugada.* Los últimos dramas, de evocación histórica, son más discutibles, como *Un pensador para un pueblo,* sobre la época de Carlos III, y sobre todo la fantasía velazqueña *Las Meninas* (1960). José López Rubio, en *Celos del aire* (1950), representa una altura que no iguala después, aunque tiene excelentes éxitos, como *La otra orilla* y *Las manos son inocentes.* En la generación más joven, el valor más saliente es Alfonso Sastre (n. 1926). Su teatro sobrio, cortado, con problemas sociales y a veces religiosos, es de una gran hondura. *Escuadra hacia la muerte, Tierra Roja* o *La sangre de Dios.* En algunas obras colaboró con Medardo Fraile, otro gran valor en el teatro y en la narración. Otro nombre destacable es el de Delgado Benavente. Tiene un gran éxito Lauro Olmo, con *La camisa.*

La novela. Zunzunegui. — Antonio de Zunzunegui, nacido en Portugalete (Bilbao), en 1901, publica en 1935 *Tres en una o la dichosa honra,* serie de novelas cortas, de costumbres de su tierra, juegos pirandellianos, o greguerías en acción. Su ingenio original se amplía a novelas extensas como *El chiplichandle* — el proveedor de buques —, en acción picaresca. El autor juega unas veces con el humor de tipo intelectual y la sátira como *El hombre que iba para estatua* (1942), o crea grandes novelas costumbristas como *¡Ay..., estos hijos!, La Quiebra* o *La úlcera,* o el dramatismo de *El barco de la Muerte*. *El supremo Bien* (1951) viene a ser una especie de *Candide* al revés, entre desengañado o irónico, mientras que *La vida como es* renueva la tradición madrileña de las grandes novelas galdosianas (1953). Continúa el autor con el mismo dominio del material humano y la trama novelesca, y entre sus últimas obras se halla la sátira del ambiente literario, *El Premio*. El tema vasco y satírico, la realidad llena de altibajos, la amplia visión social sobresalen en toda la extensa obra de Zunzunegui.

Como figura independiente de toda escuela literaria debe citarse a **Bartolomé Soler** (n. en 1894), que ya en 1927 se consagró con su primera obra *Marcos Villarí,* novela con visos de tragedia griega, enraizada en el Vallés, su comarca natal, y traducida a varias lenguas. Pero el autor, eterno rebelde y trotamundos, ha desarrollado su vocación de novelista especialmente después de nuestra guerra. Sus obras fundamentales son *Karú-Kinká* (1946), epopeya de la Tierra del Fuego; *Patapalo* (1948), la vida amarga de un mendigo identificado con el paisaje; *La vida encadenada* (1948), espejo de Castilla y de su personaje central: una mujer de carácter, y *Los muertos no se cuentan* (1960), visión sobrecogedora de la retaguardia de los vencidos durante la guerra civil española, y que obtuvo el Premio Nacional de Literatura.

Las novelas de Soler son como grandes cuadros costumbristas que denuncian el desgarro de la vida en distintos estamentos sociales. Su estilo es denso, seguro, con gran vigor clásico. Ha escrito también teatro (en este género su mejor obra es *Guillermo Roldán*), poesía y ensayo.

Diversas formas narrativas. — En los novelistas que escriben fuera de España, destacan Arturo Barea, con la trilogía *La forja de un rebelde* (1939) en sus tres partes: *La forja, La ruta* y *La llama,* en un potente cuadro de distintos estamentos sociales; Ramón J. Sender (n. en tierras de Huesca, 1902), que destaca con su fuerza y realismo, en *Crónica del alba, Hipogrifo violento,* etc.; y E. Salazar Chapela, en *Perico en Londres,* la novela de los exiliados españoles.

Dentro de España, son importantes Pedro Álvarez, con *Los colegiales de San Marcos* (1944) y Manuel Pombo Angulo, *Hospital general* (1948). Cecilio Benítez de Castro, hoy en la Argentina, compuso una original y fantástica novela, *La rebelión de los personajes* (1940), y continuó una extensa obra, rica y variada, como en *Cuarto galeón* (1941), *Cuando los ángeles duermen*

(1946), o delicados cuentos como *Historia de una noche de nieve* (Buenos Aires, 1950).

Ledesma Miranda (n. 1901), ya novelista antes de estos años (*Saturno y sus hijos,* 1934), culmina en *Los vivos y los muertos,* y *La casa de la Fama* (1951). Francisco de Cossío, muy anterior (n. 1887), compone la excelente y ágil narración *Taxímetro* en 1940. Agustín de Foxá (1903-1959), con *Madrid de corte a checa,* y Jacinto Miquelarena (1891-1962) con *Don Adolfo el libertino,* componen dos excelentes narraciones. César González Ruano (nacido en Madrid, 1902) cultiva con ágil ingenio la crítica, la poesía y la narración: *Ángel en llamas,* poesía, 1941; *Circe,* 1935, *La alegría de andar,* 1943, novelas. Rafael García Serrano escribe un excelente cuadro de acción en *La fiel infantería.* En tierras catalanas destacan Noel Clarasó, novelista y articulista de penetrante humor, y Juan Sebastián Arbó, que evoca la vieja Barcelona, en *Sobre las piedras grises* (1949). Ignacio Agustí (1913), que cultiva el ensayo y la narración, es autor de dos novelas de extraordinaria fama, retrospectivas sobre la vida barcelonesa, *Mariona Rebull* (1943) y su continuación, *El viudo Rius* (1944). Si la primera es como la *Madame Bovary* de la Barcelona evocada del fin de siglo, la segunda representa el triunfo del esfuerzo y el trabajo. Los *Episodios nacionales contemporáneos* de Ricardo Fernández de la Reguera, en colaboración con Susana March, fina poetisa, merecen mencionarse, así como sus traducidas novelas *(Perdimos el paraíso, Cuerpo a tierra,* etc.).

Cela y la novela del medio siglo. — Con Camilo José Cela (n. en Iria Flavia, 1916) asistimos a una honda renovación del género narrativo, y a una penetrante influencia. Poeta en *Pisando la dudosa luz del día* y narrador agudísimo de viajes y lugares, crea en 1943 con *La familia de Pascual Duarte* una acción apretada de gran efecto y tremendo dramatismo, en que lo violento y duro no excluye una profunda humanidad. En cambio, *Pabellón de reposo* es una fusión de acciones entre lo enfermo, lo sentimental y lo poético. Este aspecto sigue en parte *Mrs. Caldwell habla con su hijo* (1953). La renovación de la picaresca con *El nuevo Lazarillo,* la vida trágica y aventurera del mendigo actual; el tema de la gran ciudad en la posguerra, entre miseria, humor y angustia, *La colmena* (1951), con una serie de hilos diversos, como un inmenso hormiguero humano; o la visión pintoresca y desgarradora del campo mítico venezolano en *La catira,* con un rebuscado vocabulario, marcan obras capitales del gran artista de la expresión, que en el cuento deja un agudo ejemplo en *El molino de viento...* (1956) y continúa con sus libros de viajes e impresiones, y dirige la interesante revista de «Papeles de Son Armadans» (Mallorca). Ejerce un poderoso influjo en los jóvenes escritores, con su vital personalidad y destacada obra.

Escribá, Gironella, Castillo Puche y Delibes. — Tres levantinos y un castellano revelan intensas y diversas personalidades en este género. Vicente Escribá (n. 1913) compone una novela de rico fondo valenciano en *Una raya en el mar* (1944), un impresionante estudio psicológico en *Un hombre en la tierra de nadie,* en excelente ambiente.

José M.ª Gironella, de tierras de Gerona (n. 1917), crea una poderosa novela del tipo desasido en *Un hombre,* cuya reelaboración de 1954 la hace prácticamente nueva, en un estilo a la vez local y cosmopolita, de un artista de la música y el color. Las dos obras de más fama guardan relación con la preparación de la guerra y la tragedia del 36 al 39, *Los cipreses creen en Dios* (1953), en un cruce de motivos, de presentimiento trágico, en su Gerona, y la continuación *Un millón de muertos,* discutida y apasionante, aunque menos artísticamente lograda que la anterior.

José Luis Castillo Puche (n. 1919) pertenece a la Yecla próxima a la concepción del mundo de la meseta castellana, incorporada a las letras en el 98. Articulista de gracia y fina penetración, editor y comentador de las memorias de *Aviraneta,* cultiva con penetrante agudeza la novela, en la que nos deja, especialmente *Con la muerte al hombro,* sobre su tierra y ambiente, un impresionante cuadro; y *Paralelo 40.*

Castellano de Valladolid, Miguel Delibes (n. 1920) nos da su novela esquelética y desengañada de Ávila, en *La sombra del ciprés es alargada* (1947), y sigue su línea desolada y ascética en *Aún es de día* (1949). Una narración tensa como *Mi idolatrado hijo Sisí* (1953), se traspasa también de hondura trágica, y el *Diario de un cazador* acredita vigor paisajista junto al perenne sentido dramático de este artista del desamparo y de la soledad.

Otros narradores. — Deben citarse los nombres de José Luis Tapia (*La luna ha entrado en casa,* 1946); José Suárez Carreño, *Las últimas horas,* 1949; Luis Romero, *La noria,* 1951; Francisco José Alcántara, *La muerte le sienta bien a Villalobos;* Rafael Sánchez Ferlosio, con el amplio cuadro social, *El Jarama* (1955). Ignacio Aldecoa produce una sobria y angustiada novela,

El fulgor y la sangre (1954). El fino articulista murciano Francisco Alemán Sáiz, que cultivó también el teatro, deja una excelente colección de cuentos en *Cuando llegue el invierno y el sol llame a la ventana de tu cuarto.* Souviron escribe un interesante *Cristo en Torremolinos.* Manuel Halcón es el gran narrador del campo andaluz.

Carmen Laforet y las novelistas. — Nacida en Barcelona (1921), y formada en Canarias, y al fin en Madrid, es una aguda sensibilidad femenina, que logró un impresionante cuadro novelesco en *Nada* (1945), uno de los mayores éxitos de la narrativa española contemporánea. Los motivos de Gran Canaria aparecen en otra importante novela, *La isla y los demonios,* en que lo isleño, desde los ambientes, mitos, paisajes y tipos, se ha hecho universal y materia poetizable. El dominio técnico de la escritora se halla también en sus narraciones cortas. Su última gran novela, *La mujer nueva,* se refiere a un caso psicológico de conversión.

Una escritora formada anteriormente, María Luz Morales, deja una encantadora narración evocadora en *Balcón al Atlántico* (1955). En torno a la figura de Carmen Laforet, se perfila una promoción de escritoras novelistas de gran mérito, como Ana María Matute, con el tema familiar y oscuro de *Los Abel* (1948) y las narraciones nostálgicas de *Fiesta al Noroeste* (1953). Elena Quiroga, n. en Santander, recoge en *Vientos del Norte* (1951) el ambiente de vividas tierras gallegas, y en *La sangre,* en que el protagonista es el árbol, que cuenta lo ocurrido en torno suyo, lleva algo como de panteísmo poético. También es impresionante, en otro sentido — de «suspense» —, *Algo pasa en la calle,* con la técnica del film, que evoca episodios pasados, frente a una tragedia actual. Dolores Medio, n. en Oviedo, compone una excelente novela de su ambiente natal en *Nosotros, los Rivero* (1952) y sigue en una línea de penetrante creación.

La mujer en la narración y la poesía. — Un tema de narración de la fina intimidad femenina se halla en *Cinco sombras...* (1947): cinco sombras de mujer en torno a un costurero, de Eulalia Galvarriato (esposa de Dámaso Alonso). Un mundo de proximidad emocionada adquiere un amplio horizonte de humanidad. También hay finura evocadora en *Un hueco en la luz,* de Isabel de Ambía (Amanda, viuda de Alcázar). En la poesía destaca la figura de Carmen Conde, que también cultiva la narración novelesca. Su fuerte personalidad y la amplitud de los temas poéticos dan gran relieve a sus poemas *Pasión del Verbo* (1944), *Ansia de la gracia,* y, sobre todo, *Mujer sin Edén* (1947), canto bíblico y eterno de la voz de mujer como amada y como madre, a través de los siglos. Además de ensayos y temas de recuerdos, destaca su novela *Las oscuras raíces* (1954).

En un tipo de novela de amplio público destacan Carmen de Icaza y Luisa María Linares. En la poesía, Celia Viñas, fina, popular o elaborada, en el libro ya de madurez *Trigo del corazón* (1946), muerta malogradamente en 1954; Mercedes Ballesteros en sus biografías y finos ensayos teatrales; Eugenia Serrano, Ángeles Villarta, Dolores Catarineu, en los últimos libros intensos de poesía, y la intensa Concha Lagos (*Canciones desde la barca,* 1962).

El ensayo y la crítica. — Entre las figuras del ensayo y la crítica se hallan Félix Ros, también narrador y poeta; Adolfo Lizón, Fernando Díaz-Plaja.

En la obra de pensamiento, adquiere una firme personalidad Pedro Laín Entralgo (n. 1908) en sus relaciones entre la Medicina y la Filosofía, y su estudio sobre el 98; Antonio Tovar, humanista, sobre todo, en su excelente *Vida de Sócrates;* Emiliano Aguado, etc. En la teoría de la historia, la compleja y poderosa personalidad de Santiago Montero Díaz. José Ferrater Mora, autor de importantes libros como *El hombre en la encrucijada* (1952) o *La filosofía en el mundo de hoy* (1959), es una de las más hondas figuras de pensamiento en que la intuición va acompañada del trabajo y el estudio. También es honda la voz de María Zambrano en *La agonía de Europa,* 1945. Técnico de filosofía es Ángel González Álvarez.

La nueva crítica y erudición cuenta con nombres como Mariano Baquero Goyanes, Antonio Gallego Morell, Varela, Benítez Claros, Pablo Cabañas, Antonio de Hoyos, Simón Díaz, Zamora Vicente, Manuel Muñoz Cortés, José María Roca, Gonzalo Sobejano, A. Valbuena Briones, Carmen Bravo Villasante, etc.

Las últimas formas de la creación literaria. — Citada la obra poética de Blas de Otero, y la poesía social (que recoge, por ejemplo, junto con las nuevas tendencias, la antología de Castellet), queremos indicar los nombres destacados en los últimos años. En la novela, por ejemplo, adquiere gran relieve Alejandro Núñez Alonso, n. en Gijón, en 1908, con *La gota de mercurio,* 1954, y, sobre todo, con los grandes ciclos de novelas sobre el mundo antiguo, modalidad nueva en la novela española, de gran éxito de lectores, como *El lazo de la púrpura* (1957). Tomás Salvador (n. 1919) deja excelentes ejemplos de la novela social y de agitación revolucionaria, en la observación objetiva de tipos de *Cuerda de presos* (1954), *Los atracadores* (1955), *El haragán* (1956), *El atentado* y *El agitador* (1960). Es uno de los mejores novelistas revelados en estos años. También es interesante la evolución de Manuel Halcón, sevillano, desde *Fin de raza,* 1927, a *Cuentos,* 1948, y *Monólogo de una mujer fría* (1960).

Darío Fernández Flórez, n. en Valladolid, 1909, aparte sus obras de formación, adquiere un rotundo éxito con *Lola, espejo oscuro* (1950), vuelta a la picaresca, con plena actualidad, y en *Frontera* y *Memorias de un señorito,* continuando su certera y aguda personalidad de novelista. También deben consignarse los extraños tipos de *La paradójica vida de Zarraustre,* de Pedro Álvarez Fernández (n. en Oviedo, 1914).

Entre los más jóvenes ha adquirido un renombre universal, Juan de Goytisolo (n. en Barcelona, 1932), autor de *Juegos de manos* (1954) y *Duelo en el Paraíso* (1955), y de la trilogía *Fiestas* (1955), *El circo* (1957) y *La resaca* (1958). También teórico de su arte en *Problemas de la novela* (1959). Entre sus últimas obras se hallan *Campos de Níjar* y los cuentos *Para vivir aquí* (Buenos Aires, 1960). Su hermano Luis Goytisolo, n. en Barcelona, en 1935, destaca en la novela de su ciudad *Las Afueras,* 1959.

Insistiendo en una temática religioso-social, el sacerdote asturiano José Luis Martín Vigil (n. en 1919) ha publicado, entre otras novelas, *La muerte está en el camino* (1956), odisea de un prisionero que vuelve de Rusia; *Tierra brava* (1959), dramático episodio de lucha de clases durante nuestra guerra, y *Una chabola en Bilbao* (1960), obra que denuncia la miseria de los suburbios de una gran ciudad. Es autor de varios libros ascéticos como *¡En marcha, cristianos!* También es notable el P. Martín Descalzo, en la novela *La frontera de Dios.*

En el teatro de los últimos años, la figura de más popularidad y representaciones es Alfonso Paso (n. en Madrid en 1926, hijo del autor de cuadros costumbristas y cómicos Antonio Paso y Cano (1870-1958). De una extraordinaria fecundidad y variedad, va desde lo fácil a lo ambicioso, y revela un auténtico dominio de la escena. Entre su extensa obra recordamos *Los pobrecitos, Juicio contra un sinvergüenza, Cosas de papá y mamá, Mónica* (1956), *Vd. puede ser un asesino* (1957), *Las niñas terribles* (1960), *Las buenas personas, La corbata,* etc.

En el pensamiento, destacan figuras como Aranguren, A. González Álvarez. Crítica, Vázquez Dodero, Martínez Cachero. Pensamiento y literatura, Adolfo Muñoz Alonso, Sabino Alonso-Fueyo; periodismo, novela y teatro, Ángel Zúñiga, Gaspar Gómez de la Serna, Pedro de Lorenzo, Dámaso Santos, y Ponce de León y el grupo de «La Estafeta Literaria», etc. Pensamiento y política, Javier Conde, E. Tierno Galván. Ensayo doctrinal, F. Pérez Embid y R. Calvo Serer. Medicina y cultura amplia, doctor López Ibor, Sarró, Alberca, etc. Ensayo literario y estilístico, Ricardo Gullón. Una vez más, ante la rica floración de nuestras letras al mediar el siglo, indicamos que los nombres escogidos no suponen una discriminación sobre bastantes otros de positiva labor, que harían interminable este capítulo.

ÍNDICE DE AUTORES Y OBRAS

A buen juez, mejor testigo, 204.
A cuál mejor, confesada y confesor, 151.
A Ernesto, 169.
A la victoria de Lepanto, 71, 72.
A los pies de Venus, 241.
A Madrid me vuelvo, 193.
A Pedro Romero, matador de toros, 168.
A secreto agravio, secreta venganza, 135.
Abel Sánchez, 265.
Aben-Humeya, 185.
Abril, 314.
Abuelo, El, 237.
Abulbeka (s. XIV), 34.
Aceitunas, Las, 116.
Acero de Madrid, El, 122.
Acevedo, Olga, 287.
Acevedo Díaz, Eduardo (1851-1924), 243.
Acevedo Díaz, hijo, Eduardo, 276.
Acevedo Hernández, Antonio (n. 1886), 305.
Acomodaticio: novela de un político de convicciones, 277.
Acosta, Cecilio (1831-1881), 199.
Acuña, Hernando de (1520?-1580?), 57.
Acuña, Manuel (1849-1873), 199.
Adagios o apotegmas, 52.
Adán, 294.
Adiciones al Memorial, 84.
Adiós, Cordera, 262.
Adjunta al Parnaso, 94.
Adonis, El, 168.
Afueras, Las, 323.
Agamenón vengado, 154.
Agilda, Enrique, 303.
Agitador, El, 323.
Agonía de Europa, La, 322.
Agonía del cristianismo, La, 266.
Agonía del tránsito de la muerte, La, 75.
Agua del tiempo, 294.
Aguado, Emiliano, 322.
Agudeza y arte de ingenio, 146, 147.
Águilas, Las, 280.
Aguilera Malta, Demetrio (n. 1909), 305.
Aguirre, Isidora, 305.
Aguja de navegar cultos, 141.
Agustí, Ignacio (n. 1913), 319.
Agustín, San (354-430), 77, 84, 85.
Agustini, Delmira (1886-1914), 288.
Aires murcianos, 280.
Ajimeces de ensueño, 283.
Ajorca de oro, La, 209.
Al primer vuelo, 233.
Alarcón, Pedro Antonio (1833-1891), 225-228, 236.
Alarcos, Enrique, 251.
Alarma española, 170.
Alas, Claudio de (s. XIX), 242.
Alas, Leopoldo (1852-1901), 262.
Alba del alhelí, El, 292.
Alberca, 324.
Alberti, Rafael (n. 1903), 290, 292, 313.
Alcalá, Alfonso de (s. XVI), 52.
Alcalde de Zalamea, El, 132, 134.
Alcántara, Francisco José, 320.
Alcázar, Baltasar de (1530-1606), 71, 72.
Alcázar de las perlas, El, 283, 300.
Alcestes, 238.
Aldea perdida, La, 240.
Aldecoa, Ignacio, 320.
Alegre, 277.
Alegría, Ciro, 279.
Alegría, Fernando (1918), 280.
Alegría de andar, La, 319.
Aleixandre, Vicente (n. 1900), 293, 313, 315.
Alejandra, La, 116.
Alemán, Mateo (1547-1614?), 104.
Alemán Sáiz, Francisco, 321.
Alfonso X (1221-1284), 14-18, 63, 204, 246.
Alfonso, Juan (s. XII), 16.
Algo, 212.
Algo pasa en la calle, 321.
Alguacil alguacilado, El, 142.
Alivio de caminantes, 272.
Alma América, 286.
Alma de Dios, 299.
Alma desnuda, 288.
Alma nativa, 276.
Alma y el cuerpo, El, 251.
Almafuerte. Véase Palacios.
Almanaques, 160.
Almas de violeta, 289.
Alondra de verdad, 313.
Alone, 312.
Alonso, Dámaso (n. 1898), 6, 109, 250, 293, 309, 313, 315, 321.
Alonso Cortés, Narciso (n. 1875), 251.

Alonso-Fueyo, Sabino, 324.
Alpujarra, La, 226.
Alsino, 294.
Altamirano, Ignacio Manuel (1834-1893), 242.
Altar mayor, 272.
Altolaguirre, Manuel (n. 1905), 293.
Alvareda, Ginés de, 316.
Álvarez, José Sixto (1848-1903), 242.
Álvarez, Pedro, 318.
Álvarez de Cienfuegos, Nicasio (1764-1809), 172, 174.
Álvarez de Toledo, Gabriel (m. 1714), 167.
Álvarez de Villasandino, Alfonso (m. 1425), 27, 28.
Álvarez Fernández, Pedro (n. 1914), 323.
Álvarez Lleras, Antonio (1892-1956), 305.
Álvarez Quintero, Joaquín (1873-1944), 299.
Álvarez Quintero, Serafín (1871-1938), 299.
Amada inmóvil, La, 285.
Amadís, 60, 61.
Amadís de Gaula, 26, 50, 66.
Amadour, Roc, 12.
Amalia, 224.
Amante, La, 292.
Amante liberal, El, 97, 98.
Amantes de Teruel, Los (Montalbán), 129.
Amantes de Teruel, Los (Hartzenbusch), 192, 193, 220.
Amaya o los vascos en el siglo VIII, 222.
Amazonas en las Indias, 124.
Ambía, Isabel de, 321.
Ameto, 89.
Amiel, 309.
Amigo Manso, El, 237.
Amistad pagada, La, 121.
Amor, Guadalupe, 295.
Amor de don Perlimpín con Belisa en su jardín, 300.
Amor de los amores, El, 272.
Amor y la amistad, El, 125.
Amor y pedagogía, 265.
Amores y amoríos, 299.
Amorim, Enrique (1900-1960), 275.
Amorosas, 256.
Anaconda, 273.
Anacreonte, 170.
Anales de la Corona de Aragón, 63.
Andantes y allegros, 212.
Andanzas e viajes por diversas partes del mundo habidos, 38.
Andanzas y visiones españolas, 266.
Andrade, Olegario Víctor (1841-1882), 199.
Andrenio. Véase Gómez de Baquero.
Andrés, P. Juan (1740-1817), 164.
Andrés Álvarez, Valentín (s. xx), 301.
Andrés Pérez maderista, 277.
Andúgar, Julián, 316.
Anfitrión, 115.
Ánforas de Barro, 293.
Ángel caído, 199.
Ángel en llamas, 319.
Ángel fieramente humano, 316.
Ángel Guerra, 237.
Ángela, 214.
Ángeles, Fray Juan de los (1536-1609), 86.
Ángeles de Compostela, 313.
Angelita, 301.
Aniversario, El, 189.
Anotaciones a Garcilaso, 72.
Ansia de la gracia, 322.
Anticristo, El, 127.
Antídoto contra las soledades, 110.
Antigüedades de las ciudades de España, Las, 63.
Antiguo Madrid, El, 218.
Antología de la poesía hispanoamericana, 250.
Antología de Poetas Líricos Castellanos, 250.
Antología poética, 315.
Antón de los cantares. Véase Trueba.
Antonio, Nicolás (1617-1684), 148, 163.
Antuña, José G., 312.
Anze Matienzo, Eduardo, 278.
Anzuelo de Feniza, El, 122.
Años de juventud del doctor Angélico, 240.
Aprendiz de conspirador, El, 268.
Apuntes sobre el drama histórico, 184.
Aquilana, 59.
Aranguren, 323.
Araucana, La, 73, 200.
Arauco domado, 74.
Arbó, Juan Sebastián, 319.
Árbol de la Ciencia, El, 267.
Árbol viejo, 305.
Arboleda, Julio (1817-1862), 199.
Arcadia, La, 89.
Arcángel de mi noche, 315.
Arciniegas, Germán, 311.
Arciniegas, Ismael Enrique (n. 1865), 253.
Arcipreste de Hita. Véase Ruiz.
Arcipreste de Talavera. Véase Martínez de Toledo.
Arco y la lira, El, 311.
Ardanlier e Liesa, 38.
Arenas, Braulio, 295.
Aretino, Leonardo (1492-1556), 26, 29.
Argensola, Bartolomé de (1552-1631), 73, 103, 113.
Argensola, Lupercio Leonardo (1559-1613), 73, 113, 116.
Argos, 316.
Arguedas, Alcides (1879-1946), 279.
Argüelles Cano, Hugo, 304.
Arguijo, Juan de (1560-1623), 113.
Arias, Augusto (s. xx), 312.
Arias Gonzalo, 187.
Arias Montano, Benito (1527-1598), 70, 87.
Arias tristes, 289.
Aribau, Buenaventura Carlos (1798-1862), 246.

Ariel, 310.
Ariosto, Ludovico (1474-1533), 51, 73, 113, 120.
Arjona, Manuel María de (1761-1820), 176.
Arlt, Roberto (1900-1942), 277.
Armelina, 117.
Arniches, Carlos (1866-1943), 299.
Arolas, Juan (1805-1849), 198.
Aromas de Leyenda, 269.
Arquero, El, 312.
Arráiz, Antonio (n. 1903), 296.
Arreola, Juan José (n. 1918), 278.
Arriaza, Juan Bautista (1770-1837), 175.
Arrieta, Rafael Alberto, 311.
Arriví, Francisco, 306.
Arróm, Juan J., 312.
Arroyo Lameda, Eduardo, 312.
Arroz y tartana, 241.
Ars Amandi, 20.
L'Art poétique, 152.
Arte Cisoria, 35.
Arte de ingenio, 146, 147.
Arte de la pintura, 72.
Arte de trovar, 35.
Arte nuevo de hacer comedias, 120.
Arteaga, Esteban de (1747-1799), 163.
Arteche, Miguel (n. 1926), 294.
Artigas, Miguel (n. 1887), 251.
Arvelo Larriva, Enriqueta, 288.
Así cayó don Juan Manuel, 277.
Asín Palacios, Miguel (n. 1871), 251.
Asmussen Urrutia, Julio, 305.
Áspero, 296.
Astrana Marín, Luis (n. 1889), 251.
Asturias, Miguel Ángel (n. 1899), 280.
Atalaya de la vida humana, 104.
Atalaya de las crónicas, 37.
Ataúlfo, 154.
Atentado, El, 323.
Atracadores, Los, 323.
Aub, Max (s. xx), 301.
Audi, Filia et vide, 75.
Aún es de día, 320.
Austriada, 73.
Auto da Feira, 60.
Auto da Sibila Casandra, 60.
Auto das Fadas, 60.
Auto de la oveja perdida, 116.
Auto de los Reyes Magos, 45, 46.
Auto de los Reyes Magos (Menéndez Pidal), 251.
Auto de San Martinho, 59.
Auto del Repelón, 47.
Auto dos quatro tempos, 59.
Auto dos Reis Magos, 59.
Auto famoso del Nacimiento de Cristo Nuestro Señor y Sol a medianoche, 128.
Auto pastoril castellano, 59.
Aventura y el orden, La, 314.
Aventurarse perdiendo, 92.
Aventuras del Hombre, Las, 121.
Ávila, Beato Juan de (1500-1569), 75.
Aviraneta, 320.
Aviso y guía de forasteros, 92.
Avisos y sentencias espirituales, 82.
¡Ay..., estos hijos!, 317.
Azcoaga, Enrique, 315.
Azorín. Véase Martínez Ruiz.
Azuela, Mariano (1873-1952), 277.
Azul, 228, 257, 258, 260.

Bacarisse, Mauricio (1897-1931), 290.
Bacon, Francisco (1561-1626), 53.
Baena, Juan Alfonso de (1406-1454), 27.
Bajo las botas de la bestia rubia, 278.
Baladas de primavera, 289.
Balart, Federico (1831-1905), 211.
Balbuena, Bernardo de (1568-1627), 113, 114.
Balcón al Atlántico, 321.
Balmes, Jaime (1810-1848), 244.
Baltasar, El, 193, 201.
Ballesteros, Mercedes, 322.
Ballesteros Beretta, Antonio (n. 1880), 251.
Bandello, Mateo (m. 1562), 114.
Bandido, El, 200.
Bandidos de Río Frío, Los, 242.
Bandos de Castilla, Los, 221.
Bandos del Avapiés, Los, 158.
Báñez, Domingo de (1528-1604), 82.
Baños de Argel, Los, 96.
Baquero Goyanes, Mariano, 322.
Barahona de Soto, Luis (1548-1595), 73, 107.
Baralt, Luis A., 306.
Barberillo de Lavapiés, El, 217.
Barca sin pescador, La, 301, 313.
Barco de la muerte, El, 318.
Barea, Arturo, 318.
Barlaam y Josafat, 121.
Barletta, Leónidas, 303.
Baroja, Pío (1872-1956), 235, 267.
Barón, El, 156.
Barquero, Efraín (n. 1930), 294.
Barra, Pedro de, 305.
Barraca, La, 241.
Barrera, Isaac J. (s. xx), 312.
Barrios, Eduardo (1884-1963), 279.
Bartrina, Joaquín (1850-1880), 212.
Basis Lawner, Isidoro, 305.
Bastardo Mudarra, El, 121.
Basterra, Ramón de (1888-1930), 290.
Basurto, Luis G. (n. 1921), 304.
Batelera de Pasajes, La, 194.
Batres Montúfar, José (1809-1844), 200.
Baudelaire, Carlos Pedro (1821-1867), 255.
Bayo, Estanislao de Kotska (s. XIX), 222.
Beauvais, Vicente (1200-1264), 12.
Bécquer, Gustavo Adolfo (1836-1870), 207-209, 257, 260.
Belarmino y Apolonio, 271.
Belaunde, Víctor Andrés, 312.
Belén de Salzillo en Murcia, El, 309.
Belén Silvera, 304.
Bello, Andrés (1780-1865), 178-181, 200.
Bembo (1470-1547), 54.
Ben Almocaffa, 15.

Benavente, Jacinto (1866-1954), 297, 298.
Bénebe, Walter, 305.
Bengoa, León, 303.
Benítez, Fernando, 278.
Benítez Claros, 322.
Benítez de Castro, Cecilio (s. xx), 318.
Berceo, Gonzalo de (s. XIII), 11-13, 17, 18.
Berenguer Carísomo, Arturo, 311.
Bergamín, José (s. xx), 301, 314.
Berisso, Emilio, 303.
Bermúdez, Fray Jerónimo (1530?-1599), 115.
Bernáldez, Andrés (m. 1513), 49.
Bernáldez, Carlos Luis, 296.
Bernardo o la Victoria de Roncesvalles, 113.
Bertrán, P. Juan Bautista, 316.
Biblia, 30, 245.
Biblia Poliglota, 43, 52.
Biblioteca de Autores Españoles, 192, 246, 247.
Bibliotheca hispana nova, 149.
Bibliotheca hispana vetus, 148.
Blajot, P. Jorge, 316.
Blanco, Andrés Eloy, 296.
Blanco, José María (1775-1841), 176.
Blanco Fombona, Rufino (1847-1944), 287.
Blasco Ibáñez, Vicente (1867-1928), 240-242.
Blecua, José Manuel, 310.
Bleiberg, Germán (n. 1915), 315.
Blest Gana, Alberto (1830-1920), 272.
Blest Gana, Guillermo (1829-1904), 199.
Blocao, novela de guerra en Marruecos, El, 307.
Boccaccio, Juan (1313-1375), 30, 89, 92, 114.
Boda de Luis Alonso, La, 217.
Bodas de sangre, 300.
Bodega, La, 241.
Boileau (1636-1711), 149, 152, 167, 184.
Bola de nieve, La, 214.
Bölh de Fáber, Cecilia (1769-1877), 222, 223, 238.
Bölh de Fáber, Juan Nicolás (1770-1836), 183.
Bolsa, La, 242.
Bollo, Sarah, 288.
Bonilla, Alonso de (s. XVII), 138.
Bonilla, Manuel, 312.
Bonilla y San Martín, Adolfo (1875-1926), 250.
Bonium o *Bocados de oro*, 14.
Booz, Mateo. Véase Correa, Miguel Ángel.
Bordado inconcluso, El, 305.
Borges, Jorge Luis (n. 1899), 296.
Boscán, Juan (m. 1542), 53, 54, 61.
Bousoño, Carlos (n. 1923), 315.
Brandy, mucho brandy, 301.
Bravo Villasante, Carmen, 322.
Bretón de los Herreros, Manuel (1796-1837), 193, 194.
Breve forma de confesar, 75.
Breve Historia de México, 311.
Brevísima relación de la destrucción de las Indias, 64.
Briceño Iragorry, Mario, 312.
Brughetti, Romualdo, 311.
Bruja, La, 230.
Brunet, Marta, 278.
Buena Guarda, La 121.
Buenas conciencias, Las, 278.
Buenas personas, Las, 323.
Buero Vallejo, Antonio, 317.
Buey suelto, El, 231.
Bufano, Alfredo, 296.
Bunge, Carlos Octavio, 311.
Burgos, Fausto, 277.
Burgos, Javier de (1778-1849), 216, 217.
Burlador de Sevilla y convidado de piedra, 117, 125, 206.
Burromaquia, La, 167.
Buscón, El, 105, 106, 140.
Byron, Lord (1788-1824), 125, 183, 212.

Caballero bobo, El, 130.
Caballero Calderón, Eduardo, 311.
Caballero Cifar, El, 26.
Caballero de la buena memoria, El, 204.
Caballero de Olmedo, El, 121.
Caballero del hongo gris, El, 306.
Caballo, El, 316.
Caballo y su sombra, El, 275.
Cabañas, Pablo, 322.
Cabeza de Goliath, La, 311.
Cabral, Manuel del (n. 1907), 296.
Cabrera, Alonso de (1549?-1598), 82.
Cabrera, Rafael, 296.
Cabrera de Córdoba, Luis (1559-1623), 63-64.
Cáceres, Ester de, 288.
Cadalso, José (1741-1782), 168-170, 182.
Caín adolescente, 304.
Calamita, 59.
Calderón de la Barca, Pedro (1600-1681), 60, 121, 131-137, 151, 152, 176, 183, 184, 188, 189, 192, 213, 245, 250, 263.
Calentura, La, 205.
Calila y Dimna, 15.
Calvillo, Manuel, 295.
Calvillo, Salvador, 278.
Calvo Serer, R., 324.
Calvo Sotelo, Joaquín, 317.
Calle Iturrino, E., 316.
Camaleón, 280.
Cambaceres, Eugenio (1834-1888), 242.
Camino de las horas, El, 294.
Camino de perfección (Baroja), 267.
Camino de perfección (Teresa, Santa), 78.
Camisa, La, 317.
Camoens, Luis Vaz de (1524-1580), 145.
Camón Aznar, José, 252, 309, 314.
Campana, La, 192.
Campanario, El, 200.
Campany, Jaime, 316.
Campoamor, Ramón de (1817-1901), 192, 209, 210, 257.

Campomanes (1723-1802), 150.
Campos de Castilla, 284.
Campos de Níjar, 323.
Canaima, 274.
Canal Feijóo, Bernardo, 303.
Cancela, Arturo, 303.
Canción al santo Rey don Fernando, 71.
Canción al señor D. Juan de Austria, vencedor de los moriscos en las Alpujarras, 71.
Canción de cuna, 298.
Canción rota, La, 305.
Cancionera, 299.
Cancionero de Baena, 27, 28, 34.
Cancionero de romances, 42.
Cancionero de Stúñiga, 29.
Cancionero General, 45.
Canciones (García Lorca), 291.
Canciones de la vida media, 296.
Canciones del alma, 80.
Canciones desde la barca, 322.
Canciones para cantar en las barcas, 295.
Cancha larga, 276.
Candide, 318.
Cané, Miguel (1851-1905), 242, 276.
Canelas, Demetrio, 243.
Cano, José Luis (n. 1912), 315.
Cano, Leopoldo (1844-1934), 216.
Cano, Melchor (1509-1560), 67, 82.
Cano Pato, Francisco, 316.
Cantaclaro, 274.
Cantando por ambos mundos, 253.
Cantar de don Sancho II de Castilla, 9.
Cantar de la mora Zaida, 9.
Cantar de los Cantares, 67, 69, 80.
Cantar de Rodrigo, El, 22.
Cantar de Roncesvalles, 9.
Cántico (Guillén, Jorge), 292, 313.
Cántico de la unidad universal, 296.
Cántico espiritual, 81.
Cantigas de Santa María, Las, 17, 246.
Canto a la primavera y otros poemas, 295.
Canto a Orfeo, 90.
Canto a Teresa, 177, 197.
Canto errante, 260.
Canto general, 294.
Canto personal, 314.
Cantón, Wilberto (n. 1923), 304.
Cantos de la vendimia, 253.
Cantos de primavera, 314.
Cantos de vida y esperanza, 259, 260.
Cantos del peregrino, 199.
Cañas y barro, 241.
Cañete, Manuel (1822-1891), 248.
Cañizares, José (1676-1750), 151.
Cañón de Juchilpa, 278.
Capitán de veinte años, 295.
Capitán Montoya, El, 204.
Capitán Veneno, El, 226.
Capítulos que se le olvidaron a Cervantes, 243.
Capmany, Antonio de (1742-1813), 164, 165.
Caraba, La, 299.
Caramuru, 225.
Caranchos de la Florida, Los, 275.
Carátula, La, 116.
Carballido, Emilio (n. 1924), 304.
Cárcel de Amor, 38.
Carlo, Omar de, 303.
Carlo famoso, 73.
Carlos II el Hechizado, 193.
Caro, Rodrigo (1573-1647), 112.
Carranza, Eduardo, 295.
Carrasquilla, Tomás (n. 1858), 242.
Carrera Andrade, Jorge (n. 1902), 295.
Carrere, Emilio (1880-1947), 283.
Carrillo y Sotomayor, Luis (1583-1610), 107.
Carrión, Benjamín, 312.
Carta o Prohemio al Condestable de Portugal, 30.
Cartas a Lord Holland, 174.
Cartas americanas, 228.
Cartas del Caballero de la Tenaza, 141.
Cartas eruditas, 159.
Cartas españolas, 217.
Cartas espirituales, 82.
Cartas finlandesas, 263.
Cartas marruecas, 169.
Cartas persas, 169.
Cartas y relaciones, 64.
Carteles, 309.
Cartujano, El. Véase Padilla.
Carvajal, Micael de (n. 1480), 115.
Carvajal o Carvajales (s. XV), 29.
Casá, Agustín G., 276.
Casa, Enrique Carlos de la, 302.
Casa con dos puertas, 132.
Casa de Aizgorri, La, 267.
Casa de la Fama, La, 319.
Casa de la Troya, La, 272.
Casa de los Abila, La, 274.
Casa de los celos, La, 96.
Casa de los cuervos, La, 277.
Casa encendida, La, 314.
Casal, Julián del (1863-1893), 253, 254, 255.
Casalduero, Joaquín (n. 1903), 314.
Casamiento engañoso, El, 98, 99.
Casamiento por venganza, 162.
Casandra (Pérez Galdós), 238.
Casandra (Ramón Díaz Sánchez), 275.
Casares, Julio (n. 1877), 251.
Casas, Fray Bartolomé de las (1470-1566), 64, 82, 145, 174, 251.
Casi el paraíso, 278.
Caso, Antonio (1883-1946), 310.
Casona, Alejandro (s. XX), 301, 313, 316,
Casta de hidalgos, 272.
Castalia bárbara, 285.
Castañeda Aragón, Gregorio, 295.
Castañeras picadas, Las, 158.
Castelar, Emilio (1839-1899), 245.
Castellet, 322.
Castiglione, Baltasar (1478-1529), 54, 61, 146.
Castigo sin venganza, El, 122.
Castigos e documentos para bien vi-

vir, que don Sancho IV de Castilla dio a su fijo, 18.
Castillejo, Cristóbal de (1490?-1550), 57.
Castillo, Florencio M. del (1760-1834), 224.
Castillo, Hernando del (s. XVI), 45, 82.
Castillo, Moisés, 296.
Castillo Elijabeitia, Dictinio (n. 1906), 316.
Castillo Puche, José Luis (n. 1919), 320.
Castillo y Solórzano, Alonso del (1584-1648?), 92.
Castro, Américo (n. 1885), 21, 251.
Castro, Ernesto L., 277.
Castro, Guillén de (1569-1631), 130.
Castro, León de (m. 1586?), 67, 82.
Castro, Oscar (1910-1947), 279.
Castro, Rosalía de (1837-1885), 212.
Castro Leal, Antonio, 278, 311.
Catálogo de las lenguas de las naciones conocidas, 164.
Catarineu, Dolores, 322.
Catedral, La, 241.
Catira, La, 319.
Caudillo de las manos rojas, El, 209.
Cédula de eternidad, 310.
Cejador, Julio (1864-1927), 250.
Cela, Camilo José (n. 1916), 319.
Celaya, Gabriel, 316.
Celestina, La, 43, 47, 48, 49, 233.
Celos del aire, 317.
Celoso extremeño, El, 98.
Cena de Baltasar, La, 136.
Cenicienta, La, 298.
Censura de historias fabulosas, 149.
Cerco de Numancia, 95.
Cerdá y Rico, Francisco (1739-1800), 150, 164.
Cernuda, Luis (n. 1904), 293.
Cerruto, Oscar (s. XX), 278.
Certad, Aquiles, 305.
Cervantes, Miguel de (1547-1616), 73, 89, 92-103, 116, 153, 157, 158, 163, 174, 249, 314.
Céspedes, Augusto, 278.
Céspedes, Pablo de (1538?-1608), 72.
Cetina, Gutierre de (1520-1557?), 57.
Cevallos Larrea, 296.
Cézanne, 309.
Cicerón, Marco Tulio (106-43 antes de C.), 88.
Cid, José, 306.
Cid, Le, 131.
Cid, Poema de Mío. Véase Poema.
Cid, Teófilo, 295.
Cien meditaciones del amor de Dios, 85.
Ciencia española, La, 248.
Cienfuegos. Véase Álvarez.
Cieza de León, Pedro (1518-1560), 64.
Cigarrales de Toledo, Los, 92, 126.
5 de agosto, El, 214.
Cinco minutos de silencio, 308.
Cinco sombras..., 321.
Cinta colorada, La, 276.
Ciprés de púrpura, 288.
Cipreses creen en Dios, Los, 320.
Circe, 312.
Circo, El, 323.
Ciria y Escalante, José de (n. 1903), 290.
Cirlot, Juan Eduardo, 316.
Ciropedia, 62.
Cisneros (Pemán), 300.
Cisneros (Díaz Fernández), 307.
Ciudad cambió la voz, La, 276.
Ciudad pintada de rojo, La, 277.
Clamor, El, 301.
Clara Beter vive, 303.
Clarasó, Noel, 319.
Clarín. Véase Alas.
Claudiano (365-408), 118.
Claveles reventones, 253.
Clavijo y Fajardo, José (1730-1806), 153.
Clavo, El, 226.
Clavo de Jahel, El, 128.
Clemencia, 223.
Codera y Zaidín, Francisco (1836-1917), 251.
Códice de Autos Viejos, 115.
Coincy, Gautier de (1117-1236), 12.
Colección de artículos dramáticos, literarios, políticos y de costumbres, 219.
Colección de poesías castellanas anteriores al siglo XV, 164.
Colegiales de San Marcos, Los, 318.
Colmena, La, 319.
Colmenero divino, 123.
Coloma. P. Luis (1851-1915), 238, 239.
Colón, 209.
Coloquio de la muerte con todas las edades y estados, 115.
Coloquio de los perros, El, 98, 99.
Coloquios, 52.
Coloquios satíricos, 92.
Coll, Pedro Emilio, 312.
Comedia de la libertad de España por Bernardo del Carpio, 117.
Comedia de la muerte del rey don Sancho, 117.
Comedia de los engañados, 117.
Comedia de Maravillas, La, 158.
Comedia del arte, 301.
Comedia del saco de Roma, 117.
Comedia del viudo, 61.
Comedia nueva, La, 156, 157.
Comedia Rubena, 60.
Comedia Trofea, 58.
Comedieta de Ponça, 31.
Comendadora, La, 226.
Comentarios del reinado de Carlos V, 63.
Comentarios reales, que tratan del origen de los Incas, 144.
Comida de las fieras, La, 297.
Como los muertos, 305.
Compadre Mendoza, El, 278.
Compadre Mon, 296.
Compendio y explicación de la doctrina cristiana, 83.
Comprensión de Venezuela, 312.
Comulgatorio, El, 146.

Con la muerte al hombro, 320.
Conceptos del amor de Dios, 78.
Conceptos espirituales, 138.
Conde, Carmen (n. 1907), 293, 321.
Conde, Javier, 324.
Conde de Alarcos, El (Castro, Guillén), 130.
Conde de Alarcos, El (Grau, Jacinto), 301.
Conde-duque de Olivares, El, 309.
Conde Irlos, El, 130.
Conde Lucanor, 23, 24, 96.
Condenado por desconfiado, El, 123.
Condesa está triste, La, 299.
Confabulario, 278.
Confesiones, 77.
Conjuración de Venecia, La, 185, 186, 220.
Conjurados, Los, 304.
Conquista del reino de Maya por el último conquistador español, Pío Cid, La, 263.
Consuelo, 214.
Continuación a la vida, 314.
Contra el valor no hay desdicha, 121.
Contra esto y aquello, 266.
Contra los que dejan los metros castellanos y siguen los italianos, 57.
Conversación y pasatiempo, 57.
Conversión de la Magdalena, 85.
Convidado, El, 116.
Convidado de papel, El, 307.
Coplas a la muerte del Maestre don Rodrigo, 34.
Coplas de Mingo Revulgo, 35.
Coplas del claro oscuro, 32.
Coplas del Provincial, 35.
Corbacho o reprobación del amor mundano, 37.
Corbata, La, 323.
Corbata celeste, La, 277.
Corneille, Pierre (1606-1684), 126, 131, 153.
Cornudo y contento, 116.
Corona de amor y muerte, 313.
Corona de sombra, 304.
Corona gótica, 145.
Coronación de Mosén Jordi, 31.
Coronación del Marqués de Santillana, 32.
Coronado, Carolina (1823-1911), 212.
Coronado, Martín, 302.
Coronel, Pablo (1480-1534), 52.
Coronica istoria, 63.
Coros del mediodía, 295.
Correa, Miguel Ángel, 276.
Corte del Buen Retiro, La, 193.
Cortés, Hernán (1485-1547), 64.
Cortes de la muerte, Las, 115.
Cortesano, El, 54, 61.
Corvalán, Stella, 287.
Corza blanca, La, 209.
Cosas de papá y mamá, 323.
Cosmografía, 180.
Cossío, Francisco de (n. 1887), 309, 319.
Costa, Joaquín (1844-1911), 262.
Cota, Rodrigo de (m. 1470), 48.
Cotarelo y Mori, Emilio (1858-1936), 250.
Cotarelo y Valledor, Armando (nacido en 1879), 251.
Creación, La (Gustavo Adolfo Bécquer), 209.
Creación, La (Agustín Yáñez), 278.
Creación del mundo, La, 121.
Creación y el Diluvio, La, 205.
Creed en Dios, 209.
Crémer, Victoriano (n. 1910), 315.
Cremona, Gerardo (1114-1187), 16.
Crepúsculos del jardín, Los, 285.
Criados, Los, 116.
Crimen de Medicina, El, 269.
Crisis del Humanismo, 266.
Cristiada, La, 114.
Cristiana, Una, 234.
Cristo de la calavera, El, 209.
Cristo de Velázquez, El. 264-265.
Cristo en Torremolinos, 321.
Criterio, El, 244.
Criticón, El, 146-147.
Cromos españoles, 255.
Cromos y acuarelas, 212.
Crónica de Carlos V, 63.
Crónica de don Álvaro de Luna, 38.
Crónica de Juan II, 37.
Crónica de los Reyes Católicos, 49.
Crónica de los señores Reyes Católicos, 49.
Crónica de Turpín, 180.
Crónica del alba, 318.
Crónica del Perú nuevamente escrita, 64.
Crónica General, 17, 18.
Crónica general de España, 63.
Crueldad por el honor, La, 127.
Cruset, José, 316.
Cruz, Ramón de la (1731-1794), 143, 157, 158.
Cruz, San Juan de la (1524-1591), 76, 79-82, 148, 151.
Cruz, Sor Juana Inés de la (1651-1695), 111.
Cruz de los caminos, La, 303.
Cuadra, Pablo Antonio, 296, 305.
Cuadros de costumbres populares andaluzas, 223.
Cuando el viento agita las banderas, 278.
Cuando las Cortes de Cádiz, 300.
Cuando los ángeles duermen, 218.
Cuando llegue el invierno y el sol llame a la ventana de tu cuarto, 321.
Cuarto galeón, 318.
Cuatro jinetes del Apocalipsis, Los, 241.
Cuatro pestes del mundo, Las, 141.
Cubagua, 275.
Cuéllar, José Tomás de (n. 1848), 242.
Cuento de cuentos, 141.
Cuentos, 323.
Cuentos campesinos, 224.
Cuentos de amor, de locura y de muerte, 273.

Cuentos de color de rosa, 224.
Cuentos de la selva, 273.
Cuentos de vivos y muertos, 224.
Cuentos, diálogos y fantasías, 228.
Cuentos grotescos, 274.
Cuentos valencianos, 241.
Cuerda de presos, 323.
Cuerpo a tierra, 319.
Cuestión palpitante, La, 233.
Cueto, Leopoldo A. de (1815-1901), 246.
Cueva, Juan de la (1534-1610), 95, 117.
Cueva de Salamanca, La, 96, 127.
Culpa busca la pena y el agravio la venganza, La, 127.
Cumandá, 225.
Cumboto, 275.
Cuna y la sepultura, La, 141.
Curandero de su honra, El, 271.
Curioso impertinente, El, 100.
Cursi, Lo, 297.
Cuzzani, Agustín, 303.

Chabás, Juan (s. XX), 310.
Chabola en Bilbao, Una, 323.
Chacel, Rosa (n. 1898), 307.
Chacón y Calvo, José María (s. XX), 312.
Chalbaud, Román, 304.
Charrúa Veinte Toros, El, 296.
Chateaubriand, Renato de (1768-1848), 183.
Chepa Leona, La, 276.
Chicos crecen, Los, 303.
Chiplichandle, El, 317.
Chumacero, Ali, 295.
Churata, Gamaniel, 312.

Dafnis y Cloe, 228.
Dalí, Salvador, 316.
Dama boba, La, 122.
Dama del alba, La, 301, 313.
Dama duende, La, 132.
Dante Alighieri (1265-1321), 26-28, 30, 31, 33.
Darío, Rubén (1867-1916), 178, 216, 228, 252, 253, 256-260, 282, 284, 285, 293.
Darthés-Damel, 303.
Dávalos, Juan Carlos, 277.
De anima et vita, 53.
De cepa criolla, 276.
De contemptu mundi, 19.
De disciplinis, 53.
De Granada a Castelar, 268.
De Institutione feminae Christianae, 53.
De la conquista a la independencia, 312.
De la poesía heroicopopular castellana, 247.
De los trovadores en España, 247.
De Madrid a Nápoles, 226.
De mala raza, 215.
De morte et immortalitate, 87.
De raptu Proserpinae, 118.
De rege et de regis institutione, 87.
De San Quintín, La, 238.
De spectaculis, 87.
De subventione pauperum, 53.
De tal palo, tal astilla, 231.
Décadas, 49.
Decamerón, 92.
Dechado del Regimiento de Príncipes, 44.
Defensa de la Hispanidad, 266.
Defensa de Tarifa, La, 151.
Defilippi Novoa, Francisco T., 303.
Defunsión de don Enrique de Villena, 30.
Del ángel y del ciprés, 316.
Del rey abajo, ninguno, 137.
Del sentimiento trágico de la vida, 266.
Deleitar aprovechando, 126.
Delgado Benavente, 317.
Delgado, Jaime, 316.
Delibes, Miguel (n. 1920), 320.
Demóstenes (s. v a. C.), 177.
Derecho internacional, 180.
Derechos de la salud, Los, 302.
Derrota de los pedantes, La, 166.
Desafío de la Vicenta, El, 158.
Desahuciados del mundo, Los, 161.
Descartes, Renato (1596-1650), 53.
Desde mi celda, 207.
Desdén con el desdén, El, 137.
Desdichada Raquel, La, 128.
Desdichas de la Fortuna o Julianillo Valcárcel, 300.
Desengaño de un sueño, El, 188.
Desengaños al teatro español, 153.
Deshumanización del arte, La, 308.
Desierto de piedra, 277.
Desir de las siete virtudes, 28.
Desir de los siete planetas, 28.
Desolación, 287.
Desterrados, Los, 315.
Destierro, 295.
Deustua, Alejandro, 312.
Devoción de la Cruz, La, 132.
Devoción de la Misa, La, 151.
Devoto-Sabato, 303.
D'Halmar, Augusto, 242.
Día de fiesta por la mañana. El, 92.
Día de toros en Cádiz, El, 158.
Día y noche en Madrid, 92.
Diablo cojuelo, El, 106.
Diablo mundo, El, 197.
Diálogo de Bías contra Fortuna, 30.
Diálogo de la Lengua, 53, 61, 163.
Diálogo de Lactancio y un Arcediano, 52.
Diálogo de Mercurio y Carón, 52.
Diálogo del Nacimiento, 58.
Diálogo o disputa del cristiano y el judío, 14.
Diálogos, 53.
Diálogos de apacibles entretenimientos, 92.
Diamante (s. XVII), 154.
Diana, La, 89, 91.
Diana enamorada, La, 89, 90.
Diario de los literatos de España, 150, 167.

Diario de un cazador, 320.
Diario de un poeta recién casado, 289.
Diario de un testigo de la guerra de África, 226.
Diario histórico, político, canónico y moral, 150.
Días de Cipriano Castro, Los, 276.
Díaz, José María (1800-1888), 193.
Díaz, Oswaldo, 305.
Díaz, Simón, 322.
Díaz Casanueva, Humberto, 295.
Díaz Castro, Eugenio (1804-1865), 242.
Díaz Covarrubias, Juan (1837-1859), 224.
Díaz del Castillo, Bernal (1492-1581), 64.
Díaz Fernández, José (s. XX), 307.
Díaz-Hierro, Diego, 316.
Díaz Mirón, Salvador (1853-1928), 253, 254.
Díaz-Plaja, Fernando, 322.
Díaz-Plaja, Guillermo (n. 1909), 314.
Díaz-Sánchez, Ramón (n. 1903), 275.
Diccionario crítico burlesco, 183.
Diccionario de Autoridades, 150.
Dicenta, Joaquín (1863-1917), 216, 299.
Dickens, Carlos (1812-1870), 267.
Diego, Gerardo (n. 1896), 290, 313.
Dieste, Rafael (s. XX), 307.
Díez Canedo, Enrique (n. 1879), 283.
Díez-Crespo, Manuel, 316.
Díez de Medina, Fernando (n. 1908), 312.
Diferencia entre lo temporal y eterno, crisol de desengaño, 88.
Discépolo, Armando, 303.
Discordia y cuestión de amor, 117.
Discreto, El, 146.
Discurso en elogio de Menéndez Pelayo, 247.
Discurso poético, 110.
Discurso sobre el influjo de la crítica moderna en la decadencia del antiguo teatro español, 184.
Discurso sobre la Biblia, 245.
Discursos (Castelar), 246.
Discursos sobre la corrupción del teatro por Lope y Calderón, 153.
Disputas de Elena y María, 251.
Divina Comedia, 28, 30, 36.
Divino africano, El, 121.
Divino impaciente, El, 290, 300.
Doce trabajos de Hércules, Los, 35.
Doce triunfos de los doce Apóstoles, 45.
Doctrinal de Privados, 30.
Doloras, 210.
Dolores, 211.
Dolores, La, 216.
Dom Duardos, 60.
Domenchina, Juan José (n. 1898), 290, 307.
Dómine Lucas, El, 151.
Domínguez Camargo, Hernando (m. 1656), 111.
Don Adolfo el libertino, 319.
Don Álvaro o la fuerza del sino, 187, 188.
Don Diego Portales, 276.
Don Domingo de Don Blas, 151.
Don Fernando de Antequera, 213.
Don Frutos en Belchite, 194.
Don Gil de las calzas verdes, 124.
Don Gonzalo González de la Gonzalera, 231.
Don Juan (Azorín), 268.
Don Juan (Marañón), 309.
Don Juan de Carillana, 301.
Don Juan Tenorio, 151.
Don Quijote de la Mancha, 91, 94, 95, 100-103, 116, 228, 233, 243, 263.
Don Sancho en Zamora, 168.
Don Segundo Sombra, 274.
Doncel de don Enrique el Doliente, El, 186, 221.
Doncella de Orleáns, La, 151.
Doncella y el río, La, 314.
Donoso, Armando, 312.
Donoso Cortés, Juan (1809-1835), 245.
Doña Bárbara, 274.
Doña Beatriz, 304.
Doña Inés, 268.
Doña Isabel de Solís, reina de Granada, 221.
Doña Leonor de Cáceres, 275.
Doña Luz, 229.
Doña Mencía, 193.
Doña Perfecta, 236.
Doña Rosita la soltera, o el lenguaje de las flores, 300.
Dorotea, La, 120.
D'Ors, Eugenio (n. 1882), 308.
Dos amantes del cielo, Los, 133.
Dos brasas, 302.
Dos doncellas, Las, 98.
Dos felices amantes, Los, 103.
Dos Luises y otros ensayos, Los, 268.
Dos sobrinos, Los, 193.
Dostoievski (1821-1881), 267.
Dragontea, 120.
Dragún, Osvaldo, 303.
Drama nuevo, Un, 214.
Drama universal, El, 210.
Ducas Cretense, Demetrio (s. XVI), 52.
Duelo en el Paraíso, 323.
Duelo que hizo la Virgen el día de la Pasión de su Hijo, 12.
Dueñas y Tapia, Juan de (m. 1460), 29.
Dumas, Alejandro (1802-1870), 183.
Duque de Viceo, El, 174.
Duque Job. Véase Gutiérrez Nájera.
Durán, Agustín (1793-1862), 42, 184.
Durán, Manuel, 295.
Durand, Luis (1894-1954), 278.

Eco y Narciso, 133.
Ecos nacionales, 211.
Echegaray, José (1832-1916), 215.
Echeverría, Esteban (1805-1851), 199.
Edades poéticas, 295.

Edipo, 184.
Égloga de Cristino y Febea, 47.
Égloga de Fileno, Zambardo y Cardonio, 47.
Égloga de Plácida y Victoriano, 46, 47.
Églogas de Carnaval o Antruejo, 47.
Églogas o autos de Navidad, 47.
Eguren, José María (1872-1942), 295.
Eichelbaum, Samuel (n. 1895), 302.
Ejemplar poético, 117.
Ejercicios espirituales, 86.
El que la debe, 277.
El que vendrá, 310.
Elección de los Alcaldes de Daganzo, La, 96.
Electra (Galdós), 238.
Electra (Sófocles), 115, 154.
Elegías, 289.
Elena, 193.
Elevación, 285.
Elogio de don Ventura Rodríguez, 165.
Elogio de España y de la lengua española, 246.
Elogio de la locura, 52.
Elogio de las Bellas Artes, 165.
Eloísa está debajo de un almendro, 316.
Elvira o la novia del Plata, 199.
Ella no se mete en nada, 300.
Embrujo de Sevilla, El, 273.
Emilia o las Artes, 175.
Empresas políticas, 144, 145.
Empresas y victorias alcanzadas por el valor de pocos catalanes y aragoneses contra los imperios de turcos y griegos, 144.
En el ocaso de mi vida, 311.
En el puño de la espada, 215.
En Flandes se ha puesto el sol, 283.
En la ardiente oscuridad, 317.
En la soledad del tiempo, 314.
En las orillas del Sar, 212.
¡En marcha, cristianos!, 323.
En once años, 314.
En torno al casticismo, 266.
En tropel, 253.
Encantos de la culpa, Los, 136.
Enciclopedia, 183.
Encina, Juan del (1469-1529), 46, 47, 58, 59.
Encinas, Fray Pedro de (m. 1595), 70.
Eneida, 36, 114.
Enquiridion o Manual del Caballero cristiano, 52.
Enriquillo, 275.
Ensayo biológico sobre Enrique IV, 309.
Ensayo de una Biblioteca española de libros raros y curiosos, 183.
Ensayo historicoapologético de Literatura Española contra las opiniones preocupadas de algunos escritores italianos, 164.
Ensayo sobre el catolicismo, el liberalismo y el socialismo, 245.
Ensayos religiosos, políticos y literarios, 244.
Entrambasaguas, Joaquín de (n. 1904), 314.
Entre bobos anda el juego, don Lucas del Cigarral, 137.
Entre la piedra y Dios, 316.
Entre llamas, 301.
Entre naranjos, 241.
Entretenida, La, 96.
Entrometido, la dueña y el soplón, El, 142.
Episodios nacionales, 235.
Episodios nacionales contemporáneos, 319.
Epístola a Andrés, 156.
Epístola a Mateo Vázquez, 93, 94.
Epístola a Pedro, 199.
Epístola de Fabio a Anfriso, 169.
Epístola moral a Fabio, 112.
Epistolario espiritual para todos los estados, 75.
Epístolas a sus amigos de Salamanca, 169.
Epístolas familiares, 62.
Erasmo, Desiderio (1465-1536), 52, 53, 59, 309.
Ercilla y Zúñiga, Alonso de (1533-1594), 73, 74, 157.
Eruditos a la violeta, Los, 169.
Es una muerte escondida, 34.
Escándalo, El, 227.
Escatología musulmana en la Divina Comedia, La, 251.
Escenas andaluzas, 218.
Escenas matritenses, 218.
Escenas montañesas, 230.
Esclavo del demonio, El, 128.
Escosura, Patricio de la (1807-1878), 193, 222.
Escribá, Vicente (n. 1913), 320.
Escrito a cada instante, 314.
Escritor sin título, El, 153.
Escuadra hacia la muerte, 317.
Escuadrón del brigante, El, 268.
Escuela de los maridos, 156.
Escuela del matrimonio, La, 194.
Escultor de su alma, El, 263.
Esfinge maragata, La, 272.
Esopo (620-560 a. de C.), 172.
Espada y la pared, La, 315.
España defendida y los tiempos de ahora, 143.
España del Cid, 251.
España en su Historia, 251.
España invertebrada, La, 308.
España Sagrada, 165.
Española inglesa, La, 97, 98.
Espectador, El, 308.
Espéculo, El, 16.
Espejo de Avaricia, 301.
Espejo de la muerte, El, 265.
Espera, La, 315.
Esperpentos, 269.
Espina, Antonio (n. 1894), 307.
Espina, Concha (n. 1877), 272.
Espinel, Vicente (1550-1624), 105, 162.
Espinosa, Agustín (s. xx), 308.

Espinosa, Pedro de (1578-1650), 73, 107.
Espíritu del barroco, El, 314.
Espronceda, José de (1808-1842), 176, 177, 183, 195-197, 202, 204, 212, 221.
Estatua de Prometeo, La, 133.
Estébanez Calderón, Serafín (1799-1867), 193, 217, 218, 219, 222.
Estella, Fray Diego de (1524-1578), 85.
Estrella en lo alto, 295.
Estrellas, Las, 299.
Estudiante de Salamanca, El, 196.
Estudio sobre el teatro de Lope de Vega, 250.
Estudios de crítica literaria, 250.
Estudios sobre el poema del Cid, 180.
Eternidades, 289.
Eufemia, 117.
Eufuismo de Euphues, 62.
Eurípides (480-406? a. de C.), 238.
Europeo, El, 183.
Examen de maridos, El, 127.
Excursión a los indios ranqueles, Una, 276.
Exequias de la lengua castellana, 166.
Expedición y dominación de los catalanes en Oriente, juzgada por los griegos, La, 247.
Exposición del libro de Job, 69.
Éxtasis de la montaña, Los, 286.
Extraño, El, 315.
Extremeños se tocan, Los, 299.

Fabliaux, 20.
Fábula de Adonis, Hipómenes y Atalanta, 73.
Fábula de Equis y Zeda, 291.
Fábula de Faetón, 110.
Fábula de Polifemo y Galatea, 109.
Fábula y signo, 293.
Fabulario, 92.
Fábulas literarias, 172.
Fábulas morales, 172.
Facundo, 224.
Falcioni, Rodolfo, 303.
Falso cuaderno de Narciso Espejo, El, 279.
Familia de Alvareda, La, 223.
Familia de León Roch, La, 236.
Familia de Pascual Duarte, La, 319.
Famosas asturianas, Las, 121.
Fandango del candil, El, 158.
Fantasía coral, 312.
Farewell, 294.
Farsa del Triunfo del Sacramento, 115.
Farsa dos Físicos, 61.
Farsa llamada de los lenguajes, 115.
Farsa y licencia de la Reina castiza, 269.
Farsalia, 33, 110.
Fauna contemporánea, 307.
Fausto, 182, 228.
Fazzio, Bartolomé (m. 1457), 29.
Febrer, Andreu (s. XIII), 27.
Fechas para la Semana Santa, 33.
Fedra, 264.
Fedro (10?-70?), 172.
Feijóo, Fray Benito Jerónimo (1676-1764), 158-160, 234.
Felipe, Carlos, 306.
Felipe, León (n. 1884), 290.
Felíu y Codina, José (1847-1897), 216.
Feria del Puerto, La, 158.
Fernán Caballero. Véase Bölh de Fáber.
Fernández Almagro, Melchor (1895), 310.
Fernández Ardavín, Luis (1892), 283, 300.
Fernández de Andrade, Andrés (siglos XVI-XVII), 113.
Fernández de Avellaneda, Alonso (siglo XVI), 103.
Fernández de la Reguera, Ricardo, 319.
Fernández de Lizardi, José Joaquín (1776-1827), 177.
Fernández de Moratín, Leandro (1760-1828), 155-157, 166.
Fernández de Moratín, Nicolás (1737-1780), 153-155, 168, 185, 193.
Fernández de Oviedo, Gonzalo (1478-1557), 65.
Fernández Flórez, Darío (n. 1909), 323.
Fernández Ramírez, Salvador, 314.
Fernández Shaw (1865-1911), 216, 217, 299.
Ferrández de Jerena, Garci (s. XIV-XV), 27.
Ferrari, Emilio (1850-1907), 212.
Ferrari, Juan Carlos, 303.
Ferrater Mora, José, 307, 322.
Ferreira, Antonio (1528-1569), 115.
Ferretti, Aurelio, 303.
Ferrús, Pero (s. XV), 27.
Fervor de Buenos Aires, 296.
Fiallo, Fabio (n. 1865), 253.
Fiammeta, 38.
Fianza satisfecha, La, 121.
Fiat Lux, 286.
Fiel infantería, La, 319.
Fiesta al Noroeste, 321.
Fiesta de toros en Madrid, 168.
Fiestas, 323.
Fígaro. Véase Larra.
Figueroa, Francisco de (1536-1617?), 57.
Figuras de la Pasión del Señor, 270.
Figuras de la revolución mexicana, 278.
Filomena, 120.
Filosofía del entendimiento, 180.
Filosofía en el mundo de hoy, La, 322.
Filosofía fundamental, 244.
Filosofía vulgar, 70.
Fin de la raza, 323.
Fin de una raza, El, 230.
Final de Norma, El, 227.
Fingido verdadero, Lo, 121.
Finot, Enrique, 312.
Flama, La, 311.
Flechazo, El, 299.
Flor de durazno, 277.

Flor nueva de romances viejos, 42.
Flores, Las, 299.
Flores de cardo, 294.
Flores de filosofía, 14.
Flores de poetas ilustres de España, 73.
Floresta de rimas antiguas castellanas, 183.
Flórez, Alonso (n. 1476), 49.
Flórez, Fray Enrique (1702-1773), 165.
Florinda, 188, 189.
Florit, Eugenio, 296.
Flos sanctorum, 86.
Fombona Pachano, Jacinto, 296.
Fonseca, Fray Cristóbal de (1550?-1621), 84.
Fontana de Oro, La, 236.
Forja de un rebelde, La, 318.
Forner, Juan Pablo (1756-1797), 166, 183.
Fortunas de Andrómeda y Perseo, 133.
Fortunata y Jacinta, 236.
Foxá, Agustín de (1903-1959), 319.
Fra Filippo Lippi, 245.
Fraile, Medardo, 317.
Franco, Luis, 311.
Francovich, Guillermo, 312.
Fray Gerundio, 161.
Frontaura, Manuel, 312.
Frontera (Luis Durand), 278.
Frontera (Darío Fernández Flórez), 323.
Frontera de Dios, La, 323.
Fronteras, 295.
Fronteras infernales de la poesía, 314.
Frugoni, Emilio, 296.
Fuenteovejuna, 122.
Fuero Real, 16.
Fuerza de la sangre, La, 97-98.
Fulgor y la sangre, El, 321.
Furlong S. J. Guillermo, 311.

Gabán de don Enrique, El, 193.
Gabriel y Galán, José María (1870-1905), 280, 281.
Galán, valiente y discreto, 128.
Galatea, La, 89, 97, 100.
Galería de títeres, 295.
Galván, Manuel de Jesús (1834-1911), 275.
Galvarriato, Eulalia, 321.
Gálvez, Manuel (1882-1962), 277.
Gálvez de Montalvo, Luis (1546?-1591?), 57.
Gallardo, Bartolomé José (1776-1852), 183.
Gallardo español, El, 96.
Gallega Mari-Hernández, La, 124.
Gallego, Juan Nicasio (1777-1835), 175.
Gallego Morell, Antonio, 322.
Gallegos, Rómulo (n. 1889), 274.
Gallina degollada y otros cuentos, La, 273.
Gamboa, Federico (n. 1864), 243.
Ganar amigos, 127.
Ganivet, Ángel (1862-1898), 262, 263.
Gaos, Alejandro, 315.
Gaos, Vicente, 315.
Garay, Blasco de (s. XVI), 92.
Garcés, Julio, 316.
García, Juan Agustín, 276.
García Abellán, Juan, 316.
García Álvarez, Enrique (n. 1873), 299.
García Blanco, Manuel, 310.
García Calderón, Francisco, 312.
García Calderón, Ventura (s. XX), 312.
García de Diego, Vicente (s. XX), 251.
García de la Huerta, Vicente (1734-1787), 154, 183.
García Gómez, Emilio (1905), 252.
García Gutiérrez, Antonio (1813-1884), 190, 191, 220.
García Lorca, Federico (1898-1936), 39, 41, 290-292, 300, 316.
García Nieto, José (n. 1914), 314.
García Prada, Carlos, 295.
García Serrano, Rafael, 319.
García Tassara, Gabriel (1817-1875), 198.
García Velloso, Enrique, 302.
García Villalta, José (m. 1846?), 222.
Garciasol, Ramón de, 316.
Garcilaso de la Vega (1501?-1536), 54, 56, 80, 94, 145, 314.
Garcilaso el Inca (1539-1615), 144.
Garfias, Pedro (s. XX), 291.
Garrote vil, 269.
Gaspar, Enrique (1842-1902), 216.
Gatomaquia, La, 120.
Gaucho de los Cerrillos, El, 277.
Gaucho Florido, El, 273.
Gautier, Joaquín, 312.
Gaviota, La, 222.
Gené, Juan Carlos, 303.
General Quiroga va en coche al muere, El, 296.
Generosa paliza, La, 116.
Genio alegre, El, 299.
Genio de España, 309.
Genio de la Historia, 148.
Gesta de los Infantes de Lara, 9.
Gesticulador, El, 304.
Ghiano, Juan Carlos, 296, 311.
Ghiraldo, Alberto, 302.
Gibson Parrer, Percy, 305.
Gil Blas de Santillana, 162.
Gil Fortoul, José, 312.
Gil Polo, Gaspar (m. 1591), 89, 90, 164.
Gil y Carrasco, Enrique (1815-1846), 199, 221.
Gil y Zárate, Antonio (1796-1861), 193.
Giménez Caballero, Ernesto (n. 1899), 309.
Gironella, José María (n. 1917), 320.
Gitanilla, La, 97, 98, 99.
Giusti, Roberto F., 311.
Gloria, 231, 236.
Gloria de don Ramiro, La, 272.
Glosas a los Proverbios, 30.
Glosas Emilianenses, 6.
Glosas Silenses, 6.
Gnomo, El, 209.

Gœthe, Juan Wolfgang (1749-1832), 182, 212, 228.
Goldoni (1707-1793), 126.
Gómez de Avellaneda, Gertrudis (1814-1873), 193, 201.
Gómez de Baquero, Eduardo (1866-1929), 309.
Gómez de la Serna, Gaspar, 324.
Gómez de la Serna, Ramón (1891-1963), 301, 306.
Gómez Moreno, Manuel (n. 1870), 252.
Gómez Restrepo, Antonio, 312.
Gomis, Lorenzo, 316.
Góngora, Luis de (1561-1627), 33, 39, 41, 73, 107-110, 118, 139, 145, 161, 174, 186, 189, 250, 257, 293, 309.
González, Ángel Custodio, 294.
González, Fernando, 294.
González, Fernando (n. 1901), 290.
González, Fray Diego (1732-1794), 168.
González, Joaquín V. (1863-1923), 277.
González, Pedro Antonio (1863-1905), 253.
González Álvarez, Ángel, 322-324.
González Arrilli, Bernardo, 276.
González Bastías, Jorge, 294.
González Castillo, José, 303.
González de Clavijo, Ruy (m. 1412), 38.
González del Castillo, Ignacio (1763-1800), 158.
González Guerrero, Francisco (s. XX), 295.
González Martínez, Enrique (1871-1952), 285.
González Palencia, Ángel (n. 1889), 251.
González Peña, Carlos, 311.
González Prada, Manuel (n. 1844), 253.
González Ruano, César (n. 1902), 319.
Gorostiza, José, 295.
Gorriona, La, 239.
Gota de Mercurio, La, 322.
Goytisolo, Juan de (n. 1932), 323.
Goytisolo, Luis (n. 1935), 323.
Gracián, Baltasar (1601-1658), 146-148.
Gramática castellana, 43.
Gramática de la Lengua Castellana, destinada al uso de los americanos, 180.
Gramática de la Real Academia Española, 150.
Gramcko, Ida, 288, 304.
Gran Conquista de Ultramar, La, 18.
Gran Duque de Moscovia, El, 121.
Gran Galeoto, El, 215.
Gran Hotel, 306.
Gran mercado del mundo, 60, 136.
Gran Séneca de España, 129.
Gran señor y rajadiablos, 279.
Gran sultana, La, 96.
Gran teatro del mundo, El, 136.
Gran Vía, La, 217.
Granada, Fray Luis de (1504-1588), 83, 84.
Granada, 203.
Granada, Nicolás, 302.
Granada la bella, 263.
Grande e General Estoria, 17.
Grandeza Mexicana, 113.
Grau, Jacinto (n. 1877), 300.
Gregoras, Nicéforo (1295-1360), 144.
Gregorio, San (s. VI), 22.
Greiff, León, 295.
Gringa, La, 302.
Gritos de combate, 211.
Gruta del silencio, La, 294.
Guapo del 900, Un, 302.
Guardia, Alfredo de la, 311.
Guardia cuidadosa, La, 96.
Guarner, Luis, 316.
Güera Rodríguez, La, 275.
Guerras civiles de Granada, 91.
Guevara, Fray Antonio de (1480?-1545), 62, 63, 65.
Guía de pecadores, 83.
Guillén, Jorge (n. 1893), 290, 292, 313.
Guillén, Nicolás (n. 1904), 296.
Guillermo Roldán, 318.
Guillermo Tell, 309.
Güiraldes, Ricardo (1886-1927), 274.
Gullón, Ricardo, 324.
Gustavo Adolfo, 312.
Gutiérrez Nájera, Manuel (1858-1895), 253.
Guzmán, Augusto, 312.
Guzmán: Elipse de una ambición de poder, 276.
Guzmán, Martín Luis (n. 1887), 277.
Guzmán, Nicomedes (n. 1914), 279.
Guzmán el Bueno (Gil y Zárate), 193.
Guzmán el Bueno (Moratín), 154.

Habitantes de la casa deshabitada, Los, 316.
Halcón, Manuel, 321, 323.
Halma, 236.
Hamlet, 156.
Haragán, El, 323.
Hartzenbusch, Juan Eugenio (1806-1880), 35, 192, 193, 220.
Hay siete pecados, 300.
Haz de leña, El, 210.
Hazañas del Cid, Las, 130.
Hebreo, León (1460?-1521), 97.
Hécuba, 115.
Hechicero, El, 304.
Hechizado por fuerza, El, 151.
Heiremans, Luis Alberto, 305.
Henríquez Ureña, Max (s. XX), 312.
Henríquez Ureña, Pedro (1884-1946), 310.
Heraldo de Madrid, 266.
Heredia, José María (1803-1839), 178, 181.
Heredia, José María (1842-1905), 255.
Hermana de la Caridad, La, 245.
Hermana San Sulpicio, La, 239.
Hermano asno, El, 280.
Hermano Juan, El, 264.
Hermosura de Angélica, La, 120.
Hernández, José (1834-1886), 201.

Hernández, Luisa Josefina (n. 1928), 278, 304.
Hernández, Miguel (1910-1942), 314.
Hernández Jiménez, Jesús, 296.
Hernani, 187, 220.
Héroe, El, 146.
Herrera, Darío (1869-1914), 287.
Herrera, Ernesto, 303.
Herrera, Fernando de (1534-1597), 70-73, 94, 107, 112, 245.
Herrera y Reissig, Julio (1875-1911), 286.
Hervás, José Gerardo de (m. 1742), 167.
Hervás y Panduro, Lorenzo (1735-1809), 164.
Hidalgo, José Luis, 315.
Hierro, José (n. 1922), 315.
Hija de Natalia, La, 240.
Hija del aire, La, 133.
Hijo de don Juan, El, 215.
Hijo de ladrón, 279.
Hijo pródigo, El (Grau, Jacinto), 301.
Hijo pródigo (Valdivielso), 112.
Hijos de la ira, 313.
Himenea, 59.
Hipogrifo violento, 318.
Historia crítica de España y de la cultura española, 163.
Historia de Felipe II, 64.
Historia de Hero y Leandro, 54.
Historia de la conquista de Méjico, 144.
Historia de la poesía castellana en la Edad Media, 249, 250.
Historia de la poesía hispanoamericana, 250.
Historia de las ideas estéticas, 249.
Historia de los heterodoxos españoles, 248.
Historia de los movimientos y guerra de Cataluña, 144.
Historia de los Reyes Católicos, 49.
Historia de Ozmín y Daraja, 91.
Historia de una escalera, 317.
Historia de una noche de nieve, 319.
Historia de una pasión argentina, 280.
Historia del Abencerraje y de la hermosa Jarifa, 90, 91.
Historia del cautivo, 91.
Historia del corazón, 313.
Historia del emperador Carlos V, 63.
Historia del Gran Tamorlán, 38.
Historia del levantamiento, guerra y revolución de España, 243.
Historia eclesiástica del Cisma del Reino de Inglaterra, 86.
Historia general de España, 87.
Historia general de la Merced, 126.
Historia general de las Indias y de la conquista de México, 64.
Historia general y natural de las Indias, 65.
Historia Gothica, 15.
Historia Imperial y Cesárea, 63.
Historia literaria de España, 164.
Historietas nacionales, 226.
Hoffman, Conrado (s. XIX), 42.
Hojeda, Fray Diego de (1570?-1615), 114.
Hombre, Un, 320.
Hombre de Estado, Un, 214.
Hombre de mundo, El, 213.
Hombre en la encrucijada, El, 322.
Hombre en la tierra de nadie, Un, 320.
Hombre que iba para estatua, El, 317.
Hombre y Dios, 313.
Hombres de bien, Los, 214.
Hombres de maíz, 280.
Hombres de pro, 231.
Hombres del hombre, Los, 279.
Hombres del Norte, 263.
Homero (s. X a. de C.), 30, 31.
Homero romanceado, 32.
Hora de todos y la fortuna con seso, La, 142.
Horacio en España, 249.
Horacio Flacco, Quinto (65-8 a. de C.), 58, 68, 170.
Horizon carré, 294.
Hormesinda, 154.
Horozco, Sebastián de (1510?-1580), 65, 115.
Hospital general, 318.
House, Guillermo. Véase Casá, Agustín G.
Hoyos, Antonio de, 322.
Hueco en la luz, Un, 321.
Huerta, Efraín, 295.
Huerta y Vega, Francisco Manuel de la (1697-1752), 150, 166.
Huevos arrefalfados, Los, 234.
Hugo, Víctor (1802-1885), 180, 183, 203, 212, 220, 258.
Huidobro, Vicente, (1893-1948), 290, 294, 295.
Humoradas, 210.
Hurtado de Mendoza, Diego (1503-1557), 65, 73.

Ibáñez, Sara de, 288.
Ibarbourou, Juana de (n. 1895), 287.
Ibargüengoitia, Jorge (n. 1928), 304.
Ibsen, Enrique (1828-1906), 215.
Icaza, Carmen de, 322.
Idearium español, 263.
Ideas biológicas del P. Feijóo, 309.
Idilio, Un, 211.
Idilios vascos, 267.
Ifigenia, 279.
Ignacio de Loyola, San (1491-1556), 86, 88.
Iguiniz, Juan B., 311.
Ilaria, Juan, 312.
Ilusiones del doctor Faustino, Las 229.
Ilustre fregona, La, 98.
Illueca, Ana Isabel, 296.
Imagen, 290.
Imágenes desterradas, 295.
Imbert, Julio, 303.
Imitación de Cristo, 88.

Imperial, Micer Francisco (s. XIV-XV), 28.
Imposibles pájaros, Los, 315.
Impresiones sugeridas por el Quijote, 247, 248.
Inami o la laguna del Ranco, 200.
Inclán, Federico S. (n. 1910), 304.
Incongruente, El, 306.
Increíble, Lo, 298.
Increíble fray Servando, El, 311.
Incháustegui Cabral, Héctor, 296.
Indio, El, 277.
Indología, 311.
Indulto general, El, 136.
Inés de Castro, 158.
Inés Pereira, 61.
Inesilla la de Pinto, 158.
Infamador, El, 117.
Infantes de Lara, 251.
Infanzona, La, 298.
Infelice Marcela, La, 115.
Infierno d'Amor, 45.
Infierno de los enamorados, 31.
Informes de la Ley agraria, 165.
Ingenieros, José de, 311.
Inglés de los güesos, El, 275.
Inmortalidad del cangrejo, La, 304.
Inocencio III (1198-1216), 19.
Intereses creados, Los, 298.
Intriga y amor, 214.
Introducción del símbolo de la fe, 83.
Invasión de los héroes, La, 276.
Inventario, 91.
Inventos, aventuras, mixtificaciones de Silvestre Paradox, 267.
Investigaciones filosóficas sobre la belleza ideal, considerada como objeto de todas las artes de imitación, 163.
Invisible, Lo, 268, 301.
Iriarte, Juan de (1702-1711), 166.
Iriarte, Tomás de (1750-1791), 172.
Isaac (s. XX), 199.
Isaacs, Jorge (1837-1895), 225.
Isabel la Católica, 307.
Isabela, La, 116.
Isagogue, 120.
Isidro, 120.
Isla, P. José Francisco de (1703-1781), 159, 161-163.
Isla de oro, La, 307.
Isla y los demonios, La, 321.
Isleros, Los, 277.

Jacinta, 59.
Jaimes Freyre, Ricardo (1872-1933), 285.
Jano es una muchacha, 304.
Jarama, El, 320.
Jardiel Poncela, Enrique (1910-1952), 316.
Jarnés, Benjamín (1888-1949), 307.
Jáuregui, Juan de (1853-1641), 110.
Jefe, El, 317.
Jenofonte (430-355 a. de C.), 62.
Jerez, Francisco (1504-1539), 64.
Jeromín, 239.
Jerusalén conquistada, 120.
Jimena Ordóñez, 193.
Jiménez, Juan Ramón (1881-1958), 288, 289, 291-293.
Jiménez, Salvador, 316.
Jiménez de Cisneros, Francisco (1436-1517), 43, 49, 52.
Jiménez de Rada, Rodrigo (1170-1247), 15.
Jiménez Rueda, Julio, 311.
Jordán de Urríes, José (n. 1868), 252.
Jornadas alegres, 92.
José, 240.
Josseau, Fernando, 305.
Jovellanos, Gaspar Melchor de (1744-1810), 150, 165, 166, 168-170.
Juan Boscán, 250.
Juan José, 299.
Juan Lorenzo, 191.
Juan Manuel, Don (1282-1349), 22, 23.
Juan Miseria, 239.
Juan Moreira, 302.
Juan Palomo, 304.
Juana de Arco, 214.
Juana Lucero, 242.
Juanita la larga, 229.
Juegos de manos, 323.
Juez de los divorcios, El, 96.
Juglarías, 283.
Juicio contra un sinvergüenza, 323.
Julieta y Romeo, 300.
Junco, Alfonso, 311.
Jura de Santa Gadea, La, 193.
Justicia divina contra el pecado de Adán, La, 115.
Juvenilia, 276.
Juventud, egolatría, 267.

Kant, Manuel (1724-1804), 249.
Karú-Kinká, 318.
Kempis, Tomás de (1379?-1471), 88.

Laberinto de amor, El, 96.
Laberinto de la soledad, 311.
Labyrintho de Fortuna, 32.
Lacalle, Ángel (s. XX), 310.
Lacayos ladrones, 116.
Laférre, Gregorio de, 302.
Lafontaine, Juan de (1621-1695), 172.
Laforet, Carmen (n. 1921), 321.
Lagar, 287.
Lagos, Concha, 322.
Lágrimas de Angélica, Las, 73.
Laiglesia, Álvaro de, 316.
Laín Entralgo, Pedro (n. 1908), 322.
Lamentaciones, 256.
La-Motte (1672-1731), 158.
Lampillas, P. Xaxier (s. XVIII), 164.
Lances de honor, 214.
Lanchas en la bahía, 278.
Landó de seis caballos, El, 317.
Lange, Norah, 296.
Lanuza, 187.
Lanzallamas, Los, 277.
Lanzarote y Tristán, 50.
Lanzas coloradas, Las, 278.
Lapesa, Rafael (s. XX), 310.

Lapidario, 16.
Laredo, Fray Bernardino (1482-1545?), 75.
Larra, Luis Mariano de (1830-1901), 216.
Larra, Mariano José de (1809-1837), 169, 185, 186, 193, 202, 217, 219, 262.
Larralde, Trina, 279.
Larreta, Antonio. 303.
Larreta. Enrique (1875-1961), 272, 273.
Lascas, 254.
Lasser, Ali, 304.
Latcham, Ricardo A., 312.
Latorre, Mariano (1886-1955), 278.
Laurel de Apolo, 120.
Laurel de San Lorenzo, El, 278.
Lautaro, 280.
Lazarillo de Tormes, El, 65, 104.
Lazo, Agustín (n. 1910), 303.
Lazo de la púrpura, El, 322.
Lealtad contra la envidia, La, 124.
Leconte de Lisle (1818-1894), 259.
Ledesma, Alonso de (1562-1632),, 138.
Ledesma Miranda, Ramón (n. 1901), 307, 319.
Leguizamón, Martiniano (1858-1935), 276.
Lehmann, Marta, 303.
Lenau, Nicolás (1802-1850), 125.
León, Fray Luis de (1527-1591), 52, 67-70, 82, 85, 94, 153, 163, 168, 170, 171, 245, 251.
León, Ricardo (1877-1943), 272.
León ciego, El, 303.
León Hebreo. Véase Hebreo.
León Mera, Juan (1832-1894), 225.
Lesage, Renato (1668-1747), 162.
Letanías de la tierra muerta, 288.
Leva, La, 230.
Leyes y gobierno de los godos en España, 150.
Leyton, Roberto, 278.
Liber facetiarum et similitudinem, 92.
Liber regum, 15.
Libertad bajo palabra, 295.
Libro blanco, El, 288.
Libro de Alexandre, 13.
Libro de Buen Amor, 20.
Libro de guisados, 36.
Libro de la oración y meditación, 83.
Libro de las Constituciones, 78.
Libro de las cosas perdidas, El, 315.
Libro de las Fundaciones, 78.
Libro de las ideas, El, 312.
Libro de las relaciones, 78.
Libro de miseria de omne, 19.
Libro de poemas, 291.
Libro de los buenos proverbios, 14.
Libro de los doce sabios, 14.
Libro de los Estados, 23.
Libro de su Vida, 77.
Libro del ajedrez, tablas y dados, 17.
Libro del Caballero e del Escudero, 23.
Libro del saber de Astronomía, 16.
Licenciado Torralba, El, 210.
Licenciado Vidriera, El, 98, 99.
Liciones de Job, 45.
Lillo, Eusebio (1826-1910), 199.
Linares, Luisa María, 322.
Linares Rivas, Manuel (1878-1938), 298.
Lindo don Diego, El, 138.
Liñán, Antonio (s. XVI), 92.
Lira de bronce, 272.
Liria, Miguel N. (1905-1961), 278.
Lista, Alberto (1775-1848), 176, 177, 195, 196.
Literaturas europeas de vanguardia, 310.
Literaturas griega y romana, 180.
Livio, Tito (59 a. de C. - 17), 88.
Lizaso, Félix (s. XX), 312.
Lizón, Adolfo, 322.
Loas, 316.
Lobo, Eugenio Gerardo (1679-1750), 167.
Loca de la casa, La, 238.
Loco Dios, El, 215.
Locura de amor, 214.
Locura y muerte de nadie, 307.
Locuras de Europa, 145.
Lohengrin, 19.
Lola, espejo oscuro, 323.
Lombardo de Caso, María, 278.
Longo (s. I?), 228.
Loores de los claros varones de España, 36.
Loores de nuestra Señora, 12.
Lope de Aguirre, 316.
Lope de Vega, Félix (1562-1635), 39, 41, 73, 89, 96, 108, 114, 117-122, 126-129, 131, 132, 135, 136, 153, 154, 184, 192, 203, 235, 314.
López, Lucio Vicente (1848-1894), 242.
López de Ayala, Adelardo (1828-1879), 213, 214, 216.
López de Ayala, Pero (1332-1407), 21, 25, 26, 36, 37, 50.
López de Gómara, Francisco (1512-1572?), 64.
López de Hoyos, Juan (m. 1583), 93.
López de Mendoza, Íñigo (1398-1458), 29-31, 36, 45.
López de Mesa, Luis, 311-312.
López de Villalobos, Francisco (1473?-1549), 115.
López Ibor, doctor, 324.
López Pinillos, José (1875-1922), 299.
López Rubio, José, 317.
López Silva, José (1861-1925), 216, 217.
López Soler, Ramón (m. 1836), 221.
López Velarde, Ramón (1888-1921), 295.
López y Fuentes, Gregorio (n. 1897), 277.
Lorenzo, Pedro de, 324.
Los Abel, 321.
Los de abajo, 277.
Los de arriba de la Revolución, 311.
Lucano, Marco Anneo (39-65), 31-33, 107, 110, 186.
Lucas de Hidalgo, Gaspar (s. XVI), 92.
Luceño, Tomás (n. 1844), 216.
Lucrecia, 154.

Lucha espiritual y amorosa entre Dios y el alma, La, 86.
Lugones, Leopoldo (1874-1938), 177, 285.
Luis, Leopoldo de (n. 1918), 315.
Luis Candelas, el bandido de Madrid, 307.
Luján de Saavedra, Mateo. Véase Martí, Juan.
Lulio, Raimundo (1235-1315), 23, 88.
Luna, Álvaro de (1388-1453), 27, 29, 30, 36, 38, 174.
Luna de copas, 307.
Luna de enfrente, 296.
Luna de la sierra, La, 129.
Luna de los ñáñigos, La, 275.
Luna de miel, luna de hiel, 271.
Luna ha entrado en casa, La, 320.
Lunario sentimental, 285.
Lustrador de manzanas, El, 303.
Luz y tinieblas, 190.
Luzán, Ignacio (1702-1754), 150, 152, 157.
Lyly, John (1553-1606), 62.
Lynch, Benito (1885-1952), 275.

Lladó de Cosso, José, 312.
Llama de amor viva, 81.
Llampo de sangre, 279.
Llorente, Teodoro (1826-1911), 212.
Lluch Mora, Francisco, 296.

Macías el Enamorado, 27, 31, 33, 38, 45.
Machado, Antonio (1875-1939), 41, 283, 284, 300, 315.
Machado, Manuel (1874-1947), 41, 282, 300.
Machado de Arnao, Luz, 288.
Madame Bovary, 319.
Madariaga, Salvador de (n. 1886), 283, 309.
Madre Naturaleza, La, 233.
Madrid de corte a checa, 319.
Madrugada, 317.
Maese Pedro, el organista, 208.
Maeztu, Ramiro de (1875-1936), 266.
Magallanes Moure, Manuel (1878-1924, 287, 294.
Magaña, Sergio (n. 1925), 304.
Magariños Cervantes, Alejandro (1825-1893), 225.
Magariños Solsona, Mateo (1867-1925), 243.
Magdaleno, Mauricio (n. 1906), 277.
Mágico prodigioso, El, 133.
Maitín, José Antonio (1804-1874), 199.
Mal apóstol y el buen ladrón, El, 193.
Mala sed, La, 302.
Malcasados de Valencia, Los, 130.
Maldonado, 189.
Mal-Lara, Juan de (1527-1571), 70, 71.
Malón de Chaide, Fray Pedro (1530?-1589), 70, 85.
Malquerida, La, 297.
Malvaloca, 299.
Mallarino, Víctor, 305.
Mallea, Eduardo (n. 1903), 280.
Mancha de aceite, 274.
Mancha que limpia, 215.
Manglanilla de Melilla, 127.
Manos son inocentes, Las, 317.
Manrique, Gómez (1412-1490), 33, 43.
Manrique, Jorge (1440?-1479), 33, 34, 43, 164.
Mansilla, Lucio V. (1831-1913), 276.
Manual de espumas, 290.
Manual de pronunciación española, 251.
Manzoni, Alejandro (1785-1873), 175.
Mañach, Jorge, 312.
Maples Arce, Manuel (n. 1898), 295.
Maquiavelo, Nicolás (1469-1527), 141.
Mar de Historias, 36.
Marañón, Gregorio (n. 1887), 309.
Marasso, Arturo (n. 1890), 296.
Marcela o ¿cuál de los tres?, 194.
Marco Aurelio (121-180), 177.
Marco Aurelio o Relox de Príncipes, 62.
Marcos Villarí, 318 .
March, Susana, 319.
Marchena, abate (1768-1821), 176.
Mare Nostrum, 241.
Marechal, Leopoldo (n. 1900), 296.
Margarita la tornera, 204.
María, 225.
María Estuardo, 193.
María, la viuda, 283.
María Lionza, 304.
Mariana, P. Juan (1536-1624), 86-88, 163, 243.
Mariana Pineda, 300.
Marianela, 236.
Mariátegui, José Carlos (1891-1930), 312.
Marichalar, Antonio (s. XX), 307.
Marido, la mujer y la sombra, El, 307.
Marido más firme, El, 122.
Marineo Sículo, Lucio (1460-1553), 54.
Marinero en tierra, 292.
Mariona Rebull, 319.
Mariposa, La, 216.
Mariucha, 238.
Mármol, José (1817-1873), 199, 224.
Mármol, Luis Enrique, 296.
Marquerie, Alfredo (n. 1907), 309.
Marqués, Renée, 306.
Marqués de las Navas, El, 121.
Marquina, Eduardo (1879-1946), 283, 300.
Marroquín, José Manuel (1827-1906), 242.
Marta la piadosa, 124.
Marta y María, 240.
Martel, Julián (n. 1868), 242.
Martí, José (1853-1895), 253.
Martí, Juan (1570-1604), 104.
Martín Descalzo, P. José Luis, 323.
Martín Fierro, 201, 202.
Martín Vigil, José Luis (n. 1919), 323.
Martínez, Ferrando (s. XII), 16.
Martínez Cachero, 324.
Martínez de la Rosa, Francisco (1787-1862), 184-186, 220, 221, 250.

Martínez de Medina, Diego (s. XV), 28.
Martínez de Medina, Gonzalo (s. XV), 28.
Martínez de Salafranca (1677-1772), 150.
Martínez de Toledo, Alfonso (1398?-1470?), 37.
Martínez Estrada, Ezequiel (n. 1859), 311.
Martínez Ruiz, José (n. 1874), 214, 268, 301.
Martínez Sierra, Gregorio (n. 1881), 298.
Martínez Sobral, Enrique (s. XIX-XX), 243.
Martínez Zuviría, Augusto (n. 1883), 277.
Martirio de San Lorenzo, El, 13.
Martirio de un civilizado, El, 278.
Martorell, Mosén Joanot (m. 1490), 51.
Maruja, 211.
Más allá de las ruinas, 315.
Máscaras, Las, 271.
Masdeu, P. Juan Francisco de (1744-1817), 163.
Mastronardi, Carlos, 296.
Mateo, 303.
Mateo, Lope, 316.
Mateos, Juan A. (s. XIV), 242.
Matute, Ana María, 321.
Maury, Juan María (1772-1845), 176.
Maya, Rafael (1898), 295.
Mayans y Siscar, Gregorio (1699-1781), 151, 163, 164.
Mayo, Hugo (s. XX), 295.
Mayor monstruo, los celos, El, 135.
Mayorazgo de Labraz, El, 267.
Médico a palos, El, 156.
Médico de su honra, El, 135.
Medina, Bartolomé de (m. 1580), 82.
Medina, Francisco de (m. 1615), 72.
Medina, Vicente (1886-1938), 280.
Medina, Vicente T., 311.
Medinaceli, Carlos, 312.
Medio, Dolores, 321.
Medios seres, Los, 301.
Meditaciones del Quijote, Las, 308.
Medora, 117.
Medrano, Francisco de (s. XVI), 70, 113.
Mejor que el vino, 279.
Mejor razón, la espada, La, 205.
Meléndez Valdés, Juan (1754-1817), 168, 170-172, 174, 175, 182, 184, 195.
Melo, Francisco Manuel de (1608-1666), 144.
Memoria en defensa de la Junta Central, 166.
Memorial de la vida cristiana, 84.
Memorial del amor santo, 84.
Memorial del Patronato de Santiago, 143.
Memorias de apariencias, 136.
Memorias de Mamá Blanca, 279.
Memorias de un desmemoriado, 234.
Memorias de un sacristán, 276.
Memorias de un señorito, 323.
Memorias de un setentón, 218.
Memorias históricas sobre la marina, comercio y artes de Barcelona, 165.
Mena, Juan de (1411-1456), 26, 32, 33, 48, 107, 186.
Méndez Carrasco, 278.
Méndez Pereira, Octavio, 280.
Méndez Plancarte, Alfonso, 311.
Mendoza, Fray Íñigo de (s. XV), 44.
Mene, 275.
Menemmos, 116.
Menéndez, Roberto, 305.
Menéndez Pelayo, Marcelino (1856-1912), 20, 42, 43, 61, 99, 114, 121, 135. 175, 179, 181, 200, 211, 231, 236, 244, 246-250.
Menéndez Pidal, Ramón (n. 1869), 7, 42, 69, 247, 251.
Meneses, Guillermo, 279.
Menina e moça, 89.
Meninas, Las, 317.
Menosprecio de corte y alabanza de aldea, 63.
Menteur, Le, 126.
Mentiroso, El, 126.
Mesa, Enrique de (1879-1929), 280.
Mesina, Juan de (s. XIII), 16.
Mesonera del cielo, La, 128.
Mesonero Romanos (1803-1882), 193, 217, 218.
Mestizo Alejo y la criollita, El, 305.
Metal de los muertos, El, 272.
Metamorfosis de Proteo, Las, 314.
Metamorphosis, 109.
Metastasio (1689-1782), 170.
Metternich, 300.
Mexía, Pero (1499?-1551), 63.
Mey, Sebastián (s. XVI), 92.
M'hijo el dotor, 302.
Mi caballo, mi perro y mi rifle, 278.
Mi idolatrado hijo Sisí, 320.
Miau, 237.
Mihura, Miguel, 316.
Mijares, Augusto, 312.
Milá y Fontanals, Manuel (1818-1884), 247, 248.
Milagro en Egipto, Un, 215.
Milla Vidaurre, José (1862-1882), 225.
Millares, Agustín (s. XX), 251.
Millón de muertos, Un, 320.
Mío Cid, 251.
Miquelarena, Jacinto (1891-1962), 319.
Mira de Amescua, Antonio (1574-1644), 128, 154.
Miraclos de Nuestra Señora, 12.
Miranda, 276.
Miró, Gabriel (1879-1930), 270.
Miró, Ricardo (s. XX), 287.
Miró Quesada, Aurelio, 312.
Mis montañas, 277.
Miserere, El, 208, 209.
Misericordia, 236, 237.
Místicas, 285.
Mistral, Gabriela (n. 1889), 287.
Mocedades del Cid, Las, 130.
Moctezuma II, 304.

Mocho, Fray. Véase Álvarez.
Modernismo frente a 98, 314.
Mojarro, Tomás, 278.
Mojigata, La, 156.
Moleiro, Rodolfo, 296.
Molière. V. Poquelin.
Molinari, Ricardo, 296.
Molino de viento, El, 320.
Moncada, Francisco de (1586-1635), 144, 191.
Mónica, 323.
Monje blanco, El, 283, 300.
Monólogo de una mujer fría, 323.
Montaigne, Miguel de (1533-1592), 243.
Montalbán, 192.
Montalvo, Juan (1832-1889), 243.
Montañas de Oro, Las, 285.
Montaraz, 276.
Monte de las ánimas, El, 208.
Montemayor, Jorge de (1520?-1561), 57, 89-90.
Montero Bustamante, Raúl, 312.
Montero Díaz, Santiago, 322.
Montes, Eugenio (n. 1900), 307, 309.
Montesino, Fray Ambrosio (m. 1512), 44.
Montesinos, José F. (s. XX), 310.
Montesinos, Rafael (n. 1920), 315.
Montesquieu (1689-1755), 169.
Montiano y Luyando, Agustín (1697-1764), 153, 154.
Montolíu, Manuel de (n. 1877), 251.
Moock, Armando L. (1894-1943), 305.
Moore, Sylvia, 287.
Moradas, Las, 77, 78.
Morales, 22.
Morales, Ambrosio de (1513-1591), 63, 87.
Morales, María Luz, 321.
Morales, Rafael (n. 1919), 315.
Morales, Tomás (1886-1921), 282.
Morales Crespo, Eddie, 312.
Morales Oliver, Luis, 310.
Moratín. Véase Fernández de Moratín.
Moreno, Daniel, 278.
Moreno, Luis (n. 1935), 304.
Moreno Villa, José (1889-1954), 290.
Moreto y Cavana, Agustín (1618-1669), 137, 138, 192.
Moro expósito, El, 188, 189.
Morriña, 233.
Mortheiru, Pedro, 305.
Mosquea, La, 114.
Mosquera de Figueroa, Cristóbal (1547?-1610), 71.
Motivos de Proteo, Los, 310.
Mourlane Michelena, P. (s. XX), 309.
Mrs. Caldwell habla con su hijo, 319.
Mudarse por mejorarse, 126.
Muérete y verás, 193.
Muerte de César, La, 213.
Muerte del cisne, La, 285.
Muerte está en el camino, La, 323.
Muerte le sienta bien a Villalobos, La, 320.
Muertos, Los, 315.
Muertos no se cuentan, Los, 318.
Mujer en soledad, 278.
Mujer nueva, La, 321.
Mujer que manda en casa, La, 123.
Mujer sin Edén, 322.
Mujica, Héctor, 276.
Mundo es ancho y ajeno, El, 279.
Mundo herido, El, 278.
Mundo por de dentro, El, 142.
Muntaner, Ramón (1265-1336), 144, 191.
Muñoz, Rafael F. (1899), 277.
Muñoz Alonso, Adolfo, 324.
Muñoz Cortés, Manuel, 322.
Muñoz Rojas, José Antonio, 315.
Muñoz Seca, Pedro (1881-1936), 299, 301.
Muñuelo, El, 158.
Muralla, La, 317.
Muratori, Ludovico Antonio (1672-1750), 152.
Murciélago alevoso, El, 169.
Musa enferma, La, 283.
Música, La, 172.
Musset (1810-1857), 212.

Nacimiento último, 313.
Nación española defendida de los insultos del Pensador y sus secuaces, La, 153.
Nada, 321.
Narciso, 301.
Narciso en su opinión, El, 130.
Nasarre, Blas Antonio (n. 1751), 153.
Naturaleza del hombre en las varias modificaciones que pueden recibir de la educación, del clima, de la región, de las leyes y demás circunstancias, La, 163.
Navagiero, Andrea (1438-1529), 54.
Navarro Ledesma, Francisco (1869-1905), 248.
Navarro Tomás, Tomás (s. XX), 251.
Navarro Villoslada, Francisco (1818-1895), 222.
Naves de Cortés destruidas, Las, 168.
Nazarín, 236.
Nebrija, Antonio de (1441-1522), 43, 46, 52, 53.
Nela, Eda, 296.
Neruda, Pablo (n. 1904), 294, 314.
Nervo, Amado (1870-1919), 285.
Nice lastimosa, 115.
Nice laureada, 115.
Nido ajeno, El, 297.
Niebla, 265.
Nieremberg, Juan Eusebio (1595?-1658), 88.
Nieto de su padre, El, 130.
Nieto del Cid, 234.
Nietzsche, Federico (1844-1900), 267.
Niña de Gómez Arias, La, 132.
Niña en casa y la madre en la máscara, La, 185.
Niñas terribles, Las, 323.
Niño de la bola, El, 227.
Niño de nieve, El, 212.

Niño que enloqueció de amor, El, 280.
Niño y la niebla, El, 304.
Nipho, Francisco Mariano de (1719-1803), 151, 153.
No hay instante sin milagro, 136.
No hay mal que por bien no venga, 127.
No hay plazo que no se cumpla, ni deuda que no se pague y Convidado de piedra, 151, 206.
No tardes, Muerte, que muero, 34.
Nocturnos, 256.
Noche de levante en calma, 300.
Noche de primavera sin sueño, 316.
Noche de San Juan, La, 158.
Noche del sábado, La, 297.
Noche lúgubre, 288.
Noche oscura del alma, 81.
Noches de placer, 92.
Noches lúgubres, 169, 177.
Nola, Ruperto de (s. x), 36.
Nombres de Cristo, Los, 69.
Noria, La, 320.
Nosotros, los Rivero, 321.
Nostalgia de la muerte, 295.
Notas marruecas de un soldado, 309.
Novás Calvo, Lino (n. 1905), 275.
Novelas a Marcia Leonarda, 120.
Novelas ejemplares y amorosas, 92.
Novelas de la Costa Azul, 241.
Novia de Lammermoor, La, 222.
Novios, Los, 175.
Novo, Salvador (n. 1904), 295.
Nubes de antaño, 307.
Nubes de estío, 233.
Nudo gordiano, El, 216.
Nuestro Padre San Daniel, 270.
Nuestros hijos, 302.
Nueva Biblioteca de Autores Españoles, 247.
Nuevas canciones, 284.
Nuevo don Juan, El, 213, 214.
Nuevo Lazarillo, El, 319.
Nuevo mundo descubierto por Cristóbal Colón, El, 121.
Nuevo romanticismo, El, 307.
Numancia, 116.
Núñez, Enrique Bernardo (n. 1897), 275.
Núñez Alonso, Alejandro (n. 1908), 322.
Núñez de Arce, Gaspar (1834-1903), 207, 210, 211, 257.
Núñez Pinciano, Hernán (1475?-1533), 52.

O locura o santidad, 215.
Obispo leproso, El, 270.
Obregón, Antonio de (s. xx), 307.
Observador, El, 219.
Ocampo, Florián de (1495?-1558), 63.
Ocampo, Silvina, 296.
Ocios de mi juventud, 169.
Ochava esfera, 16.
Ocho hombres, 278.
Oda a José I, 170.
Oda al Atlántico, 282.
Odas, 283.
Odas elementales, 294.
Odas filosóficas y sagradas, 171.
Odas seculares, 285.
Odio, Eunice, 296.
Odisea de tierra firme, 276.
Ojos de los enterrados, Los, 280.
Ojos verdes, Los, 209.
Old Spain, 301.
Oliver, Antonio (n. 1903), 293, 316.
Oliver Asín, Jaime (s. xx), 310.
Olmedo, José Joaquín (1780-1847), 178, 179.
Olmo, Lauro, 317.
Ometh, Omer, 312.
Onetti, Juan Carlos, 279.
Onís, Federico de (s. xx), 251.
Oña, Pedro de (n. 1570), 74.
Opúsculos científicos, 180.
Oración apologética por la España y su mérito literario, 167.
Oráculo manual, El, 146.
Ordaz, Luis, 311.
Ordenanzas mendicativas, 105.
Ordóñez, Alberto, 296.
Oribe, Emilio, 294.
Origen, progresos y estado actual de toda la literatura, 164.
Orígenes (184?-235?), 17.
Orígenes de la lengua española, 163.
Orígenes de la novela, 249.
Orígenes del español, Los (Menéndez Pidal), 251.
Orígenes del teatro español (Moratín), 156.
Orinoco, 275.
Orlando furioso, 73.
Oropesa, Juan, 312.
Orozco, Beato Alonso de (1500-1591), 84.
Orozco y Berra, Fernando (1822-1851), 224.
Ortega, Fray Juan de (m. 1489), 65.
Ortega y Gasset, José (n. 1883-1955), 308.
Ortiz de Montellano, Bernardo, 295.
Ortografía, 150.
Ortografía castellana, 43.
Ortología y métrica castellanas, 180.
Os Lusíadas, 114.
Oscuras raíces, Las, 322.
Osorio, Luis Enrique, 305.
Ospina S. J., P. Eduardo, 312.
Otero, Blas de (n. 1916), 316, 322.
Otra orilla, La, 317.
Otra vez el diablo, 301.
Otro, El, 264.
Ovidio (43 a. de C. - 17?), 20, 109.
Oyarzun, Mila, 287.

Pabellón de reposo, 319.
Pacheco (s. xvi), 71.
Pacheco, Carlos M., 303.
Pachimeses, Georgio, 144.
Padilla, Juan de (1468-1522), 44, 45.
Padilla, Pedro de (s. xvi), 73.
Padrón, Julián, 279.

Páez de Ribera, Ruy (s. xv), 28.
Pagar y no pagar, 116.
Pájaro pinto, 307.
Pájaros errantes, Los, 294.
Palabras cruzadas, 304.
Palabras en reposo, 295.
Palacio, Manuel del (1831-1906), 212.
Palacio en sombras, El, 296.
Palacio Valdés, Armando (1853-1938), 239.
Palacios, Antonia, 279.
Palacios, Leopoldo Eulogio, 316.
Palacios, Pedro B. (1854-1917), 253, 256.
Palencia, Alfonso de (1423-1492), 43, 49.
Palés Matos, Luis (1899-1959), 296.
Paliques, 262.
Palma, Ricardo (1833-1919), 275.
Palmerín de Oliva, 66.
Pamphilus, 20.
Panero, Leopoldo (1909-1962), 314.
Panorama matritense, 218.
Papa del mar, El, 241.
Papa Verde, El, 280.
Papeles del doctor Angélico, 240.
Para esta noche, 279.
Para vivir aquí, 323.
Paradójica vida de Zarraustre, 323.
Paradox, rey, 267.
Paraíso cerrado para muchos, jardines abiertos para pocos, 110.
Paralelo 40, 320.
Pardo Bazán, Emilia (1851-1921), 227, 233.
Pardo García, Germán, 295.
Paredes oyen, Las, 126.
Pármeno. Véase López Pinillos.
Parnaso Español, monte en dos cumbres dividido, con las nueve musas castellanas, 139.
Parques abandonados, Los, 286.
Parra, Teresa de la (1890-1936), 279.
Partidas, Las, 16.
Pascuas del tiempo, Las, 286.
Pasión del Verbo, 322.
Paso, Alfonso (n. 1926), 323.
Paso honroso, El, 188, 189.
Paso y Cano, Antonio (1870-1958), 323.
Pastor Díaz, Nicomedes (1811-1863), 198.
Pastores de Belén, Los, 120.
Pata de la raposa, La, 271.
Patapalo, 318.
Patio, El, 299.
Patrañuelo, 92.
Paula y Paulita, 307.
Payno, Manuel (1810-1894), 242.
Payro, Roberto J. (1867-1928), 302.
Paz, Ireneo (1836-1921), 242.
Paz, Octavio (n. 1914), 295, 311.
Paz Castillo, Fernando, 296.
Paz en la guerra, 265.
Pazos de Ulloa, Los, 233.
Pechos privilegiados, Los, 127.
Pedro Claver, el santo de los esclavos, 276.
Pedro de Urdemalas, 96.
Pedro Páramo, 278.
Pedro Telonario, 128.
Peláez, Rafael Ulises (n. 1902), 278.
Pelay, Ivo, 303.
Pelayo (Quintana), 174.
Pelayo, El (Espronceda), 196.
Pellicer, Carlos (n. 1899), 295.
Pemán, José María (n. 1898), 290, 300.
Pensador, El, 153.
Pensador para un pueblo, Un, 317.
Pensamiento de Cervantes, El, 251.
Peñas arriba, 232.
Pepita Jiménez, 228, 229, 239.
Pequeñeces, 238.
Pequeños poemas, 210.
Peralta, María Isabel, 287.
Perdimos el paraíso, 319.
Pereda, José María (1833-1906), 230-233, 236, 241, 281.
Peregrino en su patria, 120.
Peregrinos pensamientos de misterios divinos, 138.
Pérez, Antonio, 309.
Pérez, Garci (s. XIII), 16.
Pérez, Juan (s. XIII), 16.
Pérez Cadalso, Eliseo, 312.
Pérez Clotet, Pedro (n. 1902), 293.
Pérez de Ayala, Ramón (n. 1881), 271.
Pérez de Guzmán, Fernán (1376?-1460), 36.
Pérez de Hita, Ginés (1544?-1619?), 91.
Pérez de Maqueda, Martín (s. XIII), 16.
Pérez de Montalbán, Juan (1602-1638), 129, 141.
Pérez de Oliva, Fernán (m. 1531), 115.
Pérez Embid, F., 324.
Pérez Galdós, Benito (1843-1920)), 231, 234-238, 250, 314.
Pérez Lugín, Alejandro (1870-1927), 272.
Pérez Petit, 303.
Pérez Valiente, Salvador (n. 1919), 315.
Perfecta casada, La, 69.
Peribáñez o El Comendador de Ocaña, 121, 122.
Perico en Londres, 318.
Perinola, La, 141.
Periquillo Sarniento, 177.
Perlas negras, 285.
Pesca, La, 211.
Pestalozzi, Juan Enrique (1746-1827), 53.
Petimetra, La, 153, 154.
Petit, Magdalena, 276.
Petrarca, Francisco (1304-1374), 26, 30, 54.
Pezoa Velis, Carlos (1879-1908), 287.
Piar, 304.
Picado Chacón, Manuel, 296.
Picarillo de España, El, 151.
Picón Salas, Mariano (n. 1901), 276, 312.
Piedra azul, 275.
Piedra y cielo, 289.
Piferrer, Pablo (1818-1848), 244.
Pijoán, J. (n. 1881), 252.

Pilatillo, 238.
Píndaro (s. VI a. de C.), 68.
Pineda, Rafael, 304.
Pinedo, Luis de (s. XVI), 92.
Pintor de su deshonra, 135, 136.
Pipa de Kif, La, 269.
Pirandello (n. 1867), 158, 214.
Piropos, Los, 299.
Pisando la dudosa luz del día, 319.
Pitillas, Jorge. Véase Hervás.
Piwonka, María, 294.
Planchart, Enrique, 296.
Platero y yo, 389.
Platón (428?-347? a. de C.), 145.
Plauto Maccio (254?-184 a. de C.), 115.
Plaza de Oriente, 317.
Plaza Mayor por Navidad, La, 158.
Plaza Nobilía, 303.
Plegaria a Dios, 200.
Pluma verde, La, 299.
Plutarco de Queronea (46?-120?), 140, 174.
Pobrecito hablador, El, 219.
Pobrecitos, Los, 323.
Pocaterra, José Rafael (1888-1955), 274.
Podestá, Manuel (1853-1918), 242.
Poe, Edgar A. (1809-1849), 267.
Poema de Alfonso XI, 19.
Poema de Fernán González, 13.
Poema de Mío Cid, 5-9.
Poema de Yuçuf, 19.
Poemas del hombre, 296.
Poemas puros, poemillas de la ciudad, 293.
Poemas solariegos, Los, 285.
Poesía, 314.
Poesía juglaresca y juglares, 251.
Poesía popular española y mitología y literatura celto-hispana, 262.
Poesías (Díaz Mirón), 254.
Poesías (García Gutiérrez), 190.
Poesías (Unamuno), 264.
Poesías castellanas, 174.
Poeta y la beneficiada, El, 194.
Poetas castellanos anteriores al siglo XV, 150.
Poetas líricos del siglo XVIII, 246.
Poética (Campoamor), 209.
Poética (Martínez de la Rosa), 184.
Poética o reglas de la poesía en general y de sus principales especies, 152.
Política de Dios y gobierno de Cristo, 141.
Política y razón de Estado del rey católico don Fernando, 145.
Política y toros, 271.
Político, El, 146.
Polo de Medina, Salvador (1607-1657), 110.
Polvos de la madre Celestina, Los, 193.
Pombo Angulo, Manuel, 318.
Ponce de León, 324.
Poquelín, Juan Bautista (1622-1637), 125, 156.
Por la muerte de Jaumot Torres, capitán de los ballesteros del señor rey, 29.
Por la pérdida del rey don Sebastián, 72.
Por oír Misa y dar cebada, nunca se perdió la jornada, 151.
Por tierras de Portugal y España, 266.
Por un piojo, 238.
Porcel, José Antonio (n. 1720), 168.
Porfiar hasta morir, 121.
Poridad de Poridades, 14.
Porras Barrenechea, Raúl, 312.
Portell Vila, Herminio, 312.
Posada y el camino, La, 281.
Positivo, Lo, 214.
Potts, René, 306.
Pozo de la angustia, El, 314.
Práctica de vuelo, 295.
Prado, Pedro (1886-1952), 294.
Prados, Emilio, 293.
Premáticas, 141.
Premio, El, 318.
Presagios, 293.
Presumida burlada, La, 158.
Prieto, Guillermo, 242.
Prieto, Jenaro (1889-1946), 279.
Primaleón, 66.
Primavera de la muerte, 315.
Primavera y flor de romances, 42.
Primer sueño, 111.
Príncipe, El, 141.
Príncipe constante, El, 134.
Príncipe que todo lo aprendió en los libros, El, 298.
Pro editione Vulgatae, 87.
Problemas de la novela, 323.
Proceso del arzobispo Carranza, El, 317.
Proceso entre la Soberbia y la Mesura, 28.
Pródiga, La, 227.
Profesor inútil, El, 307.
Progne y Filomena, 130.
Propaladia, 58.
Prosas profanas, 258, 259.
Protestantismo comparado con el catolicismo, El, 244.
Proverbios morales, 19.
Providencia de Dios, 141.
Prudencia en la mujer, La, 124.
Prueba, La, 234.
Prueba de las promesas, La, 126.
Puchera, La, 232.
Puebla de las mujeres, La, 299.
Puente de los suicidas, El, 317.
Puesta de sol, 241.
Pulgar, Hernando del (1436?-1493?), 49.
Puñal del godo, El, 205.
Puyol, Julio (1865-1937), 9.

Quadrado, José María (1819-1896), 244.
Que puede el oír Misa, Lo, 128.
Queipo de Llano, José María (1786-1843), 243.
Querol, Vicente Wenceslao (1836-1889), 212.

Quevedo, Francisco de (1580-1645), 35, 41, 106, 108, 138-143, 161, 167, 169, 174.
Quiebra, La, 317.
Quien mal anda, mal acaba, 127.
Quijote de Avellaneda, El, 103.
Quimera, La, 234.
Quinas de Portugal, Las, 124.
Quintana, Manuel José (1772-1857), 172-175, 178, 198, 201, 250.
Quintero y otras páginas, Los, 268.
Quintiliano (35-96), 88.
Quiroga, Carlos B., 277.
Quiroga, Elena, 321.
Quiroga, Horacio (1878-1937), 273.
Quirós, Pedro de (m. 1667), 113.
Quiteño, Serafín, 296.

Racine, Juan (1639-1699), 153.
Radiografía de la Pampa, 311.
Raimundo Lulio, 211.
Raíz salvaje, 288.
Ramo de locura, 299.
Ramón Hazaña, 276.
Ramos Carrión, Miguel (1845-1915), 216.
Raquel, 154, 183.
Raucho, 274.
Raya en el mar, Una, 320.
Rayo que no cesa, 314.
Raza cósmica, La, 311.
Raza de bronce, 279.
Realidad, 238.
Rebelión de las masas, La, 308.
Rebelión de los personajes, La, 318.
Recaberren, 280.
Recuerdos de Italia, 245.
Recuerdos del tiempo viejo, 203.
Recuerdos y bellezas de España, 244.
Redoble de conciencia, 316.
Redoma encantada, La, 193.
Reflexiones sobre el modo de escribir la Historia de España, 167.
Refranes que dicen las viejas tras el fuego, 30.
Rega Molina, Horacio, 303.
Regenta, La, 261.
Reglas del drama, Las, 174.
Regreso de tres mundos, 312.
Reina, Manuel (1856-1905), 212, 252.
Reinar después de morir, 129.
Reinoso, Félix María (1772-1841), 176.
Relatos de cauchería, 274.
Relojero, 303.
Remansos del crepúsculo, Los, 283.
Remos, Juan J., 312.
Representación del Nacimiento de Nuestro Señor, 33.
Representaciones de la Pasión y Resurrección, 47.
República literaria, 145, 166.
Requena, María Asunción, 305.
Resaca, La, 323.
Residencia en la tierra, 294.
Responso para Lázaro, Un, 303.
Restrepo, P. Félix, 312.
Retablo de la vida de Cristo, 45.
Retablo de las maravillas, El, 96.
Retablo del ángel, el hombre y la pastora, 314-315.
Retórica (Mayans), 163.
Retratos de fuego, 296.
Reverdy, 295.
Revilla, Manuel de la (1846-1881), 248.
Revista Española, 219.
Revoltosa, La, 217.
Revolución que nos contaron, La, 278.
Rey don Pedro en Madrid, El, 121.
Rey Lear, 237.
Reyes, Alfonso (1889-1959), 310.
Reyes, Salvador (n. 1899), 272.
Reyles, Carlos (1868-1938), 272, 273.
Ribeiro, Bernardim (1482?-1552?), 89.
Ribera, Julián (1858-1934), 251.
Rico desesperado, 103.
Ridruejo, Dionisio (n. 1912), 314.
Rigoberto, 305.
Rimado de Palacio, El, 21.
Rimas, 207.
Rimas de dentro, 264.
Rinconete y Cortadillo, 98.
Río, Ángel del (s. XX), 310.
Río Sanz, José del (n. 1886), 290.
Rioja, 214.
Rioja, Francisco de (1583-1659), 112, 113, 176, 245.
Ríos, Blanca de los (n. 1862), 123.
Ríos, José Amador de los (1818-1878), 248.
Riquer, Martín de, 310.
Riva Palacio, Vicente (1832-1896), 242.
Rivadeneyra, Manuel (1805-1872), 246.
Rivadeneyra, P. Pedro (1527-1611), 86.
Rivas, Duque de. Véase Saavedra.
Rivas y Larra, 268.
Rivera, José Eustasio (1889-1928), 273, 274.
Rivera, Raúl, 294.
Riverita, 240.
Robles, Pablo, 242.
Robleto, Hernán, 278.
Roca, José María, 322.
Roca Rey, Bernardo, 305-306.
Rodó, José Enrique (1871-1917), 310.
Rodríguez, Yamandú, 303.
Rodríguez Beteta, Virgilio, 296.
Rodríguez de Montalbo, Garci (s. XV), 50, 61.
Rodríguez de la Cámara, Juan (siglo XV), 38.
Rodríguez Marín, Francisco (1855-1943), 250.
Rodríguez Mohedano, Fray Pedro (siglo XVIII), 164.
Rodríguez Mohedano, Fray Rafael (s. XVIII), 164.
Roepke, Gabriela, 305.
Rogerio Sánchez, José (n. 1876), 251.
Rojas, Agustín (1572-1618), 118.
Rojas, Fernando de (1465?-1541?), 48.
Rojas, Gonzalo (m. 1917), 294.
Rojas, Jorge, 295.
Rojas, Manuel, 278, 305.
Rojas Paz, Pablo, 311.

Rojas Zorrilla, Francisco de (1607-1648), 35, 136, 137, 156.
Roma abrasada, 121.
Roman de Troie, 26.
Romance del Molinero de Arcos, El, 226.
Romancero, El, 39-42.
Romancero de la novia, El, 290.
Romancero espiritual del Santísimo Sacramento, 111.
Romancero general, 42.
Romancero gitano, 291.
Romanceros, 251.
Romances del destino, 288.
Romea y Tapia, Juan Cristóbal (1732-1766), 153.
Romero, Francisco, 311.
Romero, José Luis, 311.
Romero, José Rubén (1890-1952), 278.
Romero, Luis, 320.
Romero, Rafael (n. 1886), 290.
Romero Larrañaga, Gregorio (1815-1872), 193, 199.
Roncesvalles, 251.
Ros, Félix (n. 1912), 322.
Ros, Samuel (n. 1905), 307.
Rosalba y los llaveros, 304.
Rosales, Luis (n. 1910), 314.
Rosario de sonetos líricos, 264.
Rosas de Hércules, Las, 282.
Rosas de otoño, 297.
Rosenmann Taub, David (n. 1927), 294.
Rosenzweig, Carmen, 278.
Rubiera, La, 304.
Rubió, Jorge, 252.
Rubió y Lluch, Antonio (1856-1937), 247.
Rueda, Lope de (m. 1565), 96, 116, 117, 158.
Rueda, Salvador (1857-1933), 252, 253, 282.
Ruedo ibérico, El, 270.
Rufián cobarde, El, 116.
Rufián dichoso, El, 96.
Rufián viudo, El, 96.
Rufo, Juan (1547?-1620), 73.
Ruiz, Jacobo (s. XIII), 16.
Ruiz, Juan (s. XIV), 20, 21, 26, 48.
Ruiz de Aguilera, Ventura (1820-1881), 211.
Ruiz de Alarcón, Juan (1581-1639), 35, 103, 126, 127, 192, 213.
Ruiz Iriarte, Víctor, 317.
Rulfo, Juan, 278.

Saa de Miranda, Francisco (1485?-1558), 57.
Saavedra, Ángel de (1791-1865), 39, 41, 183, 186-190, 202.
Saavedra Fajardo, Diego de (1584-1648), 144, 145, 166.
Sab, 201.
Sabat Ercasty, Carlos (n. 1887), 296.
Sabor de la tierruca, El, 231.
Sacrificio de la Misa, El, 13.
Sáinz de Robles, Federico Carlos (nacido en 1899), 307.
Sáinz Rodríguez, Pedro (n. 1897), 251.
Sajonia, Landulfo de 44.
Sala de estar, 280.
Salaverría, José María (1873-1940), 309.
Salazar Bondy, Sebastián, 306.
Salazar Chapela, E., 318.
Saldías, José Antonio, 303.
Salinas, Marcelo, 306.
Salinas, Pedro (1892-1952), 292, 293, 313.
Salvá, Vicente (1786-1849), 180.
Salvador, Tomás (n. 1919), 323.
Salvaño Campos, 303.
Samaniego, Félix María de (1745-1801), 172.
San Francisco de Asís, 234.
San Franco de Sena, 138.
San José, Fray Jerónimo de (1587-1654), 148.
San Pedro, Diego de (m. 1555), 38.
Sánchez, Florencio (1875-1910), 302.
Sánchez, Tomás Antonio (1723-1802), 150, 164, 166.
Sánchez Brocense, Francisco (s. XVI), 70.
Sánchez Cantón (n. 1891), 252.
Sánchez-Castañer, Francisco, 310.
Sánchez de Badajoz, Garci (1460?-1526?), 45.
Sánchez de Talavera, Ferrant (siglo XV), 28.
Sánchez Ferlosio, Rafael, 320.
Sancho García (Cadalso), 169.
Sancho García (Zorrilla), 205.
Sancho Saldaña, 221.
Sanfuentes, Salvador (1817-1860), 200.
Sangre, La, 321.
Sangre de mestizos, 278.
Sangre en el trópico, 278.
Sangre y arena, 241.
Sangre y la esperanza, La, 279.
Sanín Cano, Baldomero (s. XX), 311.
Sannazaro, Jacobo de (1458-1531), 89.
Santa Cruz, Alonso de (1476-1557?), 63.
Santa Juana de Castilla, 238.
Santafé, Pedro de (n. 1400), 29.
Santamarina, Luys (n. 1898), 307.
Santillana, Marqués de. Véase López de Mendoza.
Santiván, Fernando, 242.
Santo de la Isidra, El, 299.
Santos, Dámaso, 324.
Santos, Francisco (m. 1700), 92.
Santos Chocano, José (1875-1934), 286.
Santos Vega, 303.
Santovenia, Emeterio S., 312.
Sanz, Eulogio Florentino (1825-1881), 199.
Sarmiento, Domingo F. (1811-1888), 225.
Sarmiento, Fray Martín (1695-1771), 159.
Sarró, doctor, 324.
Sassone, Felipe (n. 1884), 298.
Sastre, Alfonso, 317.
Sátira contra los malos escritores de este siglo, 167.

Saturno y sus hijos, 319.
Scott, Walter (1771-1832), 183, 221, 222.
Schiller (1759-1805), 192, 193, 214.
Schlegel, Augusto Guillermo (1767-1845)), 183.
Schlegel, Federico (1772-1829), 183.
Schopenhauer (1788-1860), 249, 267.
Segalá, Manuel, 316.
Segunda parte del sarao y entretenimientos honestos, 92.
Seguro Azar, 293.
Seis calas en la expresión literaria española, 315.
Seis falsas novelas, 306.
Selgas, José (1822-1882), 224.
Selva oscura, La, 211.
Selva virgen, 286.
Sellés, Eugenio (1844-1926), 216.
Sem Tob (1356-1369), 19.
Semanario Pintoresco Español, 217.
Sender, Ramón J. (n. 1902), 318.
Senderos ocultos, Los, 285.
Sentido y forma de Persiles, 314.
Sentimiento del honor en el teatro de Calderón, El, 247.
Señor de Bembibre, El, 221.
Señor de Pigmalión, El, 301.
Señor Presidente, El, 280.
Señora ama, 297.
Señora Cornelia, 98.
Señorita de Trévelez, La, 299.
Señorita del Mar, La, 290.
Señorita está loca, La, 298.
Serafín humano, El, 121.
Serafina, 59.
Serenidad, 285.
Sergas de Esplandián, 50.
Sermón de amores, 57.
Sermón del amor de Dios, 84.
Serrana de la Vera, La, 121, 129.
Serrano, Eugenia, 322.
Shakespeare, Guillermo (1564-1616), 188, 214, 215, 237.
Shaw, Bernard (n. 1856), 125.
Sí de las niñas, El, 156.
Siega, La, 121.
Sierra, Justo (1814-1861), 224.
Siervo libre de amor, El, 38.
Siete ensayos de la interpretación de la realidad peruana, 312.
Siete locos, Los, 277.
Siete tratados, 243.
Signos del Zodíaco, Los, 304.
Signos que aparecerán antes del Juicio, Los, 13.
Silénter, 285.
Silva, José Asunción (1865-1896), 253, 255.
Silva, Medardo Ángel (1889-1920), 287.
Silva, Víctor Domingo, 305.
Silva Castro, Raúl, 312.
Silva Valdés, Fernán (n. 1887), 293, 294, 303.
Silvas americanas, 179.
Silvestre, Gregorio (1520-1569), 57, 73.
Silvio, Eneas (s. xv), 29.
Simón Bocanegra, 191.
Sinán, Rogelio, 296.
Sinfonía pastoral, 240.
Sirena negra, La, 234.
Sirena varada, La, 301.
Sobejano, Gonzalo, 322.
Sobre las piedras grises, 319.
Sobre los ángeles, 292.
Sobremesa y alivio de caminantes, 92.
Socio, El, 279.
Sófocles (497?-406? a. de C.), 115, 154.
Sofronia, 205.
Sol de octubre, El, 278.
Solana, Rafael (n. 1915), 278.
Solar Correa, Eduardo, 312.
Solari Swayne, Enrique, 306.
Soldadesca, 58.
Soledad sonora, La, 289.
Soledades (Góngora), 109, 174, 293, 309.
Soledades (Machado, A.), 283.
Soler, Bartolomé (n. 1894), 318.
Solís, Antonio (1610-1686), 144.
Solitario. Véase Estébanez Calderón.
Solórzano, Carlos, 304.
Sombra de los cipreses, La, 283.
Sombra del caudillo, La, 277.
Sombra del ciprés es alargada, La, 320.
Sombra del Paraíso, 313.
Sombras de sueño, 264.
Sombrero de tres picos, El, 226.
Son entero, El, 296.
Sonatas, 269.
Sonetos de la bahía, 315.
Sonetos espirituales, 289.
Sonetos fechos al itálico modo, 31.
Sonetos vascos, 286.
Sóngoro Cosongo, 296.
Sor Patrocinio, la monja de las llagas, 307.
Sotileza, 231.
Soto, Fray Domingo de (1494-1570), 67.
Soto de Rojas, Pedro (1585?-1658), 110.
Souviron, José María, 316, 321.
Spota, Luis, 278.
Stefano, 303.
Storni, Alfonsina (1892-1938), 288.
Suárez Carreño, José, 320.
Suárez Romero, Anselmo (1818-1878), 224.
Subida al amor, 315.
Subida del Monte Carmelo, 81.
Subida del Monte Sión, La, 75.
Sueño de las calaveras, El, 142.
Sueño y poesía, 295.
Sumario de la historia de la literatura española, 247.
Supremo Bien, El, 318.
Suspiro del moro, El, 245.

Tabaré, 200, 201.
Tablada, José Juan (n. 1871), 287.
Tablas Alfonsíes, 16.
Tafur, Pedro (1410?-1484?), 38.
Tal Servando Gómez, Un, 302.
Tala, 287.
Talavera, Fray Hernando de (1428-1507), 75.

Tamayo, Juan (s. xx), 310.
Tamayo y Baus, Manuel (1829-1888), 214.
Tanto es lo de más como lo de menos, 123.
Tanto por ciento, 214.
Tapia, Alejandro (1827-1882), 225.
Tapia, José Luis, 320.
Tararí, 301.
Tardes entretenidas, 92.
Tassis, Juan de (1582-1622), 110.
Tasso, Torcuato (1544-1595), 51.
Taxímetro, 319.
Teatro crítico universal, 159.
Teatro en soledad, 301.
Teatro español, 154.
Teatro español anterior a Lope de Vega, 183.
Teatro histórico-crítico de la elocuencia castellana, 164.
Teatro soy, El, 303.
Tejado de vidrio, El, 214.
Tejedor de Segovia, El, 127.
Tejedora de sueños, La, 317.
Téllez, Fray Gabriel (1584?-1648), 92, 117, 123-126, 192, 206, 233, 250.
Temblor de cielo y altazor, 295.
Tempestad, La (Shakespeare), 188.
Tempestad, La (Eduardo Mallea), 280.
Teoría de la expresión poética, 315.
Teoría del Zumbel, 307.
Terán, Ana Enriqueta, 288.
Teresa, 264.
Teresa, Santa (1515-1582), 79, 80, 151, 287.
Teresa de Jesús, 283.
Ternarios sacramentales, 116.
Ternura, 287.
Terruño, El, 273.
Tesoro de Dabaibe, El, 280.
Thein, Gladys, 287.
Tía fingida, La, 97.
Tía Tula, 265.
Tibaldos, Gil de (s. xiii), 16.
Tibulo (54 a. de C. - 19), 68.
Tiempo, César, 303.
Tiempo de dolor, 314.
Tierno Galván, E., 324.
Tierra, La, 299.
Tierra brava, 323.
Tierra de Jauja, La, 116.
Tierra de todos, La, 276.
Tierra roja, 317.
Tierra y alma, 281.
Tierras de España, 283.
Tigre Juan, 271.
Timoneda, Juan de (m. 1583), 42, 92, 116.
Tinellaria, 58.
Tipos y caracteres, 218.
Tipos y paisajes, 230.
Tirano Banderas, 270.
Tirant lo Blanch, 51, 66.
Tirso de Molina. Véase Téllez.
Toá, 274.
Todo es dar en una cosa, 124.
Todo es farsa en este mundo, 194.
Todo más claro y otros poemas, 313.
Todo verdor perecerá, 280.
Toledo, 315.
Toledo, Ferrando de (s. xiii), 16.
Tomás de Villanueva, Santo (1488-1555), 84.
Tono, 316.
Torcedor de crepúsculo y violín, 310.
Toreno, Conde de. Véase Queipo de Llano.
Torero Caracho, El, 306.
Tormo, Elías (n. 1869), 252.
Torón, Saulo (n. 1885), 290.
Torquemada, Antonio de (s. xvi), 92.
Torre, Francisco de la (1534?-1594?), 70.
Torre, Guillermo de (n. 1900), 290, 314, 292, 297, 310.
Torre, La, 280.
Torrellas, Mosén Pere (s. xv), 29.
Torrente Ballester, Gonzalo, 316.
Torres Bodet, Jaime (n. 1902), 295.
Torres Naharro, Bartolomé de (muerto en 1530), 58.
Torres Rioseco, Arturo, 312.
Torres Villarroel, Diego de (1693-1770), 160, 167.
Tovar, Antonio, 322.
Trabajos de Persiles y Segismunda, Los, 93, 103.
Trabajos de Urbano y Simona, Los, 271.
Trabajos del infatigable creador Pío Cid, Los, 263.
Tradiciones, leyendas y sucedidos del México virreinal, 275.
Tradiciones peruana, 275.
Traducción literal y declaración del libro de los Cantares, 69.
Tragedia de la muerte de Virginia, 117.
Tragedia de los siete infantes de Lara, 117.
Tragedia josefina, 115.
Tragedia por los celos, La, 130.
Tragedias, 314.
Tragicomedia llamada Filomena, 116.
Traidor, inconfeso y mártir, 205.
Trata de blancas, La, 216.
Tratado de la tribulación, 86.
Tratado de la vanidad del mundo, 85.
Tratado de romances viejos, 250.
Tratado del amor de Dios, 84.
Trato de Argel, El, 95.
Trébol de cuatro hojas, 295.
Tres en una o la dichosa honra, 317.
Tres escenas en ángulo recto, 301.
Tres horas en el Museo del Prado, 309.
Tres maridos burlados, Los, 126.
Tres novelas ejemplares y un prólogo, 265.
Tres perfectas casadas, Las, 313.
Trigo del corazón, 322.
Trigueros, Cándido (1736-1801?), 166.
Trilogía de las Barcas, 60.
Trilogía ecuatoriana, 305.

Tristán e Iseo, 26.
Tristán o el pesimismo, 240.
Triunfo de la fe en los reinos del Japón, 120.
Triunfos, 30.
Triunfos del amor de Dios, 86.
Triunfos del Invierno y del Verano, 61.
Tropel, El, 276.
Troteras y danzaderas, 271.
Trovador, El, 190, 220.
Trovatore, Il, 191.
Trueba, Antonio de (1819-1889), 224.
Trueba y Cossío, Telesforo de (1798-1835), 222.
Turguenev (1818-1883), 267.
Turiana, 116.

Úlcera, La, 317.
Ulises Criollo, 311.
Última lamentación de lord Byron, La, 211.
Últimas horas, Las, 320.
Último perro, El, 276.
Últimos poemas, 295.
Un año en París, 245.
Unamuno, Miguel de (1864-1937), 202, 255, 257, 263-266, 288.
Undurraga, Antonio de, 294.
Urbina, Luis G. (n. 1868), 287.
Uribe Piedrahita, César (1897-1951), 274.
Urquizo, Francisco L., 278.
Usigli, Rodolfo (n. 1905), 304.
Uslar Pietri, Arturo (n. 1905), 278, 312.
Usted es Ortiz, 299.

Vacante general, La, 136.
Vacarezza, Alberto, 303.
Valbuena Briones, Ángel, 322.
Valdés, Alfonso de (m. 1532), 52, 60.
Valdés, Gabriel de la Concepción (1809-1844), 200.
Valdés, Juan de (m. 1545), 52, 61, 163.
Valdivielso, Josef de (1560?-1638), 111.
Valdovinos, Arnaldo, 278.
Valencia, Guillermo (1872-1943), 285, 286.
Valera, Juan (1824-1905), 201, 228-230, 236, 239, 248, 260, 261.
Valera, Mosén Diego de (1412-1488?), 49.
Valery, Paul (n. 1871), 292.
Valverde, José María (n. 1923), 315.
Valla, Lorenzo (1407-1457), 29.
Valle, Juvencio (n. 1905), 294.
Valle, Rosa-Mel del, 295.
Valle Arizpe, Artemio del (1888-1961), 275.
Valle Inclán, Ramón del (1869-1936), 257, 269, 270, 283, 288.
Valle Negro, 277.
Vallenilla Lanz, Laureano, 312.
Vámonos con Pancho Villa, 277.
Vapor, El, 183.
Varela, 322.
Vasconcelos, José (1882-1959), 303, 310, 311.
Vaz Ferreira, Carlos, 312.
Vaz Ferreira, María Eugenia (1875-1924), 288.
Vázquez Dodero, 324.
Vd. puede ser un asesino, 323.
Ved qué congoja la mía, 34.
Vedia, Leónidas de, 311.
Vega, Daniel de la (n. 1892), 305.
Vega, Ricardo de la (1839-1910), 216, 217.
Vega, Ventura de la (1807-1865), 176, 213, 216.
Veinte poemas de amor y una canción desesperada, 294.
Vela, Fernando, 307.
Velarde, José (1849-1892), 212.
Vélez de Guevara, Luis (1579-1644), 106, 129, 151.
Vendimión, 283.
Venegas, Alejo de (1493?-1554), 75.
Veneno y la triaca, El, 136.
Venganza catalana, 191.
Venganza de don Mendo, La, 299.
Venganza de Tamar, La, 123.
Venus mecánica, La, 307.
Verano en Bornos, Un, 223.
Verbena de la Paloma, La, 217.
Verdad sospechosa, La, 126.
Verdadera historia de los sucesos de Nueva España, 64.
Verdadera relación de la conquista del Perú, 64.
Verdadero amante, El, 122.
Verdaguer, Mario (n. 1893), 307.
Vergel de oración y monte de contemplación, 84.
Vergonzoso en palacio, El, 124.
Verlaine, Paul (1844-1896), 259, 283.
Viaje del Alma, El, 121.
Viaje del joven Tobías, El, 316.
Viaje del Parnaso, El, 94.
Viaje entretenido, 118.
Vicente, Gil (1465-1539?), 51, 59-61, 114, 158, 309.
Vicuña, José Miguel, 294.
Vida, ascendencia, nacimiento, crianza y aventuras del doctor don Diego Torres de Villarroel, 160.
Vida como es, La, 318.
Vida de don Quijote y Sancho, La, 266.
Vida de españoles célebres, 174.
Vida de Marco Bruto, 140.
Vida de Meléndez Valdés, 174.
Vida de Rubén Darío escrita por él mismo, 257.
Vida de San Alejo, 307.
Vida de San Ildefonso, 37.
Vida de San Isidoro, 37.
Vida de San Millán de la Cogolla, 11.
Vida de San Pablo, 143.
Vida de Santa Oria, 11, 12.
Vida de Santo Domingo de Silos, 11.
Vida de Sócrates, 322.

Vida del escudero Marcos de Obregón, 105, 162.
Vida del pícaro Guzmán de Alfarache, 91, 104.
Vida encadenada, La, 318.
Vida es sueño, La, 133, 188.
Vida simplemente, La, 279.
Vida y muerte de San Lázaro, 128.
Vidas cruzadas, 297.
Vidas sombrías, 267.
Viejo celoso, El, 96.
Viejo y la niña, El, 156.
Viento fuerte, 280.
Vientos de la angustia, 315.
Vientos del Norte, 321.
Viernes de Dolores, El, 238.
Villacreces Suárez, José, 296.
Villaespesa, Francisco (1877-1935), 283, 300.
Villalón, Fernando (1881-1930), 293.
Villalta, Maruxa, 278.
Villamediana, Conde de. Véase. Tassis.
Villana de Vallecas, La, 125.
Villano en su rincón, El, 122.
Villarejo, José P., 278.
Villarta, Ángeles, 322.
Villaurrutia, Xavier (1903-1950), 295, 303-304.
Villaviciosa, José de (1589-1618), 114, 164.
Villegas, Antonio de (s. XVI), 57, 91.
Villegas, Esteban Manuel (1589-1669), 113, 169, 170.
Villena, Enrique de (1384-1434), 27, 30, 33-36, 186.
Viñas, Celia, 322.
Virgen no tiene cara, La, 276.
Virgilio (70-19 a. de C.), 30, 31, 51, 68, 89.
Virginia (Montiano), 154.
Virginia (Tamayo), 214.
Virrey Solís, El, 305.
Virués, Cristóbal de (1550-1609), 115, 130.
Visión de Fray Martín, La, 211.
Visiones y visitas de Torres con Quevedo por Madrid, 161.
Visita de los chistes, La, 142.
Vita Christi, 44.
Vita Christi por coplas, 44.
Vitier, Medardo, 312.
Vitoria, P. Francisco de (1486-1546), 82.
Viuda blanca y negra, La, 306.
Viuda de Padilla, La, 184.
Viudo Rius, El, 319.
Vivanco, Luis Felipe (n. 1907), 314.
Vivas Balcázar, José María, 295.
Vives, Luis (1492-1540), 53, 160, 163, 249.
Viviana y Merlín, 307.
Vivos y los muertos, Los, 318.
Vizcaíno fingido, El, 96.
Vocabulario en latín y romance, 43.
Voces de gesta, 269.
Vodánovic, Sergio, 305.
Voluntad, La, 268.
Vorágine, Jacobo de (1230?-1298), 12.
Vorágine, La, 273, 274.
Voz de la muerte, 315.
Vuelta al mundo de un novelista, La, 242.
Vulgata, 87.

Wast, Hugo. Véase Martínez Zuviría.
Werther, 182.
Wilde, Eduardo (1844-1914), 242.

Xaimaca, 274.
Xènius. Véase D'Ors.

Y va de cuento, 298.
Yáñez, Agustín (n. 1904), 278.
Yáñez, María Flora, 278.
Yerma, 300.
Yo, inspector de alcantarillas, 309.
Young, 177.

Zabaleta, Juan de (1610?-1670?), 92.
Zahúrdas de Plutón, Las, 142.
Zalacaín el aventurero, 267.
Zambrano, María, 307, 322.
Zamora, Alfonso de (s. XV), 52.
Zamora, Antonio de (1664?-1728), 125. 151, 206.
Zamora Vicente, 322.
Zapata, Luis (1526-1595), 73.
Zapata Acosta, Ramón, 296.
Zapatera prodigiosa, La, 300.
Zapatero y el rey, El, 205.
Zarco, El, 242.
Zavala Muñiz, Justino, 303.
Zavalía, Alberto, 303.
Zayas, María de (1560-1661?), 92.
Zerón, hijo, José, 312.
Zogoibi, 273.
Zola, Emilio (1840-1902), 233.
Zorrilla, José (1817-1893), 41, 125, 151, 189, 199, 202-206.
Zorrilla de San Martín, Juan (1855-1931), 200, 201.
Zum Felde, Alberto (s. XX), 312.
Zumalacárregui, 307.
Zumbidos del caracol, 253.
Zumeta, César, 312.
Zunzunegui, Juan Antonio (n. 1901), 317, 318.
Zúñiga, Ángel, 324.
Zúñiga, Francesillo de (m. 1532), 63.
Zurita, Jerónimo (1512-1580), 63, 87.
Zurzulita, 278.